GUINDAS Y CANGREJOS

APUNTES DE PAISAJES, HISTORIAS
Y GENTES DE EL PINO DE TORMES

PASCUAL RIESCO CHUECA
CONSUELO SÁNCHEZ GONZÁLEZ

Guindas y cangrejos
Apuntes de paisajes, historias y gentes de El Pino de Tormes

Diputación de Salamanca
2021

Ediciones de la Diputación de Salamanca
Serie Documentación, n.º 22

1.ª edición: 2021

DIPUTACIÓN DE SALAMANCA
e-mail: ediciones@lasalina.es
www.lasalina.es/cultura/publicaciones

Diseño de cubierta: Maximino Cerezo

ISBN: 978-84-7797-675-2

Depósito legal: S. 189-2021

Impreso en España

Preimpresión: Trafotex Fotocomposición, S. L.
Imprime: Valle 2020.

Introducción

«En la ribera verde y deleitosa / del sacro Tormes, dulce y claro río, / hay una vega grande y espaciosa, // verde en el medio del invierno frío, / en el otoño verde y primavera, / verde en la fuerza del ardiente estío» (Garcilaso de la Vega).[1]

La historia, inmensa cantera, inspira búsquedas y regala hallazgos. Se ocupa en enlazar fragmentos y urdir, con mayor o menor acierto, un tejido narrativo a partir de materiales pretéritos. Son tareas de rebusca y análisis, que fijan y glosan documentos y evidencias. Es proceso esquivo, sometido a obligaciones como la de refrenar las primeras impresiones y asegurar el respeto hacia todo lo que las integra.

Este texto intenta que el tiempo, muchas veces amigo del olvido, no silencie las acciones y las empresas que florecieron en un lugar preciso, un jalón ribereño de la provincia, sumido en suave aislamiento y susurrada memoria; el pueblo en cuestión es El Pino de Tormes, alimentado de avatares e impregnado de matices que lo conforman al mismo tiempo que lo enmascaran. Arrellanado sobre un cojín garcilasiano —Ribera Verde, Florida, Villaselva—, en el confín de tierra de Salamanca y tierra de Ledesma, su blasón es el Tormes; su épica, el haber subsistido, persistiendo tenaz como aldea y concejo, sin despoblarse como las alquerías circundantes.

Las limitaciones de las que partimos son varias, dada la pobreza documental del lugar. Pero el libro habrá sido el bienintencionado producto de una artesanía del documentar y engarzar, que quiere componer un retablo legible y animado. El recorrido parte a reculones del presente hasta tocar la Prehistoria. Que el ámbito sea diminuto no impide que en su seno se hayan acunado variantes y vertientes universales de la siempre secreta y misteriosa existencia humana. Todos los documentos y, no menos que ellos, los restos arqueológicos, darán pie a renovadas incertidumbres; pero su conjunto deja vislumbrar rasgos del momento que en letra se petrifica: una

---

[1] Aplicado por el poeta a Alba de Tormes, en su égloga segunda.

forma de vida y de muerte, una sociedad que eligió, cientos o miles de años atrás, ese mismo espacio, arrullado por el río, como teatro de sus acciones.

Porque la historia del lugar se recuesta sobre este infatigable fondo de música que le presta su río. Aun desde la distancia y el estruendo de un espeso e hipnótico presente, su largo reclamo nos llega, «que luego oír las ondas imagino / del Tormes cristalino, / que a do la luz fenece / corren entre los olmos desatadas».[2]

Con suerte, esta suma de inspiración y tesón puede abrir horizontes de estudio para esbozar e iluminar las escalas terrenas de innumerables cohortes aquí asentadas. Son nuestros antepasados, que, con su vida, nos permiten ahora vivir, dejándonos la leve encomienda de prestarles una voz, y de poner por escrito sus señas y nombres. Es una bendición acudir a ocuparse del inmenso pasado, asomarse a su muy rica fisonomía, pasar la mano por sus rasgos dormidos, para que al menos una minúscula fracción de esa gigante extensión, hecha de olvido, se levante y hable.

---

[2]   Lidoro Sirenay [Sebastián de Almenara], «Elegía pastoril a los de Salamanca», en *Semanario erudito y curioso de Salamanca*, 10 a 21 de marzo de 1795. Lidoro era amigo de Meléndez Valdés (*Meliso* en el poema) (Romera Valero 2015). En nota al pie parece autotitularse «beneficiado de las Navillas de Sotoval»: ¿fue en algún momento cura de Nava de Sotrobal? El texto está compuesto desde la ausencia, y en una misiva anterior declara el poeta: «alegrad a Lidoro, triste en la Oretania, mientras que paso allá».

Alcance y ambiciones del trabajo

Con este escrito, se engarza una experiencia vivida —infancia y regresos a El Pino de Tormes—, con los materiales textuales que la investigación disponible puede aportar. Se trata de representar lo conocido a la luz de lo aprendido. Con ello, la marcha de los lugares hacia el olvido de sí mismos puede frenarse; a través de una interpretación del lugar que conocemos, apoyada en lo documental y arqueológico, se compensa la tendencia al borrado paisajístico y cultural: la destrucción de restos arqueológicos, la desubicación de materiales encontrados en el término, la obliteración de recuerdos y nombres.

El principio general, que no sabe ser original, estriba en recorrer eclécticamente las distintas etapas, a la luz de lo que aportan historia, geografía y filología. Con ello, el esfuerzo investigador quiere compensar efectos inevitables del turno generacional: un proceso en marcha que va trizando los restos arqueológicos, oscureciendo sus conexiones y razón de ser, y sumiendo en el olvido lo que antaño volaba de boca en boca, repetido y aumentado, pero ahora se rinde a una implacable consunción.

Temas recurrentes en esta indagación han sido los caminos comunes de historia, paisaje, arte y lenguaje. El placer de tejer patrones, y el de sumar parches inéditos a un utópico tapiz que devolviera el rostro del lugar, amontonando concreción a la general teoría; todo ello debe quedar coronado por una factura pulida, para que la trayectoria de este pueblo, casi arbitrariamente elegido, pueda servir de piedra de toque para otras reflexiones históricas. Circunstancias diversas, unas favorables y otras adversas, han ido marcando el avance del trabajo, que no profesa obediencia estricta a una metodología particular.

La huella escrita de un pueblo diminuto como este es proporcionalmente diminuta. Atributo del presente libro es la abundancia de fuentes primarias: ha sido muy amplio el corpus documental transcrito y extractado. Se han consultado asiduamente la bibliografía histórica, la hemeroteca y las escrituras privadas del pueblo; la diversidad de fuentes ha permitido cruzar intuiciones para orientar la crónica pinense.

En el proceso, emergen datos sobre lugares y despoblados vecinos, en general poco
visitados por la erudición. Este hecho dota de mayor interés a lo rescatado, pues
nuestro esbozo de historia local asienta en ocasiones sobre un relativo desierto bi-
bliográfico —nótese la escasez de artículos y monografías sobre los pueblos ribereños
del Tormes, en su orilla izquierda, entre Salamanca y Ledesma—, que ha de suplirse
con fuentes primarias. Por supuesto se ha intentado aprovechar el rico repertorio de
estudios provinciales: Universidad, Diputación, revistas de historia. Y se han ras-
treado sin cansancio las grandes compilaciones corográficas —censos, diccionarios,
cartografía— en busca del lugar y sus alquerías.

Con estas y otras fuentes, se puede retroceder a etapas más oscuras, un Medioevo que deja entrever algunos rasgos del viejo pueblo, y, saltando por encima de las
penumbras —etapas islámica y visigótica—, asomarse a los vestigios romanos; en
un último fondo, los asentamientos prehistóricos del contorno. Si el proceso queda
bien hilvanado, este texto e imágenes deberán poner una modesta ofrenda en el altar
de la disciplina histórica, cuya noble ambición ha sido resumida así: sacar perfiles
evocadores «de las tinieblas del olvido a la luz del conocimiento general».[3]

---

[3]   Falqué Rey (1994: 116).

El lugar y la historia reciente

La ubicación, una marca de destino

Algunas fuentes cartográficas y documentales, que se reseñarán seguidamente, permiten sondear los rasgos distintivos del lugar. La distinción *citra Tormes* / *ultra Tormes*, es expresada, entre otros, por un documento de concordia episcopal de 1182 (DCS §88, DCSB § 83). Es un distingo frecuente en el viejo Portugal: así los territorios de aquém-Tejo y além-Tejo. El Pino es netamente orilla-izquierda, allende el río, *ultra* Tormes, o como se decía en Salamanca, «del río allá»; claro que, mirando desde la Charrería, Luis Maldonado invierte por capricho esta denominación, pues en sus *Querellas* invoca a la Virgen del Cueto, «la patrona de los charros / que viven del río acá».

El mapa de Tomás López sitúa el pueblo en el cuarto de Baños. La tierra de Salamanca, en efecto, estaba dividida en cuatro cuartos o sexmos; y este cuarto, llamado de Baños, era una larga franja en el límite entre tierra de Salamanca y tierra de Ledesma.[4] Es simpáticamente incongruente que el nombre de esta unidad territorial, sin duda alusivo a los Baños de Ledesma, remita a una localidad que no pertenece a ella, pues Baños es de tierra de Ledesma. Llorente Maldonado de Guevara (1980: 35) sugiere una explicación. Desde Salamanca, esta franja fronteriza de su alfoz recibía su nombre por ser adyacente a lo que en los primeros tiempos de la conquista constituía un hito principal, Baños, ya repoblado en una primera intentona por Ramiro II de León en 939: así lo testifica la crónica de Sampiro, *«civitates desertas ibidem populavit. Hae sunt: Salamantica sedes antiqua castrorum, Letesma, Ripas, Balneos, Alhandega, Penna, et alia plurima castella, quod longum est praenotare»*. No importa

---

[4]   El mapa rotula, erróneamente, «Villaverde, se llamó Villaselva». Aldehuela de la Huelga (su rótulo reza *Amelcia*) es mostrada como perteneciente al cuarto de Baños. Ribera Verde, alquería ya extinta por entonces, figura por error al norte del casco de Valverdón: su ubicación era en la orilla del Tormes, al norte del Palacio de los Ovalles.

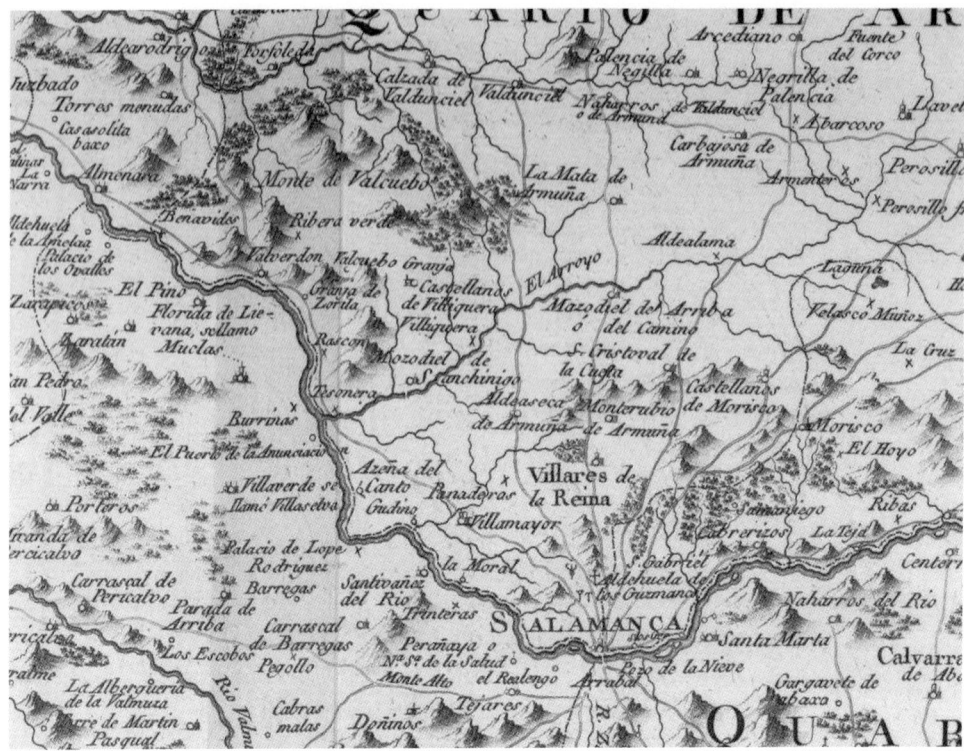

Ilustración 1: El Pino en el mapa de Tomás López, 1783

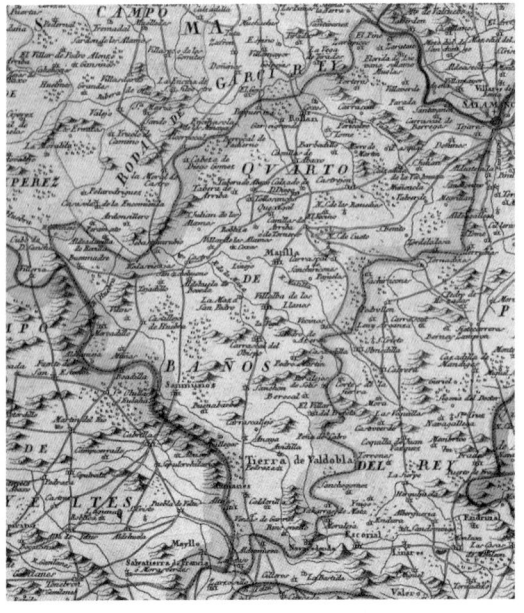

que el topónimo nombrador de esta división, el cuarto de Baños, no perteneciera a ella: bastaba como referente territorial, en el sentido direccional, «el cuarto que mira, que toca, que apunta hacia los Baños».

El Pino, por su ubicación, ocupa un lugar extremo; con Zarapicos y las dehesas de Palacio de los Ovalles y la Huelga componía el pico septentrional del cuarto de Baños. Ya del otro lado del río empezaba el cuarto de Armuña; y la Vega de

Ilustración 2: El cuarto de Baños. Mapa de F. L. Güssefeld, 1801, basado en el Tomás López.

Tirados, San Pedro del Valle, Carrascal de Velambélez y el despoblado de Santibá-ñez eran de otro ámbito, la tierra de Ledesma, específicamente la roda de Tirados.[5] Este límite entre tierra de Ledesma y tierra de Salamanca, al que El Pino se asoma, parece ser de antiquísima tradición, pues en época romana separaba los territorios de Bletísama y Salmántica (Llorente Maldonado 1976: mapa 1). Tierra de confín, en definitiva, encajada en la orilla del Tormes, en el extremo de un ámbito territorial que se extinguió con el Antiguo Régimen.

Es de interés observar que el despoblado de Aldehuela de la Huelga o La Aldehue-lita, hoy del término de Zarapicos, era en 1752 término redondo, de los agustinos calzados de Salamanca, y pertenecía al cuarto de Baños; sin embargo, el censo de los pecheros (PECH 76) sitúa la Aldehuela en 1528 dentro de la roda de Tirados, de tierra de Ledesma (citada entre Carrascal de Velambélez y la Narra); mientras que la Huelga es del cuarto de Baños (PECH 59); igual en el Censo de los Millones, de 1591 (CTG 50, 54, 99, 317). En el Libro Becerro del conde de Benavente, de mediados del s. XV,[6] se cita *El Aldeyuela*, lugar yermo, dentro de la pequeña roda ledesmina de Tirados, a la que pertenecían también *Naharra* [La Narra], *La Vega* [de Tirados] y *El Valle* [actual San Pedro del Valle].[7] En el libro de los Apeos, de comienzos del s. XV, se menciona «el préstamo de Muelas e el Pino e el Palaçio, la Huelga, las Borrinas y el Portezuelo», anexo a la maestrescolía de Salamanca (APEOS 353). Por todo ello, cabe conjeturar que inicialmente Aldehuela y la Huelga eran dos localidades adyacentes separadas por la raya entre tierra de Ledesma y tierra de Salamanca; al despoblarse la primera, la se-gunda pasa a recibir el nombre de Aldehuela de la Huelga. Ya del otro lado de la raya, Porteros, Zarapicos, El Palacio de los Ovalles y El Pino componían el finisterre, en ter-minología unamuniana, del cuarto de Baños, clavando una pica en tierra de Ledesma.[8]

Esta frontera Ledesma-Salamanca se hacía sentir. El 28.2.1549, ya puesto el sol, Francisco, criado de Miguel Sánchez, vecino de Doñinos (tierra de Salamanca), guiaba una carreta cargada de leña y tomillos hacia dicho pueblo; fue retenido por varios hombres que lo seguían desde La Vega de Tirados (tierra de Ledesma), los cuales se quedaron con carreta, leña, bueyes y pellejos.[9] Así planteada la cuestión,

---

[5]   Existió la roda de Tirados al menos hasta 1418 (LDS §75) y 1528 (PECH); luego se disolvió, incorporándose a la de Garcirrey.

[6]   AHNOB, OSUNA, C. 444, D. 1.

[7]   También consta como *El Valle, aldea de la villa de Ledesma* (1511 ZRP). Era del duque de Al-burquerque y tenía en 1483 fricciones por aprovechamiento de pastos con los de Zarapicos, de tierra de Salamanca (AGS, RGS, LEG, 148310, 170).

[8]   La tierra de Ledesma era más arcaizante, con usos peculiares: el tratamiento de *vos* en vez del *usted*; el traje popular, con la *enguarina*; las guedejas «con que se hacen respetables los sexmeros o procuradores de la tierra» [la melena de honra que llevaban los roderos] (La Croix 1779, III: 139).

[9]   ARCV, REG. EJECUTORIAS, CAJA 715, 11. Los vecinos de La Vega eran Domingo Santos, Antón Díez, Francisco Rodríguez y Pedro Vaquero.

parece cosa de salteadores; denunciados ante la Hermandad, fueron presos tres de ellos, de momento amarrados a un poste en un corral de Doñinos. La primera sentencia es condenatoria: se les impone destierro por seis meses. Pero el pleito va revelando aspectos inicialmente silenciados: la leña de la carreta se había cortado en circunstancias oscuras en el término de La Vega.[10] Los vecinos de este pueblo habían intentado prender a los leñadores, pero Francisco y su carreta abandonaron presurosos el término del pueblo, de modo que sus persecutores no le dieron alcance hasta pasada la frontera a tierra de Salamanca (ya el tº de Porteros y Villaescusa, que comenzaba a 3 km de La Vega, pertenecía a ella). La sentencia inicial fue revocada el 3.7.1550 y los prendadores absueltos.

La raya Ledesma-Salamanca también originaba fricción ganadera; San Pedro del Valle, de tierra de Ledesma, y Zarapicos, de Salamanca, contendían por el aprovechamiento de ciertos pastos fronterizos; ello dio lugar a un pleito, en el que presionaban hacia 1483 el corregidor de Salamanca y, desde Ledesma, D. Beltrán de la Cueva, duque de Alburquerque y señor de San Pedro del Valle.[11]

Las alquerías que rodean El Pino tuvieron influjo poderoso en su destino. Con su gran capacidad para atraer familias, mediante contratos anuales o de mayor duración (criados de labor, segadores, carboneros, pastores, amas de cría, cocineras; renteros, montaraces), introducían una constante mudanza en las poblaciones del entorno. Cada año se hacía en San Pedro del Valle, en el día de su santo titular, una feria de mozos, en que los jóvenes se ofrecían para trabajar. Es interesante esta crónica, de 1910, donde se evoca:

«aquel abigarrado gentío, que bullía inquieto como abejas en colmena, compuesto en su mayor parte de recios mocetones, de garridas mozas, ataviadas con excelsa pulcritud, y de adinerados amos que pugnaban por arreglarse, subiendo los unos, regateando los otros el precio de las contratas. [...] Algunos braceros se habían contratado por 22 a 26 duros, los aperadores por 90, los trilliques por cinco, los criados de año, por 1.800 a 1.500 reales, y las mozas alegres y coquetonas pedían, por mes y durante toda la temporada, de 40 a 50 realitos» (*EA* 4.7.1910).[12]

---

[10]   La parte de Doñinos alega que se había hecho el desmoche con consentimiento de un vecino de La Vega, Antonio Curto.

[11]   AGS, RGS, LEG, 148310, 170.

[12]   El cronista, J. R. F., en 1909, había venido a caballo desde Zaratán a San Pedro [era posiblemente de la familia de los Rivas, renteros de Zaratán], una legua en la que tuvo ocasión de admirar «el soberbio monte, las laderas cubiertas de viñedos, las mieses ondulantes y doradas y el verdor de los amenos valles». Las soldadas eran parecidas a las de 1910. Se añade que los *haceros* (encargados de atar haces) se contrataban por 22 a 26 duros. Del salario de las mozas «se reirían las doncellas que sirven en los Madriles». En el baile nocturno «menudeó más el *agarrao*» (*El Castellano* 5.7.1909).

Al atardecer hubo baile de tamboril, que se repitió de noche. El día 30, popularmente «San Pedrito», continuaba la feria y alborozo.

Las intensas fluctuaciones demográficas de El Pino, constatables entre los siglos XVI y XIX, son un efecto de esta capacidad de llamada y absorción de contingentes humanos que tienen las extensas dehesas y alquerías circundantes, Barregas, Villaselva, Porteros, Villaescusa, Zaratán, El Palacio, La Aldehuela: y no pocas veces, en la transición desde el Medioevo a la Edad Moderna, El Pino habrá estado en un tris de convertirse en una de ellas. Milagro de resistencia es que haya pervivido como pueblo, con su concejo y su iglesia. Como resultado de la constante remoción y renovación demográfica, los apellidos registrados van renovándose sin cesar; se asientan y adaptan nombres foráneos: uno de ellos es el insólito apellido local *Cosido*, pues el epónimo, Francisco Cosío, llegó a mediados del XIX desde Los Carabeos (Burgos), casando en El Pino con Florentina Delgada; en Los Carabeos, la forma constatada es el clásico *Cossío*.[13] En el pueblo van asentándose y extinguiéndose Portales, de Casaseca de las Chanas; Pechero, de Cuelgamures; Palacios, de Forfoleda; Escribano, de Calzada de Valdunciel; Rivas, de Valverdón; Ledesma, de Villanueva de Cañedo; y asientan otros apellidos de interés, como Corona o Dorado. El Pino era, a su manera, cosmopolita.

De la época del Madoz es el esfuerzo cartográfico principal del siglo XIX, el mapa de Francisco Coello, de 1867. Si se ofrece aquí un recorte, es para evidenciar una potente asimetría: la orilla derecha del Tormes entre Salamanca y Fermoselle, por Ledesma, contaba con un camino apto para carretas, bien desarrollado en su margen derecha, con pueblos alineados sobre el camino: Valverdón, Almenara, Juzbado.[14] Pero la otra orilla carece de una estructura similar. Los pueblos se ubican sin obediencia a un eje viario, sembrados al azar por los pliegues del terreno; las vías son caminos de herradura, meramente locales, y zigzaguean acercándose y alejándose del Tormes. En 1903, el alcalde de Muelas notificaba al Gobernador Civil que no existía ningún camino en el término que pudiera calificarse de vecinal: ni uno solo tenía la capa de piedra partida o guija para que pudieran circular los carros (*NS* 22.1.1903).[15] Si algún hilo hay, es el camino que de Salamanca y Muelas venía a

---

[13] Sin duda, algún párroco o maestro se propasó corrigiendo, al pensar que este *Cossío* era pronunciación negligente de *Cosido*. Todavía en registros tempranos en El Pino se comprueba: *Francisco Cosío* (1847 CHIP, 1887 LDIF).

[14] Casi todas las casas de aceña estaban en la orilla derecha.

[15] El Riera y Sans (1881-1887, IV: 753) indica que todos los caminos que salían de Muelas eran locales y de herradura. Todavía en 1931, causa viva impresión en los vecinos de Muelas, en una mañana lluviosa, ver avanzar un auto por el camino desde El Pino, con el obispo Frutos Valiente a bordo. El rentero de Villaselva, Santiago García Rollán, había preparado un coche de mulas para ofrecerlo al prelado, gesto que resultó innecesario (*EA* 13.3.1931). En 1934-35 se proyectaba ensanchar el camino desde Parada hasta la barca de Zorita.

los Baños de Ledesma, atravesando por El Pino, y siguiendo por El Palacio. Pero esta vía fue siempre modesta. En invierno, a ambos lados del Tormes, los caminos más próximos a la ribera se ponían enlodados e impracticables. Incluso viniendo de Ledesma a Almenara solía preferirse, como indica el Madoz, el llamado Camino del Lomo, paralelo (unos 1,5 km al N) a la calzada Salamanca-Ledesma. Igualmente, en el s. xix se iba de Salamanca a Baños en diligencia a prudente distancia del río, por Tejares, Carrascal de Barregas[16], Parada de Arriba, y (siguiendo otro Cº del Lomo) San Pedro del Valle: unas cinco leguas (Mellado 1840: 523), o unas dos horas y media (Valverde y Álvarez 1886: 613; Gómez de Arteche 1859: 191); el camino entre Parada y Los Baños [por San Pedro del Valle][17] era malo y a veces peligroso (Germond de Lavigne 1859: 176). Pero la ruta resarcía al viajero sensitivo con la belleza del recorrido. Madoz describe así este camino, imantado por la virtud hechizadora de su destino, Los Baños:

> «Es país interesante y muy pintoresco: las cristalinas aguas del Tormes que constantemente se ven correr, ya estrechándose su raudal entre peñascos, ya ensanchándole por valles y praderas verdes, cubiertas las colinas paralelas al cauce con toda clase de árboles frondosos y arbustos odoríficos y fragantes, forman una perspectiva admirable, que anuncia la proximidad a un prodigio de la naturaleza, a un establecimiento de consuelo, de alivio y de salud».

En todo caso, incluso esta bella vía carrozable perdió su interés cuando el puente sobre el Tormes en los Baños la hizo innecesaria.[18]

Es cierto que el eje Tejares-Doñinos, que llevaba a Parada de Arriba (y también a Villarmayor), tuvo importancia. Hay un refrán, que desde Hernán Núñez (c. 1549) se supone alusivo a las cercanías de Almenara, en supuesta referencia a los salteadores que plagaban el camino a Ledesma: «A Valdegoda, pásala con hora».[19] Pero no consta tal topónimo en Almenara, y parece que Núñez erró al situarlo allí, en lo que

---

16   El camino atajaba, dejando a su izquierda Doñinos, a 0,5 km; atravesaba Valdeboda junto a la fuente llamada de Doñinos. Se menciona ya en 1512 (véase más abajo).

17   La Calzada del Lomo venía de Parada de Arriba, continuaba por la raya Porteros-Zaratán, y atravesaba San Pedro del Valle, desde donde atajaba hasta Baños.

18   En 1866, viniendo desde Ledesma o Juzbado por la orilla derecha del Tormes, se llegaba a Los Baños por la alquería de Olmillos, donde se desgajaba un ramal, de reciente construcción, de la carretera Salamanca-Fermoselle; se pasaba el río por barca. Se anunciaba la próxima construcción de un puente de hierro (IDM 6: 248), o de piedra (*La Regeneración* 11.7.1863). Sobre la barca, véase Martín Benito (2015: 151). El puente finalmente fue de piedra, y se inauguró en 1876 (García López 1884: 15; *Anuario oficial de las aguas minerales de España* 1876-1877: 353); gracias al puente, el tiempo de viaje desde Salamanca, en carruaje, se acortó a dos horas y media. Una pila del puente hubo de ser recalzada entre 1879 y 1883.

19   Núñez (2001: 36); Correas (1967: 25).

fue imitado por Correas. En realidad, Valdegoda estaba en el camino de Parada. Es de 1259 la cita «ultra Teiares, Ualdagoda, descendendo a Sancti Yuanes de Perales» (DCS §276, DCSB § 282).[20] Es un valle que baja al Tormes, *Valdeboda* (*Adelante* 19.12.1861) = *Valdebodas* (1900 PÑ), en el cual había una casilla junto al cruce con la carretera de Vitigudino. El refrán aludirá a los vendedores de leche y carguilleros de leña y huevos que acudían desde Parada y aldeas vecinas a Salamanca: debían apurarse para llegar a tiempo al mercado. En 1795 alguien, que parece hortelano, había perdido en el camino de Valdeboda o de Tejares «un costal de xerga con unas lechugas, cebollas y otros varios recados» (*Semanario de Salamanca* 4.7.1795). En un pleito de 1510 sobre una cantera abierta en un camino real cerca de Santibáñez del Río, se nombran «la dehesa de Valdegoda», «por todo Valdegoda arriba», el camino que va «para Carrascal e a Parada de Ençima».[21]

Volviendo a El Pino, su alejamiento de ejes transitados marca sin duda el espíritu del lugar; la ubicación en un confín o *finisterre* (extremidad del cuarto de Baños), la corona de alquerías y despoblados que lo envuelven, y la ausencia de un corredor viario estructurador van a imprimir sobre el lugar un timbre ensimismado, un recoleto carácter de reposo y apartamiento.

Una imagen que se acerca a nuestro presente es la del vuelo americano Serie B [enero de 1956 a noviembre de 1957] (CNIG). En ella se descubre el pueblo el 17 de septiembre de 1957, ya recogidas las eras; el casco urbano es atravesado por el camino Muelas-Los Baños. En el extremo izquierdo de la imagen, aparece la alquería del Palacio de los Ovalles, con una redonda cerca, tal vez un corral exento, que se repite parecido en Zaratán y en Benavides. Acompañando al regato, hay arboledas; y se distinguen huertos y viñas, así como alguna arboleda y seto verde en torno a la casa de Fuente Arenosa. El monte de Zaratán, con sus encinas, se expresa limpiamente en el ángulo inferior izquierdo. En el tercio de la derecha, al sur del camino de Muelas, un largo trazo oscuro se corresponde con el arroyo de Valdalga. El regato del pueblo, donde se ubicaba la huerta de los agustinos, es visible en la parte oriental del casco, como una mancha oscura (los negrillos de la alameda).

---

[20] Es decir, «pasado Tejares, Valdagoda, que baja a Santibáñez [del Río]»; el arroyo fluye al Tormes. A Villar y Macías (1887: 42) le llegan noticias de un antiguo lugar de Valgoda hacia la parte occidental de Salamanca y a la orilla del Tormes; piensa en una variante del topónimo Gudino, del otro lado del río, que perpetúa el nombre, según él, de los Godínez. En efecto, Rodrigo Godínez era hacia 1510 señor de Santibáñez. Es interesante observar que también Palacios de Goda (AV) era de los Godínez, según el testamento de Rodrigo Godínez, regidor de Salamanca, en 1585 (<https://investigadoresrb.patrimonionacional.es/node/6129>). Diego Godínez Brochero y Solís fue nombrado en 1689 primer conde de Santibáñez del Río.

[21] ARCV, REG. EJECUTORIAS, CAJA 271, 36 y CAJA 263,6.

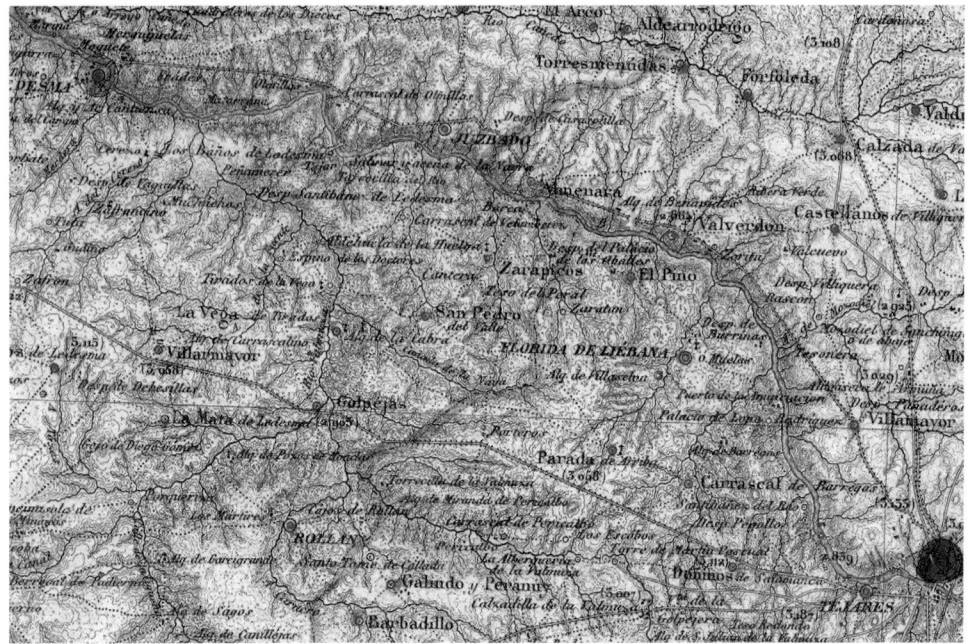

Ilustración 3: El Pino, entre Salamanca y Ledesma. Mapa de Francisco Coello, 1867.

Ilustración 4: Vista aérea de El Pino. Vuelo americano de 1956-1957.

El pueblo se instala como una tilde sobre el codo del Tormes, a respetuosa distancia de la corriente, para evitar crecidas y paludismo, y dar sitio a una rica vega de huertas. La ubicación del pueblo elige el dorso de este profundo acodamiento; de las dos riberas del Tormes, la cóncava. La tendencia espontánea de los meandros en llanuras aluviales de poca pendiente es la de volverse más acusados, por sedimentación en la orilla convexa y erosión en la cóncava, que tiene flujo más rápido y cauce más profundo. Pero si el meandro está limitado en su evolución, como ocurre aquí, por la resistencia de la orilla cóncava, ocurrirá que, en las crecidas, el agua corte por la secante, arrasando, en este caso, la orilla opuesta, la convexa, donde está la alquería de Benavides (Valverdón); de hecho, las fotos evidencian el efecto de los sedimentos fluviales en esta ribera, manifiesto en el color blanquecino del terreno. La imagen permite asimismo reconocer la aceña y el azud, a corta distancia del pueblo, sobre el río; así como el camino que de El Pino iba a Valverdón, pasando el río por vado. Gracias a su ubicación protegida, El Pino no necesita asentarse en una cota especialmente alta con respecto al Tormes, cuya altitud local es 754 m; la iglesia está a 770 m y la parte baja del pueblo, a 760 m; de ahí que, tapado por sus alamedas, el pueblo fuera invisible desde Valverdón. No así Florida, cuyo barrio alto domina una amplia panorámica (Morán [1946: 4] supone que el lugar donde estuvo la iglesia, a unos 783 m de altitud, era un castro); o Almenara, sentada en la falda del espolón final de una cadena de cerros. Este hecho influye en el carácter paisajístico resultante: un lugar ameno, ribereño, hortelano y escondido. En el relieve suave destacan los espigados álamos, la vegetación fluvial, de retoños y frondas empinadas.[22]

El vuelo americano Serie A, de 1945-1946, no aporta diferencias significativas con respecto al de 1957, y la precisión de imagen es menor. Los regadíos de El Palacio apenas están desarrollados. En ambos vuelos se aprecia el antiguo parcelario, anterior a la concentración. Abundan las longueras, tierras en forma de faja alargada. Entre el pueblo y el río se dispone un paisaje compartimentado, de setos y huertos.

Volviendo a la imagen, el detalle del casco (CNIG) muestra un tejido urbano compacto, que se estira hacia Zaratán y Muelas. En cuanto a la estructura territorial del término, es de interés un inventario de latifundios, realizado por la Diputación en 1932, al comienzo de la República, para aclarar qué alquerías, dehesas o grandes posesiones se encontraban en manos de una sola familia.[23] El Pino contaba con tres: Zaratán, El Palacio de los Ovalles y Fuente Arenosa; sumaban 2.200 fanegas; en ellas vivían 54 personas.

---

[22] Ello explica que *novalío*, que, en origen, significa 'retoño, árbol nuevo', haya adquirido —al menos en Valcuevo— la acepción de 'esbelto, lanzal', aplicada lisonjeramente a un mozo o moza. En Muelas indica el CME que se crían algunas «enzinas novalías».

[23] *Revista de Salamanca*, 1982, 4: 223.

Ilustración 5: Detalle del casco urbano. Vuelo americano de 1956-1957.

Ilustración 6: Imagen contemporánea del pueblo. Mapa CyL 1: 5.000.

El Pino es pequeño, de escaso desarrollo urbano; no sorprenderá comprobar la pobreza de su registro documental, y la escasez de elementos patrimoniales que lo singularicen. Pero ello no excluye contenidos sabrosos, ampliables a tenor de la riqueza de interpretación. Dentro del mismo territorio se engloban realidades muy diversas, que pueden hacerse aflorar mediante sucesivas calas, algunas de ellas ancladas en la historia reciente, y que nos permitirán emprender una lenta remontada hacia los primeros balbuceos del lugar en tanto que concreción histórica.

Una elemental búsqueda en los medios actuales nos facilita la siguiente información: El Pino de Tormes es un municipio del partido judicial de Salamanca; ocupa una superficie total de 20,22 km. Con la creación de las actuales provincias en 1833, El Pino quedó encuadrado en la provincia de Salamanca. Las transformaciones del paisaje han sido radicales. En 1963 se declaraba de utilidad pública la concentración parcelaria de Florida. En El Pino se hizo la concentración en 1970, afectando a 554 hectáreas, aportadas por 83 propietarios en 934 parcelas; se atribuyeron 212 fincas de reemplazo. A partir de 1967, por iniciativa de la Confederación Hidrográfica y el Iryda, el canal izquierdo del Tormes sangró el río para regar las terrazas llanas de los términos de Florida, El Pino, Zarapicos y Almenara.[24] El resultado es la masiva aparición de extensiones de maíz, el borrado de prados y suaves vaguadas del paisaje antiguo. El regadío toca directamente con los encinares residuales de las dehesas, produciendo el insólito contacto del centelleante verde de los regadíos con el apagado y lóbrego de la encina. La transformación es tan radical que suscita evocaciones que, en otro contexto, ha traído a colación Sánchez Albornoz (1991): «un gigantesco rodillo parece haber arrasado toda esa zona en algún momento del pasado».

El nombre oficial del pueblo

La documentación primera no vacila en emplear el simple topónimo El Pino, sin apellidos. Para disipar dudas, podía apelarse a su condición de anejo de Muelas, luego Florida de Liébana. En 1916 cambiaron los nombres oficiales de muchos pueblos, a propuesta de la Real Sociedad Geográfica; solo en la provincia de Salamanca, fueron 35 ayuntamientos; en toda España, 573. El Pino pasó a llamarse El Pino de Tormes,[25] para evitar confusión con el otro Pino, este del Duero, Pino del Oro en Zamora, o con Pinofranqueado en Cáceres, generalmente conocido como El Pino. La propuesta, redactada por el vocal de la Sociedad, Manuel de Foronda y Aguilera, ya databa de 1906 (*EA* 20.4.1906); la maduración del proceso de cambio fue lenta: muchos de los nuevos nombres de 1906 no se aprobaron hasta el Real Decreto de 27.6.1916.[26] La toponimia

---

[24]   Ya en 1935 fue informado favorablemente el expediente sobre conducción de aguas para abastecimiento de Pino (*EA* 16.11.1935).

[25]   *El Salmantino* 4.10.1916; *EA* 4.7.1916.

[26]   Por ejemplo, Martín del Río Llano y Santa Olalla de la Fuente (p.j. de Ciudad Rodrigo); El Pedroso del Llano (p.j. de Peñaranda); Cereceda de la Calzada, La Rinconada de Redonda (p.j. de Sequeros).

vigente en tiempos anteriores no requería mayores precisiones, pues cualquier localización era contextual; pero al llegar el correo, el servicio militar y otros nexos estatales, se hizo necesario poner coletillas diferenciadoras a los nombres de los pueblos.

Algunos documentos muestran el sello oficial. Los primeros documentos administrativos que se guardan en su ayuntamiento son recientes, de finales del año 1800. El alcalde en 10.10.1876, Ángel Sánchez, transmite a petición del gobierno provincial imágenes estampadas con el sello antiguo, anterior a 1860. Ofrece un tosco grafismo, con letra de colegial, donde parece leerse «El lugar del Pino». Tras 1860, se había cambiado el sello por otro, de forma elíptica, con un texto perimetral «El Pino. Ayuntamiento Constitucional», de difícil lectura, porque el tampón, como indica el alcalde, era de plomo o estaño, y se había ido deformando.[27]

Ilustración 7: (a) Sello antiguo; (b) Sellos constitucionales, tras 1860; (c) Sello en 1941;
(d) Contribución rústica.

El cuarto sello, ya en la posguerra, procede de una declaración del alcalde el 14 de julio de 1941, Luis Fraile García, quien certifica que ninguna persona residente en el término municipal de El Pino fue muerta violentamente ni desapreció «durante la dominación roja». Es un documento elaborado a instancia del fiscal instructor de la llamada Causa General.[28] Ya en los años 1939 y 1938 aparece por primera vez

---

[27]   AHN, SIGIL-TINTA_SALAMANCA, 15, N. 258.
[28]   AHN, FC-CAUSA_GENERAL, 1314, EXP. 8.

en los recibos oficiales anuales de la Riqueza urbana y rústica catastrada, es decir la contribución, el nombre de PINO DE TORMES (EL), estampado con sello azul, aunque convive con estampaciones sucintas EL PINO (hasta 1938) y PINO, EL (hasta 1939).[29]

En 1928 la Comisión Permanente Provincial emitió informe favorable a la agrupación de ayuntamientos de El Pino y Parada de Arriba (*EA* 14.10.1928), pero la idea no prosperó.

LA AUTODESCRIPCIÓN: GEOGRAFÍA POPULAR Y CANTARCILLOS DE PUEBLOS

De gran interés son las ristras descriptivas en las coplas de los pueblos de una comarca, como las que recoge Dámaso Ledesma (1907: 174): «de Almenara son las viñas, / de Valverdón, las aceñas, / maquilones de Zorita, / de Valcuevo, la alameda, / de Muelas, son las cebollas, / y del Pino, las ciruelas».[30] Estos romances a veces formaban parte del repertorio de los ciegos y mendigos cantores (Carril Ramos 1992: 62); a veces se cantaban en otros momentos. Al seleccionar un atributo, y presentarlo en sincopada y galopante progresión, introducen un grato vértigo geográfico, que adensa la cornucopia comarcal.

Morán recogió en Machacón (*Alrededores de Salamanca*, 1923) una variante de interés: «Para alamedas, Valcuevo, / y para cebollas, Muelas, / viñedos, los de Almenara, / y en el Pino, las ciruelas. / Ya se queda Zaratán, / que raya con La Aldigüela[31], / la casetilla del monte, / del monte de Villaselva. / Ya se queda Zarapicos, / la fama de curanderas»[32] (Morán 1990, I: 35).[33] Correas (1967: 121) anotó hacia 1627 una

---

[29]   Es interesante la cronología *II y III Año Triunfal* que antecede a la cifra cristiana; en ninguno de los recibos indica la fecha de pago, aunque sin duda es tiempo de guerra. La guerra civil española, hasta su final el 1.4.1939, introdujo una cronología triunfal, comenzando desde el inicio bélico, el 18.7.1936. Estos justificantes de pago se muestran convencidos del triunfo nacional, aunque el cambio de la emblemática es incompleto: todo el año 1938, segundo de la guerra civil, se presentan al cobro recibos oficiales con el escudo de la segunda República, con el añadido *II Año Triunfal*; se cambiará, terminada la guerra, por el escudo de la España nacional.

[30]   Cambia el orden Sanz (1953), en una variante recogida en la Armuña.

[31]   Aldehuela de la Huelga.

[32]   La curandera llevaba muchos años atendiendo a clientes, cuatro días por semana: prescribía remedios para botica, maniobraba sus curas colocando a los pacientes sobre un *tajo*, los *emparchaba* con pegotes de pez y estopa, y apelaba al sortilegio si hacía falta (*Correo médico castellano* 20.11.1886; 20.1.1887). Una mujer que iba montada hacia Zarapicos a ver a la curandera, cayó de la caballería y se rompió la pierna (*El Progreso* 11.6.1885). Debe de haber antigua tradición, pues en 1470 se menciona en San Pedro del Valle una «tierra de los saludadores» (Vaca Lorenzo 1996: 201). Según Luis Maldonado, la curandera de Zarapicos y el de Mayalde tenían clientes hasta más allá de la raya de Portugal.

[33]   Blanco García (1998: 118) ofrece una variante reconstruida: «Para alamedas, Valcuevo, / y para cebollas, Muelas; / las viñas en Almenara / y en El Pino las ciruelas. / Atrás queda Zaratán / y el

copla, en la que alguien, usuario frecuente de la barca y *alabancioso* sin duda, celebra su popularidad y proezas amatorias: «En Almenara tengo la dama, / en Balverdón tengo el mesón, / en Zarapikos tengo los hixos, / i en Zaratán me dan el pan».

Martín Benito (2015: 144) apuntó una coplilla de oficios que menciona lugares comarcanos: «En El Puerto fui barquero, / en Villaselva, ganadero; / allí me despidieron / y me fui para Porteros». Es del mismo tipo de este fragmento, recogido en La Mata de la Armuña: «En Salamanca fui fraile, / cirujano y barbero, / en Villamayor cantero / y en el Canto molinero. / En Gudino no fui nada / porque no había rentero, / y en Mozodiel de Sanchíñigo / aprendí a tamborilero» (Sanz 1953).

Simpática descripción la de la damita pudibunda o melindrosa que va a los Baños: «la dama que va a Los Baños / y no mete más que un pie, / y el otro lo deja fuera / —libéranos, Dominé—» (Ledesma 1907: 174).[34] Zaratán es también mencionado en un cantarcillo geográfico anónimo, que se cantaba a principios de siglo en la romería de Tejares, como registra el ingeniero anarquista Celso Gomis Mestre (1903: 502): «Salamanca de altas torres, / Cabrerizos de altas cuestas, / los pollos de Zaratán; / gallos, los de la Aldehuela».[35] ¿Era renombrada la producción local de pollos, o se trata de apremios de la rima?[36] Aldehuela parece ser aquí la de la Huelga. Una variante: «picos en Zaratán, / pollos en la Aldehuela» (Sánchez Fernández 2010). De Florida se decía: «buenas mozas tiene Muelas, / mejor las tiene Parada, / pero se lleva la palma / Doñinos de Salamanca». Y del pueblo vecino: «los lecheros de Parada, en Tejares echan agua» (Blanco García 1998: 48, 73).[37] El propio párroco de Valverdón recogió hacia 1899 este cantar: «el cura de Valverdón / cuando va a misa a Valcuevo / lleva la escopeta al hombro / y la pólvora en un cuerno» (López Vicente 2012: 47). Ledesma (1907: 123) copió en la dehesa de Santa Marina en Ledesma: «Lo que se usa en Valcuevo se usa en Zorita, y en llegando a la puerta, venga una pinta». Se trata de un *muelo*, es decir, de un canto que acompaña el encerrar del grano en las paneras. Parece una llamada de los mozos de labor al amo para que sea generoso con el vino, al término de la dura faena.

---

monte de Villaselva, / las berzas de Zarapicos, / con fama de curanderas. / De Zorita, maquilones, / de Valverdón, las aceñas; / de Villamayor, las viñas / y el pueblo de las canteras».

[34]   Carril (1992: 42) la recoge también en Tardáguila, como parte de una tonada para acribar el muelo.

[35]   Variante del que recoge Ledesma (1907: 174): «Salamanca, de altas torres; / Cabrerizos, de altas cuestas; / la torre mocha de Narros, / la Alameda de Aldealengua».

[36]   Muchos arrendadores y vasallos pagaban rentas y fueros en especie, sobre todo de trigo y cebada, pero también con un suplemento, llamado adehala, de gallinas, pollos y pavos. En 1733, los renteros del marqués de Almarza en Florida se obligaban a pagar cada año 108 fanegas de pan terciado y seis pollas «de adala» [adehala], las pollas por Navidad, el trigo y cebada por la Virgen de agosto (AHNOB, YELTES, C. 17, D. 157-164). Ello ocasionaba un trajín de pollos viajando a la capital.

[37]   Los lecheros de Parada usaban cuernos de vaca como vasija para recoger el ordeño de cabras y ovejas, para transportar la leche localmente y para ponerla a refrescar en las fuentes (Morán 1928: 69).

El Pino del entresiglos

Mariano Domínguez Berrueta (1901) acudió a Florida a recopilar romances.[38] El escritor venía de Zorita: allí vio «la linda alameda […] partida en dos para mejor lucir la fábrica de harinas». Nos tomamos la libertad de citar *in extenso*, por tratarse de un pueblo de fisonomía tan parecida:

«Pasando el río en una barca se ve un pueblo que la poesía de alguien llamó Florida de Liébana y la prosa de los demás le aplica el nombre de *Muelas*. No digo yo que no hay flores allí, pero no son de las que adornan los jardines; son de las que alegran á los pobres; la flor de la patata, la elegante flor de los guisantes y por lujo la hermosa flor del cardo y las menudas clavelinas que son la gala del prado; si estas flores te gustan, lector, bien; pero si no, no vayas a Florida de Liébana. Y quien dice flores dice de lo demás; no busques en el pueblo otros afanes que los del cuidado de los huertos cuya vendimia acaba cuando comienza la siembra de las tierras y asi se enlazan labores y trabajo como en el alma del charro se juntan los cuidados y desvelos por si aquella nube traerá piedra, o por si aquel nuevo dueño de la yugada subirá la renta. […] Echando una ojeada por cima de los árboles de la ribera, se ve bien exento el monte de Valcuebo, que se va corriendo a la derecha para encerrar un obelisco pequeño y raquítico [el de Colón].

Más allá, siempre á la vera, clarea más aún el ralo monte y apenas deja un respiro entre las últimas encinas y los primeros chopos de la arboleda de Mozodiel; y como sirviendo de festón, tropiezan los ojos enseguida, salvando el paréntesis de unas tierras de labor, con el fondo verde de los prados de Tesonera que rodean la alquería y la casa blanca de los camineros. Por la izquierda, siguiendo el rumbo del río que á poco pierden las choperas de Zorita, se nota de cerca un prado hermoso y unas tierras labradas, y parece que ambos compiten en frescura y en verdor, y de lejos, las casas de Valverdón y á su lado el monte, el eterno monte de estos campos, que casi parece enlazar á Valverdón con Almenara […]. Y si esos horizontes se ven mirando adelante, volviendo algo la mirada, sólo monte y labor y tierra de barbecho, y huertos de cebollas y patatas se descubren muy cortaditos en cuadros por los que corre el agua. ¿Que también corre el río entre Zorita y los huertos? ¡Ya lo creo! Y hermoso es el Tormes cuando remansa sus aguas que vienen fatigadas y las detiene para ornato y recreo de la campiña».

Sigue después una interesante descripción del interior del pueblo, con una observación que da título al relato, a saber, que la iglesia no tiene torre:

---

38 Iniciativa impulsada por Ramón Menéndez Pidal, a la que se sumó Luis Maldonado, catedrático de la universidad. En Muelas recogió Berrueta el fragmento del romance *Los presagios del labrador*: «Estando un hombre en el campo, / cuidando de sus haciendas, / llega el pensamiento y dice: / —Vete a tu casa y no duermas, / que tienes la mujer moza, / no te haga alguna ofensa, / que el pensamiento es muy ducho / y amigo de la inocencia».

«Pues en el centro del cuadro está Florida con sus casitas bajas sobre las que negrean los tejados que el humo de las salientes chimeneas hace aún más obscuros; con sus calles tan raras que, por haber de todo, hay una calle en que las casas de uno y otro lado, en vez de estar de frente, están todas de esquina, como si fueran á embestir unas á otras; con sus barrancos y asperezas, con aquel regato que hay que atravesar con balancín apoyando los pies en dos ó tres cantos, no grandes, que salen del agua ofreciendo apoyo y protección... allí está Florida de Liébana ¡con su iglesia sin torre!

A todo aquel campo le falta la cabeza, á todas aquellas casas la presidencia.

Sólo se alzan allí sobre las casas las chimeneas que revelan bien á las claras que en aquel pueblo se guisa y se come; pero al no descubrir la torre de la iglesia no se sabe si además de guisar y de comer también allí se reza».

Adentrándonos, como diría Berrueta, en la prosa, los anuarios de finales del siglo XIX y comienzos del XX muestran la estructura administrativa y de servicios de El Pino. En 1926, el *Anuario industrial, mercantil y guía gráfica de la provincia de Salamanca* describe así el pueblo: «Lugar con ayuntamiento, de 293 habitantes, a 14 kilómetros de la capital. La estación más próxima, Tejares, a 12 kilómetros (S<alamanca> F<rontera> P<ortuguesa>). Lo baña el río Tormes. Fiestas, el 31 de mayo y el 10 de agosto. Produce trigo».[39]

Tras la Gloriosa, era alcalde constitucional en 1868 Santos Dorado. Hacia 1884-1887 lo era Miguel Escribano; en 1889, José Martín; en 1898, Fabián Corona; hacia 1899-1904, Juan Manuel Hernández Rodríguez.[40] Entre 1902-1911 fue alcalde Eladio Sánchez Esteban, labrador acomodado, inscrito en la Cámara Agrícola en 1899; en 1928 seguía de alcalde y acudió a la recepción que dio el Rey en Salamanca; en 1929 participó en el acto de constitución de la Unión de Municipios Salmantinos, en compañía del secretario, Benedicto Herrero; falleció en 1940.[41] En 1939-1941 era

---

[39]   Consultamos, asimismo, entre otras fuentes, el *Anuario del comercio, de la industria, de la magistratura y de la administración*, entre 1879 y 1911, así como el *Anuario Riera*, 1904.

[40]   En 1889 eran regidores Tomás Hernández y Luis de la Iglesia. En 1902 eran regidores Juan Sánchez (síndico), Manuel José Martín y José Martín; alguacil, José de la Iglesia; Santiago Lucas era individuo de la Junta Municipal de Asociados.

[41]   En 1884 era juez municipal José Martín; fiscal, Santiago Lucas Gómez. En 1887, José de la Iglesia, juez. En 1894, Fermín Martín, juez; Tomás Barregas, fiscal. En 1897 Felipe Sánchez Manzano, juez. En 1898, Manuel Portales Vicente, juez; Ángel Rivas Hernández, fiscal. En 1899, Felipe Sánchez, juez. En 1900, Juan Sánchez, juez; Cristóbal Garrido, fiscal. En 1904 y 1905, juez Cristóbal Garrido Matías; fiscal, Alejandro Vega Berrocal. En 1909, juez Andrés García Sánchez; suplente, Andrés Sánchez García. En 1913, José Luengo Martín, juez; Florencio Navarro, suplente. En 1927, José Luengo, juez; José Hernández Martín, suplente. En 1930, Arcadio Sánchez Gallego, juez; Ángel Sánchez Miguel, suplente. La comisión gestora en 1931 se componía de Abelardo Corona, Hipólito Sánchez y Bienvenido Sánchez. En 1934 Silvio Sánchez Rivas, juez; Santos Ramos Rodríguez, suplente. Era fiscal Domingo Pérez Moro, y suplente Cipriano Corona Sánchez.

alcalde Luis Fraile García, que en 1947 era presidente de la Junta Sindical Agropecuaria. Hacia 1942-1946, el alcalde era Telesforo Calvo.

Secretario de ayuntamiento entre 1864 y 1892 fue el maestro Andrés García Sánchez; por sus buenos servicios, fue jubilado con 140 pesetas anuales (*El Memorándum* 9.10.1892). Entre 1892 y 1926 lo era Juan Francisco Herrero Marcos, casado con M.ª Antonia García.[42] En 1904 vivían en una casa grande, con un cortino o jardín, en la Calle Baños 15 (RFES). Falleció, de gangrena senil, en 1926. Entre y 1942, el secretario era su sobrino Benedicto Herrero Hernández.[43] Benedicto era hijo de Pedro Herrero Marcos,[44] que lo era en Carrascal de Barregas desde al menos 1902, donde falleció el 27.11.1936. Pedro era marido de Ceferina Hernández Sánchez, hermana de Abel, alcalde de Carrascal; Pedro y Ceferina tuvieron once hijos y una hija, Amelia, a la que los hermanos tenían siempre bien agasajada de dijes y baratijas, traídos de fiestas y bodas. De Amelia se dice que, encontrándose en Santibáñez del Río lavando, le vinieron a decir que su madre había muerto. Regresó a Carrascal, abrió la puerta de la casa, entró en el cuarto, se agarró al vestido de la difunta, a quien mucho quería: y se la encontraron tiempo después muerta del disgusto.[45]

El maestro era Andrés García Sánchez, del que luego se hablará. Había un herrero, Sinforiano González Pérez, de Zarapicos, casado con M.ª Francisca Sánchez Santos, en ejercicio entre 1879 y 1904; posteriormente lo fue Cristóbal Garrido Matías (1899-1908); hacia 1840 eran herreros Juan y Miguel Borrego. En 1904, se mencionan dos fraguas, ambas en la calle del Recreo (RFES). Entre 1879 y 1883 el molinero era José de la Iglesia. En 1884, el estanquero es Ángel Sánchez. La plaza estaba vacante en 1886; las instancias se dirigían al Capitán General de Castilla la Vieja. Los principales propietarios en 1904 eran Antonio y Fabián Corona, Fermín y José Martín, Julián Palacios; Eladio, Ángel, José y Juan Sánchez.

---

[42] En 1867 estaba vacante la plaza de secretario, dotada con 100 escudos anuales (*La Provincia* 1.12.1867). En 1892 la dotación era de 400 pesetas (*El Criterio* 31.8.1892). En cambio, la plaza de secretario del juzgado municipal solo se retribuía con los derechos de arancel.

[43] Casado con Ignacia Marcos Martín. Su hijo Hermenegildo casó en 1941 con M.ª del Pilar, hija de un labrador de Villamayor, Tomás Castellanos. Otro hijo era Benedicto.

[44] En 1905 se inauguró la carretera de Doñinos a Carrascal; de la capital, vino Unamuno, que pronunció unas palabras; estaban el alcalde Abel Hernández y su cuñado el secretario Pedro Herrero.

[45] El oficio iba sin duda en la familia, porque muchos hijos de Pedro eran secretarios, como Octavio Herrero Hernández (de Zamayón), Nicolás (desde 1928, de Tordillos), Gabriel (de Parada de Arriba) y Abel, fallecido en 1946 (de Doñinos de Salamanca). Otro hermano, Crescenciano, también secretario, casó en 1933 con Concha Pérez Blanco, de las petiscas de Florida. En 1942 era secretario de El Pino Nazario Herrero Hernández, nacido en 1901.

Consta como cirujano en 1868 Dionisio Sánchez.[46] En 1754 lo era en Muelas Esteban Miguel González; un siglo después, hacia 1840, Juan Antonio Borrego, de Palencia de Negrilla. Entre 1877 hasta su muerte en 1900 era médico en Muelas Joaquín Ramos Mulas, casado con Manuela Hernández. En 1889 se declaraba vacante la plaza de médico titular de El Pino, dotada con 75 pesetas anuales; este pago lo hacía el ayuntamiento, para proporcionar asistencia a 16 familias pobres; el resto de las familias pagarían igualas (*El Fomento* 29.1.1889). Telesforo García Rivero fue médico en Florida desde 1900 hasta su muerte en 1903.[47] En 1904 era médico, en Muelas y El Pino, el recién licenciado Benjamín Hernández Martín: en mayo de este año hubo un brote de viruelas; falleció un joven de Florida. Benjamín casó el mismo año con Pilar Hernández.[48]

En 1879 era tabernero Ruperto Hernández Martín, casado con Severiana de la Iglesia; en 1852, Salvador Santos, de Torresmenudas, casado con Juan Sánchez. En 1883-1884, Ángel Delgado García era tabernero y estanquero, casado con Ludivina García, zamorana. Ya su padre, Agustín Delgado Garrido, casado con Remigia García Povedano, había sido tabernero hacia 1840-1850. Sorprendentemente, Remigia era natural de Fuencarral (Madrid), donde sus padres eran dependientes de los Reales Bosques. Era carretero en 1861 José Sánchez Varas, de Torrecilla del Río. Hacia 1840 era carretero un burgalés, de Los Carabeos, Francisco del Campo Cosío. De la posguerra se recuerda al señor Diego, panadero, que iba y venía desde San Pedro del Valle, en un carro con toldo embreado en forma de bóveda; a los clientes habituales, que le pagaban en fanegas de trigo, les apuntaba el consumo en una tabla, haciendo muescas en el filo.

Una parte de los habitantes subsistía combinando ocupaciones (pastor, cabrero, hortelano, carbonero, criado, jornalero) en un constante ejercicio de adaptación. En 1808 era tamborilero en El Pino Domingo García. Hacia 1850, José Prieto Martín, casado con Flora Varas, era pastor; Gabriel Sánchez Santos, José Martín y Francisco de Sales Lucas, montaraces; José Recio García, zapatero; Agapito Sánchez, albañil; José López, de San Pedro de Rozados, arriero. Es interesante la estampa de un pastorcillo de Muelas, Gabriel Sánchez Peramato, que un 17.10.1881 se fugó sin avisar del pueblo donde servía (Villaescusa, Zamora), con otro rapaz de Tavera de Abajo y un perro con cascabeles, hacia Extremadura:

«Natural de Florida de Liévana, de 17 años de edad, hijo de Matías y de Juana, ya difuntos, de oficio pastor, estatura corta, pelo y ojos negros, nariz y boca ancha, barba

---

[46]   En 1860 estaba vacante la plaza de cirujano titular de Muelas (*Adelante* 3.6.1860).

[47]   Casado con Manuela Piedecasasas, maestra en La Mata de Armuña.

[48]   Benjamín fue hijo de Domingo Hernández Pascua, de Zarapicos (1841-1910), hermano del rentero del Palacio Tomás Hernández Pascua. Fue luego médico de Rollán durante quince años; después se estableció en América. Su hermano Juan José Hernández Martín († 1932) fue un rico labrador.

limpia, cara redonda, color moreno; viste gorra vieja con cordón de guita, chaqueta de sayal usado, chaleco de paño negro rayado, calzón de sayal, botas viejas, medias de lana negra y zapatos amañados, camisa con des<h>ilado y botón pequeño de plata; lleva capa de paño sayagués buena y anguarina de sayal nueva con ribete ancho de paño negro a las bocamangas» (Bz 28.10.1881).

La conflictividad que se trasparenta a tenor de las noticias de periódico es de poco calado. Una cuadrilla de cinco gitanos había agredido y desarmado en El Pino a la pareja de la guardia civil, Joaquín Méndez Vicente y Antonio Alfonso Palos, y se les citaba para que comparecieran ante el juez instructor de causas del Regimiento de Lanceros de Borbón.[49] Eran habituales las infracciones de la ley de caza, por carecer de licencia para uso de escopeta.[50] Había robos menudos, como el que dejó sin reloj al vecino Laureano de la Iglesia: el autor fue detenido y puesto a disposición del juez de Ledesma (*El Lábaro* 11.9.1901). En 1921 fue robado por desconocidos el dinero de los cepillos de la iglesia del pueblo (*EA* 11.5.1921). En 1903 tres jóvenes, de Valverdón, Golpejas y el Pino, fueron puestos a disposición del juzgado municipal de El Pino por robar piñas al hortelano de Zaratán, Francisco Hernández (*NS* 26.12.1903).[51]

> La casa de un labrador rico de Muelas, José Recio Martín, fue asaltada en 1907 mientras los dueños estaban en misa; se llevaron alhajas, ropas y dinero (*EA* 10.6.1907). En 1896, la Guardia civil de Almenara detuvo en Muelas a tres mujeres vecinas de Pedrosillo de Alba que llevaban 35 libras de carne de cerdo que no pudieron justificar (*La Información* 18.12.1896). En 1933 la G. C. de Almenara detuvo en El Pino a tres mujeres y un joven, quincalleros (antecesores de lo que se vino a llamar *quinquis*: no gitanos, pero asimilados, generalmente de procedencia jornalera desarraigada); eran de Guijuelo, Valladolid y Palencia. Llevaban tres pavos muertos, siete gallinas y dos pavos, «dispuestos para ser guisados». Habían robado las aves en un corral del rentero de Barregas, Vicente García. En 1902, en Zorita, el segador Ramón Piris Díez apuñaló a otro, celoso por las atenciones de una atarila (*El Porvenir Segoviano* 31.7.1902).

La escasez de carne entre los pobres se suplía con mil expedientes, entre ellos la beneficiencia. En 1899, una novillada en Carrascal de Barregas, costeada por el

---

[49]   *EA* 9.9.1901; *Gaceta de Madrid* 17.12.1901.

[50]   Constan multas y confiscación de escopeta en 1897 a Ángel Rivas Hernández; en 1900 y 1901, a Ángel Sánchez García (multa de 14 ptas), Juan Navarro y Antonio Jiménez; en 1908 denunciaron al vecino Bruno Sánchez López por cazar liebres con lazo en Zaratán; en 1911 el denunciado era Francisco Martín García, también por cazar en dicha dehesa. Unos vecinos de Salamanca, que llegaban a Villaselva pertrechados de un hurón y 19 redes, fueron denunciados en 1907.

[51]   El de El Pino era Serafín Borrego Escribano, hijo de Cándido y Engracia. El niño Serafín Borrego Arnés ingresó en el hospital de Salamanca en 1938 (*EA* 16.3.1938); falleció en 1943.

ganadero Laureano Esteban Sánchez Alonso, preveía el reparto de la carne del novillo entre los pobres de Doñinos, Parada, Muelas y El Pino.

En 1851 se siguió causa criminal contra cuatro vecinos, Francisco Herrero, José Miguel, Custodio Herrero y Manuel Miguel, por haber causado heridas a José Valle. El juez embargó las casas de todos ellos (16.5.1851 CHIP). A raíz de la ley provisional de matrimonio civil, de 1870, algunos vecinos de El Pino, de inclinación republicana, se emparejaron civilmente sin pasar por la iglesia. Era el caso de Telesforo Calvo García y Nicanora Martín Rodríguez; y el de Fabián Corona, montaraz, y Antonia García Pechero.[52] Ambas parejas tuvieron hijos, que fueron bautizados; con la restauración borbónica, en 1875, las dos parejas contrajeron matrimonio canónico.

En 1867 se avisaba de que José Sánchez, vecino del pueblo, había desaparecido de él (*La Provincia* 4.7.1867). No faltarían las travesuras de mozos, que con sus rondas podían irritar a vecinos biempensantes. En agosto de 1910, en las eras de la Guadaña, hubo una reyerta. Empezó porque el perro de Cándido Borrego Núñez mordió a Enrique Calvo Martín, que pasaba por allí; se organizó a cuenta de ello una batalla campal, con piedras y palos, en que resultaron heridos Lorenzo Juanes Blanco, con cuatro lesiones en la cabeza; Cándido B. y Abelardo Corona, con contusión en la cabeza; Ángel Sánchez, en nariz y cuello; Jesús Palacios, en tórax y hombro; Enrique Calvo, con la mordedura del perro. Tuvo que acudir la Guardia Civil desde Almenara (*EA* 15.8.1910).

Muchos vecinos de El Pino se trasladaban a Salamanca para vender o servir.

En 1909, una vecina, Lucía Varas García,[53] fue arrojada al suelo en la puerta de Zamora por la caballería que montaba. Resultó con conmoción cerebral y contusiones (*El Castellano* 12.8.1909). Florentina Borrego Montejo, de 18 años, criada en el parador de San Juan de Sahagún (antiguo de la Gallega), fue accidentalmente herida de bala en una armería de la Plaza de la Reina, adonde había ido para comprar arenilla, que se usaba para limpiar las sartenes (*EA* 14.2.1914). Fabriciano Merchán García,[54] de la misma edad, que limpiaba en la cocina del café París, fue acuchillado en una reyerta (*El Salmantino* 19.5.1919). Eulalia Borrego Escribano, n. 1889, que iba montada en una caballería por la calle Zamora, fue atropellada por un vehículo de transporte de mercancías, que la derribó (*EA* 23.6.1919). Agustín Torres González, cochero, n. 1902, falleció de una coz en la Avenida de Mirat (EA 29.3.1921). En 1934, Enrique Calvo Martín había extraviado en el teso de la Feria en Salamanca «una vaca escarchada, pata corta, recién desternerada, pelo negro, con una cencerra al cuello» (*EA* 26.9.1934).

---

[52]   Debían tener cierta amistad, pues sus hijos M.ª Dolores Corona y Juan Enrique Calvo casaron en 1908. Telesforo falleció en 1900; Nicanora en 1923; Fabián en 1922; Antonia en 1929.

[53]   Esposa de Andrés Cosido Delgado.

[54]   Hijo de Esteban Merchán Alcalde y M.ª Manuela García Aparicio. Su hermana Amparo, con 26 años, se ofrecía como ama de cría, primeriza, con leche fresca, para criar en su casa (*EA* 12.5.1934).

Como en otros lugares, la subsistencia en El Pino era difícil. Algunas noticias permiten reconstruir penurias y escaseces, que afligían a determinadas familias:

En 1897, Serafín García Sánchez, de 67 años,[55] fue uno de los doce agraciados con la limosna del ropón en el lavatorio del Jueves Santo en la catedral de Salamanca (*La Semana Católica* 10.4.1897). En 1867 y 1883 lo había sido Luis Zúñiga, de Muelas. Cándido Borrego Núñez ofrecía una nodriza de veinte años, con «leche fresca», para criar en casa de los padres (*EA* 9.10.1909). Ello solía hacerse cuando una mujer perdía su propio hijo; a veces, cuando tenía leche abundante.[56] A Eulalia Borrego Escribano, en 1914, se le acusó, infundadamente, de infanticidio, pues una criatura a la que parió se le murió al instante. Se demostró que la muerte se había debido a falta de asistencia durante el parto (*EA* 14.2.1914).

El día de San Pedro de 1918 cayó un pedrisco que echó a perder un tercio de la cosecha. Las pérdidas se estimaban en 47.000 ptas; fue peor en Muelas (EA 22.7.1918). En años malos, los vecinos acudían a prestamistas, hipotecando sus casas y tierras. En ocasiones, podían quedarse sin nada. En 1849, los matrimonios Miguel Pérez / María Antonia Delgado[57] y Esteban Pérez / Manuela Martín hipotecaron sus casas con Francisca Forcat, vecina de Salamanca (CHIP). Manuel Sánchez Berrocal y su mujer M.ª Francisca García pidieron préstamos (uno de 1.440 reales, otro de 635) a Gabriel Fernández y Manuel Fernández Díez, de Salamanca; ponían como garantía varias tierras, además de su casa, con corral, panera y pajar: terminaron perdiendo la casa (1853, 1857 CHIP). También tenían deudas con Francisco Vázquez Rodríguez, prestamista; al cual pidieron dinero otros vecinos, Francisco Herrero y su mujer Isabel Muñoz, avalándose con su casa. El matrimonio Gabriel Sánchez / Bernarda Herrero también hipotecó su casa, que fue embargada en 1858. En 1862, un quiñón fue hipotecado ante Ramón de Colsa.[58]

En 1918 se presentan en El Pino, por la candidatura electoral del prócer liberal Bernardo Olivera Sánchez (1886-1940), propietario e industrial, Eladio Sánchez Esteban (alcalde durante muchos años; lo era todavía en 1928), José María Corona, Juan Francisco Herrero y Juan Sánchez (*EA* 13.2.1918).

---

[55]   Era de Aldeatejada, casado con Atanasia Manzano; sus hijas Casilda y Teresa se mencionan más adelante.

[56]   En 1944 Emilia Rodríguez ofrecía un ama de cría, casada, primeriza, para criar en su casa. En 1922 se ofrece Generosa Delgado García, de 34 años.

[57]   Previamente se habían desprendido por venta de un rompido y un huerto. El comprador era un vº de Salamanca, Antonio Muñoz Domínguez.

[58]   Probablemente es Ramón de Colsa y Pando (1820-1883), juez en Riaza, Salamanca, Frechilla y Sequeros, comprador de tierras en Calzada de Valdunciel (COMPD). Casó en 1851 con Luisa Villapecellín Llanos, pariente de los condes de Cabaña de Silva. Era viudo en 1872 (DESAM).

Los años de la dictadura de Primo conocieron un particular sistema de vigilancia, el llamado somatén; abolido luego en la República, fue restaurado en 1934 durante el gobierno de las derechas; luego Franco lo volvió a impulsar, pero subordinándolo a la Guardia Civil. Se trataba de cuadrillas organizadas al modo militar, compuestas por vecinos de cada pueblo, poseedores de armas, que se ocupaban del orden público. En mayo de 1924 hubo una concentración en Medina de miembros de Unión Patriótica, el partido oficial de la dictadura.[59] Es mismo año, con ocasión de la visita del rey, desfilan en Salamanca los miembros del somatén de El Pino. El cabo es Fernando Rivas Calvo, de Zaratán, hijo del rentero de la dehesa;[60] subcabo, José Hernández Martín; individuos: José María Cosido Muñoz, Lorenzo Juanes Blanco, Juan y Eladio Sánchez Esteban, Hipólito Sánchez Hernández y Domingo Pérez Moro[61] (*EA* 29.6.1924). Lorenzo Juanes Blanco,[62] por cierto, era tratante; en 1903 dejó olvidada una cantidad importante (3.600 reales) junto al tronco de una encina, en la dehesa ledesmina de Noguez. Un chico de 16 años, de Calzadilla del Campo, se llevó el dinero, por lo que fue detenido.[63] Por entonces existía la figura del *peatón*, que hacía servicio de cartero: fue nombrado peatón de Golpejas a El Pino el cabo José Aldehuelo Martín (*EA* 6 y 13.1.1928).[64]

Desde al menos el siglo XIX, por presión de particulares o necesidades del municipio, el concejo había venido vendiendo tierra del común a vecinos. En 1851 constan compraventas de *rompidos* en el sitio de las eras.

En 1901 pidieron parcelas sobrantes en vía pública los vecinos Mateo Miranda, Juan Corrales, Lorenzo Juanes Blanco, Ángel Sánchez Santos y Antonio Corona; uno de los terrenos era en la calle de las Guadañas. En 1904, en la calle de la Muerte, solicitaba una parcela Alonso de la Iglesia. En 1907 pedían parcelas Bruno Sánchez y José María Cosido. En 1910 Juan Sánchez Esteban y otros habían interpuesto recurso contra el ayuntamiento por los deslindes comunales.

---

[59]   De El Pino acudieron José Hernández, José Luengo Martín, Fermín Martín Hernández, Juan Francisco Herrero, Eladio y Juan Sánchez Esteban, Hipólito Sánchez y Fernando Rivas Calvo (*EA* 30.5.1924).

[60]   Fernando acudió en 1921 a una fiesta, a la que concurrió media comarca y que duró dos días, en la vecina Aldehuelita, organizada por sus parientes, grandes labradores allí, Saturnino Rivas Hernández y su hijo Argimiro; las tres cocineras de la casa, Crispina y Elena García, y Asunción Martín, prepararon ricas comidas; hubo juegos de sociedad diversos (*EA* 25.4.1921).

[61]   Casado con Anselma Palacios Herrero.

[62]   Casado con Lucía Sánchez Santiago. Lorenzo falleció en 1952, con 88 años. En 1930 estaba asociado con Romualdo Sánchez, de Pedrosillo de los Aires; vendieron en Barbadillo una partida de cebones del monte de La Rad (*EA* 14.1.1930).

[63]   *NS* 1.12.1903; *El Lábaro* 2.12.1903.

[64]   José Aldehuelo fue luego nombrado peatón entre Vega y Tirados, servicio que se suprimió en 1931.

En 1901 se había hecho un deslinde general, en vista de las «escandalosas roturaciones» que se estaban produciendo. El 27.1.1924 el ayuntamiento procedió de nuevo a acotar caminos, cañadas, prados y abrevaderos del común, para evitar las roturaciones arbitrarias y apropiaciones de terreno público. Interpusieron recurso contra el acuerdo de acotamiento de 1924 los vecinos Eladio y Juan Sánchez Esteban, hermanos mellizos, e Hipólito Sánchez Hernández. El auto se hizo esperar, pero en octubre de 1925 se desestimó la solicitud de los demandantes.[65] Hubo por entonces una serie de incendios que, según los indicios, fueron intencionados: posibles represalias por el conflicto de las tierras comunales enajenadas. El 28 de julio de 1925 empezó a arder una parva próxima a un camino, con lo que se comunicó a las eras vecinas, donde tenían sus cosechas José Recio, Domingo Pérez y Eladio Sánchez; las pérdidas se estimaron en 11.000 pesetas. El 15 de agosto del mismo año, se declaró un incendio en las parvas de Domingo Pérez; pudo ser sofocado gracias a la ayuda del vecindario (*EA* 18.8.1925).

Una forma de aprovechamiento colectivo rotatorio eran los quiñones. Determinados prados comunales se partían en lotes y se asignaban por término limitado a los vecinos. La división se realizaba mediante jalones de piedra (alineaciones de chitas), por lo que cada haza se denominaba una *chita*. La lista de vecinos candidatos a participar en el reparto era confeccionada por el ayuntamiento; ello creaba protestas, si alguien se sentía injustamente excluido «de la quiñonada de aprovechamiento comunal». En 1914 recurrieron Ceferino Petisco y Bruno Sánchez.

De la vida festiva en El Pino dan cuenta algunas crónicas de fiestas. Las gacetillas de periódico a veces reseñaban fiestas de pueblo, como siguen haciendo hoy día. El lunes 9 de junio de 1924 se celebraba la Pascua de Pentecostés, que se inició, según la crónica de Palacios, con «derroche de cohetes y bombas, corrida de pólvora»; la misa matinal corrió a cargo del párroco de Muelas, y el pueblo participó en una recitación dialogada en honor a la Virgen, a la que pasearon en procesión por calles enramadas y suelos con policromía de flores. De las dos campanas, solo una tañía; la otra estaba rajada y esperando ser fundida de nuevo. A la tarde hubo baile de tamboril, al que acudieron mozas casaderas del lugar y del contorno. Ya entrada la noche, un grupo de rondadores a plena voz iba recorriendo las calles (*La Voz de Castilla* 19.6.1924). En 1931, la fiesta de San Lorenzo se celebró con misa y sermón a cargo del párroco, Bernardo Rodríguez. Hubo por la tarde y noche bailes, realzados por bellas señoritas: Araceli Sánchez Mediero, Elvira y Celita Dorrego,[66] Vicenta y Paquita Fraile, Elvirita Hernández, Aurelita

---

[65] *EA* 18.10.1925, 24.10.1925.
[66] Hermanas del médico de Florida, Víctor Dorrego Martín. Eran hijos de Alberto Dorrego Sánchez, dueño del café de la Perla, republicano († 1918), y Josefa Martín Sánchez († 1927).

Sánchez Santiago,[67] Rosita Arnés Dorado[68] y muchas otras (*EA* 13.8.1931). Araceli (n. 1914) y su hermana Esmeralda[69] tuvieron fama de guapas; Araceli fue a las fiestas de San Antonio en Muelas, con juego de pelota en el frontón y baile de tamboril, en junio de 1935.[70]

En 1932, fueron mayordomos en la fiesta de San José Ángel García García y su esposa, maestra en El Pino, Hortensia Marcos Pedraz, de La Vellés. Alboreó el pueblo a son de tamboril; concelebraron el párroco de El Pino, Bernardo Rodríguez, el de Muelas, Valentín González, y el coadjutor de San Juan de Sahagún, Jesús Cabezas. Al ser la maestra armuñesa, vino a predicar el célebre Teodoro Andrés Marcos (1880-1952), de Palencia de Negrilla.[71] Hubo procesión, con cohetes y bombas. Los mayordomos obsequiaron con un banquete. Vinieron los párrocos de Muelas, El Pino y Valverdón. En 1935 tenía en Valverdón Fabián Olivera Rivas un salón con gramola, y acudió al baile de los carnavales Iluminado Corona, de El Pino (*EA* 10.3.1935).

También se inician por entonces medidas obreristas, que aspiraban a dulcificar los conflictos sociales en alza. Es el caso de la caja de Previsión Social, en que algunos labradores podían afiliar a sus obreros. En 1926, así lo hacían el rentero de El Palacio, Serafín Fraile Recio, y tres labradores locales, Eladio Sanchez Esteban, Bienvenido Sánchez Gallego y Cipriano Corona Sánchez[72]; en 1925, Hipólito Sánchez Hernández (*EA* 12.11.1925, 3.11.1926). En la dictadura y en la República, reciben subsidio por familia numerosa el obrero Emilio Pérez Miranda (entre 1927 y 1931), M.ª Antonia Andrés Gordillo (años 1927-1933; era viuda de José M.ª

---

[67]   Hija de Ángel Sánchez Miguel y Leonor Santiago González.

[68]   Hija de José Arnés Santiago y Josefa Dorado Maestre.

[69]   Hijas de Avelina Mediero Curto, del Castrejón, e Hipólito Sánchez Hernández. Esmeralda casó en 1947 con el militar Facundo Valle López; celebró la boda José Riesco Terrero, que fue párroco de Muelas en 1940. Araceli casó con un rico de Doñinos. Hermanos de Araceli eran Casimiro, médico, y Mariano, que casó con una hija del veterinario de Valverdón. Tuvieron muchos hijos. El 10.6.1928, por el Corpus, acudieron a Carnero (Barbadillo) Araceli y Esmeralda, así como Casimiro y Mariano, en calidad de «pollitos forasteros» (*EA* 17.6.1928).

[70]   En 1921, acudieron a la fiesta de San Antonio en Muelas María Rivas y Práxedes [Sánchez Gallego]. A San Juan en Valverdón fue en 1915 Tomasa Hernández; en 1925, Ángeles Rivas. A las fiestas de la Inmaculada en Carbajosa de Armuña, organizadas por las Hijas de María, acudieron en 1923 Anuncia y Angelina, de Zorita y El Pino; era acordeonista allí Longinos Recio Zarza, un labrador del pueblo; en 1925, fue Iluminada Luengo; hubo baile de acordeón, laúd y bandurria: llamaron la atención del corresponsal las bellas armuñesas, que «de sus boquitas frescas, después de cada baile, pronunciaban las frases "muchas gracias"». Iluminada terminó casando, el 20.6.1937, con Longinos; la boda fue en San Juan de Sahagún, con banquete en el restaurante Cele.

[71]   De Palencia era también Rosalía Borrego, casada con el pinense Lorenzo Juanes; acudió al banquete con su hijo Adolfito.

[72]   Casado con Margarita Calvo Gallego, n. La Vega de Tirados, cuyo padre era tabernero allí.

Cosido Muñoz [1886-1926]);[73] y Basilio Dorado Maestre, en Zaratán (entre 1927 y 1933).[74] Las cuotas de retiro obrero obligatorio habían de pagarlas los patronos; en 1936 tenían descubiertos en dichas cuotas Pedro Gallego, rentero de Zaratán, y José Manuel Corona García. Sin relación con ello, cabe indicar que José Manuel[75] había participado en una riña en las ferias de San Mateo de Salamanca, en el ferial de ganado, en la que también se involucraron el ganadero Cesáreo Hernández Sánchez, de la Rad, y Miguel Hernández Sánchez. Cesáreo resultó herido en la cabeza; José Manuel, en el antebrazo (*EA* 22.9.1919).

Durante la guerra, Emilio Pérez Miranda[76] (1883-1967) fue encausado por izquierdista, ocupándose preventivamente sus bienes por una providencia dictada el 20.11.1937. Casado con Margarita García García, vivía en la calle Iglesia 2; en 1931 habían tenido una niña a la que pusieron Palmira, nombre de elocuentes simpatías republicanas. En 1940 ya había pagado todas las sanciones que se le impusieron y pudo recobrar la libre disposición de sus bienes (BOE 22.3.1938, 25.6.1940). Emilio había sido un talentoso maestro de obras, que rehízo la espadaña de la iglesia.[77]

También se sobreseyó el expediente a Braulio Antón Rodríguez, soltero de 22 años (BOE 10.8.1943); en 1944, absurdamente, se le buscaba por faltar a quintas de 1936: Braulio, hijo de José Antón Hernández y Gaspara Rodríguez Ballesteros, era de profesión pintor y nacido en 1915: había sido fusilado en el cementerio de Salamanca el 29.7.1937, tras ingresar en la prisión provincial el 16.6.1937 (SMJ). Ya su padre, José Antón, de Parada de Arriba, fue delegado para el comité central en un sindicato, la Sociedad de Resistencia, en 1923; parece haber fallecido en 1947. La misma página informa de que Nicanor Cosido Andrés, n. 1910, hijo de los antes

---

[73]   Nacida en 1887 en Calzada de Valdunciel, hija de Venancio Andrés Merino (1863-1947) y Catalina Gordillo Entizne. Tuvo nueve hijos. Antes de casarse, fue novia del tamborilero de Valverdón, Agustín. Venancio, cuyo padre era calero, y que descendía de una familia de franceses ambulantes, fue enterrador. Su hermana Teresa Andrés Merino, n. 1866, casó con Luis Ramos Ramos y murió en El Pino en 1941. Curiosamente, un tío abuelo de Venancio, Antonio Javier Manzano, casó en 1823 con una viuda de El Pino, María Cruz.

[74]   Basilio, n. 1883, era hijo de Toribio o Tiburcio Delgado Núñez y Vitorina Maestre Vicente. Era familia de las «simpáticas y bellas señoritas» Herminia y Lorenzo Dorado, que venían en agosto de 1928 desde Brincones a pasar unos días en Zaratán.

[75]   Casado con M.ª del Consuelo Hernández Sánchez.

[76]   El apellido materno remitirá a Miranda do Douro, pues su familia por ese lado era de Cibanal, *Ruelos* y Fermoselle.

[77]   Su hija Agustina casó en 1941 con Juan Antonio González Encinas, hijo de Telesforo González Encinas y Escolástica Encinas. Telesforo fue secretario del juzgado en Espino de la Orbada; en una disputa en 1905 con un vecino, le ocasionó heridas con un cuchillo, pero el delito fue considerado falta. Falleció en 1924.

citados José María y María Antonia, hortelano, pasó un mes en la cárcel de Salamanca entre 25 de enero y 23 de febrero de 1941.[78]

> No siempre era política la causa, pues esta fuente engorda la lista de víctimas de la represión incluyendo en ella variopintas travesuras y delitos: en Calzada de Valdunciel, una sonora gamberrada en los carnavales, que todavía se recuerda, llevó a varios mozos a cumplir un mes de arresto; la página no duda en registrarlos como víctimas políticas. Otros presos por delitos como inmoralidad (prostitución), estafa o faltar a alistamiento militar figuran en la página que abreviamos SMJ (Asociación Salamanca Memoria Justicia).

Otros presos de la guerra y posguerra, nacidos en El Pino, son de familias foráneas (SMJ).[79] Casilda García Manzano, n. 1875, casada con Gregorio Delfín Hernández Tobías, alias El Escopeta, que vivía en Salamanca, había sido juzgada varias veces antes de la guerra por escándalo, altercados, estafa y corrupción de menores. Su hermana Teresa (1864-1907) también fue encausada por corrupción de menores en 1907.[80] En 1919 Casilda ingresó en la cárcel por el mismo delito.[81] Por otro lado, denunció en 1923 a su esposo por maltratarla; a Delfín se le incriminó en 1926 por blasfemia y escándalo. En 1924 Casilda fue denunciada por pasear por la Plaza Mayor, se entiende que captando clientela para su casa; en 1927 fue nuevamente a prisión; se la juzgó en tres causas distintas por corromper a dos menores (la volvieron a juzgar en 1932). En 1934 vivía en la calle del Prado 9 y fue agredida por un tal Agapito; en 1937 se le extravió una perra loba llamada Diana. Durante la guerra fue presa de 13.12.1937 a 8.3.1938; de nuevo el 7.6.1945, entrando en el Asilo de las Hermanitas de las Pobres hasta el 6.9.1945.

Juan García Niño, n. 1911, hijo de Fermín García Montes y Gregoria Niño Rodríguez, ebanista, casado con María Sánchez, estuvo preso de 10.5.1944 a 9.6.1944. Arsenio Juanes Sánchez, n. 1898, hijo de Lorenzo Juanes Blanco y Lucía Sanchez García, que hizo la mili en Barcelona en 1920, y casó en 1924 con Rosalía Borrego Suárez en Palencia de Negrilla, fue preso por desacato, desórdenes y coacción el 4.9.1936, con consejo de guerra, hasta el 4.12.1939 (varios reingresos breves hasta

---

[78]   Había casado en 1939 con Micaela Martín Gallego.

[79]   Como en el resto del libro, los datos se completan o rectifican con hemeroteca y archivos parroquiales.

[80]   Casilda había nacido el 14.4.1875 en una familia de jornaleros. El padre, Serafín García Sánchez († 1898), era de Aldeatejada; la madre, Atanasia Manzano Zamorano († 1901), de Villaselva por el lado paterno y de Fermoselle por el materno. En el juicio de 1907-1908 fueron procesados Manuel Donato Sánchez, Nicanora García Soler, Inés Merchán y Casilda y Teresa García Manzano. Terminaron absueltos.

[81]   Con ella ingresaron, por la misma causa, Francisca González y María Borrego.

1950). Arsenio era, como su padre, tratante de ganado; en la posguerra tenía un puesto de ropa y se dedicó al estraperlo. El 17.7.1936, en vísperas de la guerra, había habido una pelea tumultuaria de Arsenio y Rosalía con Adoración Moreno Garcia y M. Borrego de Dios: ¿fue esta la causa de su ingreso en prisión? (*EA* 18.7.1936). En 1942 se le impuso una multa de 2.500 pesetas, por tráfico ilícito de artículos de uso y vestido, y le cerraron el puesto tres meses. Manuel Martín Vicente, n. 1896, hijo de Fermín Martín Hernández y Virginia Vicente Recio, labrador, casado con Rosa Corona Hernández, fue preso de 11.2.1941 a 8.3.1941. José Luis Pérez de las Heras, n. 1923, hijo de Manuel José y Juliana, peón albañil, soltero (preso en su alistamiento para el servicio militar, de 23.1.1941 a 21.2.1941, y de 9.7.1947 a 24.7.1947). Su madre, Juliana de las Heras Crespo, fallecida en 1925, con 39 años, no estaba enterrada en sagrado.

De la República pueden citarse los resultados electorales de noviembre de 1933 en el lugar, unas elecciones en las que la provincia votó mayoritariamente a las derechas. Las listas eran abiertas y cada elector señalaba varios nombres. En El Pino nadie votó a los candidatos del Partido Comunista.[82]

En 1936, el ayuntamiento y vecinos de El Pino reunieron 451,50 pesetas para la fuerza pública nacional en la provincia (*EA* 30.8.1936); la maestra y los niños de la escuela, 37,75 ptas (*EA* 3.11.1936). Para las poblaciones *liberadas*, la escuela dio un cajón de 10,25 kg de garbanzos (*EA* 15.2.1939). Para el ejército de África, tres niñas entregaron prendas: Elena Sánchez Ledesma, una manta; Rosa Sánchez González, una toalla y un par de calcetines; Amelia Hernández, otro par (*EA* 30.10.1936). Para el aguinaldo de la División Azul, recaudado por Falange, el pueblo dio 23 pesetas (*EA* 23.12.1942). Por negarse a recibir los emblemas de Auxilio Social se impuso multa de 5 ptas a cada uno de los vecinos Heliodoro Petisco García, Lorenzo Gallego, Rafael Hernández, Eugenio Ramos, Ángel Sánchez y Margarita Calvo; con 10 ptas, Isabel Sánchez y Emerenciana Sánchez; con 15 ptas, Mercedes Vicente (*EA* 13.2.1938, 22.6.1938).[83]

Por entonces, el Censo de Campesinos (1932-1936) muestra para El Pino la siguiente situación: 244 habitantes (población de hecho), 41 jornaleros, una sociedad

---

[82]   En cambio, obtuvieron votos los candidatos de la Coalición Obrero-Socialista: José Andrés y Manso (43), Rafael de Castro Manjón (41), Valeriano Casanueva Picazo (38), Adolfo Goé Yagüe (43) y Rufino Martín Sánchez (33) (Fernández Trillo y McInnis, 1985: 142; *EA* 4.11.1933). De las restantes fuerzas obtuvieron votos: por la Coalición Republicana Radical Conservadora: Marcelino Rico Rivas (4), José Camón Aznar (1), Tomás Marcos Escribano (6), Fernando Íscar Peyra (12). Por el Partido Republicano Liberal, Filiberto Villalobos (33). De las derechas tradicionales, José María Gil Robles (62), Cándido Casanueva y Gorjón (62), José María Lamamié de Clairac (44), José Cimas Leal (50), Ernesto Castaño (58) (*EA* 23.11.1933).

[83]   Era una forma obligatoria de contribución a la guerra (De Prado Herrera 2012: 535).

obrera, 9 pequeños propietarios y 5 pequeños arrendatarios (González Esteban y Brel Cachón 2013: 135).

En la guerra, como acredita la cruz de los caídos junto a la iglesia, que convendrá respetar escrupulosamente por su valor histórico,[84] solo falleció un vecino: se trata de Jesús Sánchez Vicente, n. 1912. Era hijo de José Amador Sánchez Recio († 1926) y Mercedes Vicente Recio; sus hermanos eran Isabel, Emerenciana, Angeliche[85] y Trinidad. Jesús era cabo del 14 Regimiento de Artillería Ligero (*EA* 30.1.1938).[86] Ángel Sánchez Vicente fue procesado en 1945; el 28.1.1944, el guarda de la sociedad de cazadores, Narciso Pérez Herrero, pidió a Ángel que lo acompañara a ver una linde que parecía haber sido alterada. Este, «en forma airada y descompuesta, contestó al guarda, contra quien se abalanzó, arrojándole al suelo, causándole ligeras erosiones». Por atentado contra la autoridad y lesiones el fiscal solicitó pena de tres años de prisión menor y multa de 1.000 ptas (*EA* 2.3.1945).

Por entonces, para fomentar la producción, la Cámara Oficial Agrícola premiaba a los labradores que sembrasen trigo tremesino: en El Pino, Hipólito Sánchez Hernández recibió por ello una bonificación en metálico (*EA* 8.7.1938). Durante la guerra fue jefe local de Falange Arcadio Sánchez Gallego (1890-1940), pero, por alguna razón, la Jefatura Provincial lo destituyó en 1938 (*EA* 21.6.1938). Recién acabada la guerra, Silvio Sánchez Rivas, de El Pino, fue sancionado con 75 pesetas por no presentar declaración jurada del personal movilizado, según una orden sobre reincorporación de los combatientes al trabajo (*EA* 27.6.1939).

La posguerra fue difícil para los labradores porque el racionamiento de víveres implicaba una tenaz vigilancia sobre sus cosechas. En los años 1944 y 1947, algún labrador acomodado de El Pino fue sancionado con enormes multas e incautación de mercancías por ocultación de parte de la cosecha de trigo y cebada: a otro, en 1941, por molturación clandestina y comercio ilícito de trigo. En abril de 1942 se celebró en El Pino la santa Misión, predicada por los padres paúles Manasés Carballo y Felipe Manzanal. Duró seis días, con procesiones y otros actos matinales y vespertinos: «confesaron y comulgaron todos, llegando el número de comuniones en total a 420». El último día se celebró misa de campaña (BOS 30.5.1942).

---

[84]   La cruz estaba antes frente a la portada; cerca había un viejo y corpulento negrillo (vestigio del viejo atrio), en cuya peana, de intrincadas raíces, jugaban los niños.

[85]   Ingresó en el hospital provincial en 1939 por fractura de tibia (*EA* 14.1.1939, 21.2.1939).

[86]   De Muelas fallecieron Manuel Zúñiga, Eugenio Julián y Eulogio Hidalgo, como indicaba un sillar de la iglesia.

Vida diaria, producciones, dolencias

De vísperas de guerra llega una crónica que respira cotidianía. Se trataba de celebrar la primera comunión de los niños Amelia Hernández, Dolores Corona, Rosa Sánchez, Anita Ramos, Gumersindo Sánchez y Julio Hernández. El paisaje es descrito así: «campiña alegre y sonriente de hortalizas y frutales sin número». Se estaba procediendo por entonces (7 de julio) a la recolección de la guinda, «de exquisito gusto y presentación»; los lugareños debían apresurarse para ello, porque a esa altura del año estaban atosigados por la cosecha de cereal. El corresponsal alude a las contrataciones obligatorias de obreros del campo que se impusieron al final de la República y que fueron muy impopulares entre los labradores[87] —fueron fulminantemente abolidas el 18 de julio—: «con alta satisfacción para todos, he de hacer público que han llegado a una inteligencia plausible patronos y obreros de esta localidad en la colocación de los parados».

Cabe recordar que las ricas guindas de El Pino, tan vulnerables al calor y los apretones del transporte,[88] no se llevaban hasta los mercados de Salamanca; cuando iban llegando a la maduración, acudían puntualmente vecinos de pueblos comarcanos (Parada, Zarapicos, Valverdón) a llevarse pequeñas cantidades. En cambio, las ciruelas, de mayor aguante, se metían en las aguaderas de las caballerías y se llevaban a Salamanca; aun así, cuando iban en burro a vender a pueblos comarcanos, corrían riesgo de estropearse si no se vendía la carga completa antes de volver a casa. Se recuerdan en Valverdón las peras de El Pino: las peras de agua, y las de *atracabrutos* o «Jesús, qué ahogo» (Frayle Delgado 2009: 29).[89] La importancia de las peras en la ribera del Tormes es atestiguada por el nombre antiguo de Santibáñez del Río, Sancto Iohanni de Perales (1224 DCS §161, DCSB § 163).[90]

Se vendían en Salamanca muchos fréjoles del lugar, por lo general, al detalle (al *quileo*). Los huertos, de pequeña extensión por lo general, estaban cerca del casco, junto al regato de la Alameda; surgieron masivamente en la década de 1790.

---

[87] El sistema de contratación era acusado de burocrático, centralizado y rígido; a veces imponía a los labradores contratar sin necesidad. El 30.6.1936, justo antes de la guerra, en Muelas faltaban 35 segadores, pero sobraban 10 mozos de era (*EA* 30.6.1936); en El Pino faltaban 24 segadores, 12 atadores y 4 trilliques (*EA* 1.7.1936).

[88] En Vitigudino, *El Avanzado* (11.7.1889) mencionaba a «los carguilleros, que siempre traen las guindas pingando». Por eso solían plantarse guindos con moderación, pues su cosecha no era fácil de vender a tiempo. Correas recoge un refrán a propósito: «en la eredad, un gindo, i en la villa, un xudío», comentando «ke nunka falta, i ke basta» (es lo oportuno, pero no conviene más).

[89] Con este mismo nombre, «Jesús, que me ahogo» se recuerda en Cepeda una pera muy áspera, que maduraba a final de septiembre y cuya pulpa ennegrecía con facilidad; se destinaba para el engorde de lechones; su madera era de buena calidad (Zuriñe Alba, <https:// conecte.es>).

[90] Pervive en 1585, *Santivañez de Perales* (AHP, SG. 3718, notario Francisco Gao).

En 1828 se vende un huerto cercado de vallado, propiedad de José Delgado, de dos celemines, con ocho árboles frutales; lindaba con la *cancera* del pueblo, es decir, la zanja o canal de riego. Otro huerto, de Francisco Lucas y su mujer M.ª Francisca Gómez, se menciona el mismo año, de dos celemines, con ocho ciruelos grandes y otros chicos; lindaba al E con el regato y por otros lados con huertos de Isidro Delgado y Matías Rodríguez. Más en la sección de toponimia.

Otra producción muy apreciada era la de los antiguos cangrejos (*Austrapotamobius pallipes*); Zaratán era abundante, sobre todo en una charca de la dehesa, conocida como «la charca de los cangrejos». Antes de ponerlos a hervir se *capaban*, tirando con la mano de la aleta central de la cola.

Esta variopinta producción de menudencias de huerta y regato, dieta humilde de productos heteróclitos pero brotados de un común paisaje ribereño, trae a la memoria el dicho recogido por Luis de Maldonado y Ocampo: «te pregunto por cangrejos, y me contestas por rábanos» (*EA* 16.8.1918): esto es, sales por peteneras, cambias el hilo. De similar alcance y contenido es el refrán portugués que recoge antes de 1553 Hernán Núñez, catedrático de griego en Salamanca, «falaon le en allos, responde en bugallos»,[91] traducido por él: «habláronle en ajos y responde en agallas», es decir, en *abogallas* como se dice en El Pino (Núñez 2001: 287).

Cangrejos y guindas, tencas y rábanos: efímeras alhajas de opuestos reinos, amenidades de paisaje y despensa, que ponían color de fiesta en la cotidianía de los pueblos. Del arrabal y otros lugares próximos a Salamanca, acudían las cangrejeras a vender la capital: se ponían en el Corrillo. En algunas localidades ribereñas, con ingenioso arbitrio, los cangrejos eran subidos a los árboles para una misión postrera. Con intención de ahuyentar a los pájaros, que causaban mucho daño en los frutales, se colgaban muertos de las ramas, de modo que el fuerte olor de los crustáceos al irse pasando hacía huir a los pájaros (*EA* 25.8.1897). Las delicadas guindas destripadas en los cestos, los sabrosos cangrejos pudriéndose en los árboles: el tiempo acosaba con igual vehemencia, pero distinta táctica, a ambas criaturas de la ribera, miniaturas de color, ornato de esta orilla del Tormes.

En el pasado hubo paludismo (calenturas intermitentes o tercianas) en El Pino y otros pueblos ribereños: se trataba con grandes bolas blancas de quinina, muy amargas.[92] También era común el tifus, del que fallece en 1897 Tomás Díez García,

---

[91]   En latín se dice de ajos y cebollas: «de aliis loquenti, de cepis respondere» (cf. Pereyra 1750: 1306). Actualmente: «falar em alhos e responder em bugalhos», «misturar alhos com bugalhos».

[92]   El paludismo producía fiebres intermitentes en los pueblos ribereños del Tormes, especialmente en mayo y septiembre; se recomendaba a los visitantes de los baños de Ledesma no estar de noche al aire libre, ni abrir los balcones y ventanas que daban al río, durante la segunda quincena de agosto y todo el mes de septiembre (García López 1884: 70).

de Zaratán; Agustina Panadero, de 52 años, murió allí, de una fiebre perniciosa, en 1926. En 1904 hubo un caso de difteria. En torno a la guerra hizo estragos la tuberculosis, de la que falleció en 1927 Cándido Borrego Núñez (64 años); en 1942, Juan Antonio Ramos Herrero (23 años) y Magdalena Ledesma García (47 años).

La labor, hasta que comenzó la mecanización, se hacía con bueyes o con mulos; los burros eran escasos y se usaban para el transporte. Los bueyes se compraban en Salamanca, Ledesma y Vitigudino. De Ledesma eran bueyes holgones; los de Vitigudino eran mejores para el trabajo.[93] Los segadores, en la comarca, acudían de la sierra (se recuerdan de Garcibuey), o de la raya de Portugal (por ejemplo, de Pereña o de Mieza). Los de la sierra salían más caros, porque traían sus caballerías; mientras que los gallegos y portugueses, que venían a pie, pedían jornales más pequeños; traían ruidosas *chancas* de palo, con un hierro en la punta y otro en el talón. Comían mucho pan, y se les daba carnero. Cuando se sacrificaba carnero antes de su llegada, se conservaba troceándolo, salándolo y poniéndolo a secar varios días cerca del fuego.[94]

En 1940, un labrador acomodado, Eladio Sánchez Esteban, dejaba a su muerte nueve bueyes, de edades entre 4 y 10 años: sus nombres eran Coronel, Listón, Salado, Brillante, Artillero, Naranjo, Guindo, Mandable y Bandolero. Se tasaban en 21.500 pesetas. Además, contaba con una yegua de 20 años; un burro negro, ocho cerdos grandes y siete pequeños. En 1947, un toro que guardaba Lorenzo Gallego Gallego en El Pino, lo volteó y empitonó, hiriéndolo de gravedad en el muslo. Lorenzo, de 58 a., vivía en el pueblo, pero era de Carbajosa de Armuña (*EA* 27.5.1947).

En la posguerra destacaba como pequeño comerciante de ultramarinos José Antonio Rodríguez Gordillo, nacido en 1911 de la familia de los Matus en Calzada de Valdunciel. Tenía un tatuaje en el brazo derecho, a la altura de la muñeca, una especie de sirena; en el otro, un barco. En la guerra lo hirieron en una pierna, que le quedó más corta, por lo que usaba un zapato muy alto para compensar. Se casó con Valeriana Amada Cosido Andrés, n. 1917, un poco pariente de él, al ser oriunda de Calzada por vía materna;[95] recién casados, pasaron unos años de porteros en una casa del Pozo Amarillo en Salamanca; luego se establecieron en el pueblo. José Antonio nunca llegó a tener burro, así que solía ir a pie a Calzada o a Salamanca, y traía de allí aguardiente y perronillas. Más tarde, compró una bicicleta, e iba a Salamanca para comprar géneros, entre otros, sardinas que luego vendía por los pueblos. Su mujer era muy buena cocinera y preparaba comidas en las bodas.[96] Tenían un trozo de casa,

---

[93]   En 1916 hubo epidemia de cólera porcino en el pueblo, con foco en una sola piara.

[94]   En Valcuevo, el secado se hacía dentro de unos fardeles blancos para evitar la entrada de bichos.

[95]   Su hermano Alipio casó con su cuñada Valentina Rodríguez Gordillo; vivieron inicialmente en una choza. Consiguieron una casetilla al empezar a trabajar con los señores del Palacio.

[96]   Esta especialización local recaía sobre mujeres con fama de buenas cocineras. En algunos pueblos se llamaban *guisanderas*. En Muelas, hacia 1933, acudía a cocinar en las bodas una señora de Villamayor, llamada Filomena Barbero.

con dormitorio y sala. En la sala, con una botella de anís o aguardiente como centro preparó lo que años más tarde sería el *salón* y bar, un local para baile con la primera televisión de El Pino. Tenía un espacio rectangular paralelo al salón con mesas cuadradas de madera, sillas y una barra de cemento. Había barreños con agua y un saco de pipas; el señor José era muy serio; su mujer, la señora Amada, llevaba por la calle recipientes con el café y la leche calientes, que hacían en casa, con azúcar en sacos, fruta, escabeche, aceitunas y hasta colonia a granel. Hubo más tarde otra tienda, de la señora Amparo Ramos Herrero, casada con Primitivo.

Una fuente de ingresos para el municipio era el espigadero, que se subastaba para ganados de pueblos comarcanos, que podían aprovechar rastrojeras y pastos sobrantes.[97]

El Pino y su río

Constante vecino de la vida del pueblo ha sido el Tormes, «andador de larga brega», «novio de torres y estrellas», con sus «verdes rimas rizadas», que traen «peces y trinos antiguos, recuerdos de voces viejas».[98] Añadamos unos pespuntes a su semblanza. En tiempos medievales y aun posteriores no era infrecuente que determinados tramos fluviales fueran de propiedad privada.[99] En ellos podían instalarse azudes para pesca o para aceñas.[100] En 1587 se disputan la propiedad de un trozo de río en El Pino y otros predios Juan de la Peña, vecino de Golpejas, y Cristóbal de la Peña, platero, y Juana de Cáceres, su mujer, vecinos de Salamanca: no sorprendería que fuesen de linaje judaico, al menos por un costado. Se trata de «quinze arançadas de viñas y dos palomares caýdos y un pedaço de rrío y unas tierras con un peral y un nogal y una casita caýda con quatro cubitas en ella».[101] El tramo fluvial, se indica, está en El Pino; las restantes propiedades, en Parada de Abajo (= Villaselva).[102]

---

[97]   En 1945-1647 se estimaba una capacidad del término para recibir 650 cabezas de ganado lanar, a 20 pesetas cada una (*EA* 19.5.1945, 25.6.1946, 18.7.1947). En 1942 se indica que el cupo es de 650 lanares, a 9,05 ptas; la temporada, de 1 de julio a 1 de noviembre (*EA* 18.6.1942).

[98]   Los versos son de Juan Polo Laso (1976: 24, 25), que fue párroco de El Pino; inspirado poeta, bautizó a CSG, coautora de este libro.

[99]   Eran conocidos con el término *ribera*, que ha quedado en la toponimia: Ribera Verde, La Riberita, Ribera Chica.

[100]   El CME menciona charcos para la pesca contiguos a ciertas aceñas; por ejemplo, la de Torrecilla del Río, ya en ruinas; el charco junto a la de Almenara daba de renta anual 20 reales; en Olmillos se arrendaban dos charcas de pesca en el Tormes.

[101]   Eran restos de la herencia de Pedro de la Peña y su mujer María Sánchez, situada en Villaselva y alrededores. A su muerte, la heredad, sobre la que cargaba un censo, fue motivo de un complejo pleito entre sus hijos y deudos (VLSV). Véase en la sección dedicada a Villaselva.

[102]   ARCV, REG. EJECUTORIAS, CAJA 1700, 67.

En 1571, toma posesión Fray Marcos Hernández, en nombre del convento de San Esteban de Salamanca, del «río que llaman de la ygl<esi>a mayor, que es del rregato que viene del dho lugar del Pino al dho rrío, y llega asta el bado de Ribera Berde» (VSLV); el tramo debió de ser de la catedral de Salamanca anteriormente.[103] En 1405 se cita en Muelas *la ribera del Chamoro* (APEOS 300, 302), probable apodo del dueño —*chamorro*— de este tramo fluvial. Villar y Macías (1887, I: 53) dice que, según sentencias del siglo XV, eran del ayuntamiento de Salamanca varios tramos de río, entre ellos la ribera del Pino y San Juan (¿Santibáñez?),[104] y en Almenara, la ribera del Alambrero. El CME indica que, en 1751, la tabla del río en Valverdón, arrendada por 200 rs anuales a un pescador, era de la ciudad de Salamanca. En 1514, un Rodrigo Maldonado era dueño de una tabla llamada *del Nogal*, tres ruedas de aceña y dos yugadas en Valverdón (López Benito 1991: 187).[105] Maldonado arrendó la propiedad a un vecino del pueblo, Luis Gómez, que se obligaba a pagarle al año 40 arreldes de peces, 6 de truchas y una docena de anguilas, sin fecha fija («cuando se tomaren»): hermoso testimonio de la vieja riqueza del río. *Peces* aludirá a pesca menuda (barbos, bogas, *gallegos*, *sardas* y otras especies). Maldonado se reservaba para sí la pesca en la tabla del Nogal, a discreción (186-187). Las rentas de la villa y tierra de Ledesma en 1500 incluían cien lampreas (Vaca Lorenzo 1996: 537).[106] Las tres ruedas y dos yugadas de los Maldonados en Valverdón se arrendaban por cuatro años a Juan de Ponte, vº de Tejares, desde San Martín de noviembre de 1564, por 64 fanegas de trigo, doce gallinas, cuatro puercos, 50 arreldes de peces;[107] además, 4 ducados

---

[103]   En la toma de posesión, el fraile bailó el agua, echándola de un lado para otro. Fue testigo Francisco Martínez, vº de El Pino.

[104]   Sitúa Villar una ribera de Pedro Cabeza, también del ayuntamiento de Salamanca (s. XV), en el área de Santibáñez; pero debe de coincidir con la Ribera de Pocabeca (mala lectura de Pº Cabeça), encima de Valverdón, citada en 1453 (Cabrillana 1969: 279). Por lo tanto, coincidirá con el Río de Pedro Cabezas (CME), paraje en Zorita.

[105]   La aceña era sin duda muy antigua, pues ya en 1298 se menciona a un tal Diego, maestro de aceñas en Valverdón (DCS § 448, 449). La aceña, de tres piedras, pasó a ser propiedad de los carmelitas calzados de Salamanca; en 1751 estaba arrendada a Domingo Martín, alias Clavos, de Salamanca, por 400 reales anuales (CME).

[106]   Probablemente del tramo final del Tormes. En Alba de Tormes, una ordenanza del siglo XV restringe la salida de la villa de truchas, barbos, *peçes* y anguilas (Monsalvo Antón 1988: 161). En 1919 se indica que el Tormes criaba abundantes gallegas, barbos, sardas y anguilas; truchas solo en cabecera (*El Adelanto* 15.11.1919). En 1884 se mencionan sardas, bogas, gallegos y rascones (*La Liga de los Contribuyentes* 10.6.1884). Incluso la Valmuza, en tiempos del Madoz, criaba cangrejos, sardas, tencas, barbos y anguilas.

[107]   Se valoraba cada arrelde a un real, pero los Maldonados acusan al administrador de venderlos por dos reales. Replica que eran «peçíçicos chicos, y que quando llegauan a [Salamanca] ya hedían», por lo que no les sacaba siquiera al real. Otros arrendamientos de aceñas incluían también el pago en especie de peces: la aceña de Santa Marta, con su heredad y soto, se arrendaba en 1556 por 500 f de harina sin maquila, 50 f de trigo, 50 f de cebada, 6 puercos, 24 gallinas y 50 arreldes de peces al año (ARCV, REG. EJECUTORIAS, CAJA 957, 29).

por un cercado próximo a la aceña, para las bestias y bueyes de los moledores. Cuando la aceña estaba parada por obras, se le rebajaba la renta. En 1568, por quiebra de Juan de Ponte, arrendó la aceña Alonso García, vº de Valverdón; a este lo desahucian los Maldonados en 1573 (RMAL).

> En Zorita había una aceña, de los dominicos. Se mencionan en 1319 unas aceñas caídas, con su pesquera y casas, llamadas de Castraz, una mitad de las cuales es vendida por Giral o Guiral Yáñez y Juana Pérez a Juan Martínez, prebendado de la catedral; estaban cerca de Muelas (RBLC). Este Giral era notario, y en 1324 asienta una donación en favor del cabildo hecha por dicho Juan Martínez de tres cuartas en el piélago de Mafa, que iba desde la pesquera de Gudino hasta la de Castraz (RBLC). Cabe deducir que Castraz estaría cerca del Canto.

El Catastro de Ensenada no menciona molino alguno en El Pino. El último aceñero de Valverdón fue el señor Emilio Hernández. En 1909 se estaba construyendo la aceña nueva de Valverdón, con una turbina de 35 caballos, de marca suiza. Entre 1914-1920, los herederos de Basilio García o Paulina García eran dueños de una aceña de dos piedras en Valverdón (EA 4.6.1909; BCC). Bernardo Olivera Sánchez, dueño desde 1900 de la aceña de Zorita, compró la de Valverdón a Emilio. La compra debió de ser hacia 1919, pues por entonces se anunciaba la venta de parte de una aceña allí situada (EA 4.4.1919). Olivera la desmanteló hacia 1930-1940 para evitar la competencia (Frayle Delgado 2009: 34; López Vicente 2012: 18).[108]

Según los detalles que ofrece Villar y Macías (1887, III: 63, 66) sobre la terrible riada de San Policarpo, del 26 de enero de 1626, El Pino y Valverdón quedaron fuera de la lista de pueblos afectados.[109] Los peores daños se produjeron aguas arriba de la capital, pero en Santibáñez [del Río] la riada derribó «diez casas y el palacio»; en Tejares, 20 o 22 casas, con graves daños en la casa de recreo que tenía el colegio de San Bartolomé y sus aceñas; menciona también «el lugar de Bocinas» (mala lectura por Borrinas = Burrinas, del tº de Florida), donde el río se llevó seis casas.

En El Pino podía sin embargo consolidarse otro mercado para la clientela de la otra ribera, poco accesible por entonces. En 1867, un vecino de Almenara, Juan Antonio Alcántara, proyectó la construcción de un molino harinero de tres piedras en tº de El Pino, sobre el Tormes, en la Ribera Honda. La presa contaba con dos

---

[108] Hasta fecha reciente ha estado en uso la aceña de Carrascal de Olmillos, que fue de los duques de Fernán Núñez y llevaba a finales del s. xx el señor Donato. Algún vecino de El Pino iba allí a moler, aprovechando el puente metálico privado que había en Almenara, del que fue guarda el Chaquetilla, de Muelas. La aceña de Almenara ya estaba en ruinas en 1752 (CME); en 1862 se dio autorización a Genaro Rodríguez para instalar una aceña nueva en Almenara, usando una presa vieja donde hubo un batán (El Clamor Público 14.1.1862).

[109] Otras crecidas históricas del Tormes: 1256, 1482, 1500, 1555, 1883 (García López 1884: 15).

tomas, cuya vena líquida admitía un caudal de 330 litros por segundo; había de hacerse un desaguador en el centro, de 1.60 x 0.90 m (*La Provincia* 13.10.1867). En 14.8.1860 se había autorizado al mismo para que hiciese una aceña en Almenara, en el sitio de los Cavaderos (*Adelante* 23.8.1860).[110] Juan Antonio Alcántara debió de ser carpintero industrial, pues en 1848 el concejo de Almenara lo contrató por 2.400 reales para hacer una barca de paso hacia allende Tormes, donde el pueblo tiene un trozo importante de su término. Juan Antonio era entonces vecino de La Riberita (Martín Benito 2015: 147); es un despoblado de Pelilla, cercano a Ledesma, pegado al Tormes, donde había una aceña, quizás construida o remozada por él mismo.[111]

Hacia 1883 el molinero es José de la Iglesia. En 1905, lo era Miguel Sánchez; le robaron un costal con tres fanegas de trigo, propiedad de Antonio Corona; denunció el hecho ante la Guardia Civil del puesto de Almenara.[112] En 1904, la aceña y un corral y casa inmediatas eran del Marqués de Castelar (RFES). Esta aceña figura en el *Anuario industrial-mercantil de la provincia de Salamanca*, años 1914-1926, donde se menciona un único industrial en Pino: se trata de Manuel José Hernández Martín. El molino tiene dos piedras, 15 por 100, y salto de agua. Propiamente es una aceña; en 1918 tributa 41,86 pesetas al tesoro (en 1920, 62.29 ptas); 83 céntimos a la cámara. En 1920 Juan Sánchez Hernández,[113] en El Pino, se ofrecía como molinero capacitado para atender tres pares de piedras (*EA* 12.8.1920). Francisco Fraile Mateos, de Valverdón, trabajaba de molinero en la aceña hacia 1930; era tío del escritor Luis Frayle Delgado.[114]

Manuel José Hernández, n. 1862, era hijo del rentero de El Palacio de los Ovalles, Tomás Hernández Pascua, de Zarapicos, y su primera esposa Ludivina Martín García, de Golpejas.[115] Acreditado prohombre, fue presidente de la Liga de

---

[110]   Véase la *Memoria sobre el progreso de las obras públicas en España en los años de 1859 y 1860*, Imprenta Nacional, 1861; p. 569; BOMF 35 (445): 349. Pariente de él, sin duda, era Bernardino Alcántara, *maquilón* de la aceña, que cayó al río mientras arreglaba una rueda; se produjo heridas graves (*El Progreso* 5.11.1884). La aceña fue arrasada por la crecida de 1909; Bernardo Olivera la compró en 1913 e instaló un nuevo molino con central eléctrica (Gómez Santamaría 1991: 184).

[111]   La caja de Crespo Rascón ponía a subasta el término redondo y molino de La Riberita por 141.680 pesetas en 1893 (*La Liga de Contribuyentes de Salamanca* 16.4.1893). En 1886, la caja había desahuciado al rentero de allí, Lorenzo Martín Luelmo. También vendía la caja tierras en Zarapicos, término donde Antonio Crespo Rascón había adquirido la alquería de la Aldehuela, expropiada a los agustinos.

[112]   *El Castellano* 7.11.1905; *EA* 6.11.1905.

[113]   Casado con Ana M.ª Gómez Blanco, vivía en 1927 en la calle de la Muerte 2.

[114]   Fue el último aceñero en la aceña del Arrabal en Salamanca.

[115]   Hermanos de Manuel José: M.ª Antonia (1865-1897), M.ª Encarnación (n. 1866), Lucía (n. 1869), M.ª Luisa (n. 1873) y Gabriel (1876-1927), rentero de Sagos, casado en 1900 con María Velasco. Al enviudar, Tomás volvió a casar con Práxedes Montero Magro. Cuando Tomás falleció en 1898, su viuda Práxedes, que era joven, se quedó a vivir en el Palacio, siendo rentero su hijastro

Agricultores desde 1911 y llegó a diputado provincial poco antes de fallecer el 25.1.1925; heredó el oficio paterno, siendo desde 1899 rentero de la dehesa de Porteros, en la que residía, y de El Palacio de los Ovalles, donde cultivaba en grandes hazas de regadío remolacha y legumbres (ambas fincas, y la aceña, eran del marqués de Castelar). El 13.10.1900 casó con Teresa Sánchez Lozano, hija de Felipe, dueño del Cotorrillo, dehesa de Cantalpino; fueron testigos el párroco de Zarapìcos y el propio marqués.[116] *El Adelanto* (18.11.1914) explica que Manuel José era «un gigante, de cara un tanto sacerdotal» (el mismo reportero lo caracterizará como «un labrador de pocas palabras, aunque muy castizas y autorizadas»: *EA* 27.7.1915).[117] Otras notas lo describen como «patriarcal y digno», «de gigantesca figura», «cristiano de rancia estirpe, forjador incansable de las costumbres charras». Por entonces, Manuel José estaba haciendo reparaciones en el molino de El Pino. Aquella otoñada, al cruzar el monte desde Porteros a El Palacio, el reportero observa que no hay bellotas: explica Manuel José que se las ha comido la *lagarta*. «En la cocina arden grandes troncos de leña, duermen en un rincón dos gatos, un gran perro va de acá para allá, cuatro gañanes comen silenciosamente sentados ante una mesa, unas criadas cuchichean mirándonos a hurtadillas»: así describe el periodista la casa grande de Porteros.[118]

El patriarcal Manuel José, en una charla en el portal —«fresco como una bodega»— de dicha casa, en 1916, ofrece, «con ese su reposado hablar», intuiciones sobre las dehesas: «Hay que entresacar las encinas y crecen mejor. Las que están cerca de los caminos, donde les da el aire bien, son las mejores. Nosotros decimos por aquí que las encinas buenas son como las mozas guapas, que salen a la carretera para que las vean». A la tarde, frente al portal, juegan a la calva. La conversación con el rentero es como «una clase un poco rústica en la que pasean pollos y gallinas [y] atraviesan un criado huraño o una criada encorsetada que, con la cabeza baja, lanzan un inexpresivo "con permiso"» (*EA* 15.7.1916).[119]

Allí, por cierto, se alojó el padre Morán en 1919 cuando anduvo de exploraciones arqueológicas en Zaratán; a ver los sitios lo acompañaron Manuel José o sus hijos.

Manuel José. Ya en 1815 era rentero de El Palacio José Hernández García, seguramente antecesor y pariente de Tomás.

[116]   Tuvieron a Petra, Tomasa, Evaristo, M.ª Antonia, Felipe, Manuel José y Josefa. Otro hijo, Luis, falleció de meningitis con 14 años en 1917.

[117]   A la Liga pertenecían otros labradores del Pino, como Eladio Sánchez Ledesma.

[118]   Los estudiantes de perito agrícola de Valladolid, en mayo de 1916, visitaron Porteros para ver las innovaciones agroganaderas de la dehesa. Salieron de Salamanca 18 alumnos y alumnas, con tres profesores, en una jardinera tirada por cinco caballos. Entre canciones y cascabeleo de colleras pasaron por Doñinos; en la cocina de la casa de Porteros, el ama y sus criados estaban atareados haciendo queso (*EA* 16.5.1916).

[119]   El corresponsal de estas sabrosas crónicas es Fernando Felipe Martín (1874-1947), que firmaba con los alias de Juan de Salamanca y Sir-Ve.

Manuel José Hernández tenía en 1901 tierras de labor en El Soto y El Regato del Soto, frente al Palacio, junto al Tormes. Su hijo Evaristo fue rentero de Zaratán antes de la guerra.

En el recodo del río donde se instaló la represa y el molino, el agua discurre profunda, como indica el topónimo Ribera Honda; en 1885, una joven de 21 años intentó ahogarse en el río, un 13 de junio, siendo sacada sana y salva por su padre (*El Progreso* 18.6.1885). El último molinero fue Antonio Martín Hernández, casado con Victoriana Benito, que tenía pata de palo.[120] En 1947 se vendía en la aceña una bomba de riego de marca Ruston, probablemente de los regadíos de El Palacio (*EA* 8.8.1947). Dejó de moler hacia finales de los sesenta. En torno a la aceña, titulada de la Purísima Concepción, había perales muy celebrados por sus peruchos. Los niños acudían a comerlos cuando maduraban, porque, si no, en una semana se pasaban.[121] En verano iban algunos de El Pino a bañarse aguas abajo de la pesquera; había que cuidar con las *aguas blancas*, así llamadas por la turbiedad causada por los remolinos.

En los sotos del río, sobre todo en el lado de Valverdón, Zorita y Valcuevo, había muchos pájaros en la arboleda; también en el regato de Valcuevo. Venían muchos pajareros de Salamanca y ponían redes para cazarlos. Se recuerda una especie, el *chivón*, amarillento.[122] Cerca del río, los regatos y las acequias solía haber mimbreras, y las cuadrillas de gitanos se asentaban por temporadas en El Pino y hacían cestas que luego vendían. Al acabar el verano, las choperas tomarían los colores que evoca Marquerie («En las márgenes, las llamas / de otoño sobre los álamos, / encendiéndoles la cima / de los ramajes dorados»).[123]

El término de El Pino comprende, en su extremo oriental, dando al río y a tº de Muelas, un vado que comunicaba con Valverdón, llamado allí el de abajo; aguas arriba había otro, más hacia Zorita, el de arriba. Ambos vados podían pasarse a pie en el estiaje, pero si el río venía alto de aguas, se pasaba con barca. Había un barquero

---

[120]   Su hija Adoración (Dorita) casó en 1947 con Gonzalo Sierra, hijo de unos acomodados industriales lecheros de Parada de Arriba, Amador Sierra Torres y Manuela Isabel Sánchez Recio.

[121]   A Valcuevo acudió un niño de diez años, Manuel Sánchez, nacido en Peralejos de Abajo. Estaba cogiendo moras, cuando un enjambre de avispas lo rodeó, picándolo de tal manera que a duras penas logró emprender el camino de Almenara, pero cayó muerto cerca del pueblo (*El Lábaro* 30.9.1908). En la chopera de Zorita había una escultura de piedra en su honor. Las historias se desdibujan: en Calzada de V. se decía que al niño lo ahogó un bastardo.

[122]   Probablemente se trata del jilguero, así llamado por la insistencia de su reclamo. El ALCL recoge *chivón* 'jilguero' en Rollán, Salamanca y Pedraza de Alba (mapa 431). No faltarían la *pimienta* [petirrojo] ni la *mosquera* [¿papamoscas?], evocados por Frayle Delgado (2009: 21).

[123]   Marquerie (1934: 215). Era imperioso citarlo, pues Alfredo Marquerie fue sobrino-nieto de la mujer del rentero de Zaratán, Ricardo Torroja. En invierno, en cambio, «presintiendo la bruma / en la gárgara del río, / los chopos desnudos hispan / su monda rama ateridos, / como pelados y abiertos / varillajes de abanicos» (180).

de Muelas, que pasaba a la gente bajo la aceña de Zorita.[124] En 1920-1922 consta el barquero Agustin González García, de Muelas (BCC). El tío Codín, de Valverdón, que era pescador y barquero, pasaba a los de El Pino por encima de la pesquera del molino: «en tiempo de aguas altas pasaba a la gente de El Pino y otros lugares de la otra ribera que iban a vender sus productos de la huerta a Salamanca» (Frayle Delgado 2009: 42, 49, 82-83); dicen que se ahogó en la crecida de febrero de 1936. En El Pino,[125] el embarcadero de la pesquera del molino estaba en el paraje llamado La Isla; desembarcaba a la altura de la finca de Benavides. Hacia 1950 era una barca de varal, rectangular, en la que cabían 12 o 14 personas; podía llevar también caballerías, motos y bicicletas. La gente de El Pino embarcaba para tomar el coche de línea «La Serrana», ir a vender fruta a los pueblos del otro lado del Tormes; el tendero José Rodríguez Gordillo iba a Salamanca con su bicicleta en busca de género; a veces pasaba el cura de Valverdón para decir misa en El Pino (Martín Benito 2015: 145). El señor Mariano el Chaquetilla, que llevó durante un tiempo también la barca de Zorita, venía todos los días desde Muelas a El Pino; en el puerto tenía un chozo que le servía de refugio. Mariano era padre de Miguel y Luis. Miguel, casado con Meregilda, heredó el nombre de Chaquetilla; fue dejando el oficio de barquero hacia finales de los sesenta. Se centró en la pesca, para lo cual disponía de otro barco más pequeño. La barca quedó varada junto a la orilla muchos años y se fue pudriendo. La señora Mere venía desde Muelas a lavar ropa de algunas familias pudientes del Pino; traía un barreño de cinc, y se ponía a lavar en la orilla del Tormes.

> Los Maldonados mandaron hacer un barco para sus aceñas en Valverdón. En 1569 constan los siguientes gastos: dos pedazos de vigas, por 13 reales; 8 libras de pez, por un total de 72 mrs; pagos al herrero de Valverdón, por clavos y por arreglar la cadena, 8 reales; a Juan Fernández, criado del administrador, por supervisar, 4 rs; al carpintero Cristóbal Rodríguez, 1.105 mrs de tablas y cuartones, y 5 ducados de trabajo de los oficiales. En 1572 compraron otro barco (RMAL).

En Muelas pasaban con otra barca, que llegaba a Zorita; se accedía a ella por el cº de la Carrila; también la regentaba Mariano Chaquetilla con la ayuda de sus hijos Miguel y Luis. En esta barca pasó el Tormes en 1950 la Virgen de la Peña de Francia en una peregrinación por la provincia. Los Oliveras, dueños de Zorita, tenían

---

[124]   La barca debe de ser muy antigua. Entre 1608-1615 se hizo una sacristía y nuevas gradas de altar en la iglesia de Muelas. Toda la piedra vino de las canteras de Villamayor; la traída de la piedra de la sacristía costó 201,5 reales, a medio real por carretada; la de las gradas, 12; pasar la piedra de las gradas en barca costó 9 reales.

[125]   José Ignacio Martín Benito entrevistó a José Sánchez Ledesma (n. 1926), José Luis Cosido Rodríguez (n. 1948), Ignacio Corona Holgado (n. 1938) y Miguel Fraile Fraile (n. 1944), este último de Valverdón.

otra barca para los trabajadores de su fábrica de harinas (Martín Benito 2015: 145). La barca principal del entorno era la de Almenara (Gómez Santamaría 1991: 185). Por allí pasaban los guardias civiles del puesto de Almenara, a caballo, para patrullar en El Pino, Zaratán y alrededores. El río era, en cualquier caso, un peligro.[126] En 1906, un joven de El Pino, Joaquín Delgado García,[127] que se hallaba sirviendo como mozo de labor en Almenara, pidió permiso al amo para volverse a El Pino a casa de sus padres para curarse de una dolencia que arrastraba hace tiempo; se puso en camino a pie. El padre del mozo se inquietó al ver que no llegaba y recorrió la ribera y sus arboledas en busca de indicios. En término de Valverdón se encontró la manta y el sombrero de hijo; avisado el juzgado de este pueblo, al día siguiente a las 2 de la tarde encontraron el cadáver del muchacho en el río. No se supo la razón del probable suicidio (*El Castellano* 13.8.1906). En 1952 se ahogó al pasar el río Antonio Corona Calvo, de 28 años, hijo de Cipriano Corona Sánchez y Margarita Calvo Gallego. Pasaron días hasta que encontraron el cadáver.

Cuando el río estaba bajo, se pasaba sin barca, sobre todo por el vado de abajo: con el carro, con caballerías, o a pie, iban hortelanos desde El Pino y más lejos a vender fréjoles y frutas al mercado de abastos de Salamanca. Se decía que el vado era *carrero*: calzaba en buen piso; pasaban carros cargados de sacos de cereal hacia la panera de Zorita.[128] Pero era peligroso para los caballos si subían las aguas. «El río se salía de madre y las aguas llegaban a cubrir las ruinas de la aceña [de Valverdón], desaparecían de la vista la pesquera y los cachones e incluso los árboles del soto. Entonces se hacía un río caudaloso y anegaba las huertas de la vega, y también las vegas de Muelas y de El Pino» (Frayle Delgado 2009: 81). Hacia 1940, el párroco de Muelas, José Riesco Terrero, tenía que casar a su hermano Francisco en Calzada de Valdunciel; acompañado por su casero en Muelas, llamado Amado,[129] cruzaron en sendos caballos el río y regresaron por el mismo vado; era hacia el final del verano. Subirían a Calzada por Valgrande y el cº de la aceña.

El llamado camino de los Cebolleros alude a los hortelanos que iban, con caballería, pero también a pie, desde Zarapicos, Zaratán, El Pino y Muelas al mercado de Salamanca; su trazado puede reconstruirse así: de Zarapicos a Zaratán, se llamaba cº de Hortelanos; entraba en Florida por el barrio bajo; seguía hasta el Puerto de la Anunciación; allí se cruzaba por barca el Tormes, atracando al norte de la aceña del Canto; con el nombre Camino del Cebollero (1900 PÑ),[130] atajaba evitando el

---

[126]   López Vicente (2012: 59) recoge una lista de ahogados del lado de Valverdón, durante el siglo XIX.

[127]   Nacido en 1884, hijo de Ángel Delgado, tabernero, y Ludivina García.

[128]   Entre Tirados y Juzbado, se menciona el *Vado de las Carretas* (1482 TRD).

[129]   Amado Sánchez Sánchez, hijo de Jesús y Guadalupe, casó en 1944 con Gloria Castro Ruiz.

[130]   Coca Tamame (1993: 182) recoge topns. menores en Villamayor: *Cebolleros, Cebollera*. Del CME es la cita a un «camino del Moro, bulgo, Zebollera». Tal denominación implica que el camino es

casco de Villamayor, que le quedaba al NW, y enlazaba con la carretera que viene de Ledesma (Rodríguez Domínguez 2013: 37) para atravesar por los Pizarrales. Antes de entrar en la ciudad debían pasar y tributar en el fielato, situado en el cruce de la avenida de Portugal (Martín Benito 2015: 143). Todavía en 1922 se menciona un corral con tenadas y dos casitas, en Los Pizarrales, junto al «camino viejo de Cebolleros» (*EA* 16.2.1922).[131] En un artículo de 1925, José Sánchez Rojas (1885-1931) recordaba sus viajes de infancia a la capital, viniendo desde Alba en la diligencia, que entraba por el puente romano; junto a la Puerta del Río merodeaba un mundillo de «cebolleros, chalanes, quincalleros, castañeras» (*EA* 14.11.1925). Alguno, no hay que dudarlo, sería de El Pino.

BENAVIDES

Frente a El Pino, en el entrante del Tormes, se encuentra la alquería de Benavides, que fue de Isabel de Reinoso y en 1532 se dividió en tres partes; una de ellas, de las comendadoras de Sancti Spíritus en Salamanca;[132] a mediados del s. XVII la renta que recibían era de 15 fanegas de trigo, 7 de cebada y 17 libras de peces, indicio de la actividad pesquera en la finca.[133] Parece apellido de propietario: ¿tal vez de los Gómez de Benavides, señores de San Muñoz?[134] La cita más antigua es de 1425, cuando Juan Redondo,[135] vº de Benavides, compra tres tierras en tº de Almenara a Benito Folgado y su mujer María Fernández, vºs de Valverdón (RBLC). En 1725, José Hernández, de Benavides, contribuía a las tazmías de El Pino, probablemente por tener tierras en el término, que labraría pasando en barca. El CME describe la alquería como propiedad de una memoria fundada en el convento de San Francisco por Isabel de Rascón y de las señoras de Sancti Spíritus. Era rentero Francisco Lucas,

---

de vieja tradición, y popularmente se apoyaría en alguna leyenda local. Hay otro *Carril del Moro* en Parada de Arriba (1849 CHIP). La desinencia en -*a* puede deberse a un término omitido, **calzada (o rodera) cebollera*.

[131] Eran muchos los caminos que reflejan el trasiego de trajinantes y matuteros hacia la capital. De Morales de la Valmuza y Golpejera a Doñinos, el *Cº de los Carguilleros*; de Rodillo hacia el norte, el *cº de los Lecheros* (1904 PÑ). Otro camino, que salía de Villaselva hacia el Puerto de la Anunciación, se llamaba *de Melloneros* (1902 PÑ): hace referencia a los carguilleros de leña, que llevaban *mellones* a la capital. Llamaban *Cº de los Hueveros* (1902 PÑ) al que venía de Porteros a Villaselva, donde continuaba hacia Salamanca como Cº de Melloneros.

[132] Las tierras que no se pudieron partir se tasaron en doce reses; al convento tocaron cuatro.

[133] Libro Becerro, AHN, CODICES, L. 316.

[134] Gómez de Benavides, famoso usurpador que despobló numerosas aldeas en el entorno de Matilla y San Muñoz, es citado en una pesquisa de 1433, destinada a controlar tales abusos (Cabrillana 1969: 265).

[135] En 1438, Juan Redondo y su mujer Sancha Domínguez son vecinos de Almenara.

de Almenara; la casa de la alquería estaba ruinosa. Había un soto de fresnos y mimbreros. En este soto, estando pescando en el Tormes, Cándido Luengo Hernández, vecino de Almenara, de 46 a., se enredó en un hueco lleno de raíces de negrillo y se ahogó (Gómez Santamaría 1991: 186; *EA* 6.9.1928). Su hijo Bautista Luengo Prieto (14 a.), que pescaba con él, no pudo hacer nada. En 1935, la Guardia Civil denunció a Bautista por usar artes no permitidas (red de trasmallo y costera de mimbre) cuando pescaba en La Narra con Moisés Huidobro Martín (*EA* 12.7.1935).[136]

Es de interés observar que Wellington, en un informe de agosto de 1812 para el intendente general del ejército británico, da a entender que existía un vado practicable para la artillería entre El Pino y Benavides: «At Valverdon, three leagues below Salamanca, there is a good ford for artillery; and another at El Pino and Benavides, a little lower down».[137] Pero no hay rastro de que tal vado sirviera a los paisanos, que lo verían peligroso; lo que un ejército bien organizado puede hacer no está al alcance de los humildes campesinos. Tal vez se refiere al vado de Ribera Verde, citado en 1571 (VSLV).[138]

Tras la desamortización de Godoy (decreto de 18.8.1808) Benavides pasó a ser de José Urrero, administrador general de rentas en Salamanca y abogado de los Reales Consejos;[139] José, que disponía de información privilegiada para adquirir fincas enajenadas,[140] era de tendencias afrancesadas y fue intendente de Salamanca mientras la ciudad estuvo en manos enemigas;[141] en represalia los lanceros de D. Julián le quemaron la casa de labranza, una finca de cinco yuntas, con huerta de muchos almendros y una charca para el riego, y palomar junto al río. José pasó

---

[136]   De la familia de Raimundo Huidobro, que era pescador en 1901.

[137]   «En Valverdón, tres leguas bajando de Salamanca, hay un buen vado para la artillería; y otro en El Pino y Benavides, un poco más abajo». En *Supplementary despatches, correspondence and memoranda of Field Marshal Arthur Duke of Wellington, K. G., Vol. 14 (Appendix)*, 1872, Londres: Murray; p. 87.

[138]   Había otro más abajo, en Almenara, donde se menciona en 1507 la *Açeña del Vado* (AHNOB, VILLAGONZALO, C. 46, D. 10).

[139]   *Semanario erudito y curioso de Salamanca* 26.10.1793. José Urrero y Antonio Casaseca administraban en Salamanca los vales reales a principios del XVIII (*Correo Mercantil de España y sus Indias*). Es José Urrero Martín, n. en Cantalapiedra (hijo de Jerónimo y M.ª Edúvigis); casó con Beatriz Gómez Pérez; en 1802 vivían en la calle de la Trinidad (Martín Martín 2017: 186, 197); en 1785, siendo graduado en la universidad de Valladolid, solicitaba examen de abogado (AHN, CONSEJOS, 12144, exp. 76). Antonio Casaseca Merchán, n. en Corrales del Vino (hijo de Antonio e Inés), casó con Josefa Silván Pedraza; vivían en 1802 en la Plaza Mayor (Martín Martín 2017: 185, 195).

[140]   Urrero y Casaseca emiten oficios en 1809 al superindente sobre venta de fincas desamortizadas en Salamanca; correspondencia con el conde de Cabarrús sobre el mismo asunto (AHN, ESTADO, 3099, exp. 31: 3100, exp. 14).

[141]   En 1810 avisaba de la urgente necesidad de contribuir con los diezmos a las cillas para atender a los suministros de las tropas (circular de 13.8.1810).

cerca de Benavides, yendo en compañía de franceses,[142] de camino a Ledesma, y quiso vengarse en los de Valverdón; su mujer lo disuadió diciendo: ¿qué culpa tiene el pueblo de lo que han hecho unos cuantos perdidos? (Frayle Delgado 2012: 19; López Vicente 2012: 39-43). En mayo de 1814 José Urrero, exiliado, escribía al rey desde Burdeos,[143] justificando su afrancesamiento: «jamás, Señor, dejé de ser español: siempre estuve penetrado de la alta injusticia que sufrió V. M., transcendental a todo el reino, pero aquel estado de cosas, y sobre todo una fuerza irresistible y exterminadora, aconsejaba la sumisión mientras todo volvía a su legítimo y natural estado» (López Tabar 2001: 133).[144]

La casa volvió a levantarse, pero los salteadores, frecuentes en el s. xix, la tenían acosada; finalmente fue echada a tierra hacia 1882. Quedaban a final de siglo muchos almendros de la vieja huerta.

RIBERA VERDE

Enigmático despoblado, debió de caer pronto en el olvido, pues el Tomás López (1783) lo coloca mal, al norte de Valverdón; Coello repite el error, llevándolo al norte de Valcuevo (1867); Miñano dice, con incomprensible rompecabezas, que está «al pie del monte de Valcuevo, cerca del río Tormes, lindando con Valverdón y término de Benavides». Un indicio de interés es el hecho de que El Palacio solo tenía borde fluvial desde el regato del Soto hacia abajo, pues toda la fachada al Tormes desde el regato arriba hasta t° de El Pino era término de Valverdón. Este tramo, sin duda, era de la alquería de Ribera Verde. Así lo evidencia el CME, que indica que Benavides linda al este con «la alquería de Rivera Verde», y al sur con el prado de Ribera Verde.[145] La operación del despoblado se hizo el 26.2.1753 en Valverdón, cuyo alcalde era Agustín Lorenzo. Fueron peritos Lorenzo Santos y Domingo Corvo. La alquería era de la encomienda de San Juan de Barbalos (o de Castro Nuño), salvo algunas

---

[142]   El 1.8.1809 salieron por el puente (hacia Baños de Montemayor) las tropas francesas, acompañadas, entre otros, por Antonio Casaseca, corregidor, y José Urrero, mayordomo de propios de la ciudad y comisario de Consolidado, con su hijo Juan y su pariente Francisco Urrero, el cojo, recién nombrado oficial de correos (Robledo 1997: 202).

[143]   También se refugió en Burdeos Antonio Casaseca, que gozaba de una cuantiosa fortuna (Morange 2002: 348). De Casaseca hace un encendido elogio el gobernador Thiébault, poniendo por las nubes su buena gestión de los intereses franceses (Thiébault 1896: 426).

[144]   Sobre Casaseca, véase Robledo y Martín Mas (2015: 5, 120).

[145]   Ni la operación del CME de Almenara ni la del Palacio citan Ribera Verde. De Valverdón se indica que su t° linda al oeste con el de Ribera Verde. El Nomenclátor de Floridablanca (1789) se limita a identificarlo como despoblado del cuarto de Armuña. Consta en el Censo de los Millones (1591 CTG 49). El Censo de los Pecheros no menciona ni Benavides ni Ribera Verde.

tierras entradizas. Su extensión E-W era de ¼ de legua, con un total de unas 120 huebras; rayaba con Almenara por el lado de poniente, y con el Tormes por el sur. Estaba dividida en dos hojas: la de la ermita y la de la vega. Contaba con una tabla de río, de unas 5 huebras, en la que —oficialmente— no se pescaba.

Por ello, el término de Valverdón tiene una franja propia al otro lado del Tormes, de 1 km de largo, a la altura de las casas de El Palacio (MTN25 y PÑ), que debe de corresponderse con la tabla de río y las tierras allende el río de la vieja alquería.[146] Esta tenía tierras a uno y otro lado del Tormes, como se ve por los apeos de 1402: La Vega de Ribera Verde estaba en el cº de Valverdón a Almenara. El lugar tenía todavía eras; contaba con parajes «allende el rýo», El Moral, El Harnal (es decir, el arenal) (APEOS 117). Esta cita indica que el topónimo ya existía a comienzos del s. XV.[147] En 1696 Ribera Verde tenía tierras entradizas en Almenara, al pie de Monsanto y junto a Valdealmenara (Gómez Santamaría 1991: 157). Indudablemente hay una pareja toponímica correlacionada Ribera Verde / Valverdón, lo cual hace vanas las disquisiciones prerromanas que han circulado en torno al segundo topónimo. Valverdón no es sino un mero diminutivo toponímico de Ribera Verde.

SALTEADORES EN EL SIGLO XIX

Las turbulencias que acompañaron a las desamortizaciones, con la consiguiente rapiña de conventos aislados, y a la segunda guerra carlista (1846-1849), que liberó abundancia de armas y soldados sin oficio, provocaron la aparición de partidas de bandoleros. Una de ellas afligió a las dehesas circundantes en 1848. El guarda de Zaratán apareció asesinado el 28.2.1848 en la vecina dehesa de Porteros; no se sabía quiénes habían sido los autores del crimen (*El Español* 4.3.1848). Un suelto fechado en Ledesma el 1.11.1848 alude a los hechos: «sobresale una partida de tunos que vaga por los pueblos inmediatos, sin más ocupación que la rapiña. Esta partida especialmente está cuasi fija en las aldeas de Piracalbo [Pericalvo], Zaratán y Porteros, donde sus laboriosos habitantes tienen que mantenerlos temerosos de que no los asesinen, y, a pesar de todo, si la guardia civil les coge, con solo presentar sus pasaportes quedan libres». En el monte de Porteros los salteadores habían robado a viandantes. En la noche del 30 de octubre habían entrado en el domicilio de un labrador rico de Sando, Domingo Martín, desvalijado la casa y ahorcado a

---

[146]   En parte coincidirá con una finca extensa, a ambos lados del río, con un trozo de isla, llamada El Palacio Chico (BM 31.10.1974).

[147]   Ello reduce las probabilidades de que se trate de un topónimo de imposición culta, como Villaselva o Florida de Liébana. Hacia 1534 el sintagma «ribera verde» se hizo célebre con la égloga de Garcilaso; Vicente Espinel acudió también a él: «la ribera verde del patrio Betis».

su mujer (*El Popular* 8.11.1848). Las señas de los ladrones, seis en total, aparecían en el boletín oficial:

> «Uno de más de la talla, como de treinta años, vestido con dos pares de pantalones, los interiores blancos y los de cubierta de pana negra, con zapato romo bien herrado, con gorra de piel con ribete de zorra, embozado en una capa vieja de paño fino, color pasa. Otro más bajo, moreno <h>oyoso de viruelas, de la misma edad, con chaqueta y pantalón de paño pardo, con gorra de la misma clase. Otro moreno de más edad, con una capa parda y una gorrilla vieja, montado sobre una caballería mayor, pelo castaño, como de seis cuartas, con una soga al pescuezo, rozada de la collera como de haber arado o trillado. Otro todo vestido de charro; y los otros dos, con pantalón y chaqueta y gorra de los de los primeros; uno de estos llevaba otra caballería mayor negra, uno de los cuales parecía de bastante edad» (Bz 18.12.1848).

Lo robado en Sando era sobre todo de ajuar de casa: mucha ropa y alhajas; media arroba de chorizos y dos lomos. El 26 de mayo de 1848, la misma cuadrilla había asaltado de noche la casa del párroco de San Pelayo de Guareña; el 3 de agosto, la casa de Felipe Ruano, en el mismo pueblo. La partida era de seis hombres «con dos caballerías y un par de malas pistolas». Habían llamado con fuerza a la puerta de Felipe; al negarse este a abrir, pegaron fuego a la puerta y el portalillo; a las voces de la víctima, acudió el alcalde, pero lo redujeron y ataron; los vecinos estaban en la era y no se inmutaron ante el fuego, que se propagó a la casa.[148] También en los caminos del entorno había habido rapiñas; se quejaba el corresponsal de que andaban gitanos, paseándose con canana y carabinas (*El Popular* 12.8.1848). El 4 de mayo del año siguiente, seis reos se fugaron de la cárcel de Fuentesaúco; la Guardia Civil, tras una batida por las espesuras de La Izcalina, capturó a cinco de ellos (*El Popular* 12.5.1849).[149] La inseguridad continuó; en 1850 fue saqueada la iglesia de Zaratán, como se indica más adelante. En diciembre de 1871 un caminante, proveniente de Zamayón, que atajaba hacia la capital, fue atacado por tres salteadores a la altura del teso de Colón en Valcuevo.[150] Pensaban que se trataba de un mercader que iba a Salamanca para efectuar un pago importante; chasqueados al ver que el viandante apenas llevaba encima unas monedillas, lo golpearon con saña y lo dejaron allí, maniatado, tapada la cara por su propia anguarina. Una mujer que iba de paso lo socorrió (*El Porvenir* 17.12.1871).

---

[148]   Los hombres iban vestidos de pantalón y chaqueta, y uno con gorrilla. Robaron a Felipe Ruano 800 a 1000 reales en dinero, algo de ropa de casa y una potra de tres años y medio (Bz 23.8.1848).

[149]   No puede asegurarse que fueran los mismos: se trataba de Eustaquio Villar, José Pérez (a) Picado y su hijo Juan Pérez, Rosendo Gómez, Bernardo Zurdo y Gregorio Rodríguez (Bc 11.5.1849). Seguidamente se hicieron obras de consolidación en la cárcel de Fuentesaúco.

[150]   Iría por el camino de las Calzadas Viejas, que unía Torresmenudas con Valcuevo y Tesonera.

En la noche del 9.11.1883 una cuadrilla desvalijó las casas de Andrés García y Manuel Gómez, vᵒˢ de Mozodiel de Sanchíñigo; se llevaron un rico botín de dinero, alhajas y ropas. Los autores eran: Manuel (a) el Alambrero, oriundo de Torresmenudas; dos vecinos de Muelas, llamados los Herreros; Juan el Chato, tendero de Almenara; otro del que solo se sabía que «gasta mangas encarnadas, [...] dedicado a vender pucheros con dos burros»; otro que vendía vino en la estación del tren de Salamanca (Bz 19.11.1883). Una de las víctimas era el pedáneo del lugar, que se había acostado tras mandar a unos criados a cuidar unas reses, cuando oyó llamar a la puerta; creyendo que se trataba de los criados, les dijo que entraran, sin más, por la puerta trasera. Entraron los malhechores, lo maltrataron, y a la fuerza lo llevaron a la casa de un vecino rico, para persuadir a este de que les abriera; al negarse el ama, abrieron a hachazos la puerta del vecino. Poco después se practicaron detenciones, pero al punto excarcelaron a varios, entre ellos Isidoro y José María Borrego [los de Muelas], y Francisco Carbayo [el vinatero]; algunos de los efectos robados aparecieron en Badajoz (*El Fomento* 14, 22 y 26 de noviembre 1883).[151]

En 1867 traían preso desde Zarapicos a El Pino a un tal Cipriano Astudillo Miguélez; por el camino, se dio a la fuga; estas eran sus señas: de 48 a 50 años, estatura corta; pantalón de paño negro nuevo, chaqueta de paño con botonadura de plata y sombrero de gorrilla viejo (Bz 11.1.1867). Cipriano había sido vᵒ de Salamanca, de la que se ausentó con sus hijas Juana y Fernanda;[152] se le buscaba en 1866 por robo de hojas de tocino y ropa en la noche del 7 al 8 de febrero a Salvador Hernández en su casa de Peña de Cabra.[153]

Zaratán entre el siglo XIX y el XX

En 1904, Zaratán constaba de cuatro casas, dos paneras, dos pajares, un corral, una iglesia y una casa-palacio (RFES). Según una relación de dehesas de 1933, Zaratán tenía, con su monte, 963 hectáreas y era de Manuel Espinosa Villapecellín (1899-1964), III conde de Cabaña de Silva y vizconde de Garcigrande; igual en 1959: ahora se evaluaba su extensión en 1.245 ha (Gómez Gutiérrez 1992: 790, 798).[154] Manuel era hijo de Luis Espinosa Villapecellín, II conde, fallecido en 1929,

---

[151]   El camino de Salamanca a Ledesma era peligroso, por los salteadores.

[152]   Fernanda Astudillo de la Viuda († 1927), probablemente hija de Cipriano, y su tío Francisco Astudillo Miguélez fueron condenados cada uno a dos meses, por otro delito, en 1891 (*El Fomento* 16.2.1891).

[153]   Bc 23.6.1866; *Adelante* 11.2.1866.

[154]   El conde estaba casado con Eliane Méndez de Vigo (1902-1991).

casado con su prima carnal Josefa Villapecellín Cabezudo. Luis era a su vez hijo de Manuel Espinosa Palomino, IV vizconde de Garcigrande (muerto joven, en 1856), y Narcisa Villapecellín Hernández, I condesa de la Cabaña de Silva desde 1875, la cual falleció en su solar de Olmedo el 3.8.1902. Repasemos sucesos e informaciones que arrojan luz sobre los albores de la contemporaneidad en Zaratán.

Entre 1845 y 1863, al menos, era rentero de Zaratán Alonso María Angoso, descendiente de Juan Gangoso Blanco, rentero en 1752.[155] En la noche del 5.8.1845 se extraviaron en la dehesa tres caballerías del vizconde (Bz 9.8.1845). La familia de los Gangosos, luego Angosos, fueron renteros de padre a hijo durante más de un siglo. En 1800, Alonso Angoso, labrador «de quatro yuntas revezadas» en la alquería, solicita emancipar a su hijo Juan Antonio, de 25 años, para que este se establezca en Zarapicos.[156] Alonso tenía cinco hijos solteros en casa; dos de ellos varones, «sin proporción a darles destino dentro del término [de Zaratán]». Se trataba de aprovechar una casa y varias tierras y huertos de Alonso en Zarapicos para que su hijo se instalara allí y se independizara, como «verdadero padre de familias», pagando las cargas y beneficiándose de los bienes concejiles. Zarapicos había recibido a Juan Antonio por vecino;[157] su padre le había dado casa, yunta de bueyes, aperos y heredades.[158] El trámite incluye la partida de bautismo del mozo. El 5.5.1775 le había echado el agua bendita Francisco José de Oliveira, ecónomo de Villaselva (de la que Zaratán era anejo); padres del niño eran Alonso Angoso Ventura (de Zaratán, hijo de Juan Gangoso Blanco[159] y Catalina Ventura, ella natural de Zamora) y M.ª Teresa Hernández (de Picones, hija de Juan, de Picones, y Francisca Fuentes Medina, n. Guadramiro, que fue la madrina). La tramitación, coronada con el éxito, era premiosa. Concurrieron varios testigos.

> Tomás Santos, vº de Muelas, de unos 30 años, dijo ser verdad todo lo expuesto; para los restantes hermanos quedaba holgado caudal, especialmente «una gran baquería»; el otro hermano varón, que permanecería en Zaratán, ayudaría al padre en

---

[155]   Eran de Alonso María una casa en El Pino y una cortina junto a la iglesia (1857 CHIP).

[156]   AHN, CONSEJOS, 32082, EXP. 14.

[157]   Así lo certifican el 1.12.1800 los alcaldes de Zarapicos, Juan Antonio Garcia y Pedro Monje, el fiel de fechos, Matías Hernández, y testigos del lugar (Manuel Sánchez, Pedro García), que declaran que el mozo tiene casa abierta y labra tierra propia y arrendada «con su yunta revezada»; está «puesto a todas las gavelas concejiles como tal vecino»; Juan Antonio Angoso tiene otros cinco hermanos.

[158]   Sin perjuicio para los hermanos, pues Alonso tenía iguales o mayores bienes para legar a los otros. La hacienda de Alonso en Zarapicos era cuantiosa: cinco cortinas cercadas de piedra para trigo y cebada; una huerta cercada de piedra con árboles, dos huertos cercados; nueve tierras (en La Salceda, La Zerrada, Pedro Meléndez y La Antanica); una casa amueblada, cuatro bueyes con sus aperos.

[159]   Completado con datos de libros parroquiales. Juan Angoso o Gangoso era rentero de Zaratán en 1752 (CME); tenía por entonces 31 años. Alonso tenía tres meses durante la operación del catastro.

las labranzas. Francisco Delgado, v° de Zaratán, de 28 a., apuntó lo mismo: Juan Antonio ya constaba como «mozo de casa avierta» en Zarapicos; al padre le quedaba abundante caudal y ganado, suficientes para poder igualar a los otros hijos. Mateo Sierra, v° de Zaratán, de 29 a., añade que es ventajosa la emancipación, porque así Juan Antonio puede cuidar de las heredades de la familia en Zarapicos, distantes una legua de la alquería. A los hermanos les quedaban *ensanches*; Zarapicos ganaba un contribuyente, para aliviar cargas concejiles y para su Majestad. Como familiar próximo, fue consultado Juan Antonio Angoso, tío y padrino del mozo, labrador en Zaratán.

En 1845 era rentero de Zaratán Alonso María Angoso.[160] En 1856 falleció Juan Francisco Angoso, también rentero, con 65 años, casado con Bárbara María Sánchez. En 1867 eran renteros Alonso María Angoso y su mujer Francisca Javiera Angoso.

La alquería, propiedad del vizconde, acogía a ilustres invitados. En verano de 1868 parece que vino a descansar a ella Manuel Pavía y Lacy (1814-1896), general y marqués de Novaliches.[161] Estando en Zaratán, desde donde acudía a los Baños de Ledesma, siguiendo sin duda la vieja consigna de aquel balneario —«bañarse a lo pobre y cuidarse a lo rico» (Madoz)—,[162] recibió un telegrama encargándole tomar el mando del ejército leal a la reina Isabel II para luchar contra la revolución. De entonces son estas frases, sin duda históricas, intercambiadas entre el general y el ministro, ante las presiones del segundo para que abandonara su cura: «—No puedo; mi salud exige reposo. —Diga V.S: al general Novaliches que no le llama el Gobierno; le llama la Reina y la Patria en estas aflictivas circunstancias». El 19 de septiembre partía el general a Salamanca.[163] En la Plaza Mayor de Salamanca pronunció luego unas palabras de despedida: «abandono familia y tranquilidad; me llama la Reina, no sus ministros».[164] En efecto, el abnegado general, que salió de Madrid para Andalucía

---

[160] Se habían extraviado tres potros de la dehesa (Bz 9.8.1845).

[161] *La Opinión: diario de Pontevedra* (17.11.1896). El general era bisnieto del militar irlandés Patricio de Lacy (1706-1758).

[162] El 20 de agosto se anunciaba su intención de partir en breve a los Baños de Ledesma (*La Nación* 20.8.1868); salió hacia allí, finalmente, el 24 (*El Pensamiento Español* 25.8.1868). Su esposa, camarera mayor de palacio, se le sumó, partiendo desde Lequeitio, pocos días después (*El Norte de Asturias* 28.8.1868).

[163] En la prensa se conjeturaba que había abandonado Los Baños ya el 1 de septiembre; ¿estuvo en el entretiempo alojado en Zaratán? (*La Correspondencia de España* 1.9.1868; *Diario de Córdoba* 4.9.1868). En todo caso, su licencia de reposo en Baños se prorrogó por quince días hacia el 10 de septiembre (*El Norte de Asturias* 14.9.1868). Por entonces era común viajar de Los Baños a Salamanca por San Pedro, Parada y Carrascal de Barregas, entrando por Tejares. Ello explicaría las conjeturas de la prensa; el general habría salido de Baños, en efecto, el 1 de septiembre; pero por el camino se desviaría 1 km para refugiarse en Zaratán. Ya el 19 continuaría viaje a Salamanca.

[164] *La Opinión: diario de Pontevedra* (17.11.1896). El corresponsal, anónimo, fue testigo presencial.

el 20, fue derrotado en batalla el 28 de septiembre de 1868, siendo herido en la cara; ello supuso el derrocamiento de Isabel II.[165]

Ilustración 8: Tarjeta publicitaria de los Baños de Ledesma (R. Falcó y cía.).

Desde los años 1870 hasta 1889 era rentero en Zaratán[166] Ricardo Torroja Madero (Madrid 1839-Salamanca 1922);[167] miembro activo de la Liga de Contribuyentes y el Círculo Agrícola, impulsó diversas iniciativas para la mejora del campo, en particular en la lucha contra la lagarta. Casó con Carlota Marquerie y Luard, que vivía en la calle Romanones 22 de Salamanca cuando falleció el 9.9.1912.[168]

---

[165]   *Biografía del excmo. señor D. Manuel Pavía y Lacy* (1875: 318); DBE / Emilio de Diego García; sobre la revolución en la provincia, véase Largo Martín (2018). Los vizcondes siguieron teniendo amistad con los Lacy. Con Mariano de Lacy casó en segundas nupcias la primera condesa.

[166]   Antes de él, durante más de un siglo, fueron renteros en Zaratán los Gangoso / Angoso.

[167]   Oriundo de Tarragona por el lado paterno, era hijo de Josefa Madero, vecina de Valencia. Ya en 1872 Ricardo Torroja rinde cuentas, en grano y metálico, a la condesa de Cabaña de Silva, Narcisa Villapecellín de Lacy (AHNOB, CABAÑA DE SILVA, C. 1, D. 23). En 1878 recibió la encomienda ordinaria de Isabel la Católica como agricultor distinguido.

[168]   El apellido se escribe también Marquieri. Procedían de una familia de grabadores franceses asentados inicialmente en Madrid. Un hermano de Carlota, Alfredo (Madrid 1843-Salamanca 1908), fue interventor de hacienda en La Coruña (1894), Salamanca (1897) y Logroño (1899). Casado con

Ricardo había sido alcalde y presidente de la Diputación en Salamanca; fue gobernador civil, liberal, de Logroño y Zamora.[169] Ricardo, primo carnal del catalanista Bernardo Torroja Ortega (1817-1908),[170] fue pionero de la modernización agrícola; experimentó en Zaratán con las primeras trilladoras mecánicas (la Ruston, Proctor and co., fabricada en Lincoln, Inglaterra) (*La Gaceta Industrial* 25.7.1880). Siendo Ricardo su rentero, fue premiada en la Exposición Universal de París una muestra de trigo candeal producido en la dehesa (*Gaceta Agrícola del Ministerio de Fomento*, XI, 1879); en 1876 llevó una muestra de lana a la Exposición Universal de Filadelfia (Martín Ramos 2017: 240, 254). En el invierno de 1883-1884, dio órdenes de pasar el arado en profundidad en un paraje cercano a la raya de El Palacio de los Ovalles, encontrándose fortuitamente el célebre mosaico romano de Zaratán, perteneciente al triclinio de una villa tardoimperial, del que luego se dará cuenta más detallada. ¿Cómo llegó Torroja a ser rentero de Zaratán? Sin duda, porque había conocido a Mariano de Lacy y Hernández (1822-1889), que casó antes de 1872 con Narcisa de Villapecellín, I condesa de Cabaña de Silva, el cual fue su coronel durante la primera guerra de Marruecos (1859-1860) en el regimiento de infantería de Navarra, n.º 25; Ricardo Torroja era entonces subteniente (Pirala 1893: 1011).[171] Los vínculos entre ambos fueron muy estrechos; en la nota necrológica de Mariano de Lacy se indica que el general fue para Torroja como un segundo padre (*El Fomento* 18.3.1889).

Las meticulosas cuentas que Torroja envía a la vizcondesa el 31.12.1872 abren una ventana hacia los trabajos y los días de una dehesa salmantina (RTORR); la condesa las aprueba y firma en Madrid, el 4.2.1873.[172] La cosecha de ese año en Zaratán fue de 1.252 fanegas de trigo, 56 de cebada, 170 de centeno, 336 de algarrobas,

---

Josefa Ruiz Delgado, habían estado en los años 1870 en Manila. Fueron padres del militar Alfredo Marquerie Ruiz-Delgado (n. Manila 1873), casado en Segovia con Josefina Mompín Rey en 1902. Ellos, a su vez, son los padres del gran poeta Alfredo Marquerie (1907-1974).

[169] Lo evoca así Íscar Peyra: «[lo] recordamos en sus tiempos prósperos luciendo el fajín de gobernador, que ceñía su rotundo abdomen, en las procesiones de Zamora». Fue «hombre de vejez humillada y difícil» por la escasez de la pensión que le quedó. Esperabé de Arteaga (1933: 296) añade: «Pocos hombres han tenido como él, una vida tan difícil, y sobre todo tan variada y accidentada. En sus años mozos, vistió el uniforme militar y supo batirse en el campo de batalla a las órdenes de Prim».

[170] Otro primo de Bernardo fue Juan Torroja Monlleó, nacido en Reus († 1891), casado con Josefa Caballé Plana, padre de Eduardo Torroja Caballé (1847-1918), el cual es a su vez padre del célebre ingeniero Eduardo Torroja Miret, abuelo de la conocida cantante.

[171] Ricardo fue herido en la batalla del 4.2.1860 (*La Correspondencia de España* 9.2.1860). Recibió el grado de teniente y cruz de San Fernando (*Memoria de Infantería* 25.2.1860; *Álbum de la guerra de África*, 1860).

[172] El administrador, aunque residente en Zaratán, se ocupaba de todas las propiedades del vizcondado en la provincia, con tierras en Barbadillo, Golpejas, La Rad, Porqueriza, Santa Marta, Villarmayor, Calzadilla, Fuenterroble, El Groo, Villarmuerto, Villoria, Zarapicos y Zaratán. Sepulcrohilario pagaba un censo anual. Algunos renteros pagaban en grano; otros en metálico.

15 de garbanzos y 16 de maíz. Se habían comprado 6 fanegas (= f) de garbanzo duro y 50 de centeno para sembrar en Zaratán, además de 100 f de cebada para las caballerías. Los gastos en grano fueron de 162 f de trigo en manutención del personal de la dehesa. Los fijos eran: un aperador, seis mozos de labor, un vaquero y un pastor. El aperador tenía una criada todo el año, cuyo jornal era de 247 rs. Entre 14.12.1871 y 14.4.1872, se contrató por 22 días al «zagal de los carneros». Entre el 15 de abril y 11 de junio, los mismos, incluido el zagal, con la añadidura de un revecero.[173] Entre 11 de junio y 10 de octubre, igual, pero el revecero solo sirvió 18 días. Entre 1 de julio y 8 de septiembre, se contrató a tres cosecheros, cuya manutención costó 301,50 rs; sus jornales, 830 rs.

Otros trabajadores se asentaban por separado. Así, un porquero, que estuvo contratado para atender a 107 cerdos de la casa, y 9 de D. Luis Espinosa;[174] durante otros 25 días también se contrató a un ayudante de porquero. Se pagaba la manutención del porquero a razón de un día (0,5 celemines) por cada cerdo a su cuidado.[175] Separadamente se anotan los jornales y manutención de un cebonero y su hijo en 1871, que se ocuparon 30 días en recebar 84 cebones; tuvo también 21 cerdos D. Pedro Pablo Blanco. Durante la temporada veraniega, venían los vizcondes, y se hacían gastos añadidos: 10 f para mantener a tres cocheros (de 1 de julio a 8 de septiembre). Para el gasto particular de los vizcondes en el veraneo, se sacaron 1,75 f de garbanzos. Para las eras se contrataba a trilliques, cuyo salario era la mitad que el de un gañán.[176] Los segadores recibían 3,5 libras de pan diarias.[177] El montaraz tenía de manutención anual 20 f de trigo. El jardinero, 18 f. El aperador tenía un emolumento adicional de 5 f, desde 23 de agosto de 1871 a 29 de junio (San Pedro) de 1872. Para la recolección se compró vino; enviaron a un peón a El Perdigón. Su viaje y jornal fue de 20 rs. Otros jornales (189 rs) se gastaron en «derramar estiércol»; sembrar la cebada y el trigo, «desterronar y tapar *chorras*» [trozos de tierra que se dejan sin arar]. Durante la sementera vinieron tres jornaleros, cada uno a 2,5 rs diarios; estuvieron 17 días. Para aricar, se contrató durante nueve días de marzo, con

---

[173]   Se pagaba mensualmente 1,5 fanegas y 45 reales al aperador y mozos de labor; 1,25 f y 35 rs a los ganaderos (vaquero y pastor); 0,75 f y 22,5 rs al zagal. En total se iba en soldadas de aperador, criados de labor y ganaderos, 6.109 rs.

[174]   Será Luis Espinosa y Villapecellín, hijo de Narcisa, 1 condesa de Cabaña de Silva.

[175]   Porquero y ayudante recibieron además un total de 165 reales durante el año.

[176]   Ocho trilladores durante 18 días; siete, durante 9; dos, durante 5; doce, durante 1: en total, 229 días de trillador, cuya manutención era de 0,025 f y 0,75 rs el día. En jornales se iba 1 real al día.

[177]   Seis segadores durante 6 días; diez, durante 7; trece, durante 12. Parte del pan lo llevarían en los morrales para el camino de vuelta, a pie, hacia sus aldeas de origen. En las comidas de los segadores se gastaron 25 reales de grasa y sal, y 51 rs de *muelas* (almortas). La comida que se llevaba a las tierras iba en un asno, cuyo alquiler fue de 46 rs. En jornales para segar la hoja (la que estuviese en cultivo ese año), se gastaron 2.000 rs.

el mismo jornal, a dos jornaleros; en adviento, a cuatro, durante quince días: total, 198 rs. Para escardar las algarrobas, 600 rs en jornales; 530 para la escarda del trigo. Por juntar en el monte 145 carros de estiércol, 217,5 rs.

La comida del ganado también se registraba: los bueyes comieron 61 f de algarrobas y 5 de centeno. Se consumieron 8,5 f de centeno en hacer *caniles* (hogazas toscas) para los perros. Para cebar a las palomas del palomar, 5 f de algarrobas. Se compró también un pichón ladrón para el palomar, por 10 rs. Para engordar a los cebones, 80,75 f de cebada y 131,25 de centeno. A los cerdos, antes de llevarlos a la feria de Salamanca, los mejoraron con 14,9 f de maíz. Durante su estancia en el campo de la feria, comieron 5 f de centeno; en el fielato hubo que pagar 3,30 rs por entrada del centeno en Salamanca y 20 rs «por punto» (derechos de fielato de los cerdos). Se llevaron a vender a Ledesma 9 cebones, lo que supuso un gasto de 73 rs por «punto, romana, bellotas, trigo y posada». En las cacerías de la dehesa, que suponían un gran concurso de «combidados a los ojeos, montaraces y forasteros», se gastaba mucho en pienso de las caballerías, 52,5 f de cebada. Hubo tres ojeos, en los que se gastaron 12 rs en almuerzos de los ojeadores, 23 en pan, 76 en vino, 61 en jornaleros. Los caballos de tiro y silla de los vizcondes durante el veraneo gastaron 38 f de cebada en la dehesa, y 8 en Salamanca; vino además para atenderlos un herrador, al cual mantuvo un día el aperador, a un coste de 4 rs. Para los caballos de los señores cuando estaban en Salamanca, se pasaron por fielato 8 fanegas de cebada, lo que costó 4 rs. Un cubeto de vino, que se trajo a Salamanca de la Cabaña de Silva, junto a Olmedo, pagó de «derecho de puerta» 6 rs. Hubo que contestar telegáficamente a un invitado que preguntaba por telegrama si se había dejado la escopeta en Salamana (4 rs). En 1872 se rehicieron 26 colchones, 30 almohadas, con otros gastos para acomodar a invitados. Unos carneros se pusieron enfermos, y los vigorizaron con 0,5 f de algarrobas.

En simiente para la siembra anual se gastaron 141,5 f de trigo, 16,25 de cebada, 51,2 de centeno, 40 de algarrobas, 6 de garbanzos, 1,6 de maíz. Del trigo que había en la panera, al limpiarlo para la siembra, se dieron por perdidas 3 f, que se aprovecharían como ahechaduras para las gallinas. Para «componer el trigo de sembrar», estuvieron en la dehesa tres días un ahechador y su hijo, gastando entre jornales y manutención 56,30 rs. Se gastaron 5 celemines de cal para encalar el trigo y maíz de siembra (total, 4,84 rs). Se vendieron 1.247 f de trigo, 32,75 de centeno, 16,5 f de garbanzos. Las rentas del administrador, Torroja, ascendían a 535,3 f de trigo, más el llamado «premio de administración», que era el 10% de la cosecha anual.

El ganado daba rendimientos en metálico. Siete cotrales (bueyes de desecho de la labor) y cuatro vacas viejas y dos terneras se vendieron al matadero por 6.510 rs. Seis cabritos y un pellejo de cabra, por 114 rs. Hubo que vender 16 cancines modorros y enfermos, por 352 rs. 34 pellejos de carnero valieron 144,5 rs (procedían de reses fallecidas y de las que se mataron para las comidas de los segadores). De 179 carneros que se sacaron para la venta, 9.308 rs. Del esquilmo de las ovejas se obtuvieron 107 arrobas y 10 libras, a 72 reales la arroba.

Se arrendaban pastos a ganado forastero. Una vaca, de 15.4 a 11.11, reportó 70 rs. 121 cabras de invernada, 1.028 rs. Otras 190 cabras, 1.710 rs. De invernada de 71 cerdos, 1.065 rs. El arriendo de primavera para 121 cabras, 484 rs. Diez reses vacunas, también en primavera, 500 rs. Dos bueyes en primavera, durante un mes, 40 rs. Durante el espigadero, 30 cerdos pagaron 420 rs. De montanera, tres cebones, 480 rs; y dos camperos, 80 rs. El aperador estuvo 11 días de viaje buscando cerdos de arriendo para la montanera (40 rs de gasto). Los porqueros tenían su escusa [cerdos propios], y pagaban un arriendo por la montanera: 1.888 rs en dos años. Eran muy rentables los cebones. Se vendieron cien cebones, que pesaron 1.023 arrobas, por un total de 36.028 rs. De los excedentes de cosecha, se vendieron 1.247 f de trigo, 16.5 de garbanzos y 32,75 de centeno (a 42, 80 y 22 rs/f).[178] Del 10 de octubre al 20 de diciembre vinieron un vareador y un rabadán para la montanera de los cebones, cuyo jornal y manutención diario, conjuntamente, era de 9,5 rs. Se les obsequió con 8 cuartillos de vino el día en que «se dio *salón* a los cebones, según costumbre» [un cebo con salvado y sal, que les daba sed, de modo que bebían mucho y engordaban, justamente antes de venderlos]. El coste de los salones fue de 182 rs. De los cebones, una parte se destinó a consumo de los vizcondes: en la matanza de 1871 y 1872 se gastaron 118 rs. Una *garrapa*[179] de montanera fue matada por un buey; se tasó en 30 rs, pero pudo venderse solo a 16 rs.

Una decisión muy desatinada, que aspiraba a transformar el paisaje vegetal, acabó con la fresnera de la dehesa, pues se talaron para su venta mil pies de fresno, comprando de paso 450 acacias. El cambio, muy del gusto decimonónico, no pasa de ser una incomprensible cursilada, pues de la operación solo resultaron 271 rs: se perdieron estos árboles bellísimos para instalar las precarias, petimetres y reviejas robinias o acacias de bola. Simultáneamente, se compraron 11 libras de simiente de pino, traída de Oviedo (220 rs).[180] En la chopera se sembraban patatas, que reportaron 412 rs en 1871; se gastó en sacarlas 51,50 rs en jornales. El montaraz sorprendió a dos leñadores de Zarapicos cogiendo leña, y les impuso una multa de 20 rs.

De los gastos en metálico, cabe citar algunos. A un medidor en Salamanca, 200 rs. Al Estado, por las tierras de la iglesia de Zaratán, compradas en la Desamortización, un plazo anual de 1.200 rs. Los dueños de la dehesa pagaban un censo anual de 90 rs al Colegio de Nobles Irlandeses. Dos serradores estuvieron a principios de 1872 componiendo madera de servicio y tablas para la labor y necesidades de la

---

[178]   La cebada producida era insuficiente, por lo que la dehesa adquirió 100 fanegas por 2.225 rs.
[179]   Una cerda de pocos meses de edad.
[180]   Ese mismo año se habían puesto a la venta 2.444 pinos de la alquería de la Cabaña de Silva.

dehesa, por un total de 500 reales. Los mismos ganaron en 14 días de trabajo 238 rs por preparar madera para hacer *cañizos* (para corralizas de ganado). Además, se gastaron 200 clavos (11 rs) para componer los cañizos. El herrero de Parada vino a la dehesa a sangrar el ganado vacuno, que era víctima de una epidemia: cobró 24 rs. Entre ese día y los del herradero y el *retajadero* del vacuno,[181] se gastaron tres cuartillos de vino, obsequiados a los circunstantes (11,30 rs). Se pagaron 8 rs a un peón para que fuera a buscar palomas en Canillas para echar en el palomar de Zaratán. Vino un esquilador (6 rs) para las dos caballerías de la dehesa. El maíz plantado en las huertas, que debía de ser cultivo novedoso, requirió el trabajo de un hortelano (538 rs), para aparejar, sembrar, mullir y resembrar. Además de ello se contrató desde San Pedro hasta la feria de Salamanca a un hombre que estuvo al cuidado de las huertas del maíz y ayudando en las eras (355 rs). En guita para atar las panochas del maíz se gastaron 6 rs. Vinieron hombres para empedrar seis trillos (¿eran de Cantalejo?: cobraron 38 rs). Los esquiladores de 843 cabezas de ovino ganaron 356 rs. En jornales para coger las algarrobas, labor que se hacía a mano, 600 rs. Era común obsequiar con vino a los trabajadores al término de ciertas labores. En total se gastó un cántaro y tres cuartillas y media (35 rs) en celebrar las siguientes ocasiones: llevar el trigo a Zorita; arar las huertas; merendar el lunes de aguas. Adicionalmente, en el alboroque al hacer el arriendo del ganado lanar en Membribe, 15 rs por un cántaro de vino. Otros 5 cántaros y 14 cuartillos (92 rs) se repartieron así: segadores (4 cántaros); al *hombrear* las rejas[182] (1 cuartilla); al encerrar y limpiar las algarrobas (medio cántaro); al hacer el herraje de los bueyes (12 cuartillos); herraje de los caballos del coche (5 cuartillos); al pesar la lana (5 cuartillos).[183]

Había una fragua en Zaratán. En 1872 se gastaron 17,50 rs por media cuartilla de aceite y 18 cuartillos de leche para untar los fuelles. Se gastaron 69 fanegas de carbón de brezo para la fragua, a unos 5 rs/f. El herrero cobró 888 rs por rejas de arado, herraje y acero de la labor y obras. Un hojalatero de Salamanca, Víctor Martín, cobró en 1871 140 rs. Otro, José Marchante, cobró en 1872 80 rs. El aperador recibió aceite para las luces y otros usos de la labor (1,5 cántaros o 100 rs). En aperos para la recolección, se compraron ese año 10 palas (6 rs la unidad), 4 *briendos* (3 rs), 2 *briendas* (5 rs), 6 sogas (4 rs), así como hilo y lías para costales (3 rs); dos trillos nuevos (260 rs); dos *medianas* para los yugos (21 rs). También se gastaron 8 rs en dos varas de estopa e hilo para remendar los costales. Para untar los carros, se gastó una arroba de sebo (50 rs). En los carros para llevar bálago, se usaban *maromillas*, seis de las cuales costaron 120 rs. Había una noria, y se le hicieron *arcabuces* [cangilones]

---

181   Se sajaban los pezones de las vacas para que, con la molestia, destetaran a su prole.

182   A las rejas de arado se les daba forma usando una horma. Otras veces, sujetándolas por el eje y golpeando por los lados hasta formar y afilar las dos alas. *Hombrear* estará por *hormear* (ahormar).

183   Un cántaro (16,13 l) consta de 32 cuartillos / cuartillas.

nuevos; asimismo se renovó el cielo raso del comedor, se cortaron cinco cenefas en papel, y se compusó y empapeló lo que estaba deteriorado en el palacio: todo por 455 rs. Se compraron 2 libras de alambre para unos enrejados de enredaderas en la puerta del palacio (total 5 rs); 17 varas de puntilla para el tocador de la vizcondesa (25 rs); una mesa grande de pino para planchar (60 rs); dos arrobas de jabón de lavar (100 rs); un cántaro de aceite para gasto particular de los señores (68 rs); un carro de varas valenciano (800 rs); un cordel de cáñamo para la *galga* [palo de madera para frenar] de otro carro (7,5 rs). Se pintaron los pisos del palacio y la iglesia, gastando 50 rs en ingredientes.

Se compraron ocho novillos (bueyes primerizos) para la labor, a 11.625 rs. Desde Ledesma vino un jornalero para ayudar a traer tres de ellos (3 rs de jornal). Se llevó a vender a la feria de Salamanca un buey jardo, gastándose 14 rs «por punto y posada» [fielato más estancia]. Se compraron 22 cerdos para la casa, por 4.510 rs. De ellos, 20 fueron traídos de Ledesma por un jornalero, que cobró 4 rs. Para *apajar* los bueyes en el comedero, se compró una *escriña* chica por dos reales.[184] En primavera se compraron 284 cancines (total 10.361 rs); en diciembre, otros 396 cancines (11.692 rs); para traerlos fueron el aperador, el pastor y un jornalero (194 rs de gasto). El ganado lanar se curaba con *cebadilla* (5 libras costaron 20 rs) y aceite negro (12 rs). Para *melar* el ganado, se adquirió una arroba de pez, a 18 rs. De sal, 6 arrobas, a 31,60 rs.

Las obras ocupaban un lugar destacado en los gastos del año. En jornales de albañiles se gastaron 1.751 rs para diversas obras: sacar piedra para un nuevo gallinero; recomponer la portada del pajar de arriba; levantar *portillos* de diversas paredes: la huerta principal, la huerta de la fresa, el cercado de la fuente, la pared frente a la carretera, la huerta de abajo que da a la calleja del Pino. Por otra parte, reconstruir una tenada del corral de arriba, que se había caído; tender el gallinero de la casa de abajo; componer las pocilgas; arreglar el fogón y reponer las baldosas de la cocina del palacio; blanquear el comedor y el portal; arreglar las paneras de abajo; recomponer con piedra nueva toda la cortina de frente a la huerta y la pared del Caño; limpiar el vertedero del palacio, mondar la Charca de las Tencas, limpiar tejados y quitar goteras. Se puso una rejilla de hierro en dicha charca (4 rs). Se compraron 600 tejas (76,5 rs); 200 baldosas (38 rs). El jardinero de Zaratán recibía un salario anual de 1.830 rs. El guarda, 1.464 rs.

La contribución territorial pagada por la dehesa era de 7.752 rs; se pagó también por repartimiento vecinal 2.305 rs. La vizcondesa gratificó al personal el día de su santo: 12 rs al aperador, 4 rs a cada uno de cuatro mozos de labor y tres ganaderos. Además, en Nochebuena, la casa obsequió con 86 rs a los dependientes.

---

[184]   Recipiente hecho con haces de paja de centeno entretejidos con monda de zarza.

El 29.12.1881 hubo un robo de seis cerdos en Zaratán; eran de uno o dos años, y de 7 a 8 arrobas, «rasos con hierro a modo de llave en la paleta izquierda, con señal de hendido en la oreja, unos, y otros, muezca». Los vendía el 1.1.1882 en Corrales del Vino, a 52 reales la arroba (total de 48 arrobas), Narciso Hernández García, natural de Forfoleda y vecino de Santiz, viudo, jornalero, de 32 años.

> Sus señas: «estatura regular, color moreno, ojos y pelo negro. […] chaqueta de paño negro fuerte, chaleco paño oscuro a cuadros con botones grandes al parecer de plata, faja de estambre negro, calzón de pana también negro, media de lana, gorra de piel, borceguíes de becerro blanco, todo en buen uso» (Bz 6.2.1882).

En mayo de 1890 se anunciaba en Madrid, calle de Quintana 9, hotelito de la condesa de la Cabaña de Silva, el arriendo de la dehesa. Ya en 1890-1891 era rentero José Rivas Hernández, de Valverdón, que por entonces se ocupaba también de Valcuevo y Zorita. José era marido de Concepción Marcos Valiente. Falleció en 1911, con 79 años. Ya antes de 1899 le sucedió en Zaratán su hijo Santos Rivas Marcos,[185] casado con Victoriana Calvo García:[186] eran padres de Manuel José, n. 1895, médico, que vivía en El Pino, y falleció el 22.2.1924, con 27 años, en una operación,[187] con gran dolor familiar. Se hicieron misas en la capilla de la dehesa. Otros hijos eran Fernando (n. 1891 en Zaratán), María (Maruja) y Sebastián Rivas Calvo (n. 1901). Sebastián estudió perito agrícola y casó con Micaela Holgado García en 1931. María acudía en 1914 a Salamanca para los carnavales (*El Salmantino* 23.21914).

Al rentero Santos Rivas le robaron y maltrataron sus frutales en 1903 (*NS* 31.12.1903). En 1919 hubo un altercado entre Santos y Andrés Gil Sierra, el montaraz.[188] En pleno calor de la discusión, acudió a las voces una hija del montaraz, Juliana Emilia Gil Martín,[189] que con un cuchillo causó una herida en la mano derecha a Santos. La herida tardó 21 días en curar, pero Juliana Emilia fue absuelta (*EA* 21.9.1919). Al propio montaraz, Andrés, le habían disparado el 24.7.1904 con

---

[185]   Hermanos de Santos: Fernando, Melquíades, Abelardo, Josefa, Ángel e Isabel Rivas Marcos. Isabel Rivas Marcos, que casó con Juan Sánchez Esteban, falleció en El Pino en 1903, con 35 años; Ángel, que era labrador en Valverdón, en 1904, con 36 años. Fernando estaba casado con Marceliana García Rollán, de Villanueva de Cañedo.

[186]   Era de La Vega de Tirados, hija de Manuel y Paulina. Falleció, dejando viudo a Santos, en Valverdón, el 30.12.1939. Santos Rivas vendía en 1915 11.000 kilos de paja de trigo, en Valverdón y en La Vega. En 1914 arrendaba 200 o 300 borregos en Zaratán.

[187]   En la clínica del Dr. Población en Salamanca, catedrático de la Universidad, en la calle Azafranal. Antes de operarse, Manuel José encareció al doctor: «tenga Vd. buena mano».

[188]   Andrés, de Alba de Tormes, estaba casado con Dionisia Martín. Falleció en 1929. Antes de él había sido montaraz Juan Martín Moro, casado con Eladia Santos Tabernero. Hacia 1840 era montaraz Santiago Mateos, casado con Mariana Collantes.

[189]   Casada con Florentino Navazo Giménez.

perdigones, causándole heridas sin gravedad en una pierna, Bernabé Domínguez Sánchez y Manuel Casado Corredera; formaban parte de un grupo de tres cazadores, uno del arrabal (Bernabé), otro de Salamanca y otro de Tejares (Manuel), llegados desde la capital, que reaccionaron a tiros cuando el montaraz les sorprendió con varias liebres en el zurrón; también hirieron en la cara a un carbonero de la dehesa.[190]

En 1926, el vizconde de Garcigrande, Luis Espinosa Villapecellín, había presentado demanda de desahucio contra su rentero, Santos Rivas Marcos: fue desestimada, pero ese mismo año se renovaba el arrendamiento en Pedro Gallego Alonso, rentero también de Grandes (*EA* 7.7.1926). En el intervalo, el arrendamiento de la dehesa lo llevaba desde Olmedo en Valladolid, solar de los condes, un tal Zacarías Martín (*EA* 11.8.1926). Pedro Gallego, el nuevo rentero, tenía automóvil propio y permiso de circulación ya en 1925; su mujer era Manuela Aparicio Vaquero, que falleció con 64 años en Zaratán el 21.1.1927. Fueron padres de Francisco, Jesús, José y Primo. Pedro, que era ganadero,[191] celebró en Zaratán una tienta y herradero, con ochenta vaquillas y un semental «que salió muy bravo»; tras la faena hubo un banquete (*La Reclam taurina*, 12.1.1929). En 1931 hubo otra tienta, de 30 erales; al día siguiente, se herraron 40 becerras y 20 machos (*El Clarín* 21.2.1931).[192] Felicio Marcos parece haber sido rentero hacia 1933.

Los incendios, más o menos azarosos, a veces deliberados, eran pieza habitual en las crónicas, sobre todo durante la República. En 1935 ardió, parece que intencionadamente, una panera en Zaratán, en el valle del Regado, con hierba estimada en un total de 270 *carros*.[193] Eran del rentero de la dehesa, Evaristo Hernández Sánchez (*EA* 31.7.1935), hijo de Manuel José Hernández Martín y Teresa Sánchez Lozano, anteriores renteros del Palacio y Porteros; en 1931 Evaristo casó con Socorro Tabernero de Paz, hija del ganadero Juan José Tabernero Campo (de Iruelo del Camino) y M.ª Teresa de Paz Campo.[194] El 12 de septiembre de 1939 robaron a Evaristo seis cerdos en Zaratán, tasados en 2.160 pesetas, de las pocilgas de la dehesa. Procesaron a Gerardo Montero y Antonio Nogueiro, ya reincidentes; el fiscal pidió dos años al primero, veinte meses al segundo (*EA* 23.2.1940). En 1937 Evaristo tendió una celada para denunciar a un almacenista chacinero de Chamberí, Félix García

---

[190]   *El Castellano* 27.7.1904; *EA* 28.7.1904; *El Lábaro* 30.7.1904; *El Porvenir* 27.7.1904, 31.7.1904; *El Día de Palencia* 28.7.1904.

[191]   En 1935, tenía vacadas de reses bravas en Herreros (Peña de Cabra) e Ituero de Huebra.

[192]   El 29.11.1944 tuvo lugar el herradero en Zaratán (*EA* 7.12.1944).

[193]   Una forma de medir el volumen de la hierba segada que, por supuesto, aludía al contenido, no al continente: en 1933 se vendían en la dehesa 200 carros de hierba.

[194]   Socorro hizo donativos varios para la causa nacional en 1936: pendientes de diamantes, dos sortijas y pendientes de zafiros blancos, sortija de diamantes; sello, todo de oro de ley; dos alianzas de oro bajo, por valor de 226 pesetas (*EA* 8.9.1936).

Forcat, que vendía tocino por encima de la tasa autorizada (*EA* 8.6.1937). Ese mismo año ofrecía un puesto de cabrero para la dehesa (*EA* 4.7.1937). Jerarca de Falange, Evaristo fue nombrado en la guerra diputado provincial y director del Sindicato Provincial Ganadero; murió joven el 1.9.1940, sin dejar hijos.

Zaratán producía mucha madera. En 1931 el montaraz vendía la leña del desmoche de 510 encinas y 240 encinos (árboles de pequeño porte), así como 140 vigas de negrillo y unas *trozas* de nogal seco (*EA* 2.4.1931).[195] El año anterior se desmocharon 3.520 encinas (*EA* 25.1.1930). La protección del monte no era cosa fácil. Muchos jornaleros del contorno eran *carguilleros* y dependían de las cargas de leña y matorral que llevaban a los hornos y tejares de Salamanca; otros aprovechaban la casca de encina para las fábricas de curtidos de Salamanca, junto al río (López Vicente 2012: 38).[196] La caza de conejos en Zaratán era proverbial; se quejaban de los pueblos vecinos que los conejos proliferantes les comían los sembrados; en años como 1904, 1906 o 1913, la dehesa había sido vedada de caza. Hacia 1918, en una especie de insurrección colectiva, los vecinos de pueblos limítrofes con la dehesa invadieron la finca y en un par de días terminaron con los conejos (*EA* 4.6.1918).

El vizconde de Garcigrande desde 1856, José María Espinosa Villapecellín, gran aficionado a la caza, solía invitar a amigos de Salamanca y otras capitales para abundosas partidas cinegéticas. En julio de 1886 vino a Zaratán el vizconde acompañado por el general Lacy (Mariano de Lacy Hernández, 1822-1889, segundo esposo de su madre la I condesa de Cabaña de Silva, Narcisa de Villapecellín). En abril de 1892, acudieron el marqués de Castelbravo y César de Saavedra. En 1895 fueron invitados los diputados a Cortes el duque de la Seo de Urgel y Francisco A. Silvela; en 1897, Germán Gamazo y Calvo. En 1899 falleció sin hijos el vizconde y le sucedió su hermano Luis Espinosa Villapecellín (n. 1853).[197] Luis y su esposa Josefa Villapecellín Cabezudo apadrinaron las confirmaciones de El Pino el 23.6.1887, a las que acudió el obispo Tomás Cámara, llegado dos años antes a Salamanca. Ya a partir de 1905 llegaba el vizconde, que por entonces era senador provincial, en un magnífico

---

[195]   En el sentido de 'vigas robustas'; en El Pino se denomina *toza* al dintel de la chimenea. En 1926 se vendía leña del desmoche de 4.000 a 5.000 encinas (*EA* 8.1.1926); en 1924 se habían desmochado 2.000 encinas (*EA* 26.1.1924); la venta se hacía por carros y en partidas (*EA* 5.2.1924).

[196]   Todavía en los años 1960 venían carboneros, que instalaban chozas y hacían carboneras con cubierta de tierra.

[197]   En octubre de 1900 se cobraron 300 conejos, 70 liebres y 20 perdices; asistieron Federico Luque, Vicente García, José Bérriz, José Motta, Juan B. Muñoz, Manuel Tirado, Mariano Villapecellín y Federico Villapecellín (cuñados del vizconde). En septiembre de 1901 hubo una cacería en que se mataron 300 conejos, 56 perdices y 88 liebres; los invitados fueron Federico Luque, Jacinto Martos, Agustín Ballesteros, José Miguel Fernández Vicuña, Manuel Tirado, José M. Motta, Vicente García, Julio Fabrés de Solís, Mariano y Federico Villapecellín.

automóvil, a Zaratán.[198] Tras una estancia en junio en Zaratán, la familia solía veranear en el Sardinero de Santander, donde la condesa Narcisa tenía un hotelito, aunque en 1908 eligieron San Sebastián. En enero de 1907 fue invitado a cazar a la dehesa el cura ecónomo de El Pino, Martín González Pérez y Vallesa; se cobraron 200 conejos, 99 liebres, 50 perdices y 30 palomas. En junio de 1908 acudieron Mariano Villapecellín y Emilio Zúñiga. En octubre del mismo año vinieron dos sobrinos del vizconde, el señor Cavestany y un hijo del señor Gamazo. En febrero de 1909 fue el turno del marqués de Santa María de Silvela, el duque de Seo de Urgel, Fabricio Potestad y Alfredo y Fernando Suárez, que llegaron en tren a Salamanca, reuniéndose allí con los Sres. Garay y Villapecellín, procedentes, en coche, de Madrid. La cacería duró dos días y se cobraron 300 conejos, 40 perdices y más de 80 liebres;[199] el tiempo adverso obligó a los invitados «a sujetarse a a la clausura de la magnífica casa solariega, donde se ha excedido a su fama la proverbial rumbosidad y esplendidez del vizconde». La partida luego se trasladó a las fincas del marqués de Llen (*La Época* 16.2.1909).[200]

Era muy aprovechable la rastrojera y montanera de la dehesa, con abundantes pastos y majadas, que se arrendaban para ganado. En 1890 y 1891 se arrendaba la dehesa para invernar mil cabezas lanares y 150 a 200 cerdos (*La Provincia* 11.12.1890, 9.3.1891). En 1907 se arrendaba a pastos y labor.[201] Se guardaba celosamente la bellota; en 1905 la guardia civil sorprendió a cinco vecinos de Salamanca, hombres y mujeres, y a uno de Parada de Arriba, cogiendo bellotas en Zaratán; fueron puestos a disposición del juzgado de El Pino (*El Castellano* 3.1.1905). Se recuerda, en efecto, que algunos vecinos del humilde barrio de Pizarrales merodeaban por Valcuevo, Florida y El Pino en busca de recursos; preguntaban por corderos y otros animales muertos, que se llevaban para comer. Otros vecinos pobres del mismo Pino acudían a casas ricas a pedir huesos para echar en el caldo. El principal recurso alimentario en los menos acomodados eran las patatas; en muchas casas se comían hasta en el desayuno.

Otra rúbrica era el extravío de ganado, sabrosa por la descripción de las reses: en 1904, apareció «un buey con escobado en la oreja derecha y hendido en la izquierda, bragado, un poco pitorro, y con hierro A en la solana derecha»; en 1930, se perdían dos caballos colines, uno cano y otro colorado; en 1931, un burro negro de ocho

---

[198]   La vizcondesa de Garcigrande compró un Panhard, de 51 CV, el 25.10.1909; Bernardo Olivera, el 31.12.1907 (SALAUT).

[199]   No se menciona nunca el jabalí. Empezó a aparecer en los años 80, y actualmente es abundante.

[200]   En enero de 1910 acudieron Fabricio Potestad y Alfredo y Fernando Suárez de Tangil, Santiago Cuesta, Luis Peláez Quintanilla; se cazaron 340 conejos, 40 liebres y 125 perdices.

[201]   En 1916 se arrendaba la montanera (*EA* 2.10.1916). En 1933 Felicio Marcos arrendaba los pastos y rastrojera desde mayo a final de septiembre (*EA* 25.5.1933).

años; el mismo año, una vaca jabonera con su becerro; en 1932, un añojo blanco con la cabeza negra: ofrecía gratificación su dueño, el rentero Pedro Gallego. En 1942 se perdía una yegua «castaña, oscura, picalzada, con lunares en las costillas de aparejos, cerrada»; la gratificación la daba en la casa de Zaratán Antonio Manuel Rodríguez. En 1946 se extravió en Zaratán una vaca «jabonera sucia, cornialta», con una becerra al pie; Felicio Marcos, en la dehesa, ofrecía gratificación.[202]

El Palacio de los Ovalles en la historia reciente

Esta alquería, popularmente *El Palacito*, y en escrituras viejas *El Palacio de don Juan* (por D. Juan de Ovalle), era del marqués de Castelar, como la vecina de Porteros. En 1904 había en ella una casa, una panera y un pajar (RFES). Sobre la alquería pesaba en 1847 un censo de 40.533 reales, que gozaban Manuela Viana y Achucarro[203] y su hijo José Ordóñez y Viana, v°s de Málaga. Dicho censo fue vendido ese año a Julián Martínez de Céspedes, dueño de la Aldehuela de la Huelga (1847 CHIP). A comienzos del XX la alquería era de Luis M.ª de los Ángeles Patiño y de Mesa y M.ª de la Concepción Fernández-Durán y Caballero.[204] Su administrador provincial, Ramón García Gil, solicitaba permiso a la Diputación para aprovechar las aguas del Tormes para riego de la finca (*EA* 9.12.1899); le fue concedido.

A finales del s. XIX, era rentero en El Palacio Tomás Hernández Pascua, natural de Zarapicos, oriundo de Yecla de Yeltes y Almenara.[205] Casó en segundas nupcias con Práxedes Montero Magro, de Rollán. Falleció, de diabetes, en 1898. En 1900 su viuda, Práxedes Montero Magro, de 30 años, residente en El Palacio, compraba a Carmen Beato Hernández una gran yugada de tierras en El Pino. El domingo 4 de mayo de 1902 jugaron a la calva en El Palacio 24 mozos de Muelas contra otros 24 de Zarapicos y Carrascal de Velambélez (*NS* 4.5.1902). En 1905 hubo una intentona de robo de un total de 48 cerdos, frustrada porque el guarda de la dehesa

---

[202]   *EA* (7.10.1939, 31.7.1931, 9.10.1931, 13.1.1932, 30.1.1942, 27.11.1946).

[203]   Nacida en Montevideo en 1778. Era viuda de Fernando Ordóñez Bustillo (n. 1767 en Málaga, corregidor, alferez mayor y regidor perpetuo en la ciudad). Su hijo Melchor (1800-1860) fue gobernador y ministro (DBE / Javier Pérez Núñez). Fernando era bisnieto de Francisco Ordóñez y Gamboa (1664-1726), vecino y regidor de Málaga (Gómez de Olea 2006: 21); sus herederos (marquesado de la Roqueta) tenían hacia 1750 mucha tierra en el entorno de Mozodiel del Camino. Francisco era a su vez bisnieto de los salmantinos Francisco Ordóñez de Lara y Rosales, y María de Flores Godínez.

[204]   En 1905, el obispo, en visita pastoral, acudió a Porteros a confirmar a los hijos del marqués, «quien obsequió finamente al prelado». Pernoctó en Parada, y al día siguiente visitó Villaselva, donde cumplimentó a las señoras, llegando a Muelas y El Pino, para dormir en Zarapicos (BOS 2.11.1905).

[205]   Hacia 1830-1840, era rentero José Hernández; aperador era Santiago López Hernández, de Almenara.

pidió auxilio en la casa principal de ella. En represalia, manos criminales prendieron fuego al chozo donde el guarda dormía; se salvó gracias a que tenía a punto un destral, con el que abrió un boquete en el chozo para salir (*EA* y *El Castellano* 6.4.1905).

Fue luego rentero, hasta su fallecimiento en 1925, su hijo Manuel José Hernández Martín, que también llevaba la dehesa de Porteros, de quien nos hemos ocupado en una sección anterior. Seguidamente, y al menos hasta 1935, la llevaba en arriendo Serafín Fraile Recio, de Aldeatejada, casado con Nieves García. En 1926 arrendaba allí pastos de primavera para 28 o 30 reses, de 15 de abril a 29 de junio. Un incendio en plena temporada veraniega destruyó en 1935 230 fanegas de algarrobas, con una pérdida estimada de 4.000 pesetas (*EA* 23.7.1935). En 1933, Serafín Fraile vendía en la dehesa unas 100 fanegas de garbanzos pedrosillanos para sembrar (*EA* 21.3.1933). Hijo de Serafín y Nieves era Antonio Fraile García, que fue al terminar la guerra jefe del silo de Gomecello, del Servicio Nacional del Trigo; casó el 31.5.1939 con Paquita García Curto, de La Vellés.[206] Otra hija era «la bella señorita Vicenta Fraile» (*EA* 11.10.1929). En 1944 Luis Fraile García vendía en El Palacio un motor de gasolina de 3 CV. También una tartana cerrada, con arreos completos, que habían usado los señores para venir a misa; parece tratarse de otro hijo, que fue alcalde en El Pino.[207] En 1943 vendía remolacha para pienso (*EA* 11.2.1943).

En 1933, se describe como una dehesa de 178 hectáreas; su dueño seguía siendo Luis Patiño y Mesa (1863-1940), marqués de Castelar; del mismo eran varias dehesas en Salamanca, como Cojos de Rollán, Torrecilla y Porteros. En 1934 la Reforma Agraria afectó a la finca de Cojos, incautada para asentar, en teoría, a 130 colonos procedentes de Rollán. El Instituto de la Reforma Agraria, según acuerdo del 4.5.1934, declaró que Torrecilla de Miranda y El Palacio de los Ovalles eran fincas expropiables sin indemnización. La expropiación fue recurrida, en particular en lo tocante a 34 hectáreas dedicadas a uso forestal, y tras la guerra, declarada sin efecto. El marqués, aficionado a la caza, organizaba partidas cinegéticas en Porteros: sobre todo se cazaban conejos y perdices. En 1959 El Palacio se había dividido en dos partes entre dos hijos del marqués: uno era de Francisco Patiño y Fernández Durán (cuarto del conde de Guaro) y otro de su hermano Buenaventura (cuarto de los condes de Bétera) (Gómez Gutiérrez 1992: 790, 798). Los riegos, bombeados directamente desde el Tormes, que ya se habían iniciado hacia 1905, seguían consolidándose: la viuda Concepción Fernández Durán y Caballero, marquesa de Castelar

---

[206]   Paquita era hija del tratante de grano Adrián García y su mujer Ángela Curto. En 1929, Adrián apareció muerto en un pozo (*La Libertad* 4.9.1929).

[207]   En 1935, Antonio, Luis y Jesús Fraile solicitaban su inclusión en el censo nacional de campesinos (Reforma Agraria) de Pino de Tormes; Emiliano y Francisco Pérez recurrían por haber sido excluidos de dicho censo (*EA* 6.1.1935). Luis fue luego presidente de la Junta Local Sindical Agropecuaria.

(1869-1951),[208] que tenía 85 hectáreas susceptibles de riego, recibía en 1954 una autorización *post mortem* para derivar hasta 85 litros/segundo desde el Tormes.[209]

Fuente Arenosa

Surge esta finca en El Pino por agregación de tierras y prados situados en el paraje antes llamado del Caiz, donde un pequeño arroyo y una fuente permitieron instalar una huerta. En las partijas de Justo de la Riva Esgueva, catedrático de Medicina fallecido en 1849, se menciona la huerta de Fuente Arenosa, cercada de pared, de 7 fanegas, con árboles frutales, tasada en 15.000 reales (1852 CHIP); la propiedad se había adquirido en la Desamortización. Recayó en su hijo Justo de la Riva Otero; en torno a la huerta había tierras de la familia, con un pequeño prado cercado. Posteriormente pasa a Sabas de Castro. Hacia 1875 se construye una casa y finca de recreo, que en 1907 aparece en la minuta del MTN como «Casa de Fuente Arenosa de D.ª Rosa Domínguez», en referencia a su viuda y heredera.[210] En 1879 residían en la casa, sin duda en condición de caseros o renteros, Miguel Escribano Santos y su mujer Leonor Sánchez Manso. Ella, de Castellanos de Moriscos; él, de Calzada de Valdunciel, donde nació en 1855. Llegó a alcalde en Pino (1884); tras enviudar de Leonor en 1889, casó con Casimira González, de La Vega de Tirados.

Sabas de Castro Blázquez era desde al menos 1879 dueño de una ferretería y tienda de objetos de pesca en la calle de Quintana, 2, frente a San Martín, donde vivía. En 1884 vivía en la calle de la Raqueta. Ese mismo año el ayuntamiento lo propone como vocal para un certamen, por la sección artística. Fallece el 29.1.1889, con 72 años. Su esposa, Rosa Domínguez García, era una dama salmantina sumamente piadosa, que falleció en 1912. En 1894 se vendían vigas de chopo y negrillo, sin duda procedentes de la finca, en la puerta de Fuentearenosa; la dirección de contacto en Salamanca era Carmelitas, 3.

Ignacia Fabia de Castro Domínguez, hija de Sabas y Rosa, casó en 1883 con el impresor Jacinto Hidalgo Acera, que tenía una librería e imprenta, que heredó en 1882 de su tío-primo Sebastián Cerezo,[211] en la calle de la Rúa 12. Otros hijos era Pedro (1872-1946, licenciado en Filosofía y Letras), Sabas y Anselmo de Castro

---

[208]   M.ª de la Concepción falleció el 3.2.1951; se celebraron misas de cabo de año en El Pino.

[209]   En 1934 solicitaba María Luisa Maldonado un bombeo de 15 litros/segundo desde el Tormes para su finca, con un grupo moto-bomba, una tubería de impulsión y un depósito, para su finca de Burrinas (Bz 25.7.1934). En 1952 habían reforzado, con tal fin, el ramal que traía corriente a El Palacio desde la línea Salamanca-Ledesma.

[210]   Igual propietaria en 1904 (RFES).

[211]   Posible pariente de Pablo Martín Cerezo, que fue gran propietario en El Pino por casar con Aureliana de la Riva.

Domínguez. Se menciona en 17.12.1888, legajo del Archivo Diocesano, un «proceso […] acerca de la prodigiosa curación de D.ª Fabia de Castro Domínguez, que se dice producida por intercesión del Beato Alonso de Orozco».[212] Ella, de 22 años, padecía a causa de un percance doméstico un mal incurable en la columna vertebral y médula ósea; estaba paralizada en la cama; los médicos la tenían desahuciada, pero sanó inexplicablemente (*Revista agustiniana* 2003, 44 (133): 52).

Hacia 1915 esta finca pasa al matrimonio Agustín Rivas Verdejo y Esperanza Blanco de la Iglesia. Agustín, nacido hacia 1881, tenía en 1916 un puesto de pescado en el mercado de Salamanca, que parece haber sido exitoso. En 1917 vendía madera de negrillo y árboles de plantío en la pescadería del mercado: ¿producto de la corta en la huerta de Fuente Arenosa, si era ya de su propiedad? Por la edad parece tratarse de él cuando en mayo de 1917, con 36 años, es atendido en la Casa de Socorro de herida contusa en la región temporo-occipital izquierda, producida por mano airada (*El Salmantino*; *EA* 10.5.1917). Agustín consta como vendedor de pescado al por mayor (BCC 1918, 1920). En 1919 cayó el gordo en Salamanca (dos series con 150.000 pesetas cada una). El vendedor había sido un tal Francisco Fraile, llamado Farruco, que había vendido un décimo a su pariente Agustín Rivas. Entrevistado Agustín, responde con evasivas, pero el reportero se queda con la impresión de que le habían caído 15.000 pesetas (*EA* 22.2.1919). Era un almacenista y comerciante acaudalado, que viajaba a La Coruña y otros puntos en Galicia en agosto de 1922. Poco después fallece aún joven. Su viuda, que seguía regentando el puesto en la Plaza del Mercado (aún en 1926), intentaba traspasar un «almacén de pescados y escabeches, con locales y enseres, en el centro de la población, por no poderlo atender su dueña» (*EA* 8.4.1923).

Su único hijo era José Manuel Rivas Blanco, que se había puesto al frente del establecimiento de su padre, «uno de los industriales más prestigiosos de Salamanca», en unión de su madre, cuando quedó huérfano, aún niño; lo había levantado y consolidado. En 24.10.1929 fallece de rápida y fatal dolencia, con 21 años. Su pérdida fue hondamente sentida y recordada por la madre, que repetía año tras año las esquelas y noticias necrológicas en la prensa, ordenando un sinfín de misas. Hubo de bregar sola con sus tareas de empresaria. En 1925 pidió Esperanza licencia municipal para reformar la puerta de su casa en el 16 de Pozo Amarillo. En 1931 los números 14 y 16 de la calle fueron objeto de una expropiación parcial, probablemente por rectificación de ese tramo de calle; para reconstruir la finca tras las obras, se le concedió licencia poco después; y en 1932 obtenía permiso «para habitar o alquilar sus fincas de nueva construcción» en la calle Pozo Amarillo 16: es quizás entonces cuando pone allí una casa de pupilos.

---

[212] El agustino Alonso de Orozco (Oropesa 1500-Madrid 1591) fue beatificado en 1882 y canonizado en 2002.

De la finca de Fuente Arenosa se ocupaba una hermana de Esperanza, Rosa Blanco,[213] que parece haber casado con Tomás Rodríguez Guerra, el cual falleció, por suspensión, en 1953. Ya en 1933 se menciona como residente en la finca a una joven, María Rodríguez (¿hija de Rosa?), que acude a una boda en Parada (*EA* 30.4.1933).

A pesar de tanta pérdida y desengaño era un lugar hermoso, con ricas frutas, amenos plantíos y hileras de almendros que florecían luminosos, transitada por precarios e hidalgos carruajes. Se recuerda en El Pino que el terreno era guardado por unos perros muy fieros.

La Aldehuela de la Huelga: siglos XIX y XX

Aunque no pertenece al término de El Pino, ofrecemos algunos datos sobre esta alquería —La Aldehuelita—, que ha tenido estrechos vínculos con El Palacio. Por su condición fronteriza, unas veces ha sido del cuarto de Baños, otra de tierra de Ledesma; unas veces anejo de Almenara, otras de Zarapicos. El Catastro de Ensenada la describe como término redondo de los agustinos calzados de Salamanca.[214] Al no haber iglesia en el lugar, es interesante el reparto de los diezmos. El préstamo (1/3 de los diezmos) lo gozaban José Julián Arredondo Carmona y Nicolás Zorrilla de San Martín, canónigo de Salamanca. El beneficio simple (igual cantidad) era de José Gabriel Gómez, vecino de Madrid, y de Frutos de Nieva, presbítero en Cuéllar. Dos novenos de los tercios iban a la Universidad de Salamanca, en concepto de tercias reales; un noveno, a la fábrica de la iglesia de Zarapicos.[215]

Los agustinos recibieron la alquería en 1456 por donación de Pedro Nieto de Aragón, hijo de Hernán Nieto el viejo y su manceba Benita González; la lograron preservar defendiendo la posesión con muchos pleitos (Herrera 1652: 38). Pasó primero al hermano de Pedro, Fernán o Fernando Nieto, quien en 1474 puso la alquería como prenda en una lucha de bandos en Salamanca: «nonbró el Aldeyuela, cabe Almenara» (ALB §72). A la muerte de Fernán Nieto, la alquería, que debía pasar al convento, seguía en manos de sus hijos; el convento consigue la restitución de El Aldeyuela, en manos por entonces de los hijos de Fernán, ya difunto, y su mujer Elvira de Acebo,[216] mediante pleito (1492-1496).[217] Seguidamente fue Antón de Acebo,

---

[213] Otros hermanos de Esperanza eran Juan Manuel y Ludivina.

[214] Había una tierra entradiza de la fábrica de El Pino; seis del beneficio de Juan Frade, de la parroquia de Santa María la Mayor de Ledesma, y dos de Cristóbal de Espinosa, dueño de Zaratán.

[215] De las primicias, 2/3 iban a Lorenzo del Corral, presbítero, vº de Ledesma; el resto, al préstamo.

[216] Los hijos eran Fernand, P<edr>o, Rodrigo, Di<eg>o, Martýn alnado [¿ANTE NATUS?], Leonor, Guyomar y Romera. Véase Solís (1670: 262).

[217] ARCV, PL CIVILES, PÉREZ ALONSO (F), CAJA 1092,1. ARCV, REG. EJECUTORIAS, CAJA 107,9.

hijo de Benita y, por lo tanto, tío de los hijos antes citados,[218] el que se apoderó de medio lugar de La Aldehuela, sin tener título de propiedad.[219] Pleiteaba Antón en 1494 contra sus sobrinos Ferrand Nieto, Gómez Nieto, Isabel Romera, Pedro Nieto, Rodrigo, Diego, Leonor, Guiomar y Catalina; los últimos eran menores de edad.[220] Declaró en un pleito que Martín Bueno, vº de Zarapicos, arrendatario de La Aldehuela (fiador Juan Calderón), le debía la renta de 1490, a saber, 150 fanegas de pan, la mitad trigo y la mitad centeno.[221] Antón pedía que se ejecutasen los bienes del rentero para satisfacer la deuda.[222]

En 1822 fue desamortizada. Se hizo un primer remate en Ledesma de la *alcaería*, con algunas tierras entradizas en Almenara, en el valle de Choute. Estaba dividida en dos hojas, una de ellas llamada la de la Vega [de Almenara]. Había un huerto, con un lienzo de pared y el resto cercado de vallado, de dos huebras para hortaliza de regadío; dos casas, ambas de una sola planta; una de ellas con boíl, otra con pajar y gallinero. De pasto con monte había 200 huebras. Eran numerosos los prados; tras las casas había uno con 12 negrillos y un chopo. La renta anual era de 100 fanegas de trigo y 2.000 reales en metálico (*Crédito Público* 11.9.1822). Fue adquirida por Julián Martínez de Céspedes, contador del crédito público en Salamanca (Torijano 2000: 408). Pero consta también que el comprador en 1823 fue Antonio Crespo Rascón, por 357.000 reales; Antonio murió en 1850 sin hijos, y su testamento fue objeto de inacabables suspenses y discusiones.[223] Probablemente hubo alguna rauda transmisión entre ambos. En 1902 La Aldehuela era de D.ª Simona Francisca Zaballa Martínez de Céspedes,[224] viuda del andaluz Manuel Domínguez Ubago

---

[218] Herrera (155).

[219] En ARCV, PL CIVILES, PÉREZ ALONSO (F), CAJA 563,1. Véase Solís (1670: 70). Sobre los grandes propietarios locales Nietos, Acebos y Maldonados, y sus vínculos con la orden agustiniana, véase en una sección más adelante. Benita hizo su testamento en 1491, dejando por herederos a Antón del Acebo y a sus nietos, hijos de Hernán Nieto su hijo (Herrera 1652: 155). Antón del Acebo, su hijo, falleció en 1505.

[220] ARCV, REG. EJECUTORIAS, CAJA 69, 28. Gómez no figura en la relación de hijos de Fernán Nieto y Elvira de Acebo (Herrera 1652: 262). Tampoco es total la coincidencia con la lista antes ofrecida. ¿Hay error, o se trata de hijos ilegítimos?

[221] ARCV, REG. EJECUTORIAS, CAJA 37, 20.

[222] Durante el pleito se plantean dudas sobre el señorío exclusivo que Antón del Acebo pretendía tener sobre la Aldiyuela, pues seguía en liza el reparto de la herencia de Fernand Nieto.

[223] José Acedo Bernardo, en *Archivo Histórico Hispano Augustiniano*, XV: 252 (1921); Gil Prieto (1928: 113). Antonio Crespo Rascón, hijo de la salmantina Antonia Vicenta Rascón y López (1756-1821) y de Nicolás Crespo de Roa, de Talavera de la Reina, fue alcalde de Salamanca (1839, 1843) y diputado a cortes en 1843. Falleció en 1850 (SALAY).

[224] Ese mismo año tuvo la desgracia de perder a su hijo Juan Domínguez Zaballa, estudiante de quinto de Derecho en Madrid, que falleció con 20 años. Otros hijos de ella eran Fernando, Engracia y Salvador. Francisca murió el 30.4.1926. Francisca era hija de Domingo Zaballa Villasante (n. 1808

(1838-1889), director del Banco de España en Salamanca; Francisca y Manuel, antes residentes en Sevilla, se mudaron a Salamanca hacia 1878.

En 1790 Francisco Gómez, padre de Sinforosa —«una moza de ermoso semblante y de conocida honrradez y recato»—, de Zarapicos, denuncia por estupro a Miguel Pérez de Vega, soltero, vº de Aldehuela de la Huelga.[225] Sinforosa, que había servido anteriormente en varias casas, estaba de criada en casa del padre de Miguel, Domingo Pérez, rentero de la alquería, que falleció poco después.[226] Miguel había seducido a la moza con palabras de matrimonio hasta dejarla encinta; aunque reconocía su participación en el embarazo y sus promesas nupciales, se negaba a casarse, por estar comprometido con otra. En señal de matrimonio, Miguel le había dado a Sinforosa «una cruz de plata para el pescuezo y una cinta de seda color de rosa y azul». Ignacio Martín, cirujano de Almenara, había confirmado el embarazo. Miguel fue preventivamente preso y le embargaron bienes: un buey de pelo rojo, una vaca con su becerro y otros objetos, por valor de unos 4.000 reales, de la hijuela de su recién difunto padre. Fue avalado el galán por su madre, Francisca de Vega. Un vecino de El Pino, probable pariente, Manuel José Pérez, labrador, dio fianza para sacar de la cárcel a Miguel. Entre los que declaran se cuenta el beneficiado de Almenara, Ángel Alonso de Porres. Meses después, el alcalde de Zarapicos, Fabián Hernández, certifica que Sinforosa ha tenido un niño.

Se interroga a testigos sobre algunos puntos inciertos: antes de que Sinforosa entrase a servir en casa de Domingo Pérez, ¿tenía ya Miguel concertado casamiento con Águeda Guzmán, de Almenara? Al parecer, la boda se hubiera hecho de no mediar el luto por la muerte de Domingo, padre de Miguel. La hermana de este, Manuela, estando en la fuente con Sinforosa, se había quejado de que Sinforosa quería meterse por medio y perturbar la boda de Miguel con Águeda, a lo que ella dijo que no aspiraba a tener nada con Miguel, pues las bodas debían ser entre iguales. Pero Manuela le decía: «¡si tuvieras la fortuna de que te quisiera Miguel!», replicando Sinforosa (¿con la boca chica?) que ya Miguel estaba cogido. Manuela le decía que, dado que con Miguel no podía ser, que intentase Sinforosa seducir al hermano mellizo de este. Se le atribuían a Sinforosa, por otra parte, amoríos y escarceos con Ignacio

---

Vallejo de Mena) y Engracia Martínez de Céspedes, residentes en Salamanca desde al menos 1857, que en 1867 vivían en la Cuesta del Carmen. Engracia falleció en 1887. Su hermano Segundo era presbítero († 1890). Sobre Domingo Zaballa, cf. García Catalán (2016: 272).

[225]   ARCV, REG. EJECUTORIAS, CAJA 3625, 46. Otras dos referencias a Aldehuela de la Huelga en la página PARES corresponden en realidad a Aldehuela de los Guzmanes.

[226]   Domingo Pérez era residente en la alquería en 1753; el perito o apeador en la operación catastral fue Lucas Núñez (CME). En 1752 Domingo había sido fiador del arrendamiento que hizo Antonio Sánchez, vº del Puerto de la Anunciación, de las yugadas que tenía en Muelas el marqués de Almarza (AHNOB, YELTES, C. 17, D. 157-164). En 1768 fue apeador de las tierras de los agustinos en El Pino.

Martín panadero. Desfilan varios testigos, a los que la otra parte pone tachas. Entre ellos, María Antonia Herrero, costurera, que vivía en la alquería con una hija. La sentencia, dada en Salamanca el 13.8.1791, condenaba a Miguel en 100 ducados por daños a Sinforosa, con todas las costas; en su defecto, a servicio en los presidios de África; podría redimirse con el casamiento.

Descendiente de esta familia de renteros será Pedro Pérez, nacido en «la Aldigüela de la Uelga», que casó con María Josefa Verdes, de Juzbado; ambos eran cofrades de San Lorenzo en El Pino. Su hijo Eugenio Pérez Verdes casó en 1818 con Ignacia Angoso, de Zaratán.

De comienzos de siglo, baste aquí un pequeño apunte. Frente a Almenara se alzaban en un llano las dos casas, con un hermoso jardín. Hacia 1900-1920 vivían allí los acaudalados labradores Casilda Angoso Campo y Saturnino Rivas Hernández.[227] Al tener varias hijas casaderas, los dueños celebraban rumbosas fiestas cada año, que congregaban a una selección de la buena sociedad y el mocerío comarcano.[228] Unos estudiantes salmantinos de Medicina, que acudieron a la fiesta de 1922, engolosinados sin duda por sus lindas moradoras, cuentan haber llegado en el auto-correo que pasaba por Almenara. Desde allí admiran el paisaje, con «los tres célebres tesos» que coronan el pueblo:

> «Primero, el manso correr del río, que refleja en sus aguas la enorme frondosidad de álamos de su otra ribera; después, prados y tierras labrantías; más allá, abarcando casi todo el horizonte, encinas y más encinas, que dejan en medio las dos casitas blancas de La Aldehuelita. […] Parece que el Creador ha pintado un cuadro de un rincón del Paraíso, en que conserva dos pichones que se arrullan en un campo verde, de multitud de matices, con un arroyo al lado; todo ello bajo el claro cielo de Castilla».

---

[227]   Saturnino fue alcalde de Zarapicos hacia 1900; era su mujer Casilda Angoso Campo (1865-1917). Saturnino era hermano del industrial salmantino José María Rivas Hernández († 1929) y de Ángel Rivas. José María fue de los primeros importadores de abonos minerales, ya en 1907. Saturnino fue también innovador, llevando sus lentejas a tostar para combatir el gorgojo desde 1917. Ángel Rivas, como su hermano, había vivido hacia 1893 en La Aldehuela, casado con Ángela Nuño Vicente. Hacia 1896 consta como molinero. Fue vecino y fiscal en El Pino. Llegó a ser un afamado ganadero en el mundo taurino, asentado en Villardiegua del Sierro, Llamas de Ayuso y Santarén, donde había comprado en 1914 la ganadería de reses bravas de Santiago Neches Aláiz.

[228]   Allí, «lugar muy pintoresco», se organizó el baile tras la boda de una de las hijas, llamada Predestinación, con pianillo incluido (*EA* 22.5.1912). El día de Santiago, patrono de Zarapicos, de 1916, un hermano de Predes, Argimiro, organizó una corrida de becerros y un baile de acordeón en que se bailaron charradas (*EA* 10.8.1916). En 1910 Argimiro había sido mayordomo de las fiestas de Santiago en Zarapicos, con partidos de pelota y calva, baile en la plaza del pueblo —al que acudieron las hermanas Rivas Calvo, hijas del rentero de Zaratán— y otro baile en La Aldehuela, con guitarras y bandurrias (*EA* 28.7.1910).

Vadearon el río «en el tosco y rudimentario barco *El Temerario*, pilotado por un viejo lugareño de Almenara, que emplea como timón y remo, a un tiempo, un largo varal, tan difícil de manejar para nosotros, como para él el uso del forceps». El agasajo duró tres días, con banquetes, jiras y bailes, entre atenciones de las bellas señoritas Angelita, Marichu y Emilita Rivas Angoso (*La Tribuna Escolar* 6.5.1922).

Reconstrucción de la iglesia de El Pino (1891-1893)

Los mayores del lugar dicen haber oído a sus antepasados que la iglesia se cayó, y que la reedificaron unos gallegos. La hemeroteca permite concretar estas vagas memorias, como se indicó en otra sección de este libro. Puede suponerse que las fuertes lluvias de noviembre de 1891 (que causaron la muerte por ahogamiento, mientras dormían en la aceña, de la mujer y dos hijos del molinero de Monleras) fueron las causantes del derrumbe: «parece que se ha hundido casi por completo la iglesia parroquial de El Pino» (*La Correspondencia de España* 29.11.1891); un suelto publicado en *La Legalidad* el 30 de noviembre de 1891 lo confirma.

> «La iglesia parroquial del pueblo de El Pino se encuentra arruinada. Varios vecinos nos suplican que lo hagamos presente en esta Revista a fin de que se les concedan algunos fondos con que poder reparar el Templo, único que existe para el culto. Poco más o menos ocurre con las iglesias de otros pueblos rurales, pero consuélense los fieles con que en Salamanca se gastan muchos miles de duros en la edificación de un nuevo Templo y palacio episcopal, existiendo antiguas parroquias sin culto alguno por no ser necesarias según el Concordato con la Santa Sede».

La revista, dirigida por Marcial Soto Muñiz, llevaba el largo aditamento a su título, «revista de asuntos administrativos e intereses materiales, defensa de contribuyentes agraviados, clamor continuo contra inmoralidades, injusticias e infracción de leyes, guerra al caciquismo, respeto a las autoridades, aun criticando sus actos ilegales». Se adivina la crítica a los dispendios del obispado en la erección de San Juan de Sahagún y el palacio episcopal. El mismo número indicaba que la iglesia de Aldeatejada precisaba también reparos, que sufragaban los contribuyentes con sus donativos, «a pesar de que algunos de los donantes son conceptuados de impíos para la gente mestiza».

Pero la acción fue rápida. Sobre la autoría del proyecto, la *Semana Católica de Salamanca* (5.12.1891) informa de que, por orden del prelado de la diócesis, el arquitecto diocesano Joaquín de Vargas había salido hacia El Pino, «para formar el plano y presupuesto de las obras de reparación del templo de aquella localidad, donde ocurrió ha pocos días un hundimiento». Ya a finales de 1892 se daba noticia del próximo comienzo de las obras, por cuenta del Estado y ejecutadas por administración (*El Criterio* 17.11.1892):

> «El templo parroquial de El Pino: aprobado por el gobierno el presupuesto de reparación de la iglesia de El Pino, se procederá inmediatamente a las obras correspondientes para llevar a efecto la acordada reparación» (*La Semana Católica de Salamanca* 19.11.1892).

El mismo semanario indicaba el 3.6.1893 que las obras se encontraban muy adelantadas, «reinando mucho entusiasmo en el vecindario, que vivamente desea ver terminada la casa del Señor». Ya en el número del 23.9 del mismo año se informaba de que una comisión del ayuntamiento de El Pino se había presentado al señor Obispo —el padre Cámara, aguerrido riojano que polemizó encarnizadamente con Unamuno— para agradecer sus desvelos en la construcción de la iglesia. El día 9 de mayo de ese año el prelado giró visita pastoral a Muelas, donde comulgaron 125 personas, confesadas la noche antes; por la tarde visitó «la nueva parroquia de El Pino», regresando luego a la capital (bos 1.7.1895).

Joaquín de Vargas y Aguirre (1855-1935), el arquitecto diocesano encargado del proyecto, no era figura menor. Andaluz de Jerez, hizo estudios de arquitectura y matemáticas, e impartió disciplinas en el campo de los medios continuos (Resistencia de Materiales e Hidráulica), especializándose en la arquitectura del hierro, que daba sus primeros pasos en Salamanca con obras en las que participa, como el Mercado Central y la Casa Lis. Fue arquitecto diocesano entre 1890 hasta 1932. Suyos son los planos de la iglesia de San Juan de Sahagún. Mientras reconstruía la iglesia de El Pino, había enviudado de su mujer, la salmantina Eloísa Vega Lamago, que falleció en julio de 1892.[229] Un año más tarde, Joaquín volvía a casar con Juana Sánchez Sánchez, hija de Carlota Sánchez Rodríguez y el famoso ganadero de reses bravas, de Terrones, Ildefonso Sánchez Tabernero.

Por vía oral nos ha llegado que unos gallegos realizaron las obras de levantamiento del edificio. Al ver el resultado se puede sospechar que fue un trabajo de consolidación, que se tomó libertades con la construcción anterior, alejándose de una restauración en el sentido riguroso del término. Sin embargo, fue un loable trabajo de consolidación, que evitó al pueblo desdichas como la reciente e irreparable ruina de la iglesia de Muelas.[230]

---

[229]   Hermana de Julia y Eladio. Eladio de Vega Lamago, doctor en Derecho (Madrid, 1880), tuvo cierta fama como escritor. Julia († 23.7.1914) casó con Agustín Pérez de Ágreda.

[230]   Ya en 1967 pedía el entonces párroco Ernesto Pérez Fuentes que el Instituto de Colonización edificase una iglesia nueva. La vieja amenazaba ruina; era inviable su restauración, a juicio del arquitecto diocesano. Su ubicación periférica, lejos del barrio bajo, exigía subir a lo alto de un teso de difícil

Los párrocos

El Pino (iglesia de San Lorenzo) era curato de entrada, anejo de Muelas (iglesia de la Magdalena, de segundo ascenso),[231] del arciprestazgo de Rollán.[232] Hasta el siglo XIX Zaratán fue anejo de Villaselva, cuya iglesia fue inicialmente de San Miguel, luego de la Encarnación. La advocación de Zaratán a San Bartolomé se explica quizás porque el préstamo del lugar (un tercio de los diezmos) era del colegio mayor del mismo nombre en Salamanca.

> Porteros tenía su propia iglesia, El Salvador, de la que durante un periodo fue aneja Zaratán. Porteros y Zaratán componían parroquia de entrada. En 1854, era su párroco Manuel Álvarez; entre 1855 y 1858, Cipriano Blanco, que pasó después a Muelas; entre 1858 y 1867, Antonio Holgado Medina, fallecido el 24.2.1867; en 1867, Canuto Rodríguez; entre 1867 y 1878, José Luis Marcos; entre 1878 y 1883, Pascual García Vicente, fallecido el 13.9.1883. En 1495, el racionero Francisco Moreno era beneficiado de Porteros (Vaca Lorenzo 1996: 398, 421).

El beneficio de Muelas y El Pino contaba con numerosas tierras propias. En un apeo de 1580, copiado en 1732, se da una lista de unas 45 tierras y dos viñas ahora ya labradas, en tº de Muelas;[233] en El Pino, 21 tierras; estas propiedades se fueron vendiendo. Disponía el beneficiado de una regalía importante: «la facultad de cortar la leña que nezesite sin que nadie se lo impida, por haber estado esta posesión de más de cien años a esta parte, y io la gozo». Firmaba el beneficiado de 1732, José Rodríguez.

---

acceso, por una empinada cuesta azotada por vientos y lluvias; la ventana de la sacristía, que daba al cementerio, dejaba entrar malos olores. Ello dificultaba la asistencia al culto, haciendo casi imposible las misas nocturnas, importantes en verano. Indudablemente la situación en alto de la vieja iglesia, con vistas privilegiadas, se remonta a un asentamiento de gran antigüedad.

[231]   Muelas celebraba también San Antonio de Padua, el 13 de junio, Nuestra Señora del Rosario; con menor fasto, las fiestas de San Blas y Santa Águeda (Riera y Sans 1881-1887, IV: 754).

[232]   Estas demarcaciones fueron variando. En 1887 se indica que a Florida pertenecían eclesiásticamente Villaselva, El Puerto [de la Anunciación] y Palacio de López [Rodríguez]. El Pino englobaba El Palacio de los Oballes. Carrascal de Pericalvo incluía Porteros, Pericalvo, Miranda de la Valmuza, Los Escobos y Torrecillas. Zarapicos incluía Zaratán y La Aldehuela (BOS 15.6.1887).

[233]   María Hernández, vecina de Muelas, ya difunta en 1604, había fundado un aniversario de dos misas y una libra de cera sobre una viña en término del lugar; era poseedor de la viña por entonces Antón de Helena, vecino de El Puerto. En 1606 el obispo le ordena que cultive y labre la viña, y la tenga bien reparada, a fin de pagar puntualmente el aniversario. Por otra parte, la mujer de Gonzalo del Puerto, vº de Muelas, había establecido otro aniversario, de una misa cantada con su vigilia y ofrenda el día de San Antón, sobre un *pajarillo* y una viña. En 1604, el pajar, que era de Antón Sánchez, se había caído; la viña se había vendido a Alonso Canete, vº de Salamanca, y el el aniversario no se cumplía. Antón había donado ya en 1606 el pajar al beneficio.

En 1740, el beneficiado cargaba tres misas sobre diez tierras compradas en 1726 por él, de su dinero, en tº de El Pino, que donaba al beneficio.[234] Las misas, rezadas, se habían de decir cada año, por San José, por la Virgen de las Nieves y por San Luis rey de Francia, en Muelas.

Entre 1847 y 1857 era beneficiado de Muelas Juan Antonio Losada, fallecido el 5.3.1857. Entre 1858 y 1885 era párroco de Muelas y El Pino Cipriano Blanco, que en años anteriores (1855-1858) lo había sido en Porteros y Zaratán. Siendo párroco, en 1867, se organizaban en El Pino colectas mensuales para el papa. El propio beneficiado aportaba 10 reales, secundado por la muy devota Mariana Collantes, con 1 real. Don Cipriano tuvo fama por su caridad.

> A su muerte, fue sustituido por Crispín Candelas Gallego y Carlos Salinero. En 1886-1887 fue ecónomo de Muelas Juan Antonio García Mesonero. En años posteriores se dota la iglesia del Pino de un párroco. En 1889 se nombró ecónomo de El Pino a José Manuel Rodríguez Ingelmo. Entre 1894 y 1902 fue ecónomo en el pueblo Francisco Pérez Martín, siendo párrocos de Muelas Carlos Salinero y Crispín Candelas Gallego († 1907). En 1902, Dimas Sánchez Esteban († Pozos de Hinojo, 1904). En 1902, era teniente párroco David Martín. En 1903, Ángel Clemente, y en 1904, Ángel García Hernández († 1920) y luego Sebastián Curto. Martín González Pérez y Vallesa fue ecónomo de El Pino hacia 1906-1910 (cuando pasó a Parada de Arriba), siendo párroco de Muelas Daniel Martín Herrero. En 1910-1919, Gerardo Herrero Vicente, fallecido como párroco de Espadaña en 1950. En 1920, Manuel Rodríguez Fernández, que falleció en El Pino, del corazón, en 1925; fue enterrado por el párroco de Muelas, Valentín González.

Desde 1928 y al menos hasta 1931, fue párroco Bernardo Rodríguez Sánchez, nacido en Almendra el 20.8.1902, hijo de Dionisio Rodríguez Herrera y Urbana Sánchez; un hermano de Bernardo, Celedonio, se fue a Melilla; y una hermana, Adoración, se hizo monja josefina el 7.10.1929.[235] Bernardo, al iniciarse como párroco en El Pino con 26 años, se encontró con que una de las dos campanas estaba rota. Los vecinos aportaron su óbolo hasta juntar la cantidad necesaria, de manera que para los Santos de 1929 estaba puesta. Destacó el donativo de «nuestro cristiano y digno alcalde, don Eladio Sánchez», que aportó 25 pesetas (*EA* 11.10.1929). Bernardo fue párroco de Golpejas, muy querido, en los años de la posguerra.

---

[234]   Las diez tierras eran de Pedro García y su mujer Francisca Calvo o Martín, antepasados directos de uno de los autores de este libro (PRC). Pasaron a sus cinco hijos, uno de los cuales, José, salió de España hacia 1708, sin que se volviera a saber de él. Los hermanos venden en 1726 las tierras de José al beneficiado por 650 reales.

[235]   Acudieron a su ordenación, de El Pino, Bárbara Hernández, Guadalupe Bustos, Isabel González, Anselma Palacios Herrero, Avelina Mediero Curto y la maestra Hortensia Marcos.

En 1928, la parroquia de El Pino se consideraba de entrada, con 1.750 pesetas; estaba vacante; en 1941, con 1.900 ptas. Leopoldo García Albarrán (San Martín del Castañar 1936 -Salamanca 1979) desempeñó fugazmente en 1933 funciones de ecónomo en Muelas y encargado en El Pino.

El Pino se honra en haber tenido a Juan Polo Laso (Tardáguila 1935-2010) como párroco en los 60; organizador de comedias y excursiones, fue un gran animador de la vida del pueblo. Notable poeta, es autor de varios libros y antologías.[236] Destinado más tarde a Argentina, publicó allí hermosos poemas dedicados a su provincia natal.

Entre 1933 y su fallecimiento precoz en 1939 era cura de Muelas Emiliano Tapia Pérez, de San Pelayo de Guareña[237] (tío carnal del actual párroco D. Emiliano, inspirado predicador y vigoroso impulsor social).[238] En 1937 era ecónomo en El Pino Eulogio Sánchez. Entre 1939 y 1940 fue párroco en Muelas José Riesco Terrero (Calzada de Valdunciel 1909-Salamanca 1987). Llegado al pueblo comprobó que las campanas de la iglesia no estaban: era que, en la época de la República, las habían fundido.[239] Mandó hacer campanas nuevas; hubo colecta. En las cuentas finales el obispo Pla y Deniel echó en falta dos pesetas, que le obligó a abonar de su bolsillo.

En 1940 le sucedió como párroco de Muelas Jesús Polo Pablos. En 1941 estaba vacante el curato de El Pino, de entrada, con 1.900 pesetas de retribución. Entró como párroco Celestino Lurueña Martín. En 1947, era párroco de Muelas Teodosio de la Torre y Torre. En 1965, Eloy García Delgado. En 1968, Carlos Lucas Rodríguez llevaba El Pino y Ernesto Pérez Fuentes, Florida. En 1970-1972, Máximo Fernández Velasco; en 1987, José Manuel Romo García.

La iglesia presionaba con atenta vigilancia sobre la moralidad pública. En la visita de 1725 a Muelas, Fernando Antonio de Herrera prohíbe a los vecinos del beneficio

---

[236] *Salamanca en lejanía* (1976); *El color de las horas* (1979); *Salamanca, ida y vuelta* (1989); *Porque esta noche es amor: poesía navideña del siglo XX* (1997); *Los confines de la tarde* (1998); *Nos vino un niño del cielo. Poesía navideña latinoamericana del siglo XX* (2000); *Al sol de la noche: ocho poetas de hoy cantan la Navidad* (2000); *Palabra y misterio: 31 poetas frente a Dios* (2003); *Mi voz enajenada* (2006); *El temblor de las rosas* (2010); *Hacia la luz* (2011).

[237] Emiliano resultó herido en un viaje de estudios a volcar el vehículo que transportaba a los seminaristas a la altura de Fuentelapeña (*EA* 17.5.1922). Era hijo de Vicente Tapia Romero, labrador acomodado de San Pelayo (alcalde en 1930), y Cándida Pérez, de Torresmenudas.

[238] D. Emiliano es también sobrino, por parte de la madre, de Jesús Pérez de Dios (Torresmenudas 1907-Salamanca 1981), que fue párroco en Los Pizarrales y en El Carmen de Salamanca, y delegado episcopal de Cáritas. Jesús fue homenajeado, en plena República, por su labor en el barrio obrero de los Pizarrales: pronunció discurso el alcalde Íscar Peyra (*EA* 2.1.1935).

[239] En 1630 se le habían pagado 165 reales a Pedro de Pierredonda por reparar una campana para la iglesia; se gastaron 66 rs en bajar y subir la campana y enejarla. La ermita del lugar prestó para ello 90 reales a la iglesia.

(que incluía El Pino), que en días de trabajo tengan «juegos de volos, naypes ni otros juegos, espezialmente casas públicas, por el escándalo graue que de ello se sigue». La sanción al infractor era de una libra de cera. Solo se permitía jugar en días de fiesta, una vez oída la misa mayor y la explicación de la doctrina. En 1734, el visitador se queja de que las tabernas estén abiertas todas las noches, con juegos y excesos; ordena que en adelante las tabernas cierren antes de las nueve de la noche, tanto en festivo como en laboral, so pena de cuatro ducados para aceite y cera al Santísimo. También prohíbe que ningún vecino organice bailes en casa de noche una vez dadas las avemarías (toque de campanas al fina de la jornada laboral). Alude a un edicto despachado el 12 de julio de 1734 que limitaba la carne que podía comerse los sábados, en una prolongación de la abstinencia de lo viernes: solo pescuezos, vientres y extremos, partes periféricas que se consideraban casi como no cárnicas; lo justifica por solo haber costumbre permitida de esto.[240] En 1752 y 1787 se indica que los novios no debían entrar en las casas de sus novias hasta celebrada la boda. Ninguna persona podía entrar en la iglesia durante las misas «con gorro, redecilla o pelo atado» (1752). En 1767, el visitador clama contra el abuso de no bautizar a los recién nacidos con presteza; fija un plazo máximo de ocho días para ello.

Aunque la historia que se esboza seguidamente no hace justicia a la meritoria labor de tantos abnegados párrocos, que han ayudado siglo a siglo a cohesionar la comunidad y dotarla de letras y espíritu, es interesante reseñar las peripecias de un singular párroco, un caso en verdad insólito. Se trata de Francisco Pérez Martín, que inició su ministerio, muy joven (había recibido las órdenes menores y tonsura en 1892), como ecónomo de El Pino en 1894 (*La Semana Católica* 30.4.1894). Ya el semanario *El Combate*, aguerridamente anticlerical, lo acusa en 12.1.1902 de amancebarse con una joven del pueblo, a la que pagaba una mensualidad de «cuarenta reales como bienes adventicios», siempre que ella guardase absoluta reserva al respecto; pretextaba que «bajo secreto de confesión, una persona piadosa le había encargado» la entrega de tal cantidad mensual. Ella, que tenía 20 años, había quedado embarazada.[241] Tal vez este es el origen de un tumulto en noviembre de 1901, probablemente durante la noche de los Santos, cuando una cuadrilla de mozos estaba entonando canciones alusivas a no se sabe qué lance en que la fama de una agraciada muchacha había quedado malparada; un vecino, ofendido, disparó con un revólver para ahuyentar a los escandalosos.[242] En otro momento, los hermanos de ella, que no transigían con tal situación, se habían enzarzado con el párroco, entablándose un

---

[240]   Sobre las tradiciones al respecto, véase Moreno Gómez (2005).

[241]   En 1901 había dado a luz a un niño, «de padre desconocido», cuyo asiento de bautismo (se llamó Francisco Fidel) fue hecho por el propio párroco. Fue detenido en 1922 por andar robando carbón en la estación de Salamanca (*EA* 26.7.1922).

[242]   *NS* 2.11.1901; *El Lábaro* 4.11.1901.

altercado en la plaza del pueblo, donde este usó palabras gruesas impropias de un clérigo. Advertían los periodistas de los riesgos que este conflicto prometía para el futuro y ponían los hechos, con tono retador, en conocimiento del obispo, el padre Cámara.[243]

En efecto, ese mismo año estalla la noticia: en la noche del 13 al 14 de abril de 1902 había sido «herida, por disparo de arma de fuego que hizo el párroco, una mujer»: hallándose el sacerdote, de noche, conversando con la joven, «disparóla un tiro de revólver que le causó una herida grave en la cabeza, de la que se teme fallezca la lesionada».[244] El cura había sido puesto en libertad tras estar detenido unas horas en el ayuntamiento, custodiado por los vecinos: el altercado se debía, según El Adelanto, a un antiguo conflicto de intereses entre la joven y el cura, conflicto en el que habían intervenido los tribunales (*EA* 16.4.1902). El propio diario sacó unas coplillas (*EA* 17.4.1902): «... el sacerdote que es de El Pino, / disputando con una feligresa, / por causa que ni sé ni la adivino, / pretendiendo salir del *embarazo* / de estéril discusión, la dio un balazo / que a poco más allí la deja tiesa».[245] Nótese el laísmo, así como la intencionada cursiva con que se realza en el original la palabra *embarazo*. La joven era de 20 años de edad, n. en 1881. Casó en 1908 con un vecino del pueblo, del que tuvo tres hijos, aunque en 1959 se tiró a un pozo; su marido murió dos años después. La hija del medio, Fabiana, llegó a ser maestra, peregrinando como docente por gélidos pueblos de Soria y Burgos, para terminar en los años 60 en Pelilla y Aldeanueva de Figueroa. Se quedó soltera y llevó a vivir con ella a su hermana mayor; falleció en El Pino en 1985.

Circularon en la prensa versiones varias: que el disparo lo hizo Francisco desde una ventana de su casa, por haber ido la joven llamando a la puerta a altas horas de la noche, y creer el cura que pretendía robarle (*NS* 17.2.1904). Se dijo también que el disparo fue casual; y que el revólver iba cargado solo con pólvora. *El Combate* (20.4.1902) describe a Francisco como «un desvergonzado guapo», que desde que tomó posesión del curato de El Pino, tenía escandalizado al pueblo, «pues no solo se contentaba con seducir a las feligresas, sino que atemorizaba a los feligreses; vamos, que se había hecho amo del cotarro». Según un hermano de la joven, el proyectil le entró por la ternilla de la nariz, causándole una lesión grave. La versión de *El Motín* (19.4.1902) es que el disparo se produjo cuando la moza acudió a la casa rectoral para protestar porque el cura le había retirado la mensualidad de 40 reales; él disparó desde la ventana.

---

[243]   *El Combate* 12.1.1902; otros datos en 20.4.1902; *El Motín* 25.1.1902.

[244]   *El Lábaro* 15.4.1902; *El Adelanto* 15.4.1902.

[245]   Los versos serán de Mariano Núñez Alegría († 1937), redactor de la sección «Quisicosas» y director de *El Adelanto*. Era hijo del impresor Francisco Núñez Izquierdo (1851-1931) y Camila Alegría Vicente.

Seguidamente se informó de que el cura había sido destituido, y retiradas sus licencias (*EA* 18.4.1902), a lo que *El Lábaro* replica (18.2. y 19.2.1904) que ello es inexacto, porque los procedimentos requieren tiempo y protocolo hasta llegar a ser firmes: tan solo se había autorizado al sacerdote a abandonar el pueblo, encargándose de momento el párroco de Muelas[246] de la iglesia. En enero de 1904 se daba la noticia de que Francisco Pérez Martín había ingresado en la cárcel de Salamanca para cumplir condena de tres años.[247] Pero poco después, se firmaba un decreto conmutando por la pena de destierro la de tres años de prisión correccional que le fueron impuestos por la Audiencia Provincial de Salamanca (*El Lábaro* 17.2.1904). Se consideraban dos eximentes: «que el penado fue provocado y molestado reiteradamente antes de cometer el delito», y «su buena conducta». Se conmutaba la pena por un destierro de igual duración, tres años, a más de 25 km de El Pino (*Gaceta de Madrid* 16.2.1904).

Francisco volvió a su ejercicio sacerdotal. Fue destinado a un pueblo apartado: desde 1907 era párroco en Pozos de Hinojo y Traguntía.[248] El párroco de Pozos de Hinojo desde 1878 a 1902, Dimas Sánchez Esteban, pasa a El Pino brevemente como párroco, aunque muere en Pozos de Hinojo el 13.10.1904. ¿Era Dimas natural del pueblo, y fue llamado a El Pino tras producirse la vacante de Francisco? En 1912 consta Francisco Pérez como inscrito en la Liga Nacional de Defensa del Clero (*El Salmantino* 9.4.1912). En 1925 predicó «con su elocuencia y sencillez particular» durante la misa del Sagrado Corazón celebrada en el pueblo (*EA* 27.6.1925). Francisco falleció en Vitigudino, en marzo de 1935, siendo párroco jubilado de Pozos de Hinojo y capellán de las Agustinas de Vitigudino. Fue llevado a enterrar a Pozos, por voluntad propia. «Por su bondad natural, y la ejemplaridad de su vida, era apreciadísimo»; su muerte fue muy sentida (*EA* 20.3.1935).

DERECHOS PARROQUIALES. PROCEDIMIENTOS PARA DIEZMAR

Los derechos parroquiales hacia 1730 pueden resumirse así: por entierro de párvulo, el beneficiado cobraba 9 reales y las novenas. Estas eran 18 cerillas, 4,5 cuartos de vino y 18 libras de pan; el entierro de adulto, si era hijo de familias, constaba de tres oficios y novenas; cada oficio, con su vigilia, era de 9 rs. El entierro de los solventes (que podían testar) incluía tres oficios: entierro, noveno y cabo de año, todo

---

[246]   Crispín Candelas estaba retirado y su teniente párroco era David Martín de la Fuente.

[247]   *El Diario* 2.1.1904, *EA* 3.1.1904, *Salamanca Satírica* 3.1.1904.

[248]   El Cuartón de Traguntía era de Carlos Luna (1852-1916), padre de la libérrima prócer Inés Luna Terrero, quien heredó la finca. En 1898, un joven Miguel de Unamuno fue invitado a pasar unos días [probablemente por Carlos Luna] en Traguntía; allí hizo unos inspirados dibujos camperos.

por 27 rs. Por una boda con sus proclamas, 18 rs. Por las proclamas y certificación solamente, 5 rs. Por certificados de bautismo, velados o difuntos, 2 rs. Cuando las paridas volvían a misa tras su cuarentena, debían entregar una gallina.

El tabernero, tanto en Muelas como en El Pino, por acuerdo con el concejo, debía dar vino para misa; había también de pagar 3 rs por la misa de Santa Bárbara, y dar aceite para la lámpara de N.ª Sra. de los Santos todos los días festivos. Se deduce que en El Pino no siempre había taberna, pues esta obligación se especifica como condicionada a que exista. El beneficiado tenía costumbre de agasajar a quienes «fuesen a darle las Pasquas» el día de Navidad con vino y castañas; añade «que raro será el que le aga falta», como sugiriendo que ya vienen bien ahítos de casa. El día de Santa Águeda las mujeres cumplimentaban al beneficiado y recibían el mismo refrigerio; a cambio, debían pagar 3 rs por la misa y procesión de su patrona.

Es de interés contrastar estos datos con unos apuntes («Costumbres de diezmos», derechos y «obligaçiones del beneff<içia>do o cura») en el primer libro de la fábrica de Muelas, redactados por el beneficiado Francisco de Ledesma, que rigió la parroquia hacia 1615-1630:

> «Derechos: Los aniversarios fundados se pagan a quatro r<eale>s, si no es q<ue> en el testam<en>to se mande otra cossa, pero ásele de deçir vigilia, y los rezados a r<eal> y m<edi>o. Una missa cant<a>da de deuoçión, dos r<eale>s; si con vigilia, dos r<eale>s y m<edi>o. Por unas moniçiones, tres r<eale>s; por belar, seis r<eale>s; y si todo junto, nueve r<eale>s. Por enterrar un páruulo, dos r<eale>s, y nouenas. Por enterrar uno de siete años asta q<ue> comulga, diez y ocho r<eale>s . Por enterrar uno q<ue> comulga, siete r<eale>s, tres de entierro y quatro de cuerpo press<ent>e; el día de noueno o cabo de año, seis r<eale>s y tantos canastillos de a çinco bodigos quantos clérigos llamaren; a los demás clérigos, a quatro r<eale>s. Por las missas ordi<nari>as, que son çinq<uen>ta y çinco, çien r<eale>s, que son offrendadas; por las demás, la limosna ordinaria».
>
> «Obligaçiones de el beneff<içia>do: tiene obligación de deçir missa, una cada domingo para sus feligreses; las demás por su intención. Al q<ue> se offrenda de offrenda entera, se le diçe cada día un responso rezado y cada fiesta un cantado sobre la sepult<u>ra quando se diçe missa en la iglesia. Al q<ue> se offrenda de m<edi>a offrenda, q<ue> son seis f<anega>s de tr<ig>o en grano, se le diçe cada día un responso rezado y cada domingo uno cantado durante el año. Al q<ue> da q<uar>ta p<ar>te de la offrenda, su responso cantado los domingos, y la metad del año el rezado; y de çera y bino, tres r<eale>s de cada anega de trigo. A los demás, al albedrío o solo los cant<a>dos de el domingo».

Sobre el procedimiento, muy complejo, de tributar por diezmos y primicias (compárese con lo que se expone sobre el CME), se indica lo siguiente:

«En este beneff<içi>o ay dos lugares y tres alcarías: Muelas, El Pino, Borrinas, Puerto y Palaçio. En Muelas, diezman todas las tierras y huertos y viñas, si no son las de el beneff<içi>o y las del obispo y las del arçobispo y las de la iglesia; y las huertas, si no es la de los teatinos; ay pleito pendiente; dícenme usan condenado dar a razón el agente de la iglessia maior de estas tierras y no se diezman. Se paga prim<içi>as de todos los panes y zebollas. En las zebollas, el préstamo entra en la prim<er>a trama y luego el beneff<içi>o y luego terçias y fábrica, y tornan sin su orden. En todo lo demás, el beneff<içi>o es primero. Diezman los mozos, de diez, uno, sacado el vestido; esto es antiquíssimo.[249] De un bezerro, se pagan mill mrs;[250] de un potro o potra, ocho mrs. De una burra, 4 mrs; de un lechoncito, dos mrs, como no llegue a çinco, que, a llegar, págase por entero.[251] Repártesse el diezmo solo entre el beneff<içi>o, un terçio, el préstamo, un terçio, las terçias y fábrica, un terçio. De las prim<içi>as, las de los q<ue> no diezman y la de el 4<º> diezmero es solo del beneff<içia>do; las otras, las dos p<ar>tes son del benef<içia>do y la una, del préstamo. Primíçiase de seis f<anega>s, una; y de seis r<eale>s en vino, un r<eal>».[252]

La entrega de los diezmos solía ser a final del verano. En 1726 se entregaron pollos, pavos, corderos, quesos y lana el 26 de agosto. Hacia 1730, se explica nuevamente el complejo reparto de las primicias. Había *horros*, exentos de pagar el diezmo: se cita el caso del Hospital de Benavente, que en Muelas tenía cinco yugadas. Las primicias en grano de los horros y de los cuartos dezmeros eran por entero del beneficiado. De los demás labradores, dos tercios de las primicias iban al beneficio; un tercio, al préstamo.

La huerta del beneficio, en Muelas, si el párroco la quería cultivar directamente no pagaba diezmo; para que sus criados puedan vender en Salamanca su producto, por ejemplo cebollas, deberá sin embargo cumplir las formalidades exigidas («dar papel para la entrada»).[253] Si, por el contrario, arrienda la huerta, deberá pagar por entero el diezmo. Las cabras han de pagar el diezmo por los cabritos nacidos cada año; los dueños de ellas deben pagar asimismo, por la leche que ordeñan, medio real por cada cabra. Había movilidad de ganados, pues parece que hacia 1730 era práctica común sacar los rebaños de cabras «a embernar» a otros beneficios. Si las cabras

---

[249]   Parece entenderse que el salario de los mozos o criados de labranza tributaba el 10%. El vestido o ropa de trabajo que recibían del amo no tributaba.

[250]   Debe de ser error: dirá diez maravedís.

[251]   Si la camada es de cinco lechones, ha de pagarse en especie: ¿medio lechón?

[252]   Al margen, añade: «En los demás lugares es lo mesmo. Solo en El Pino ay 4 yugadas de la Encomienda de S Jhoan q<ue> no diezman, de bienes emprimas, q<ue> yo las cobré de el sa—« [folio raído por el borde].

[253]   Algo que intentaban ahorrarse los matuteros, metiendo sus productos en Salamanca sin pasar por los controles.

permanecían fuera todo el año, el diezmo se repartía entre Muelas y el otro beneficio; si, como solía ocurrir, las cabras solo residían fuera cuatro meses, los diezmos de los restantes ocho meses eran por entero de Muelas y los otro cuatro se dividían entre ambos beneficios. Sobre los corderos, si cuando salían fuera ya estaban nacidos en Muelas, eran todos del beneficio; los nacidos fuera, «[aunque] solo tengan [allí] la nazienzia», tributaban mitad y mitad. Lo mismo se aplicaba a otros ganados trasterminantes.

Los labradores de Muelas que tuviesen labranza en otros términos pagaban medio diezmo a la feligresía donde estuviese la tierra; y otro medio a la de Muelas. Si un labrador cambiaba de residencia, los diezmos del año se reparten en función de los meses que ha vivido en cada feligresía, sin contar dos meses (julio y agosto) que se consideraban «meses muertos». Si el labrador era vecino de Salamanca, dos tercios del diezmo iban allí, y el otro tercio, a la cilla de Muelas. Se exceptuaba la lana y el queso, cuyo diezmo iba por entero al beneficio donde se cortase o se hiciera.

Inventarios descriptivos de la iglesia de El Pino

Espigamos algunas descripciones, tomadas de los libros parroquiales, del ajuar eclesiástico en El Pino. En 1670, el beneficiado D. Francisco de Castro y Cornejo hace lista de enseres y alhajas de la iglesia de San Lorenzo; era mayordomo Francisco Nieto; testigos, Pedro Ramos, alcalde ordinario; Miguel Domingo Blanco; Francisco Pérez; Domingo Crespo; Domingo Ramos, todos vºs de El Pino.

Un frontal verde; otro de bombasí con una efigie de san Lorenzo; un roquete de tafetán; un pendón con sus *fluecos* y cordones, encarnado, de damasco, y su asta y cruz; una cruz grande de alquimia, con su manzana grande, una manga de terciopelo bordada de oro, y un palo; otra cruz vieja, de alquimia, con manga de terciopelo y palo; una casulla de damasco de flores de seda, con estola y manípulo; otra casulla, con estola y manípulo y fluecos de oro; otra de felpa usada; un sobrepelliz; una alba vieja; otra a medio traer; un amito; un cíngulo nuevo; manteles, corporales, hijuelas; un bolso encarnado; […] unos misales; dos cálices de plata; unos cajones de madera con un guardapolvo de bombasí; una palia; cuatro purificadores; cuatro candeleros: dos de alquimia grandes y dos de hierro; una cruz pequeña de alquimia; un incensario de alquimia; una campana chica y dos grandes; una cruz de palo pintada de verde; un caldero para el agua bendita con su hisopo; un portapaz de alquimia; unas andas de san Lorenzo; una lámpara de alquimia; una pila de bautismo con su tapa vieja; otra de agua bendita con su cruz; un escaño viejo con un tablón.

Un inventario dentro de los libros parroquiales, de hacia 1769, describe así el ajuar y vestiduras litúrgicas del templo:[254]

Ilustración 9: Imagen de San Lorenzo en la iglesia de El Pino

> «Tiene esta yglesia tres altares que doré: el mayor tiene a Sⁿ Lorenzo, que se estofó de nuevo, su sagrario con su copón y caxita de plata, sus candeleros, unas vinageras de estaño y su platillo, tres pares de manteles y sus frontales con sus marcos.
>
> Altar a nª Sra.: tiene su corona de plata y el Niño, su media luna de lo mismo, manteles y candeleros, mantos y sogas, cuyo asiento está en poder a los mayordomos.
>
> Altar del santo Cristo: tiene sus manteles, candeleros.
>
> Iglesia: tiene quatro escaveles grandes, tres lánparas y enlosado, andas doradas que hazen a el Santo<Cristo> y a nª Sra, y dos cofesonarios. La yglesia, valdosada.
>
> Sacristía: sus caxones con sus cinco casullas, conpuestas a nuevo, y dos alvas, dos misales y su manual, sus mangas, negra y de flores, con su cruz plateada de nuevo, cáliz de plata, y sus paños con dos pares de corporales y capa plubial».

El beneficiado a la sazón era Antonio López Neyra; iba a ser trasladado a La Bóveda y dejaba constancia de los bienes del templo «para que ninguno de [sus] sucesores aga semejante desatino»; alardeaba pues de haber tirado la casa por la ventana. Declara: «En El Pino le calzé la espadaña; le hize sachristía nueba y el canpanario y dos canpanas; e le hize una cortina que estaba arruinada toda de piedra, que puede rentar vien; aviéndose pasado veynte años sin conponerlas, he recorrido los texados por dos vezes». No menciona las imágenes, aunque sin aclarar si se trata de El Pino o de Muelas, alude a unas imágenes de San Juan y la Virgen, «que estaban enterrados en porquería». Tras retocar las imágenes, las puso en el altar del Cristo, al pie de la cruz: «en lastimosa figura, de quando el Señor le dixo a su Madre, '*Mulier: ecce filius tuus* [deinde discipulo:] ecce mater tua', y sirve a mucho adorno y ya lo saven los tíos y tías qué significa aquel misterio».[255]

---

[254]   En anejo se incluyen inventarios de 1831 y 1865.

[255]   La muy celebrada cita de san Juan (19: 26-27). Llama «los tíos y tías» a los rústicos, sus feligreses.

Más adelante, añade: «anvas yglesias [Muelas y El Pino] van enlosadas asta el coro, que tanvién le pinté e hize de nuevo, y las colgaduras de las yglesias imitando al damasco; y los vaptisterios los enladrillé».

En 1895, las Hijas de María de Madrid hicieron donativo de una casulla encarnada a la iglesia de El Pino; en 1898, de una capa blanca (*La Semana Católica de Salamanca* 22.6.1895, 16.4.1898).

La escuela en El Pino

Los primeros pasos del magisterio rural se dieron aquí hacia 1860. En Muelas había establecido Juan Francisco García un turno de escuela de noche y de domingo para los vecinos (Bz 2.5.1862).[256] En 1860 se ofrecía la plaza de maestro en la escuela incompleta de El Pino, con 760 reales de sueldo anual, casa y retribuciones (Bz 3.2.1860).[257] En 1865, tras una visita girada por el inspector, se habían hecho mejoras considerables. El pavimento se arregló, se abrió una ventana para dar luz y sanear el aire, y se puso plataforma. El maestro había recibido un aumento en la cuantía de 200 reales sobre su dotación, a cargo del presupuesto municipal (BPEPS 20.5.1865). Ya en 1905 la escuela era completa y se dotaba con un salario anual de 625 pesetas (*El Magisterio salmantino* 11.3.1905).[258] En 1904 consta que las escuelas estaban en la Calle de la Muerte, 9; en el 7 vivía el maestro, Andrés García Sánchez (RFES).

Cabe citar a algunas maestras. En 1909 obtiene M.ª Esperanza Pardo Ronda, que venía de Martinamor, la plaza de El Pino, con un salario anual de 500 pesetas. Isabel Emilia López Lucas, casada con el también maestro Jerónimo Guijo Gil, falleció en 1915 siendo maestra en El Pino, con 57 años. En 1915 era nombrada maestra interina Fausta Collado Bermúdez;[259] en 1919 entraba como propietaria Juana Carrera Lamano, casada con Eloy Moro Martín, procurador de tribunales; pidió excedencia en 1920 por motivos de salud. La sustituyó Florinda Gutiérrez. En 1924 la maestra era Hortensia Marcos Soares, que sacó ese año el primer puesto en oposiciones restringidas; era hija de Concha Soares Hernández y el almacenista y comerciante de garbanzo y lenteja José Marcos Bellido, de La Vellés. La escuela hizo en 1928 una colecta para los mutilados de la guerra de África, que reunió 3,15 ptas. En 1933,

---

[256] En 1901 funcionaba una escuela de adultos, dirigida por el maestro Eusebio Julián Barrado.

[257] En 1864 y 1865 estaba dotada con 1.000 reales anuales, casa y emolumentos (Bz 1.2.1864; BPEPS 20.3.1865).

[258] Pero en 1910 figura con 500 pesetas y emolumentos (Bz 17.10.1910).

[259] Fausta, que había estudiado en Ávila, fue más tarde destinada a Cantabria. Allí casó con Aniceto Gordaliza, también maestro. Tras la guerra fue depurada.

Hortensia, casada con Ángel García García, contratista de Obras Públicas, pasó a ejercer en La Vellés.[260]

Tenía casa en El Pino, aunque ejerció fuera, Pedro Herrero García, casado con Fidela Martín. Pedro fue destinado a las Hurdes, a la escuela de la alquería de Asegur, creada tras la visita de Alfonso XIII por mandato del Real Patronato de las Hurdes. En la inauguración de la escuela, en mayo de 1930, todos tuvieron palabras de aliento para Pedro, percatándose de las arduas dificultades que le esperaban. Su esposa agasajó con refrigerios a los asistentes.[261] Pedro Herrero era hijo del que fue secretario en El Pino, Juan Francisco Herrero Marcos, y su mujer M.ª Antonia García. Las sobrinas de Pedro, Laureana y Amparo Ramos Herrero,[262] pasaron su veraneo de 1933 en Asegur, siendo casi niñas. Pedro regresaba de Asegur a El Pino al día siguiente de estallar la guerra. Murió tuberculoso en El Pino, en 1946, con 53 años. En 1934 llegó como interina Ángela de la Mano Sánchez.

En 1862 fue nombrado maestro Manuel Alonso Prior, que pasó a la de Torresmenudas en 1863, sucediéndole Manuel Pascua Vicente; en enero de 1864 lo relevó José Cerreda Escribano. Entró luego Andrés García Sánchez, que marcó la vida del pueblo durante largos años. Nombrado maestro interino de El Pino en diciembre de 1864, casi en los albores de la escuela pinense, Andrés era marido de Virginia Valle Iglesias, de Saldeana, que fallece el 12.2.1903. Un poco labrador, se inscribió como socio en la Cámara Agrícola de Salamanca en 1899.[263] Impulsó en 1906, en común con el teniente párroco Martín González Pérez y Vallesa, la festividad del Corpus y la de San Pedro. Las calles, regadas de *tomillo* [nombre local del cantueso] y mejorana; las casas, engalanadas; ante la morada del maestro, un altarcito para entonar frente a él cánticos religiosos; concurrencia de forasteros (*El Castellano* 7.7.1906). Participaron los escolares (*El Lábaro* 6.7.1906).

Ya hacia 1901 Andrés García había sido objeto, si creemos las soflamas de *El Combate* (12.1.1902), de una «agresión brutal» por parte de Francisco Pérez Martín, cura párroco del pueblo, dentro de la escuela y precisamente cuando impartía a los niños la doctrina cristiana. Un buen día, en efecto, «entró el miura eclesiástico y abofeteó cobardemente al repetable viejo por el motivo de haber cumplido con su honrada conciencia y haber denunciado a la autoridad eclesiástica algunos hechos

---

[260]   Le sucedieron Anunciación Pardal Martín y Tomasa Cervero Garrote; en 1936 llegó Hortensia Sánchez Calvo, hija de Juan Sánchez Sandoval y Rosalía Calvo, de Almenara. En 1939, Francisca Hernández Castro y Felisa Martín Cacho. En 1946, Hermenegilda Bravo Martínez, y, brevemente, Fabiana Calvo Corona.

[261]   Acudió otro maestro, del vecino Nuñomoral, Pedro Gallego Galache, que había sido maestro en Calzada de Valdunciel (*EA* 10.5.1930; *Nuevo Día* 9.5.1930).

[262]   Hijas de Santos Ramos Rodríguez e Isabel M.ª Herrero García.

[263]   En 1901 contribuyó con 25 céntimos al homenaje a Eduardo Visconti.

inmorales del citado cura» (*El Combate* 20.4.1902). Este patrón de agresión se renueva en el curso 1906-1907, cuando Andrés García está preparando el papeleo de su jubilación, se producen encontronazos entre las autoridades el pueblo y el maestro. Al parecer se había abierto un colegio privado que rivalizaba con la escuela pública; el gobierno municipal debía de ver con buenos ojos la iniciativa, pues, como indica el reportero L. R., «las autoridades, convertidas en pedagogos, se ríen de todos los Pestalozzi y Basedow». Por esta u otras razones el maestro fue objeto, en más de una ocasión, de insultos, golpes y arrastrones: «fue cobardemente arrastrado y golpeado por dos hermanos, uno de los cuales ejercía a la sazón un alto ministerio»: entre ambos no sumaban la edad del maestro. El 12.12.1906 Andrés hubo de guardar cama, agravándose tanto su estado que tres días más tarde le dieron los sacramentos. Pero la escuela seguía abierta, y allí los niños estaban a buen recaudo y sin duda sacando más provecho que sueltos por el pueblo y «tirando cantos a los pájaros, eternas víctimas de los niños mal educados». El conflicto entre alcalde y maestro se enconó, pues el primero desalojó a los niños, cerró la escuela y guardó la llave. *El Lábaro* reclamaba la intervención del Gobernador Civil y el rector de la Universidad (23.1.1907). Ante las presiones de Andrés, que tenía en la escuela documentos para su jubilación, el alcalde accedió a entregar la llave el día de Reyes (*El Castellano* 22.2.1907).

Contra esta versión de los hechos se alzó un grupo de vecinos, encabezados por el cura ecónomo, Martín González Pérez (que en años anteriores había impulsado conjuntamente con el maestro, ahora caído en desgracia, festividades religiosas como el Corpus y el día de San Pedro), y Eladio Sánchez Esteban.[264] Se argüía que el maestro tenía en estado de total abandono la escuela, al tiempo que se reivindicaba la figura del alcalde, «por sus dotes de honradez, rectitud y caballerosidad» (*EA* 8.3.1907). La carta de los vecinos, párroco y alcalde, redactada el 28.2.1907, contenía datos de interés. Al parecer, la escuela, cuando faltaba el maestro, quedaba encomendada a otros niños, resultando de ello trifulcas y abofeteos. Los padres, ante ello, habían rogado al párroco que se ocupase de la instrucción, lo cual empezó a hacer tras recibir autorización de sus superiores; otros padres enviaban a sus hijos a la escuela de Muelas. Se acusa al maestro de incumplir hasta sus deberes religiosos; se pide sustituirlo tras comprobar si es verdad que se encuentra enfermo (*El Lábaro* 8.3.1907). El 30.6.1908, Andrés cesó como maestro «de la escuela mixta del Pino», por jubilación. En 1940 los maestros de El Pino y alrededores constituyeron un círculo dentro de la Asociación Provincial de Maestros Católicos.

---

[264] Otros firmantes: Alonso Iglesias, Felipe Sánchez, Bernardo Berrocal de la Iglesia, Bruno Sánchez, Manuel Portales Vicente, Aniceto González, Andrés Conde, Julián Montejo García, Juan Francisco Herrero Marcos (secretario), Justo González, Evaristo Rodríguez Prieto, Manuel José Martínez, Emilio Pérez, Ángel Delgado, Juan Manuel Hernández, Cándido Borrego Núñez y Alejandro Vega.

EL PINO EN ESCRITURAS PRIVADAS DE COMPRAVENTA.
DATOS ESTADÍSTICOS Y CATASTRALES

Un sustento documental importante es aportado por los documentos privados de compraventa, las partijas de tierras, las referencias catastrales. La Ley del Catastro Parcelario, de 1906, va a acabar con el control catastral ejercido por los ayuntamientos.[265]

> El régimen catastral se consolidaría a lo largo de diez años con colaboración municipal y empresas contratistas. Antes de estas leyes, ya en el siglo XIX, se realizaron sucesivos censos, recopilaciones y diccionarios, que se glosarán más adelante. Las escrituras ofrecen datos sobre los vecinos, sobre su riqueza en tierras, y sirven para los estudios toponímicos.

El *Nomenclátor de las ciudades, villas, lugares, aldeas y demás entidades de población de España: provincia de Salamanca* (1933) describe El Pino de Tormes como lugar con 50 casas de vivienda y 45 casas destinadas a otros usos; de ellas, 80 eran de una sola planta, y 15, de dos; la población el 31 de diciembre de 1930 era de 202 habitantes de hecho y 217 de derecho. Zaratán, situado a 2,5 km, contaba con 4 viviendas y 8 anejos; una de las viviendas tenía tres plantas, otra, dos; había 27 habitantes de hecho y 16 de derecho. Se añadían otros 15 habitantes de hecho en edificios diseminados, probablemente asentados en el Palacio de los Ovalles.

En la edición de 1951, el *Nomenclátor* indicaba que el término municipal era de 20,57 hectáreas. El lugar del Pino distaba 17 km de la capital, con una población de 241 habitantes de hecho y 254 de derecho. Tenía 61 casas y 3 edificaciones para otros usos. Zaratán (41 habitantes de hecho y 35 de derecho) tenía 10 casas.

Reunimos los datos de población, que irán mostrándose de forma dispersa en el curso del libro, en una tabla. Se acompaña de un asterisco (*) los datos que no están desagregados, es decir, que comprenden el conjunto de El Pino y sus alquerías (Zaratán, El Palacio y La Huelga). En 1768, la agregación es distinta: se engloba en una unidad Muelas, El Pino, El Puerto de la Anunciación y El Palacio; Zaratán va con Villaselva; se marca con una cruz (+). Los datos desde 1842 proceden del Instituto Nacional de Estadística; en ellos hemos consignado la población de hecho. El máximo se alcanza en 1960; a partir de ahí comienza el declive.

---

[265]   Apoya la cartografía catastral sobre una red de triangulación geodésica. La medición de los terrenos se realizará por métodos indirectos, gracias al taquímetro.

Año / población	Fuente	El Pino (vecinos)	El Pino (habitantes)	Zaratán (vecinos / habitantes)	El Palacio (vecinos / habitantes)
1528	Censo Pecheros	46*			
1591	Censo Millones	32*			
1608	Visitador obispado	10		14 vᵒs	
1725	Censo Campoflorido	4,5 [¿14,5?]²⁶⁶			
1752	C. Ensenada	15		4 vᵒs	4 vᵒs
1768	Censo Aranda		295+	24 h+	
1769	Despoblados, Asprer			4 vᵒs	
1797	Pleito Agustinos	22,5			
1827	Dicc. Miñano	35	136	4 vᵒs, 17 h	1 vᵒ, 7 h
1842-1845	Dicc. Madoz / INE	23	97	3 vᵒs, 10 h	
1857	Censos Ministerio	34* = 30 + 4	178* = 136 + 42	Suman 42 h	
1860	INE	34*	161*		
1877	INE	52*	202*		
1887	INE	53*	221*		
1897	INE	58*	255*		
1900	INE	64*	258*		
1910	INE	65*	258*		
1920	INE	58*	229*		
1930	INE	54*	244*		
1933	INE		202	27 h	15 h
1940	INE	61*	270*		
1950	INE	74*	289*		
1951	INE		241	41 h	
1960	INE	75*	294*		
1970	INE	71*	236*		
1981	INE	50*	185*		

El Pino en los diccionarios geográficos del siglo xix y otras fuentes

Al Madoz, diccionario geográfico del tiempo de las desamortizaciones (mediados del siglo xix),²⁶⁷ lo precede el Miñano, elaborado hacia 1822; y le sucede el ambicioso Riera (1883). Esta sección debe confrontarse con la aportación del Censo de Florida-blanca (1775-1787) y otros repertorios coetáneos, no poco lacónicos. Felizmente, el magno Catastro de Ensenada registra voluminosos apuntes descriptivos a la altura de

---

²⁶⁶ La cifra debe corregirse al alza. Las tazmías de menudos de 1727, que incluyen los anejos de El Pino, identifican 25 vecinos.

²⁶⁷ Hay una buena introducción en el estudio de Cristóbal Riesco Hernández (desam).

1752. En el siglo XVI, dos censos importantes darán idea de la población y algunos datos de sucinta estadística: el censo de los pecheros, de 1528, que detalla el número de vecinos pagadores de impuestos; y el censo de los millones, de 1591, que añade datos actualizados de interés. Por supuesto, los libros parroquiales constituyen una fuente valiosísima, con sabrosos destellos esporádicos entre la monotonía de los asientos. En el libro de fábrica se descubren perfiles del patrimonio eclesiástico, pero también aspectos de alcance etnográfico, lexicográfico y otros ingredientes de la vida del pueblo.

Las fichas del Miñano (1827: VI, 396; VII, 25; 1828: X, 93), que reproducimos con las abreviaturas desarrolladas, ofrecen algún dato de interés. Nótese que Zaratán contribuía más impuestos que El Pino. No se habla de fruta o cebollas, algo tal vez achacable a los sesgos uniformizadores de los redactores de fichas.

«PINO (El): l<ugar> r<ealengo> de España, provincia, partido y obispado de Salamanca, cuarto de Baños. A<lcalde> p<edáneo>, 35 vecinos y 136 habitantes. Una parroquia. Sit<uado> sobre una pequeña colina, a orilla del Tormes. Confina con Florida de Liébana o Muelas, el puerto de la Concepción, Gurriñas (<Burrinas>) y el Palacio de los Ovalles. Produce trigo, centeno, cebada, garbanzos, legumbres, patatas, bellotas y ganado de cerda. Dista dos leguas de la capital. Contribuye 564 r<eale>s, 21 m<aravedí>s.

ZARATÁN: desp<oblado> r<ealengo> de España, prov<incia>, part<ido> y ob<ispado> de Salamanca, cuarto de Baños; 4 vec<inos>, 17 hab<itantes>, una parroquia. El nombre de este despoblado es de origen arábigo; y está sit<uado> entre Zarapicos y Florida de Liébana o Muelas, de iguales prod<ucciones> que este último. Dista dos leguas de la capital. Contribuye 909 reales.

PALACIO DE LOS OVALLES (El): desp<oblado> r<ealengo> de España, prov<incia>, part<ido> y ob<ispado> de Salamanca, cuarto de Baños; 1 vecino, 7 habitantes. Situado en un llano, a orilla del Tormes. Conf<ina> con Florida de Liébana, de quien es anejo, con Pino, el Puerto de la Anunciación y Gurriñas. Produce trigo, centeno, cebada, legumbres, bellota, patatas y ganado de cerda. Dista 3 leguas de la capital. Contribuye 399 r<eale>s, 20 m<aravedí>s».

Recogemos aquí, con las abreviaturas desarrolladas, la ficha del Madoz (1845-1850, XIII: 38), obra de 16 volúmenes, resultado de un laborioso proceso: una red de informadores, una compleja canalización de resultados.

«PINO (El): l<ugar> con ayunt<amiento> al que están agregados las alcaerías de Palacio de los Oballes y Zaratán en la prov<incia>, dióc<esis> y part<ido> jud<icial> de Salamanca (2 1/2 leg<uas>), aud<iencia> terr<itorial> de Valladolid (22 <leguas>) y C<omandancia> G<eneral> de Castilla la Vieja. Sit<uada> al S. del Tormes, el cual pasa muy próximo a las casas: el CLIMA, aunque vario es templado y las enfermedades más comunes las tercianas. Se compone de 34 CASAS de mediana construcción; una igl<esia> (San Lorenzo), aneja al curato de Florida de Liebana, y un cementerio sit<uado> en lo más alto del pueblo. El TÉRM<ino> confina por el N. con el r<ío> Tormes; por el E. con Florida de Liébana; al S. con Zaratán y por O. con la alcaeria de Palacio de los Oballes; pasa por el térm<ino> el r<ío> Tormes y además un arroyo llamado Alameda, que tiene su nacimiento próximo al pueblo que describimos. El TERRENO es de mediana calidad, la mayor parte de secano con algunos trozos de regadío, estando poblado uno de ellos de ciruelos, perales, guindos y cerezos; encuéntranse en el terr<eno> varias canteras de piedra y un pequeño monte de encina. Los CAMINOS dirigen, uno a Salamanca y otro a Ledesma. El CORREO se busca en la cap<ital> de la prov<incia>. PROD<ucciones>: trigo, centeno, garbanzos, guisantes, avena y algarrobas; hay ganado lanar, cabrío y cerda, y caza menor. POBL<ación>: 22 vec<inos>, 97 alm<as>. RIQUEZA PROD<uctiva>: 232.216 r<eale>s.[268] IMP<uestos>: 9.643.

ZARATÁN: ald<ea> en la prov<incia> y part<ido> jud<icial> de Salamanca, térm<ino> municipal de Parada de Arriba. POBL<ación>: 3 vec<inos>, 10 almas.

PALACIO DE LOS OVALLES: desp<oblado> en la prov<incia> y part<ido> jud<icial> de Salamanca, térm<ino> municipal de Parada de Arriba».

Es apreciable el error de situar Zaratán y El Palacio dentro de Parada; así como el de reputar por despoblado El Palacio. Nótese la interesante referencia a la enfermedad de tercianas (paludismo), sin duda endémica por la cercanía del río, como también lo era en Valverdón (Frayle Delgado 2009: 82); así como las siempre celebradas frutas del lugar, en particular las ciruelas y las guindas. Curiosamente, tanto Zaratán como el Palacio de los Ovalles son para Madoz del término de Parada de Arriba. Zaratán, según el mismo autor, tenía tres vecinos o diez almas.

En la tabla del partido judicial, que refleja el censo de 1842 (CMAD 514), se aportan algunas precisiones estadísticas. El Pino cuenta con 26 electores, todos ellos contribuyentes, y ninguno perteneciente a la rúbrica de *capacidades* (requisitos más exigentes en cuanto a contribución económica, propiedades y educación, exigibles para el sufragio restringido o censitario). Eran elegibles 23. Se organizaba con un alcalde, un teniente, dos regidores, un síndico, tres suplentes y un pedáneo. Para los reemplazos del ejército había alistados siete jóvenes (dato dudoso). La riqueza imponible era de 23.357 reales: 20.182 de territorial y pecuaria, 1.552 de urbana y 1.623 de industrial y comercial. Por vecino, 1.015,48 reales; por habitante, 240,28.

Pablo Riera impulsó a finales del siglo un diccionario que pretendía actualizar la obra de Madoz. Acerca de El Pino, indica lo siguiente (Riera y Sans 1883, IV: 293):

---

[268] Según el cuadro sinóptico, registra 23 vecinos, y su riqueza es de 23.357 reales.

«EL PINO: l<ugar> con ayunt<amiento>, al que se hallan agreg<ados> 3 caseríos y grupos, edif<icios>, viv<iendas> y alb<ergues> ais<lados>. Cuenta con 202 hab<itantes> y 56 edif<icios>, de los cuales 4 están habitados temporalmente y 11 inhabitados. *Org<anización> civ<il>*: corresponde a la prov. de Salamanca, al dist<rito> de la cap<ital> para las elecciones de diputados provinciales y al de Ledesma para las de Cortes. *Org<anización> mil<itar>*: C<omandancia> G<eneral> de Castilla la Vieja y G<obierno> M<ilitar> de Salamanca. *Org<anización> ecle<siástica>*: pertenece a la dióc<esis> de Salamanca, arciprestazgo de Rollán, y tiene una iglesia parroquial bajo la advocación de San Lorenzo, aneja de la de Florida de Liébana.[269] *Org<anización> jud<icial>*: hállase adscrito al part<ido> jud<icial> y aud<iencia> de lo criminal de Salamanca, dependiendo de la territ<orial> de Valladolid, distando 14 k<m> de la cap<ital> de su prov<incia>. *Org<anización> econ<ómica>*: para el pago de impuestos, depende de la Delegación de Hacienda de la prov<incia>. El último presupuesto municipal correspondiente al año económico de 1882-1883 asciende en gastos a la cantidad de 4.345,29 pts, y los ingresos suman 4.595,41 pts. *S<ervicios> púb<licos>*: recibe y emite la corr<espondencia> por la adm<inistraci>ón pr<incipa>l y p<eatón> de Salamanca. *Obras púb<licas> y med<ios> de com<unicación>*: se comunica con la cap<ital> y pob<laciones> limítrofes por medio de caminos vecinales en regular estado de conservación. *Ins<trucción> púb<lica>*: de fondos municipales se costea una escuela incompleta para niños de ambos sexos, a la cual concurren unos 20 alumnos. *Art<es>, of<icios> ind<ustrias>*: la ind<ustria> agrícola es la preferente a que está dedicada la actividad de estos moradores, de los que algunos de emplean en las profesiones y of<icios> mecánicos más indispensables. *Pob<lación>*: los 45 edif<icios> de que consta no tienen importancia alguna, incluso el que sirve a las reuniones del ayunt<amiento> y el templo, que es pequeño y está bastante deslucido. Varios manantiales de excelentes aguas abastecen a las necesidades del vecindario, celebrándose la principal fiesta dedicada a San Lorenzo, patrón del pueblo, el 10 de agosto. *Sit<uación> geog<ráfica> y top<ográfica>*: a las márgenes del r<ío> Tormes, que corre contiguo a los muros de la pob<lación>, y sufriendo un clima templado pero propenso a fiebres, hállase este l<ugar> limitado por el N. con tér<mino> de Valverdón, al S. con el de Carrascal de Barregas, al E. con el de Florida de Liébana, y al O. con el de Zarapicos. Comprende su radio un pequeño monte con regular arbolado de encina, propio de particulares. El citado r<ío> y un arroyo de curso constante fertilizan el terr<eno>, cuyas prod<ucciones> son: cereales y garbanzos y algarrobas, frutas y legumbres para el consumo y sabrosos pastos».

En el apéndice (XII: 422) se ofrecen los siguientes datos adicionales: El Pino satisfacía 4.905,81 pesetas por territorial, 26,40 por industrial; 724,02 por consumos. Para la provincia, su cupo era de 791,87 pesetas.

El censo de 1857 recoge para El Pino 178 habitantes (99 varones y 79 hembras). En 1860, eran 161 habitantes (88 varones y 70 hembras). En 1877 había 202

---

[269]   Cuyo titular era la Magdalena, de segundo ascenso (Riera y Sans 1881-1887, VII: 926).

habitantes, siempre con un sesgo masculino (113 varones). En 1897, la población de hecho sumaba 255 habitantes.

Poco añade el Espasa. Usando el censo de 1910 describe el municipio como integrado por 91 edificios y 258 habitantes. Constaba de 71 edificios y 232 habitantes en el núcleo principal; el caserío de Zaratán tenía 11 edificios y 15 habitantes. El resto de casas diseminadas comprendía 5 edificios y 15 habitantes. Producía cereales, hortalizas y frutas. El Instituto Nacional de Estadística muestra una evolución demográfica que alcanza su máximo hacia 1960, con 294 habitantes. A partir de ahí se produce una decidida bajada hasta los 150 o 160 actuales. Eugenio García Zarza aportaba la estimación de su población potencial teórica, 387 habitantes (1982: 186).

Los censos ilustrados

En 1725 se completó el Censo de Campoflorido, que ofrece una indicación sucinta: El Pino tiene cuatro vecinos y medio (una viuda), mientras que El Palacio de los Valles (<Ovalles>) tiene dos vecinos; Çaratán, tres; La Florida de Liéuana, 17 vecinos (CCF 238, 240, 241). Nótese que, por entonces, la población de El Pino, Zaratán y el Palacio es similar: todas tres tienen el rango de las alquerías que hemos conocido, con dos o cuatro vecinos, no más.[270]

El conde de Aranda fue presidente del Consejo de Castilla. El censo que lleva su nombre, hacia 1768, fue encomendado a los obispos, los cuales, a través de los párrocos de sus diócesis, recogerían los datos.[271] El Pino como tal carece de ficha separada, al aparecer englobado con Muelas: «Obispado de Salamanca. Villa de la Florida de Liévana, esempta <exenta>, con tres anejos, jurisdicción de Salamanca. Provincia de Ciudad Rodrigo»; «está dada la certificación por el cura ecónomo en 30 de sep<tiemb>re de 1768» (CCA VIII: 263). Al margen añade: «Los anejos son la casa del Puerto, el lugar del Pino y la casa del Palacio». La población conjunta era de 157 varones y 137 hembras. Solo 22 superaban los cincuenta años. Villaselva, con su anejo Zaratán, tenía 24 habitantes, con tres matrimonios en total (CCA VIII: 328).

---

[270]   Pero el dato de El Pino (4,5 vºs) no parece compatible con lo que se deduce del pleito de los agustinos; en 1723 constan al menos 12 vecinos, según el pleito de los agustinos. Posiblemente es error y debe entenderse 14,5 vecinos.

[271]   La documentación original, en su mayoría, se ha perdido. Se realizaron copias de los documentos originales que se conservan en la Biblioteca de la Real Academia de la Historia. Faltan algunos obispados y de otros faltan algunos pueblos.

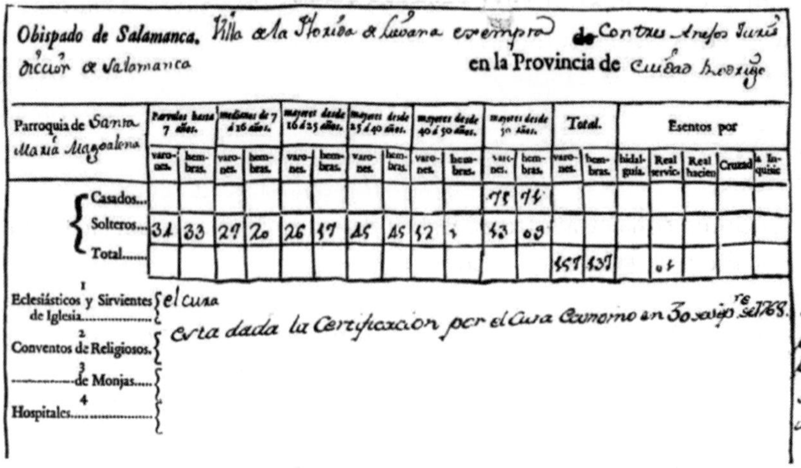

Ilustración 10: Ficha de Florida de Liébana en el Censo del Conde de Aranda.

En 1769 elaboró una lista de despoblados en Salamanca el corregidor Juan Pablo Salvador de Asprer. Zaratán consta de cuatro vecinos; se estimaba en diez el número total de vecinos que podría acoger la dehesa en caso de repoblarse (García Zarza 1978: 143).

Hacia 1787 se elaboró en España otro censo, el de José Moñino y Redondo, 1 conde de Floridablanca, secretario de Estado bajo Carlos III y Carlos IV.

Conspicuo defensor de la Ilustración, promovió el primer censo español realizado con técnicas estadísticas modernas; se ha venido conociendo esta compilación con el nombre de Censo o Nomenclátor de Floridablanca. La información estadística, que se resume en tablas de síntesis, se recoge por individuos y no por vecinos. Además de ofrecer el número de habitantes, registra su sexo, profesión, edad y estado civil.

La obtención de datos se encomendó a las autoridades civiles con la ayuda del clero. Dentro del Quarto de Baños sitúa el despoblado de Aldehuela de la Huelga, las alquerías del Palacio de los Ovalles y Zaratán, así como el lugar del Pino. El lugar queda encuadrado como sigue: «El Pino. L<ugar> R<ealengo>. Part<ido> de Salamanca, Quarto de Baños. A<lcalde> P<edáneo>» (CGOD III: 98). El Pino contaba con 71 habitantes (36 varones, 35 hembras); había 17 matrimonios y 3 viudos; solo tres personas superaban los 50 años. Por ocupaciones, eran 5 artesanos, 5 criados, 11 jornaleros, 5 labradores (CFLOR 2759, 2814). Zaratán tenía 14 varones y 14 hembras; había cinco matrimonios; solo tres eran mayores de 50 años; había dos labradores y diez criados (CFLOR 2784, 2826). El Palacio contaba con 6 varones y 4 hembras; de ellos solo dos eran mayores de 50; había un único matrimonio; sus ocupaciones eran de labrador (uno) y de criado (dos) (CFLOR 2753, 2810); en Aldehuela de la Huelga había un labrador y dos criados (CFLOR 2789).

El Pino en el Catastro del Marqués de la Ensenada

Es una placer contar con el Catastro de Ensenada, que ofrece una detallada panorámica del vecindario y de sus recursos económicos.

> Esta colosal iniciativa, comenzada en 1749, abarcaba los 15.000 lugares de la Corona de Castilla; no se cuentan los de las provincias vascas, por estar exentas de impuestos. Es una minuciosa averiguación a gran escala sobre habitantes, propiedades, edificios, ganados, oficios, rentas y censos; no faltan detalles acerca de las características geográficas de cada población, aunque el objeto del catastro no era la descripción del medio físico. Ordenado por Fernando VI a propuesta de su ministro el Marqués de la Ensenada, aspiraba a simplificar, racionalizar y hacer más justo el sistema contributivo. Entre 1750 y 1754 las poblaciones de las Castillas fueron sometidas a un interrogatorio de cuarenta preguntas.

Según una síntesis del Catastro elaborada por el conde de Valparaíso, El Pino contaba con 15 vecinos pecheros; el Palacio de los Ovalles tenía 4; los mismos tenía Zaratán (I: 542). Ello significa un notable crecimiento de El Pino, que se distancia ya sensiblemente de las alquerías (compárese con la situación, casi igualada, que refleja el censo de Campoflorido hacia 1725). De los quince vecinos, uno era maestro herrero y siete eran labradores; se les estimaba una renta por día de trabajo, tanto al herrero como a los labradores, de 2 reales; además había un jornalero, que ganaba la mitad. En Zaratán, un maestro zapatero tenía una renta diaria de 3 reales, al igual que los cuatro labradores; un único jornalero ganaba 1 real diario. El Palacio de los Ovalles tenía seis labradores, que ganaban 3 reales por día (IIIb: 618, 621, 634).

En El Pino inicia el procedimiento el 26.9.1752 José Fernández de Ocampo, de la Universidad, juez subdelegado del Intendente provincial, José Joaquín de Vereterra y Valdés de Quiñones (1700-1763).[272] Hizo comparecer al alcalde pedáneo, Miguel Martín Sánchez, y al regidor, José Martín. Los peritos eran Antonio Pinto (vecino de Florida; parece apodo, pues consta como Antonio Miguel)[273] y Benito Blanco. Acudió también el presbítero José Ortiz Samaniego, beneficiado de Muelas.

---

[272] Primo carnal de M.ª de los Remedios Álvarez Maldonado, señora de Florida de Liébana en tiempos del CME.

[273] Se comprueba el uso ocasional de apodos en los libros parroquiales: así, en 1729, *La Roja*, de Zarapicos (pelirroja); o Juan *Percha* en El Pino.

Describen el lugar como El Pino, cuarto de Baños, realengo, de la jurisdicción de Salamanca; solo paga al rey sus tributos.

Su extensión era de ½ legua x ½ legua, con un perímetro de legua y media. Linda al E con Muelas y Valverdón; al W con Zaratán; al N con el Tormes; al S con Villaselva, «del conde Grajal». Describe la planta del término como una figura «cúbica [es decir, cuadrada] con una punta de diamante», excluidos, claro está, los términos de Zaratán y El Palacio. ¿Se refiere al pico que mete el término frente a las casas de Valverdón? Esta caprichosa extensión del término solo puede entenderse por incorporar en él un nudo importante antaño, el vado de Valverdón.

Sobre las producciones, el cereal (trigo y centeno) se cultivaba a dos hojas, con un descanso cada dos años; se distinguen tierras de tres calidades de trigo y tres de centeno, como muestra la figura adjunta. Era peculiar de este pueblo, y de alguno de los vecinos, la rica producción en regadío, especialmente para cebollas, en huertos que también tenían olmos (*negrillos*); se atribuía a cada fanega una producción de 100 reales. Por otro lado, los pastos eran de secano y se distinguían cuatro calidades. En el monte, cuyos rendimientos eran la bellota y el pasto, también se diferenciaban varias calidades. Existían también tierras yermas por naturaleza, no por desidia. Otras producciones menores eran la cebada, en herreñales o cortinas próximas a la población, y algarrobas (*garrovas*); la producción de garbanzos era mínima. Las tazmías parroquiales hacia 1725 registran asimismo en Muelas galbanas [un tipo de guisante], fréjoles blancos y negros, y cebollinos; en 1726, también *lantexas*.

El término estaba dividido en dos hojas, que se cultivaban a años alternos; una, a levante, la que miraba hacia Muelas; otra, a poniente, la que miraba hacia El Palacio de los Ovalles. Separaba las dos hojas el camino que iba de El Pino a Parada.

Ilustración 11: Catastro de Ensenada, estado seglar, libro maestro.

La hoja de la raya de Muelas comprendía parajes como Las Fuentes del Pino, Las Raposeras, el prado de las Guadañas, Los Quartazgos, Los Carballos, Los Llanos, Valdalga, Valdelamielga y la Ribera. La hoja del Palacio incluía Hormigo, Los Veninales, Fuente Arenosa, Campilmojado, El Lomo de las Carrascas, Las Viñas Grandes, El Monte Gordo, Prado de la Alameda, Rivera Hondo y Las Heras.

La presencia arbórea era escasa: algunas encinas en los dos montes (el Monte Nuevo y el Monte Viejo o Gordo); y unos treinta negrillos en las huertas. El monte nuevo tenía parajes como La Varraca y Las Viñas Chicas. En tiempos del CME ya no existen viñas en El Pino, aunque por los apeos del beneficio consta viñedo entre 1580 y mediados del s. XVII. Las viñas por entonces ocupaban terrenos a la raya de Zaratán y Villaselva.[274] Ya hacia 1570, una extensa heredad de viñas en Villaselva y El Pino, procedente de Pedro de la Peña, tenía dificultades para encontrar arrendador y se acusaba la falta de labores necesarias (cavar, podar, binar) (VSLV). Tras su abandono, se llenaron de monte o pasaron a sembrarse de centeno.[275] Entrado el siglo XIX y hasta el segundo tercio del siglo XX en El Pino volvió a haber viñedo disperso, sobre suelos arenosos, en El Pino.[276]

Para medir las tierras se usaba la fanegada, es decir, salvo ocasiones más solemnes, se estimaba la extensión a tenor de la cantidad de semilla que había que sembrar; esto era más o menos a ojo, por experiencia, a criterio del labrador: en unas, «acorta el paso y abre el puño», en otras, de peor suelo, «a paso largo y puño cerrado». Con esta medida aproximada se celebran las ventas, trueques y cambios. Como indicación general, cuando era preciso recurrir a agrimensor, en El Pino se usaría ya entonces la fanega de 400 estadales de a cuatro varas, es decir, de 6.400 varas cuadradas o 4.472 m², vigente hasta hace poco en gran parte de la provincia. En Zaratán, hacia 1820, se estima la extensión de una huerta en 2 fanegas y 5 *palos* (es decir, cinco estadales). En el monte cabían 60 encinas (más adelante, parecen olvidarlo, y dan el dato de 50 encinas) en una fanegada de buena calidad. El término se estimaba en 1.000 fanegadas. De este total, se asignaban 220 para trigo; 260 para centeno; 4 fanegas de regadío para hortalizas y cebollas; 30 fanegas de prados de particulares; de común aprovechamiento (salvo por servidumbres de algunas yugadas de particulares) eran 12 fanegas de eras y ejidos;

---

[274] Muelas también tenía viñas en dicho periodo. En el s. XV constan al menos diez viñas (1405 APEOS; Martín Martín 1985: 199), que parecen haber estado dispersas por el término, como muestran los diversos topónimos de su ubicación, entre otros, Los Arenales, Las Viñas de la Vega, La Viña de la Colaga (carrera de Parada), La Viña del Coso (lindante con tº de Parada).

[275] La misma decadencia de la viña se constata en las relaciones del CME en la Armuña. Aldeaseca había ido abandonando viñedos que, plantados ahora de centeno, se denominaban *viñazos* (Cabo Alonso 1955: 112).

[276] Se menciona, por ejemplo, una viña de Fermín Martín (ESCR).

108 fanegas de monte; 340 de valles y pastos comunes; de cascajales, tierra perdida e inútil, 30 fanegas.

Los rendimientos eran escasos. Incluso la tierra triguera de mejor calidad daba por fanega sembrada solo seis fanegas cosechadas; la de peor calidad solo duplicaba lo sembrado. Una fanega de extensión en el monte con cincuenta encinas daba dos fanegas de bellota. Los montes no tenían aprovechamiento de madera: solo servían como majada o abrigo de ganado «en los tiempos rigurosos». Los precios en reales que se pagaban por los principales productos se exponen en la tabla adjunta, comparados con los de las dos alquerías del término actual. Como referencia, se ha añadido los precios medios de la ciudad de Salamanca.

PRECIOS EN REALES	EL PINO	ZARATÁN	EL PALACIO	SALAMANCA
Fanega de trigo	15	15	15	15
Fanega de centeno	8	10	10	9
Fanega de cebada	7	8	8	7
Fanega de algarrobas	6	8	8	7
Fanega de garbanzos	30	–	30	30
Ristra de cebollas	1	–	–	–
Libra de *frejones*	–	–	6/34	–
Arroba de lana	20	25	22	20 a 75
Libra de queso	8/34	1	1	1
Fanega de bellotas	4	–	–	–
Un cordero	7	6	6	5
Un cerdo	–	6	5	7
Un cabrito	5	–	–	5
Un pavo	–	–	2	–
Un pollo			1	1
Un becerro	44	–	33	44
Un potro lechal	100	–	–	150
Un muleto	200	–	–	250

Nótese el alto precio de los garbanzos, que se consideraban producto de lujo. Se aprecian disparidades. Es difícil que la libra de queso se vendiera en El Pino a 8 mrs, más barata que en Zaratán. Sin duda se trata de trapacerías orientadas a encubrir las ganancias reales. También se constatan especialidades, como los *frejones* o los pavos en El Palacio, las cebollas en El Pino. En El Palacio se vende la lana por libras, a 30 maravedís por libra, lo que equivale a 22 reales por arroba. En Ciudad Rodrigo, los frejones se vendían por fanegas, a 30 reales cada una. En Ledesma, la ristra de ajos estaba a un real, como la ristra de cebollas en Muelas. No se indica el precio de venta de las ciruelas, que eran afamadas en El Pino, tal vez por ser muy corta la producción por entonces. En Muelas, una arroba de ciruelas daba 2,5 reales; y una fanega de nueces, 9 reales.

No se menciona ningún linar, lo cual no sorprende, dada la competencia que en torno a las aguas del regato que cruza la población se había establecido para regar huertas y otros usos; pero un pleito coetáneo muestra la pervivencia más o menos marginal de dicho cultivo.

Del diezmo, que se tributaba a la iglesia del lugar, solo estaban eximidas las tierras de la Orden de San Juan, encomienda de San Juan de Barbalos sita en Salamanca. Se explica con mucha tosquedad e imprecisión el modo de calcular: «en las tierras de pan coger, [...] de diez, una; de cinco, media, [tanto si son] fanegas, celemines o quartillos; de cada ocho, lo mismo por los quatro de su mitad; deviendo entenderse que, aunque llegue a doze o treze, no se paga más».[277] Lo mismo se practicaba con «los menudos de ceuollas, lana, queso y demás»; también con los ganados menores y mayores «de creación», es decir, con los nacidos en cada año. El tributo de los ganados mayores, llamado *apeaje* o *blancaje*, era de 3 reales por cada becerro si nacían menos de diez (en Muelas, menos de cinco); lo mismo para potros, potras, mulas o mulos, y jumentos. En Muelas, los ganados menores pagaban en tal caso 16 mrs.

También se pagaba la primicia si la cosecha era buena. Si un labrador o senarero (el que no tenía tierras propias, pero sí disponía de bestias de labor) cogía más de seis fanegas de grano, tributaba media fanega de cada semilla. Otra carga era el Voto de Santiago, que solo se tributaba cuando se pagaba la primicia: era media fanega de la mejor semilla; venía a sumar anualmente unas 2 fanegas. Todos estos tributos se guardaban en la cilla y acervo común sita en la villa de Florida, cabeza del beneficio.

Venía a continuación el reparto de los diezmos. Un tercio era para el beneficiado de Muelas José Otero Samaniego; otro tercio era, como ya en tiempos medievales, en 1265, del préstamo de la Maestrescolía, que gozaba el doctor Manuel Pérez Minayo, canónigo, dignidad y maestrescuela. Dos novenos eran para las tercias reales de la Universidad; el noveno final era para la fábrica de la iglesia del pueblo. La primicia era del beneficio del lugar. El beneficiado de Muelas, que residía allí, tenía en El Pino un cura teniente, llamado Francisco Martín, que a su vez era beneficiado de Villaselva. Nótese que todos estos repartos eran susceptibles de discordia. En 1706 había habido demanda de Diego García de Paredes, secretario de la Universidad, contra el beneficiado de Florida por la entrega de trigo, zebada y otros frutos pertenecientes a las tercias reales de los lugares de Muelas, El Pino, Las Borrinas y el Palacio (Onandia Renero 2017: 98).

[277] Un redondeo por abajo y por arriba, pues aunque se cosecharan solo 8 fanegas, se tributaba una; y de cuatro, media.

Los ganados del lugar eran bueyes y vacas de labor, ovejas, carneros, cabras, machos, cabritos, primales, cerdos, yeguas, jumentos, pollinos, mulos. Los principales ganaderos de ovino eran Pedro Berrocal y dos vecinas, ambas viudas: Manuela Espino y Catalina Sánchez. Había unas 500 cabezas, de las cuales 250 eran ovejas de cría, 150 corderos y unos 50 borregos; 13 bueyes de labor y 10 vacas, con 5 novillos y 3 terneras. Había 110 cabras de vientre y 10 de cría; una única yegua de vientre; de ganado porcino, había 50 cerdos de más de un año, 25 de un año y otros 25 de cría. Se contaban 13 jumentos y 6 pollinos lechuzos, 5 mulos y una mula lechuza, de un tratante.[278]

Vecinos y propietarios

Incluidas las viudas había, según el CME, 15 vecinos residiendo en sendas casas; además existían 9 casas deshabitadas, 4 pajares, 4 corrales y 2 casas paneras; no se pagaba renta alguna por ocupar dichas casas, que eran de plena propiedad. No había casas de campo ni alquerías (El Palacio y Zaratán se reflejaban separadamente), por lo que Fuente Arenosa no estaría construida.

En las Respuestas Particulares se especifica más acerca de estos quince vecinos. Impresiona ver que ninguno de ellos tenía propiedades de tierra, y ni siquiere los huertos que labraban eran de ellos (tal vez disponían de minúsculos pedazos de huerto dentro de las casas y corrales, que sí les pertenecían, salvo a los más pobres). Debían por ello de subsistir con expedientes variados: como renteros o senareros, usando ganado de labor en tierra ajena (a estos, aunque no tengan tierras, se les conoce impropiamente en las respuestas de El Pino como labradores); como cabreros u ovejeros, hortelanos, molineros, criados o jornaleros. Tanto los labradores como los jornaleros y criados estimaban una ganancia media de 2 reales, extendida a unos 180 días hábiles. Nótese que no se percibían ventajas económicas directas en ser labrador, o criado, o jornalero. Las diferencias las fijaban los otros oficios añadidos (trabajo como hortelano,[279] herrero, oficial…). Reservemos unas líneas para recordarlos y de paso rendirles tributo; se han completado los datos usando los libros parroquiales.

Antonio Varas Fernández, oriundo de Otero, del obispado de Astorga, casado con Teresa Pérez Díez, de El Pino, molinero y hortelano.

---

[278]   No acaba de cuadrar esta relación con la síntesis realizada en el Censo Ganadero, que sintetiza los trabajos del CME: las cabezas de bovino eran 37; las de mular, 6; las de asnal, 29; de ovino, 500; de caprino, 239; de porcino, 148; total, 787; ninguna colmena (CGND 456-457).

[279]   El catastro da el nombre de *cebolleros* a quienes trabajaban a jornal en las huertas, para diferenciarlos de un *hortelano* o propietario de huerta. También en Valverdón, donde había 32 cebolleros en 1751; se les estimaba una ganancia anual de 150 reales; el oficio de hortelano reportaba 200 rs (CME). Los cebolleros de Muelas ejercían a la vez otros oficios, como cabreros o criados; el tabernero, Francisco Rade, y el fiel de fechos y barbero, Nicolás Marcos, eran a la vez cebolleros.

Andrés Vicente, servicial (= criado), nacido en Monleón, casado con Januaria (= Genara) Escuadro, de Mercadillo de Huebra.[280] El apellido de su mujer, como es común, se flexionaba al femenino. Tenía casa junto a la iglesia.

Benito Blanco, cabrero / ganadero y cebollero, de 56 años, casado con Mariana Miguel. Casa con corral al sitio de abajo. Era uno de los dos peritos nombrados para el interrogatorio.

Catalina Sánchez Benito, viuda de José Pérez Espino, que posee dos bueyes y una casa. Es natural de Carrascal de Barregas. Vive con su hijo José Pérez y tres criados: Francisco Vega, José Garrido y Manuela del Arco. En 1758 volvió a casar con un mozo soltero, Andrés Santos García.

José Javier Pérez Díez, cabrero y cebollero, nacido en Zaratán, casado con María Moro López, de Tirados.

José Martín Hernández, herrero y hortelano / cebollero, de 44 años, nacido en Quejigal, casado con Isabel Berrocal Merino, de Muelas. Era el regidor. Como herrero, era pagado en fanegas de trigo, ganando unas 12 fanegas anuales; también era cazador, y ganaba unos 100 reales al año.

Juan del Arco Alonso, jornalero, nacido en Golpejas, casado con María Herrero García, de Parada de Arriba. Casa propia en el barrio de abajo. Era el único jornalero puro del pueblo, manteniéndose solo de su jornal.

Juan García, servicial, casado con María Escuadra.

Josepha Pérez Miguel, viuda de José Liviano Martín, casa con pajar junto a la iglesia (que pertenece a Pº Berrocal).

Manuel Berrocal Fraile, labrador y cebollero nacido en Navas de Quejigal, viudo de Mariana Pérez Ralero, de El Palacio, tiene tres bueyes. Ganaba al año 650 reales.

Miguel Martín Sánchez, labrador y cebollero, de 46 años, casado con Ana Sánchez. Casa en el barrio de abajo, con corral; un buey. Era el alcalde. También ejercía de fiel de fechos, ganando por ello 30 reales de vellón anuales. Por sus otros oficios ganaba al año 650 reales.

Manuela Espino, labradora, viuda de José Pérez, la más acomodada del pueblo. Vivía con su hijo Antonio Pérez y una sobrina, M.ª Antonia Espino. Tenía 6 bueyes, 3 vacas holgonas (destinadas a criar o a dar carne) y dos erales que aún no estaban domados para las labores del campo. La casa tenía boíl y paneras; lindaba con el exido concejil y el camino real. Los Espino eran oriundos de Forfoleda.

María Vicente, viuda, con casa; vivía con Agustín Rodríguez.

María Pérez, viuda, con casa; hijos Manuel y Manuela del Arco.

Pedro Berrocal Martín, tratante de ganado nacido en Muelas, de 47 años, alcalde de la hermandad, casado con Catalina Sánchez Herrero, de Valverdón.[281] Criados:

---

[280] Genara volvió a casar en 1768 con Juan Martín.

[281] Catalina había estado casada antes con Pedro Olmedo. En 1755 se hacía cargo de los frutos de la tercia del duque de Alburquerque, de cuyas tierras en Almenara había sido rentero su difunto marido, Pedro Berrocal. En 1761 era rentero de las tierras de la universidad en Almenara Esteban X,

Patricio Hernández y Juan Alonso. Tenía una casa con caballeriza para sus mulos; otra casa con panera y corral. Es descrito en la respuesta 31.ª como «comerciante y tratante en todo género de ganados, que compra y vende y trata a manera de chalán»; se le estimaba un beneficio anual de 3.000 reales.

Sebastián Miguel y María Miguel, hijos menores, al cuidado de Benito Blanco, con casa y solar.

Pedro Espino, menor, al cuidado de Manuela o María Antonia Espino.[282]

Tenían casas y propiedades algunos forasteros. Es el caso de Antonio Sánchez, vecino del Puerto de la Anunciación; Domingo López, de Carrascal de Velambélez; Francisco Sánchez, de Parada, tenía una casa junto a la Lóndiga (la alhóndiga de la pía memoria, fundada hacia 1633); Francisco Pérez López, vº del Palacio de los Ovalles, tenía una casa en el barrio de abajo, con corral delantero, boíl, paneras y pajar. Sendas casas tenían José Pérez Ralero y Lucas Núñez Hernández, del mismo Palacio; así como Manuel Roque, de Muelas.

Como referencia indiquemos los vecinos que contribuían diezmo (los *diezmadores*) en El Pino en algunas fechas del siglo XVIII. En 1718 son José Pérez, Francisco Pérez, Francisco García, Manuel Pérez, Pedro García y Pedro García menor. De El Palacio, Juan Álvarez y Juan Elena. En total tributaban 119 fanegas de trigo, 64 de centeno, 7 de algarrobas y 8 de cebada.

Es más completa la lista de vecinos que contribuyen en 1727 a la tazmía de menudos (dinero, pollos, pavos y lana) en El Pino y sus anejos: Pº Espino, Antº Delgado, Pº Álvarez, Felipe Martín, Ynazio Gª, Benito Blanco, María Martín, Frcº Ramos, Bartolomé de Lara, Juan Pérez María Pérez, Antonio Cid, Joseph Pérez, Mateo Sánchez, Juan Benito, Antº Miguel, Frcº Pérez, Manuel Criado, Pº Gª, Lorenza Rodríguez, Marcos Benito, Frcº González, Manuel Pérez (de El Palacio), Juan de Elena.

En 1784, la nómina de diezmadores se ha reducido mucho: Francisca Recio; Manuel José Pérez; Antonio Montejo; y Antonio Pérez; en 1785 son los mismos, con el añadido de Miguel Verdes y Francisco Montejo. En 1800 figuran Francisca Recio, Manuel Núñez, Antonio Pérez, Miguel Verdes, Pedro Pérez y [en El Palacio] José Angoso.

Así como ningún vecino de El Pino era propietario de tierras, algunos forasteros las poseían, en muy escasa cuantía. Tenían una pequeña tierra cada uno: Agustín

---

vº de El Pino (Gómez Santamaría 1991: 199, 200). Catalina, viuda rica, volvió a casar por tercera vez en 1756 con un mozo soltero, Esteban Hernández.

[282]   Una síntesis del INE reduce a reales las rentas dentro de cada categoría: herrero, 360 rs; labradores, 2.520; jornaleros, 360; escribano, 30; artistas, 3.300; cazador, 100; colonos, 12.392; total: 19.062 (CPROF 1063).

Lorenzo, de Valverdón (rentero de Cristóbal de Espinosa, dueño de Zaratán); Domingo Pérez, vecino de la Aldehuela de la Huelga; Juana Crespo, vª de Muelas. Tenía una tierra también Francisco Miguel Martín, jornalero, natural de Topas, residente en Calzada de Valdunciel, sin duda de su mujer Catalina García Calvo, de El Pino.[283] Era propietario de dos tierras D. José de Santayana Bustillo, catedrático de prima en la facultad de cánones de la universidad de Salamanca.[284] La casi totalidad de la tierra que no pertenecía al común era por lo tanto de eclesiásticos, como veremos más adelante.

Volviendo a las respuestas generales, se indican como propios del concejo una casa consistorial y un corral de concejo. En las particulares se da otra version: la casa, que está arruinada, servía de fragua; era lindante con el regato (de la Alameda) y con la iglesia. Otro arbitrio del concejo era el arrendamiento de pastos comunes, cosa que se hacia en años sueltos. Rentaba por quinquenio 280 reales. En las desamortizaciones decimonónicas, esta riqueza sufrió graves mermas. En 1861 sale a remate un pedazo de terreno, llamado Cañada o Valle, procedente de los comunes del Pino, en el sitio del Campo Santo, lindante con el cº de Parada, de 1 huebra 70 estadales[285] (*Adelante* 19.12.1861). Conjuntamente con la alameda del concejo, cercada de pared y vallado, con bastantes negrillos y algunos chopos, fue adquirido por los vecinos Blas Sánchez, Marcelino Corona, José Recio y Marcelo Portales, por 5.510 reales el terreno y 6.610 la alameda (1862 CHIP). Ese mismo año, salió el monte de encinas, del común de vecinos del Pino, situado en la raya de Zaratán y Villaselva. Era de 93 huebras y 100 estadales de tercera calidad, con algunas encinas pequeñas sin madera de servicio en su ramaje. Entraban en la tasación unas encinas situadas en tierras de labor y camino de Parada. El tipo fue de 28.250 reales (*Adelante* 29.12.1861). El monte, varias yugadas, huertos y casas procedentes de desamortización fueron revendidos en 1879 (*Adelante* 26.10.1879).

¿Cuáles eran los gastos del concejo? Un total de 215 reales, que se repartían así. Por nueve misas y procesiones de buenos temporales (véase una descripción de esta práctica, que ha llegado a nuestros días, en Martín Benito 1983), 35 reales. Por una misa por San Roque, otra por San Sebastián, y el trabajo y dietas del predicador en la cuaresma, 30 reales. En estos tiempos pandémicos es de resaltar que el pueblo

---

[283] Probablemente el mismo al que se identifica en el apeo, aquí usando el apodo, como *Franzisco Pinto*, vº de Calzada.

[284] Este era hermano de otro catedrático, Lorenzo, n. 1700, que ejerció en la Universidad de Cervera, en Lérida. Ambos eran hijos del escribano Esteban Díaz de Santayana y Ana María Bustillo Ceballos (DBE / Javier Alvarado Planas).

[285] En 1834 estaba ajustada la obra de muros y piedra del nuevo cementerio; antes, se hacían los entierros en la iglesia o en su inmediato contorno (el *atrio* se cita aún en las ordenanzas de San Lorenzo, de 1808). En 1874 se reparó de nuevo, y el ayuntamiento se hizo cargo de los entierros.

de 32.500 pesetas; y su viuda Carmen, que tenía 34 años, hubo de desprenderse de las tierras de El Pino, que vendió en 1900 por 15.000 pesetas a Práxedes Montero Magro (que no sabía escribir), natural de Rollán, de 30 años, viuda del que fue rentero del Palacio de los Ovalles, Tomás Hernández Pascua, la cual las vendió a su vez en 1911 por 30.000 pesetas a Eladio Sánchez Esteban.

N.ª Sra. de la Victoria, monasterio de la orden de San Jerónimo en Salamanca,[296] tenía en El Pino una casa junto al regato; veinte tierras en la hoja de Muelas, dieciocho en la del Palacio, y seis prados. En 1821 sale a remate esta yugada, con 93 huebras de tierra, en 15.430 reales (*Diario de Madrid* 22.3.1821). El convento fue derribado en 1862 por su propietario, Federico Sánchez y su esposa Francisca Cabo Terrero, del comercio, para sacar piedra destinada a construir el liceo; sobre las ruinas, Mirat estableció una fábrica en 1874 (García Catalán 2016: 360, 441).[297]

Los restantes propietarios eclesiásticos, excluidos los agustinos, a los que dedicamos sección propia, eran de menor importancia. Los carmelitas calzados de Salamanca tenían dos tierras en la ribera contra Valverdón, que se habían quedado yermas por falta de cultivo. Las señoras comendadoras de Sancti Spíritus, otras dos tierras hacia el camino de Parada, yermas y pobladas de carrascos y tomillares.

El Hospital de N.ª Sra. de la Piedad de Benavente, fundado en 1517 por el II duque de Benavente, tenía en 1752 una tierra entradiza en término de Muelas, reliquia de la importancia que tuvieron los condes de Benavente en dicho término hacia comienzos del s. XVI. Del mismo hospital era el término de Burrinas.[298] En julio de 1590, el mayordomo del hospital, Diego López, había movido pleito en Salamanca contra el rentero de una heredad propia en Muelas, Pedro García, ya difunto, y su mujer Ynés Freila.[299]

> Debían, según los de Benavente, 38,5 fanegas de trigo y otras tantas de cebada. La situación se complicaba porque Inés, que era tutora de su hija Isabel, podía aceptar o repudiar los bienes y herencia, gananciales, de su difunto marido. Inés y Pedro habían casado en 1583, por el tiempo del antruejo, con unas capitulaciones por escrito, en un memorial de bienes y alhajas. La sentencia, de 9.11.1591, condenaba a Inés a pagar 14,5 fanegas de trigo y 8,5 de cebada al hospital.

---

[296]   Compartían en tiempos del CME la dehesa de Porteros con el marqués de Castelar.

[297]   Hijo de Federico y Francisca fue el juez y fiscal Lisardo Sánchez Cabo, que casó con Conrada Sánchez Domínguez. Francisca murió con 80 años el 14.1.1907. Lisardo, siendo presidente de la Audiencia de La Coruña, en 1921.

[298]   Pasó al conde de Villagonzalo tras la desamortización. El término redondo tenía dos tierras entradizas dentro de Muelas, en los parajes de Las Lobas y Los Lavajos del Cº de Burrinas. Hacia 1565 los Maldonados de Valverdón compraban cereal de unas heredades del Hospital de Benavente, en Las Borrinas y Muelas, que traía a renta Baltasar de León, boticario, mayordomo del hospital (RMAL, 1572 TSNR).

[299]   ARCV, REG. EJECUTORIAS, CAJA 1722, 60.

En 1928 se vendía una hacienda con tierras, casa, huerto y cortina, titulada «Nuestra Señora de la Piedad de Benavente», sita en Muelas. Esta propiedad era a finales del XIX de Luisa Ruiz-Zorrilla y Mateo († 1913), dueña de parte de Zorita, casada en 1872 con José Morales Prieto. Su hija Soledad Morales y Ruiz-Zorrilla (1876-1956) casó en 1907 con el abogado del Estado Antonio Fidalgo de Solís, único hijo del también abogado del Estado Antonio Fidalgo Sánchez de Ocaña y su mujer Vicenta de Solís Benito-Azcona; Vicenta era hija de Mariano de Solís García. Antonio y Soledad fueron padres de Nieves y Luisa, propietarias del llamado Cuarto de las Moralas en Zorita (Frayle Delgado 2009: 146-150). Eran altas y guapas. Luisa, n. 1912, casó con Francisco Bolaños Enríquez, de Artillería. Nieves quedó soltera. Su nombre pervive en una calle y una residencia de mayores en Salamanca.

Tras la desamortización, las tierras conventuales pasaron a distintos industriales y capitalistas. Mencionaremos más adelante a la familia Solís, en relación con el convento de los agustinos. A menudo las primeras adquisiciones, en subasta, eran de corta vida, y las tierras pasaban a otros compradores: de ahí una rueda de propietarios absentistas, en su mayoría industriales y funcionarios residentes en Salamanca. Fueron dueños de tierras conventuales, aparte de los ya citados, Felipe Peramato Santolino, industrial panadero, político y empresario del teatro del Liceo, casado con Benita Brizuela Carnero, el cual falleció en 1890. Al morir, sus tierras en El Pino pasaron a su esposa y a su hija Lucía, que casó en 1891 con el licenciado en filosofía Jesús Sánchez Sánchez. Tenía también alguna propiedad en El Pino Fernando Íscar Juárez (1833-1900), rico comerciante, concejal, alcalde, diputado y presidente de la Sección de Comercio del Círculo Agrario Salmantino. Casado con Adela Peyra de Vildósola, era natural de Matapozuelos (Valladolid); fue padre del periodista y escritor Fernando Íscar Peyra. Tenía también numerosas tierras Simón de la Rúa Domínguez, comprador hacia 1843 del monasterio de la Vega en Salamanca (García Catalán 2015: 563), que en 1848 era concejal en Salamanca.[300]

Era asimismo propietario en El Pino el rico licenciado en derecho Mauricio Piñuela Martín, que fue juez de paz en Salamanca; falleció en 1890 con 58 años, soltero y *abintestato*, dejando su herencia en disputa. Consiguieron un pico de la herencia unos parientes alejados, de Vitigudino, apellidados Allú Martín, y, nada más cobrarla, uno de ellos se dirigió al Hospital de la Trinidad y entregó una peseta a cada uno de los enfermos allí residentes. Mauricio había dejado tres hijos naturales,

---

[300] Simón estaba casado con Carmen Barcenilla Sendín, la cual falleció en 1885. Eran poseedores de los bienes de una rica capellanía fundada en la iglesia de Santiago de Salamanca. Su hijo Luis de la Rúa Barcenilla (1859, 1861 CHIP) compró una casa, tierras y huertos en El Pino; había adquirido en 1861 tierras desamortizadas en Herrezuelo de Alba por valor de 40.270 reales (*Adelante* 14.3.1861). Luis falleció en 1890. Otros hijos de Simón eran Anita y Carmen, que heredaron alguna propiedad en El Pino. Carmen casó con el catedrático de Derecho Modesto Falcón y Ozcoidi (1828-1902).

que pleitearon. Tuvo también numerosas tierras en El Pino, como consta por escrituras de 1900 y 1914, Salvador Nogués, que puede haber fallecido ya entonces. Es sin duda pariente, si no el mismo, del hacendado y recaudador de contribuciones salmantino, destacado bibliófilo, Salvador Nogués, que vivió en tiempos de la francesada. Otro propietario era Rafael Lezaeta Fernández (fallecido en 1889), padre de M.ª Teresa de Lezaeta, que casó con José Manuel Ruiz de Salazar.

Gran parte de las tierras del convento de San Agustín terminaron en manos de un vecino de El Pino, Ángel Sánchez Rivas (fallecido antes de 1897), casado con Micaela Recio González (1831-1911). De las Isabeles y los Jerónimos llegaron a manos de Sabas de Castro, comerciante, de quien se ha hablado en referencia a Fuente Arenosa, y del político y bibliotecario salmantino Agustín Bullón de la Torre (n. 1843, Santibáñez de la Sierra).

De las Once Mil Vírgenes adquirió tierras Julián Palacios Riesco, que se asentó en El Pino con su hermano Gabriel; eran naturales de Forfoleda [su madre era de Valduncie], y llegaron como jornaleros; pero Julián, casado en 1862 con Filomena Herrero Miguel, hija de los acaudalados Custodio Herrero y Antonia Miguel, consiguió hacerse con una extensa nómina de fincas en El Pino, donde falleció en 1922, con 94 años. También tenían mucha propiedad hacia 1840-1850 Zacarías Dorado, de Muelas,[301] y Custodio Herrero, vecino del pueblo.[302] A finales de siglo XIX eran propietarios de numerosas fincas los vecinos Ángel Sánchez García,[303] Eladio y Juan Sánchez Esteban, Tomás Hernández Pascua[304] y Antonio Corona García.[305] Hipólito Sánchez Hernández[306] vendía o arrendaba en 1944 dos yugadas, una sexta parte de monte, una viña con 5.300 cepas, en plena producción; bodega y cubas; un trozo de ribera con chopos y fresnos; era cercada, tres huertos con bastantes frutales; alameda de negrillos, casa tres corrales, pajares y establos.

---

[301] Su mujer Catalina Hernández, fallecida el 11.10.1856, había dejado un rico abintestato de tierras en El Pino, que se repartieron sus hijos Valentina, Aquilina, Manuela y Santos Dorado Hernández, y su viudo, Zacarías (1862 CHIP). Juan Dorado, que murió en 1861, dejó tierras varias a su viuda M.ª Antonia Núñez.

[302] Custodio era de Topas; su mujer Antonia Miguel falleció en 1859, dejando varias tierras al viudo.

[303] Natural de Doñinos de Salamanca, era viudo y llegó al pueblo como criado. Casó con una labradora rica y viuda, Francisca Esteban, llamada la Roldana, que le sacaba muchos años. Volvió a enviudar y casó de nuevo con Isidora o Isidra Hernández, de Zarapicos, siendo padres de Hipólito Sánchez Hernández, citado seguidamente. Isidra murió en 1904, con 44 años (EA 14.9.1904), por lo que Ángel quedó viudo por tercera vez, falleciendo con 79 años en 1921.

[304] Rentero del Palacio de los Ovalles.

[305] Estaba casado con Águeda Santos Calón; falleció en 1924, con 70 años; ella, en 1927, con 72 años.

[306] Era en 1932 de la junta directiva del Bloque Agrario Salmantino.

Los agustinos en El Pino

Como se indica más adelante, en 1456, Pedro Nieto, llamado *de Aragón*, hizo testamento, ordenando que el convento de San Agustín de Salamanca heredase los lugares de Muelas y La Aldigüela [de la Huelga].[307] Era de familia salmantina. De ahí la vieja conexión entre El Pino y su entorno con la citada orden. No es descartable que la vinculación fuese más remota, pues Miguel Domínguez, señor de Zaratán, había donado diversos bienes en 1150 a la ermita de Santa María de la Vega, junto a Salamanca, donde, en 1163 y 1166, parientes o deudos de Miguel Domínguez ceden tierras a los canónigos de San Isidoro de León para consolidar una comunidad proto-agustiniana.[308]

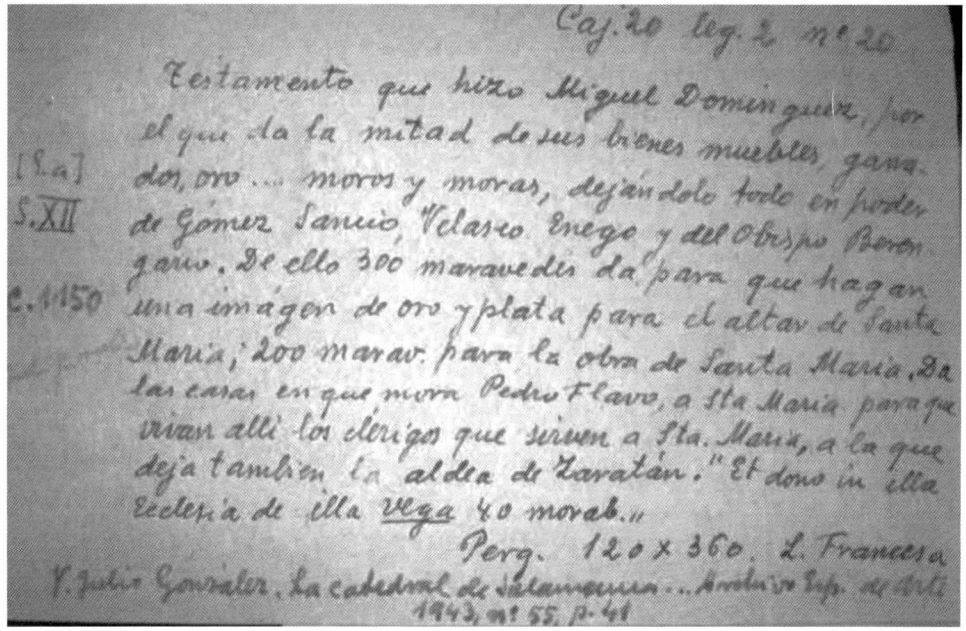

Ilustración 12: Testamento de Miguel Domínguez, 1150, Zaratán. Regesto de Ricardo Espinosa Maeso.

En tiempos de Ensenada, el principal propietario en el término era el convento de San Agustín de Salamanca, de agustinos calzados, con el colegio universitario de San Guillermo. Ya en 1580 tenían propiedades en el lugar, que debieron de ampliar a raíz de la marcha de los Maldonados. En 1752, tenían una casa en el sitio de abajo, al norte de la calzada de Salamanca. Cerca de ella, una notable huerta, que se regaba

---

[307] La Aldehuela era de los agustinos calzados de Salamanca en 1752.

[308] González (1943), Viñas Román (1994: 21-23), Martín López (1995: 113), Sánchez González (2020: 9-10).

con el arroyo, que le quedaba al este (el regato de la Alameda); al sur, la huerta lindaba con el ejido concejil. Tenía en su centro 180 negrillos, sin talla suficiente para ser cortados; fuera de la cerca, dando al arroyo, había otros 16 negrillos. Además de esto, el convento tenía cuarenta tierras en la hoja de Muelas; veintiséis en la del Palacio; y tres prados.

Un pleito en varias etapas, que se fragua entre el concejo y el convento a lo largo del siglo XVIII, permite acceder a una visión más cercana.[309] En 1723 el convento denuncia a ciertos vecinos del lugar.[310] Los agustinos declaran estar en el derecho, desde tiempo inmemorial, de tomar toda el agua que precisan para regar la huerta, que es «regantía de hortaliza». Para ello, meten el agua en la huerta desde el arroyo, que por entonces era de caudal permanente. La canalización se hace con unos *encañados* o *aguaderos*, que transportan el agua a unos estanques en el interior de la huerta. Sin embargo, dicen, desde fecha reciente, unos vecinos del pueblo se dedican a «curar telas» (esto es, blanquearlas), poniendo lienzos y estopas a remojo en el arroyo, haciendo represas y abriendo pozas en la corriente. El resultado es enunciado lacónicamente y con buen sentido del ritmo: «faltando el riego a dicha huerta, se agosta la verdura, el hortolano se queja, y el convento perderá la renta». El hortelano sería sin duda vecino también de El Pino, como los que ponen los lienzos y estopas a remojo: ello deja adivinar tensiones internas, que más tarde se concretarán. Protesta el convento de que, teniendo el Tormes cerca, quieran mojar los lienzos precisamente en el arroyo. Sin duda las ventajas de cercanía a las casas se unían a las dificultades de hacer una derivación a propósito para el remojo en un río caudal e ingobernable como era entonces el Tormes.[311]

Esta industria de curar telas obtenidas del lino (lienzos y estopas) es interesante. El cultivo de lino en la comarca parece haber sido poco importante. El Larruga señala a finales del XVIII producción linera en muchos pueblos de tierra de Ledesma, a pequeña escala, para uso doméstico. Había también linares en los cercanos Carrascal de Barregas y Zarapicos (Rupérez Almajano y Lorenzo López, XXXV, 1994: 7, 13).[312] Y es cierto que, en 1784, los libros parroquiales muestran que se había recaudado en diezmos entre Muelas y El Pino 536 *mañas* (es decir, manojos o cerros) de lino. Ello parece más proporcionado a su uso casero que a una industria textil. Pero los grandes productores estaban en la Sierra de Salamanca, o en las comarcas noroccidentales de Zamora. Probablemente los vecinos de El Pino adquirían hacia 1723 los lienzos y

---

[309]   AGUST = ARCV, REG. EJECUTORIAS, CAJA 3708, 33. El recorrido se ha complementado y cotejado con los materiales, mucho más extensos, de AGUST1 = ARCV, PL CIVILES, PÉREZ ALONSO (OLV), CAJA 765,5.

[310]   Era entonces prior Fr. Joseph de Soto (Vidal 1758: 214).

[311]   Todavía a mediados del s. XX, el pueblo carecía de lavadero municipal, porque las mujeres iban a lavar al Tormes.

[312]   Se menciona en Tesonera una *tierra del Linar* (1572 TSNR).

las estopas en el mercado de Ledesma o de Salamanca, en crudo; y los blanqueaban para venderlos con algún beneficio.[313]

La operación del blanqueado se describe en el Larruga. En Miranda del Castañar, las blanqueadoras tenían metidas las telas en agua durante quince o veinte días; usaban también boñigas de buey; era poco el trabajo, pero los lienzos quedaban muy pasados (Rupérez y Lorenzo, xxxv, 1994: 183). En El Pino se haría de forma similar, en pozas abiertas que derivaban agua del regato; las pozas acarreaban el peligro de ser foco palúdico. En todo caso, ante el escribano salmantino Juan Hipólito de Parada, el 2.6.1723, se da orden a la justicia y vecinos de El Pino para que cesen en un plazo de tres días tales actividades.

Buscan entonces los vecinos, o la parte de ellos que se beneficiaba de la industria de las telas (que no hacen constar sus nombres), a un procurador, Manuel de la Lastra, y declaran el 4.6.1723 que el uso inmemorial en el pueblo había sido compartir las aguas con prioridad para el pueblo, que, magnánimamente, cedía el agua sobrante tras «el riego de las telas»; «de ella se le hace gracia por el concejo». Niegan la servidumbre, pues la huerta era antes tierra de secano, de pan llevar, y no tenía agua propia. Piden justicia, recordando que el concejo es pobre y el convento poderoso, y que, por falta de medios, no se podrá asegurar el pleno derecho. Pero prometen acatar el resultado, aunque ello los arruine y se vean precisados hasta de vender las reses de labor (varios vecinos eran senareros, cuyo único capital fijo era una yunta de bueyes o vacas). Dicen «consistir todo el vivir de los vezinos de la cura de dichas telas».

Pero esta insubordinación va a ser pronto ahogada. El 28.6.1723, ante el escribano Andrés Rodríguez Guerra, residente en el pueblo, comparecen unos vecinos, Francisco Ramos, Francisco García, Manuel Pérez, Francisco Hernández, Juan Blanco y Felipe Martín, dispuestos a testificar en favor del convento. Declaran que el convento tiene una «huerta de regantío, con sus árboles de guindos y otros frutíferos y un peral mui rebiejo, con estanque o charaiz antiguo, el qual, de orden de dha comunidad, se desizo para fabricar otro más permanente, que oy está existente y mui bien fabricado para su duración». El escribano declara haberlo visto. Francisco Ramos,[314] uno de los testigos, de 48 años, cuyos padres habían sido hortelanos en la huerta, indica que ha conocido el nuevo charaiz con dos *cañones*, «uno para recibir las aguas por donde le biene por su encañado y el otro para baciarla en dicho estanque o charaíz». Francisco había nacido en la casa de la huerta. Los demás testigos refrendan estas declaraciones y añaden «que como muchachos se suvían a las paredes

---

[313]   En 1797 se indica que ciertas viudas y familias pobres de El Pino recibían lienzos de Salamanca y los blanqueaban.

[314]   Registrado también como Ramón o Román, pero el apellido correcto es Ramos. Por otro lado, Juan Blanco era de 52 años en 1726; José Pérez, que no testifica em 1723, era de 31 años en 1726 (apb3). Felipe Martín consta en las tazmías de 1726 con el apunte «de la cebolla»; sería rentero de la huerta.

a los guindales a comerse las guindas, y que dha huerta la han visto plantada de diferentes berduras, cebollas y otras semillas para el avasto y comercio de los vecinos de dho lugar y de otros comarcanos». Estos testimonios favorables son remitidos al procurador mayor del convento, Fray Francisco Gil, estando presente Fray José de Soto, prior del convento y colegio.

El convento ya tiene vía libre, pareciendo haber probado la intención maliciosa de los vecinos particulares que movían pleito por su industria de remojo de telas. Así pues, el 14.8.1723, Hipólito de Parada, escribano, notifica al alcalde de El Pino, Miguel Berrocal, al regidor Phelipe Martin; y a los vecinos Jnº Blanco, Frcº Ramos, Frcº Pérez, Antº Pérez, Manuel Pérez, Mateo Sánchez, Pº Álbarez, Frcº Hdez mayor, Bartholomé de Lara y Frcº Hdez menor. Firman Manuel Pérez y Frcº Hdez. Renuncian a seguir discutiendo, dicen no querer pleito, y permiten al convento que siga usando el agua a su albedrío. No cabe duda de que los vecinos estaban coaccionados por ser en su mayoría renteros del convento o de otras instituciones eclesiásticas de la capital. Como resultado, la industria de blanqueo de lienzos parece sufrir un grave declive en la localidad, y no se menciona ni en el catastro de Ensenada, ni en las Memorias de Larruga. Es cierto que, en 1797, como se desprende de los interrogatorios recogidos más abajo, las aguas del regato se siguen consumiendo para la cura de lienzos y el riego de huertos cercados de los vecinos.

Un conflicto similar se produjo en Muelas. En 1754 el beneficiado José Ortiz de Samaniego recibe una petición del concejo, siendo alcaldes Francisco Rodríguez y Felipe Sánchez, en que se solicitaba permiso para «romper el regato y sacar el agua para regar las tierras que tienen arrendadas los labradores para poner fréjoles y cebolla». El beneficiado no concede el permiso, por el perjuicio a las propiedades de la iglesia y a los señores de las yugadas. En Muelas, el beneficio tenía una huerta junto al arroyo que baja de Villaselva; hubo tres años sucesivos de fuertes lluvias, de 1739 a 1741; como resultado, el arroyo se desbordó aguas abajo de la huerta, inundando toda la vega, por lo que los años 1740 y 1741 fueron «de ruin cosecha». Con tal motivo se hizo un encauzamiento para evacuar caudales de avenida (una *cancera*) de cuatro varas de ancho. Contribuyeron a la obra distintos dignatarios y señores; el párroco José Rodríguez apuntó el 23.6.1741 sus aportaciones, indicando cuántas varas longitudinales había sufragado cada donante; salía a 32 mrs por cada vara, casi un real. Se citan donaciones del obispo de Salamanca (37 varas), el arzobispo de Santiago (61), la iglesia de Muelas (3), el beneficio (11,5 v), el conde de Mora (26).[315]

---

[315]   Ya en 1731 se hizo obra en la cancera «para regar el agua de la cueba»; también en el regato, por bajo de la huerta del beneficio. Contribuyentes destacados: la iglesia, D. Diego Beltrán, el arzobispo de Santiago, el obispo de Salamanca, el marqués de Almarza, Santa María de los Caballeros, el secretario Santayana, el cabildo de Salamanca, el conde de Mora y el hospital de Benavente.

En 1768 se hace un apeo detallado de posesiones del convento en el tº de El Pino, que por alguna razón se hace a la vez que otro apeo ordenado por el Hospital General de la Santísima Trinidad, también gran propietario en el término. El hospital nombra dos apeadores: Tomás Martín, de El Pino, y Andrés Sánchez, de Muelas. El convento nombra a Andrés Sánchez y Domingo Pérez, vecino de la Aldehuela de la Huelga; el concejo, a Antonio Pérez, vº de El Pino. El agrimensor, pues se va a medir en estadales, es Francisco Hernández Gonzalo, vº de Villamayor, «medidor de tierras aprobado con el correspondiente título», nombrado por el hospital y el convento. Las tierras del convento se ajustan, con ligeras diferencias, a las mencionadas en las Respuestas Particulares del CME, pero aquí se delimitan y miden con más detalle. Hay, por otra parte, señalamiento con hitos y ceremonias de posesión al uso: el padre Fr. José de Sagastagoitia, apoderado del convento, entra en una tierra, arranca terrones, los esparce y hace otros signos ostentosos de posesión; en el monte se pasea y arranca, además de terrones, ramas de carrascos. Se inventarían, entre tierras y prados, unas 24 parcelas en la hoja del Palacio y más de 40 en la de Muelas.

Interesa el detalle de las casas y la huerta. Existía una casa llamada de la huerta, con otra contigua; ambas eran del convento; una de ellas tenía a la entrada «un corral de carrascos», de 28 varas de perímetro, y contenía un pajar. Puede entenderse que el corral tenía tapias en derredor, y estas estaban bardadas de carrasco, con tenadas hacia fuera o hacia dentro (la leña amontonada en la coronación de tapia solía apoyarse sobre postes verticales para conformar un espacio perimetral a modo de cobertizo). Pero no es descartable que el vallado estuviese hecho con un seto verde de carrascos. Pegando a la huerta, junto al barrero del pueblo, había una tierra grande, de 2.085 estadales, que tenía cuatro pies altos y grandes de negrillo. También adyacente era una pequeña cortina cercada de carrascos, que se usaba para sembrar verde y hortaliza, a criterio del rentero: es decir, la alternancia entre herrén y hortaliza quedaba a discreción del rentero.

La huerta es cerrada de pared, con una alameda de negrillos, hacia un lado; tiene por fuera hacia el regato de la Alameda, 16 pies de negrillos a un lado de ella, altos y grandes. Mide 1.407 estadales (15.730 m²). Linda al oeste con el regato, al norte con cortinas cercadas de carrascos del convento, al sur con el prado de la Alameda, que es comunal. La huerta es regantía y para hortaliza, se riega en todos tiempos, especialmente en verano con agua que viene corriente por el prado de la Alameda, por cima de la misma huerta, guiándose e introduciéndose a ella y sus estanques por los aguaderos o encañados». La toma de posesión es más circunstanciada e incluye la teatralización de la propiedad del agua: en la huerta, el apoderado del convento arrancó y esparció terrones, se arrimó a los negrillos, arrancó, cortó y esparció plantas, pisó el agua, la cogió con la mano del encañado que viene del prado de la Alameda, la esparció.

En 1790 se produce un nuevo suceso; se arruinaron las paredes de la huerta. Probablemente el deterioro de la cerca es anterior, aunque una inundación pudo completar la incipiente ruina; el arroyo, de corrientes constantes, a veces se desbordaba. Pero hasta entonces existían los conductos necesarios para la traída de agua desde el Prado de la Alameda, y los *estancos* para almacenarla (AGUST1). El 13.1.1797 inician los del convento nuevo pleito, explicando que el prelado en 1790 no se molestó en hacer las reparaciones necesarias, por lo que, al caer la cerca, ningún vecino quiso tomar en arrendamiento la propiedad para ser su hortelano, y quedó la huerta reducida a erial o tierra de labor. Con la llegada de un nuevo prelado, volvió a ser huerta en 1797, «tan formal como lo era antes», tras reparar y levantar a mucha costa las paredes. Pero, en los seis o siete años en que estuvieron las tapias caídas, los vecinos de El Pino, aprovechándose de la situación, han hecho huertos cerrados por bajo de la huerta hacia los que han dirigido el agua. Incluso desde una casa colindante se habían abierto ventanas hacia la huerta. Con lo primero han extraviado el agua de su conducto y curso natural, privando a la huerta de su recurso principal, pues produce menor renta estando de secano que cuando se regaba. Tal «despojo de una regalía no puede ser mirado con indolencia». En consecuencia, el alcalde mayor de Salamanca, Pedro Manuel de Lazcano, emite un despacho, notificado el 23.1.1797 a los vecinos de El Pino por un alguacil de Salamanca. La razón es que el pueblo carece de fiel de fechos, haciendo tal función un vecino de Parada de Arriba.

Pero el concejo de El Pino, con su alcalde Juan Santos, regidor Juan Antonio Ortiz, y procurador síndico, Francisco Montejo, busca un agente que lo represente ante la Real Audiencia y Chancillería. Hay el 2.4.1797 una reunión muy completa de concejo, que sirve de vecindario;[316] asisten todos los vecinos, incluidas las viudas y la mujer de un ausente, que está en la tropa sirviendo al Rey:

> *Juan Santos*, alcalde pedáneo; Juan Antonio Ortiz, regidor; *Francisco Montexo*, procurador síndico general del común; y Narciso Delgado, alguacil. Vecinos: Luis Sánchez, Antº Pérez menor, Antº Pérez mayor, Lorenzo Garrido, Manuel Hernández, Joseph Miguel, María Antonia Herrero (por ausencia de su marido Juan Manuel García, que sirve al Rey), *Manuel Joseph Pérez*, Valentín Hernández, Juan Delgado, Manuel Vicente, Pedro Martín, Agustín Herrero, Joseph Sánchez, Joseph Hernández, *Miguel Berdes, Manuel Núñez*, Francisca Recio, viuda; Escolástica Lucas y Juana Martín [en cursivas los que supieron firmar]. Ante el fiel de fechos, Juan Tocino Casado, conceden su poder a Francisco Montejo, procurador síndico general, y a D. Joseph Zid Domínguez.[317]

---

[316] Contando las viudas por mitad, salen 22,5 vecinos. Se declara que la población ha crecido en 1/3 desde 1723, lo cual da para dicha fecha una estimación de 16,5 vecinos.

[317] Fueron testigos dos residentes en el pueblo, Manuel Sánchez y Joseph Valle.

Este abogado del concejo, José Cid Domínguez, ejercía también como administrador en Salamanca del conde de Luque. En su alegación, dirige la mirada atrás, señalando que, en 1723, una parte de los vecinos usaban el agua corriente del regato para la cura de lienzos, «ejercicio usado en aquel pueblo desde su población». El intento de estos vecinos de afirmar su derecho fracasó, porque el convento conocía la debilidad del pueblo, «esto es, la pobreza de los que habían dado el memorial»; los restantes vecinos, que eran renteros del convento o parientes de los renteros, renunciaron a todo pleito. Pero aquella renuncia no debía comprometer a las generaciones venideras. Da a continuación tres argumentos, hábilmente traídos y encadenados, con tono ilustrado y reformista.

Las aguas objeto de disputa nacían en terrenos del común de vecinos, dentro del término del pueblo; recorrían en su curso el interior del término, sin tocar a ninguna posesión del convento. La traída de aguas desde la fuente o regato donde se tomaba era en sí mismo una violencia contra la propiedad comunal, pues el acueducto rompía en más de sesenta pasos de longitud un prado concejil antes de llegar a las tapias de la huerta conventual. La población, entre 1723 y 1797, ha crecido en un tercio, y con ella, la labor y cría de ganados; habiéndose dedicado los vecinos a abrir huertos con licencia competente, no es justo se les prive del fruto de sus tareas «siendo tan esenciales y precisas las aguas a la felicidad y bienestar de un pueblo». El convento protesta no tanto por el derecho del agua, como por la disminución de renta del terrazgo de la huerta, una disminución de renta (al pasar de regadío a secano) de solo 3 fanegas de trigo anuales: «si lo reflesiona el padre prior, no ha de querer que por tan pocos intereses se destruyan los vecinos de El Pino a instancia de una comunidad de imitadores de San Agustín, dechado de piedad y charidad».

No da su brazo a torcer el convento, que concurre con su procurador Francisco Javier Martín Carpintero; se remiten a las cláusulas favorables de 1723, que imponían 10.000 mrs de pena por incumplimiento; niegan que el agua de su huerta fuera el sobrante de las telas, y se amparan en el apeo de 1768. Como orden mendicante, sus probanzas se hacen en «papel de pobres», con el consiguiente ahorro de tarifas. El convento acude a cuatro testigos para sustanciar varias cuestiones:

> El primer interrogatorio, aprobado el 29.5.1797, contiene los siguientes puntos: [1] si conoce el testigo a las partes, sabe del pleito, y otras generalidades legales; [2] si el convento ha gozado de tiempo inmemorial y hasta el presente la huerta descrita en el apeo de 1768, y si esta fue siempre regantía, especialmente en verano; si el agua para riego se tomaba del regato de la Alameda, usando los encañados precisos; si son testigos de ello o lo han oído decir a padres y ancianos; [3] si el convento, mientras el terreno ha estado cercado, siempre ha hecho uso de la regalía de usar las aguas que nacen sobre la huerta para regar sus hortalizas y árboles, con conocimiento y consentimiento de los vecinos; [4] si le consta que el apeo de 1768, en que hubo un apeador

nombrado por el concejo, dio por propia del convento la huerta y las aguas traídas a ella; [5] si ha oído que el convento nunca ha tenido contestación en su uso de las aguas, salvo en 1723 por el asunto de curar telas, resistencia efímera de la que luego desistió el concejo; [6] si sabe que solo ha habido cambios cuando se produjo la ruina de paredes de 1790, quedando durante 3 o 4 años sin sembrarse legumbres, y solo grano; tiempo que aprovecharon los vecinos para formar huertos en los lados de abajo y transversal de la huerta, derivando las aguas a su favor; [7] si sabe que, con la entrada de un nuevo prelado en el convento, inmediatamente reparó las paredes, volviendo lo que era de pan llevar nuevamente a huerta, situación que precisa de las aguas que antes tenía; [8] si es pública y notoria todo esto.

Los testigos nombrados por el convento son Joseph Miguel, de 32 años; *Francisco Montejo* (41 a.); Luis Sánchez (40 a.); Juan Santos (38 a.): todos vecinos de El Pino. Sus declaraciones, como suele ocurrir, son parecidas entre sí. Confiesan ser parte interesada, pues disfrutan para usos caseros, o como hortelanos particulares, de las aguas en litigio. Todos han conocido la huerta y sus negrillos; unas veces sembrada de cebada, trigo, garbanzos y *garrobas*; otras, plantada de hortaliza de regadío. En fecha no determinada, los renteros del convento habían hecho una toma, zanja, *regadera* o *cava* de traída de agua a su huerta. Pero hacia 1790, los vecinos que querían riego para huertos *sacaron un despacho* del Intendente de Salamanca (consiguieron una orden) para que sus convecinos, los renteros del convento, no usasen dicha toma. El despacho se notificó a los renteros por boca de Francisco Montejo; ellos no tomaron medida alguna, con lo que los restantes vecinos disfrutaron tranquilamente del agua para riego de sus huertos.

José Miguel remonta su memoria hasta la vida y tiempo de su padre. La traída de agua hasta la huerta era una zanja de unos cincuenta pasos hecha en un prado concejil, que sacaba el agua «de su natural y ordinario curso». Nada recuerda del conflicto de 1723 ni del apeo de 1768, pero da detalles de la ruina de las paredes en 1790; todos los vecinos habrían aprovechado para hacer huertos, hacia 1791, para *legumbres* (como en el uso actual portugués, quiere decir 'hortalizas'), frutales y negrillos, que riegan con el agua en su curso natural, del arroyo. Para hacer los huertos, los vecinos obtuvieron licencia del Intendente de la ciudad. En octubre de 1796, el convento reedificó las paredes de su huerta, pero no la devolvió a plantación de hortaliza; las paredes ya presentaban dos *portillos*. Admite que, sin agua, el convento no puede cultivar hortaliza [la toma ha quedado sin uso, añade Juan Santos].

Francisco Montejo admite que alguna vez ha usado la zanja de traída de aguas hacia la huerta agustina, con consentimiento de los renteros del convento, para regarla en tiempos en que él la traía subarrendada. Casi todos los vecinos hicieron huertos de riego a partir de 1790; al presente, todos tienen su huerto (sin duda usaron para ello tierras comunales, de prado). Declara que la ruina de las paredes de la huerta ya se apreciaba hacia 1780; en la actualidad, tras haberse reconstruido las paredes, hay un pedazo caído y por otra parte no hay pared. Se siembra ahora de garbanzos, y una parte de ajos, calabazas (y *parras de* melones, añade Juan Santos); no puede haber hortaliza por falta de riego.

Luis Sánchez ha oído contar que, antiguamente, las mujeres del pueblo habían intentado defender su derecho a las aguas para curar lienzos; por presión del convento, habían accedido a curarlos en el río. Menciona a Antonio Pérez, apeador nombrado por el concejo en 1768, que, persuadido por el convento, terminó deponiendo a su favor. Según deduce el procurador, Antonio Pérez había sido nombrado por el convento, bajo mano, «para reprimir a las mujeres del Pino».

Juan Santos recuerda vagamente el apeo que se hizo. La toma equivalía a extraviar el agua de su curso natural; los huertos actuales no hacen tal violencia al regato. Los vecinos impidieron al convento usar su toma cuando reedificó las paredes, que en la actualidad ya están *aportilladas*.

El segundo interrogatorio estaba destinado a los testigos que había de nombrar el concejo de El Pino; al margen, los instructores anotan que el consenso de los testigos es total, en sentido afirmativo:

> [1] Si conocen a las partes litigantes. [2] Si el agua del regato nace de la fuente del sitio de *La Lameda*, paraje concejil. [3] Si el regato atraviesa terreno concejil, y solo puede entrar en la huerta «sangrando la madre y haciendo una profunda escabación por donde se descuelga para ella, por ser mucho más alto el terreno intermedio». [4] Si, para poner en riego la huerta, el convento ha hecho esta excavación, por no poder hacerlo de otro modo; y si la rotura o conducto atraviesa el Prado de la Lameda, comunal y en parte boyal, en un recorrido de más de 400 pasos desde la toma hasta la huerta. [5] Si la huerta ha sido en los últimos ocho años y anteriormente tierra de pan llevar, y como tal la llevaban sus renteros sin pretender derecho al riego. [6] Si, por llevar agua a la huerta, se consume toda, sin que pueda llegar por su curso natural para dar servicio a los vecinos y sus ganados. [7] Si tienen los vecinos sus huertos en la parte baja del lugar, con la alameda de concejo; y ambos se riegan con el agua de la disputa, que corre naturalmente hacia ellos si, previamente, no se ha extraviado mediante la toma del convento. [8] Si siembran y riegan casi todos los vecinos sus linares aprovechando el agua, y no tienen otra opción para regar si la huerta toma las aguas. [9] Si los que tienen linares, benefician el lino en sus casas y curan todas sus telas con el agua en litigio; para que seguidamente, muchos vecinos, viudas y pobres procedan a curar telas de forasteros [es decir, lienzos comprados en otros pueblos y mercados], «con el premio de cuio trabajo aiudan al mantenimiento de sus casas y familias». [10] Si saben si el convento adquirió título de compra de la tierra-huerta con el derecho al agua incluido, o si más bien se trata de una tolerancia prolongada del pueblo hacia los frailes.

[11] Si es cierto que el pueblo no precisa de las hortalizas de la huerta conventual, y que la renta que los agustinos pueden obtener estando la huerta de pan llevar es casi tan grande como cuando estaba de hortalizas; mientras que el perjuicio ocasionado a los vecinos por no tener agua el regato es grave: quedan sin aguas para la cura de telas, regantío de linares, huertos y alameda, usos domésticos y bebedero de ganados. [12] Si esto todo es notorio y de público conocimento.

Comparecen en Salamanca ante el alcalde mayor Lazcano, nombrados por el concejo, cuatro testigos de Muelas (Antonio García Rubiano [46 a.], Antonio Borrego [34 a.], Andrés Serrano [56 a.] y Francisco Julián [32 a.]) y uno de El Pino (Joseph Miguel [32 a.]), el cual también fue testigo por el convento. Si se han buscado testigos en el pueblo vecino será porque pueden hablar más libremente, al no tener interés directo en la causa ni ser renteros de los conventos. Todos confirman que el regato de la Alameda nace en terreno concejil, en la fuente sita en el prado del mismo nombre. Para entrar en la huerta, el regato debe ser derivado y se ha de superar un terreno intermedio que obstaculizaría el flujo, si no hubiera una zanja profunda de traída, de más de 400 pasos. La zanja atravesaba prado boyal, pues varios han visto pacer allí a los bueyes de los vecinos. Cuando la zanja está en uso, la huerta consume todo el caudal, que se *estanca* en ella, no quedando remanente para los vecinos. Se confirma el uso del agua para regar pequeños linares, incluidos en los huertos, probablemente para consumo casero, cuyo producto *benefician* o *componen* en cada casa; y la industria adicional de curar lienzos traídos de fuera, que ejercen ciertas viudas y pobres del pueblo. La anterior tolerancia de los vecinos para los riegos del convento, sin concesión expresa de aguas, se debe a que por entonces no precisaban el agua por no tener huertos ni linares propios. La renta que se saca de la huerta sería solo un poco superior en regadío de lo que es en secano.

Antonio García Rubiano conoce a la mayor parte de los vecinos de El Pino y a un agustino, hijo del cirujano Sebastián de Castro. Recuerda Antonio que la excavación de la zanja de toma hacia la huerta la hizo su padre Manuel García siendo rentero de los frailes, hace unos 30 años. Teniendo su padre la huerta arrendada, durante uno o dos años, dos suertes de ella estaban de hortaliza; la otra mitad era para grano. Los vecinos siembran algún lino en los huertos nuevos, hechos desde 1790.

Antonio Borrego dice haber estado muchas veces en la fuente de la que nace el regato de la Alameda; de ella y su regata ha bebido infinitas veces. En los últimos ocho años, y antes, ha visto la huerta sembrada de trigo, cebada, alverjas y garbanzos y cree que también *garrobas*. Durante unos 25 años recuerda las paredes de la huerta caídas y aportilladas. Andrés Serrano vio algunas veces sembrar en la huerta «legumbres, como son fréjoles, cebollas y berzas». Francisco Julián indica que la alameda del concejo consta de álamos blancos (*Populus*) y negrillos (*Ulmus minor*). Las pobres viudas de El Pino curan telas de los vecinos de Salamanca, poniéndolas a remojo en el regato.

Joseph Miguel, de El Pino, dice que quienes hicieron la toma y zanja para riego de la huerta, hacia 1787, fueron Manuel Joseph Pérez y Luis Sánchez, que subarrendaban dicha huerta; la zanja medirá unos 190 pasos.[318] Casi todos los vecinos siembran lino en sus huertos, él entre ellos.

La comunidad reconoce la alternancia de cultivos, y el hecho de que cuando no necesita agua de riego, por estar sembrada la huerta de trigo, cebada u otros *panijos* (cereales), deja toda el agua para el pueblo. Ante testimonios según los cuales se hizo *ex novo* en años recientes un ambicioso canal o acueducto de traída de agua, niegan rotundamente, y parece que con razón, tal extremo: lo más que pueden haber visto los vecinos es que se haya limpiado el acueducto (la zanja) de alguna broza o impedimento que estorbase la más fácil corriente del agua hacia la huerta. ¿Cómo regaban los frailes si no en 1723, cuando se movió el primer pleito?

A ello arguye el concejo por boca de su procurador Cid Domínguez, que compone un rico y extenso alegato, en el que aletea mucha inspiración ilustrada. Entre sus razones: los propios vecinos de El Pino que eran renteros de la cuantiosa yugada del convento, sin percatarse del perjuicio que ello produciría al pueblo, beneficiaron una tierra de pan llevar, introduciendo ocasionales cultivos de hortaliza. Pero se deduce de la alternancia de semillas echadas en el terreno que ha sido principalmente tierra de cereal. Ni las tentaciones de los renteros, ni las negligencias *in vigilando* del concejo legitiman violar el derecho público. Defiende que el lugar debe disponer de un bien común y dotal como es el agua; en opinión del concejo, solo los sobrantes podrían aplicarse a la huerta. Lamenta «que el poder de la comunidad de San Agustín ocupase con tanta facilidad los dotales de el pobre lugar de El Pino, arruinando a los más ynfelices porque no savían o no podían hablar; que son los que más necesitan de las aguas, como que quasi libran en ellas su manutención». Sugiere que el apeo de 1768 está manipulado; que el apeador Antonio Pérez no fue nombrado en convocatoria especial del concejo, sino que lo eligió directamente el procurador;[319] que el convento se ha posesionado de árboles nacidos en suelo ajeno (los que crecieron hacia fuera de la huerta). «Hasta las mugeres, señor, se han opuesto a una ocupación la más injusta». Pide que, a costa del convento, «se cieguen y terraplenen las zanjas, arroyos, escabaciones o aqueductos violentamente haviertos» para la toma de aguas de la huerta. Al reclamar del convento perpetuo silencio, con las costas, acusa a este de haberse «propuesto arruinar a aquel lugar e impedir su población, industria

---

[318] Discrepa en cuanto a fecha, autoría y longitud de lo indicado por Antonio García Rubiano y otros; sin duda la zanja es cosa antigua, previa a 1723, y se fue renovando periódicamente.

[319] «Decir, como se dice, que el conzejo […] nombró por apeador a Antonio Pérez, su vecino, […] es querer aluzinarnos».

y agricultura, en un tiempo en que está empeñada la authoridad del soberano en propagar y hacer florecer estos apoios del estado. Los linares, huertos, alamedas y frutales se desterrarían del Pino». Concluye Cid Domínguez: «nuestras aguas son tan sagradas por públicas que ni aun el concejo más pleno ha podido enajenarlas sin especial real permiso».

Concluidas las vistas en enero de 1798, la Audiencia emite un auto, que da la razón y absuelve al concejo, sin hacer condenación de costas. Este auto se pronuncia en Salamanca el 3.2.1798; es apelado por el convento.[320] El 5.6.1798 se reúne el concejo, ahora compuesto por:

> Antonio Pérez mayor, alcalde pedáneo; *Manuel Núñez*, regidor; *Francisco Montejo*, procurador del común (procurador síndico del pueblo); y los vecinos Agustín Herrero, *Manuel José* Pérez, Juan [Manuel, AGUST1] Hernández, Juan Delgado, *Valentín de Hernández*, Lorenzo Garrido, Antonio Pérez menor, Luis Sánchez, Pedro Martín, *Juan Santos*, Manuel Vicente, *Miguel Verdes*, José Sanchez, José Hernández (en cursivas los que saben firmar).[321] Dan poder para tratar de la citada apelación a José de la Carrera Vaquero, procurador de causas en Valladolid. Son testigos tres mozos solteros: Manuel Francisco Miguel, Francisco Herrero y Pedro Herrero.

Declaran que, pese a lo aducido por el convento, la huerta está de tapias caídas y el terreno sin planta alguna. Constatan que, indiscutiblemente, el manantial de que se alimenta el regato y la huerta radica en término de El Pino y no en propiedad del convento. La traída de agua hasta la huerta se ha hecho atravesando suelo concejil y boyal, «con enormes escabaciones para intentar fundar [el convento] sus pretensiones». Son dos servidumbres que pretende imponer el convento, sin fundamento: la de aprovechar agua que nace en terreno concejil de El Pino; la de hacer la traída excavando en pastos comunes. Argumenta Carrera que se han combinado la condescendencia del concejo con los efectos «del poderío y amaño [del] convento» (AGUST1). La reclamación del convento es temeraria y debe ser escarmentado con las costas. En efecto, el 23.8.1799 se confirma el auto anterior, favorable al concejo, y se condena en las costas al convento. Estas son tasadas en 282 reales, 32 maravedís, con arreglo a reales aranceles. Finalmente, se expide carta ejecutoria el 20.11.1799.

Este revés era el comienzo de adversidades sin cuento que iban a abatirse sobre el desdichado convento. La invasión napoleónica arrasó sus edificios en Salamanca. En 1822 salió a remate en Salamanca toda la propiedad del convento de agustinos cal-

---

[320]   Hasta aquí toda la documentación está contenida minuciosamente en AGUST1. Lo siguiente se basa en AGUST.

[321]   El concejo contaba con 24 vecinos, incluidas las viudas, según otra junta que se hizo el 25.6.1799 (AGUST1).

zados en El Pino, con 62 tierras de pan llevar, que hacían un total de 173,5 huebras, con cinco prados de cabida de 12 huebras y una casa (*Crédito Público* 25.8.1822). De las ruinas del antiguo convento en Salamanca se hizo Telesforo Oliva de la Torre (nacido en Morata, Toledo, en 1810), o su hijo Telesforo Oliva Martín-Blanco, impresor, concejal y alcalde, que construyó viviendas en el solar (García Catalán 2016: 315, 440).[322] Las yugadas de El Pino pasaron a Antonio de Solís Esteban por 63.000 reales.[323]

Antonio de Solís y Esteban nació en Barco de Ávila el 1.12.1781; fue abogado y senador por Ávila en tiempos de Mendizábal, en 1837 y 1841.[324] En 1836 se hizo también con Pericalvo (por 621.000 reales), Valcuevo y Rascones (250.000 rs), de los dominicos de San Esteban. Sus arrendadores en El Pino,[325] José Hernández y Manuel García, según contrato de 18.10.1835, aportaban una renta anual de 45 fanegas de trigo candeal de buena calidad, puestas en la ciudad de Salamanca por la Virgen de agosto; el contrato era por nueve años, desahuciable de tres en tres.

> Valcuevo, Rascones y la mitad de Tesonera fueron arrendados en 1837 a Bartolomé Hernández (Salamanca) y Agustín González (San Morales), por 6.000 reales y 250 fanegas de trigo anuales. Pericalvo se arrendaba en 11.000 rs y 240 fanegas a José Manuel Tabernero. Todo junto equivalía a una renta en metálico de 30.312 rs.

El 21.1.1851, Antonio de Solís, vecino entonces de Madrid, dueño de la huerta de los agustinos en El Pino (que aún tenía 16 negrillos fuera de la cerca y se regaba con el arroyo) y las demás tierras del convento, lo vende todo a los salmantinos Policarpo García de la Cruz y Mariano de Solís.[326] El primero era diputado provincial por Alba de Tormes y secretario de la escuela de San Eloy en 1847. Mariano de Solís García (+ 5.2.1877), sin duda pariente de Antonio, era, conjuntamente con él, dueño de Zorita y Valcuevo;[327] mandó levantar en 1866 un monumento a Colón, que aún subsiste, en un teso junto a Valcuevo. Zorita fue comprada en 1836 por Francisco de Dios (180.000 reales) (Bc 7.12.1836). Posteriormente pasó al Marqués

---

[322]   En 1861, Telesforo Oliva, con otros propietarios (Bernardo Pérez, de Huelmos; Francisco Recio, de Muelas), hipotecaban sus fincas para cubrir deudas (1861 CHIP).

[323]   José Acedo Bernardo, en *Archivo Histórico Hispano Augustiniano*, XV: 252 (1921); Gil Prieto (1928: 114).

[324]   Solís Navarro, Antonio: en <www.senado.es>.

[325]   Según una certificación de 1841, son dos yugadas de tierras y prados; pero en 1838 se describe como una yugada.

[326]   En 1861 se vendió de nuevo (¿en parte?) a Francisco Recio y José González Ejido, vecinos de Muelas.

[327]   Innovador en técnica agrícola, compró en 1854 un novedoso trillo de cilindros para sus colonos de Valcuevo (*La Palma* 17.7.1854).

de Cerralbo, que la vendió en 1840 a Mariano de Solís.[328] Guarda recuerdo de su nombre un dicho que corría por la comarca: «tres cosas tiene Zorita que no las tiene Madrid: el molino, la chopera y la casa de Solís».[329]

ZARATÁN EN EL CATASTRO DE ENSENADA Y DOCUMENTOS COETÁNEOS

Con mayor concisión, cabe esbozar ahora las aportaciones del catastro a nuestro conocimiento sobre las alquerías. El interrogatorio general en Zaratán se hace 27.3.1753. Fueron convocados Francisco García, alcalde pedáneo de Zarapicos; y dos peritos, Santos Escorial, vº de Vecinos, y Pedro Santos, nombrados por el intendente y por el alcalde pedáneo. Acudió Francisco Martín Cortés, beneficiado de Villaselva, cabeza eclesiástica de Zaratán. Zaratán era realengo, de la jurisdicción de Salamanca y cuarto de Baños; era término redondo de Cristóbal de Espinosa, vecino de Zamora, a excepción de una casa, un huerto y algunas tierras entradizas, que pertenecían al beneficio curado del lugar. Su extensión era de ½ legua x ¼ legua, con un perímetro de legua y media. El propietario, Cristóbal de Espinosa y Castillo, natural de Alba de Tormes,[330] casó en Zamora con Ana Joaquina López Cabeza de Vaca (García Álvarez y López Alonso 1991). Fueron padres del primer vizconde de Garcigrande (título creado en 1760). Posteriormente entroncaron con los condes de Cabaña de Silva, título concedido en 1875 a Narcisa Villapecellín y Hernández.

A diferencia de El Pino, donde se labraba a dos hojas, en Zaratán las tierras de cereal se cultivaban a tres hojas (dos años de descanso y uno de siembra), llamadas de Prado (160 fanegas), de las Valdillanas (170 f) y de la Ermita (140 f).[331] Había una cortina cercada de piedra para herrén y tres huertos de regadío para *legumbres*, es decir, hortaliza. Sorprendentemente declaran que en el término completo no había ningún árbol:[332] casi todo era pastizal. La extensión total era de 2.047 fanegas, repartidas como sigue: 3 fanegas para legumbres; ½ para herrén; 213 de trigo; 257 de centeno; 1.573,5 de pasto, generalmente de mala calidad. Como las cifras no suman, se deduce que el resto es yermo. De forma irregular, se informa, aprovechando los años de descanso, se sembraban algunas algarrobas o cebada en los rastrojos. La

---

[328]   García Zarza (2006: 129); Frayle Delgado (2009: 166-167).

[329]   Hija de Mariano de Solís fue Vicenta de Solís Benito-Azcona, madre del abogado del Estado Antonio Fidalgo de Solís. Otro hijo de Mariano fue Antonio, casado con Rosa Santamaría.

[330]   Fallece en 1760; era hijo de Juan de Espinosa Rivas y Teresa Urra del Castillo.

[331]   También Carrascal de Barregas y Parada de Arriba estaban divididos en tres hojas.

[332]   Información discutible, pues había un montaraz. Habría abundante matorral de encina (carrascos) y de sauces y fresnos en el arroyo.

fanega de hortaliza era lo más rentable: daba 50 reales al año, el doble que la fanega de trigo de primera calidad.

En Zaratán se pagaban los diezmos con alguna peculiaridad. En corderos y cerdos de cada año, se tributaba de cada diez, uno; pero si no se llegaba a cinco, no se pagaba nada. En cambio, en lana y queso se afinaba más. Del total de diezmos se hacían nueve partes iguales: tres las llevaba el préstamo, que detentaba un colegial de cuyo nombre no se acuerdan, del colegio mayor de San Bartolomé en Salamanca; tres iban al beneficio curado del lugar, por entonces de Francisco Martín Cortés; dos, a las tercias reales de la universidad de Salamanca; y uno, a la fábrica de la iglesia del lugar. En media, el total de diezmos sumaba 45 fanegas de trigo, 45 de centeno, 18 de cebada, 1,5 de algarrobas, 270 reales de menudos. Las primicias se pagaban cuando el labrador llegaba a cosechar seis fanegas de cada especie, pagando entonces media fanega de cada una. En tal caso, se destinaban seis celemines de la mejor semilla al voto de Santiago. Las primicias se dividían en tres partes: una para el préstamo, y dos para el beneficio curado.

El rentero de Zaratán, que allí tenía sus ganados, era Juan Gangoso (apellido que ya en 1798 se ha dulcificado como Angoso).[333] Había cinco casas propias del dueño y una del cura beneficiado; también una panera, es decir, un granero. Había entre los vecinos un zapatero, probablemente ambulante, que ganaba 3 reales al día, durante un total estimado de 180 días hábiles. Un vecino, cabeza de casa, era labrador; contaba con tres criados mayores de 18 años, a un jornal de 3 reales al día cada uno; un aperador con el mismo jornal; había un montaraz, a jornal de 2,5 reales. También había dos pastores de más de 18 años, uno de ovino y otro de cerda, con un salario anual de 600 reales. La lista de vecinos es esta:

> Juan Gangoso Blanco, de 31 años, labrador, n. en Zaratán, casado con Catalina Ventura, n. en Zamora.[334] En su casa vivían sus padres, José y Ángela; un hermano, José Gangoso; sus hijos José y Alonso, de 16 años y tres meses; un sobrino de 12 años, Francisco Martín. Le asistían seis criados: dos eran criados de labor, Esteban Hernández (22 a.) y Juan García (30 a.); un pastor, Gabriel Marcos (38 a.); un zagal, Fabián Hernández (14 a.); un porquero, Pedro Martín (18 a.); Juan Antonio Delgado (12 a.); dos criadas: Josefa Sierra y M.ª Sánchez.
>
> Pedro Santos, de 33 años, aperador, casado con Inés Hernández, padres de Francisco.

[333] Entre 1725 y 1738, al menos, vive en Zaratán José Gangoso, que ya consta en 1738 como José Angoso. Similarmente, el escribano Francisco Gago, cuya familia tenía en el s. XVI posesiones en Parada y alrededores, incluido El Pino, aparece a menudo como Francisco Gao.

[334] Descendiente suyo será Manuel Angoso y Angoso, fallecido en Zarapicos el 24.2.1913; su hija Casilda Angoso Campo falleció el 18.1.1917 en Aldehuela de la Huelga, donde residía; estaba casada con el propietario de la Aldehuelita, Saturnino Rivas Hernández, pariente de Santos Rivas, rentero de Zaratán (*EA* 26.2.1913, 19.1.1917).

Santiago Montejo, zapatero, casado con María Martín. Padres de Antonio (6 a.), Isabel, Josefa y Manuela.

Catalina Blanco, viuda de Froilán Domínguez; su hijo mayor, Sebastián, de 22 a., era el montaraz; otro hijo era Juan, de 7 a.

Francisco Martín Cortés, el beneficiado, de 38 años; vivía con su madre, Susana Cortés, una sobrina, Ana García, y un sobrino, Alejandro Martín Paradinas, de 4 años.[335]

En una investigación adicional realizada al término del interrogatorio, se intenta estimar la productividad anual de distintos ganados. Cada cabeza de ovino daba de sí dos reales, incluyendo lana, borregos de cría, leche y estiércol. La res vacuna de paso, 15 reales. Los erales de paso, 7,5; los añojos, 5. Diez cabezas de cabrío rendían como una vaca de paso, si eran de más de un año; si eran de menos edad, veinte cabezas de cabrío rendían como una vaca. Una yegua de vientre, 7,5; una jumenta, 15.

La iglesia de Zaratán había sido anejo de Villaselva, y pasó a ser agregada a la del Pino, anejo a su vez de Muelas. En 1822 era párroco economo de Villaselva y Zaratán Luis de las Heras Luengo, quien, con letra poco firme, fija las tarifas (derechos parroquiales) para ambos lugares. Entresacamos algunos datos:

> Un entierro de adulto, con las tres misas de sepultura, novena y cabo de año, 27 reales, con ofrenda de pan, vino y cerillas; las misas votivas de los altares, 6 rs cada una; las de los Santos Ángeles de Guarda y santo de su nombre, 6 rs; las misas de Revelación y Consolación, 5 rs; las de descargo, 4 rs; un cabo de año, con la ofrenda, 15 rs; un entierro de párvulo con misa, 18 rs; un bautizo, una gallina, ofrenda de cerilla y un cuartillo de vino; una boda, 18 rs; un oficio simple a un difunto, 6 rs; un oficio doble, 8 rs; las misas de buenos temporales rezadas, 4 rs; la bendición de panes, campos y montes, *ad libitum*; unos pregones, 5 rs; una fiesta de iglesia, con misa rezada y procesión, 8 rs.

En 19.8.1831 el visitador Rafael Manso observa que tanto Zaratán como Villaselva habían pasado a ser anejos de Muelas. En ninguna de sus dos iglesias se decía misa, por lo que ambos edificios, bastante maltrechos, no tenían fondos para repararse. Especialmente delicada era la situación de la iglesia de Zaratán; era preciso ahorrar hasta reunir lo necesario para emprender obras. Un apunte en los libros parroquiales (26.9.1831) permite hacerse una idea de cómo estaba equipada. Andrés Salvador, beneficiado de Muelas, registra las siguientes prendas:

---

[335] Una síntesis del INE reduce a reales las rentas dentro de cada categoría: labradores, 2.160 rs; zapatero, 540; jornaleros, 360; guardas, 1.740; colonos, 662; total: 5.462 (CPROF 1086). El ganado existente era de 48 reses bovinas, siete caballares, nueve asnales; 307 ovinas, 29 caprinas, 57 porcinas; no había colmenas (CGND 470-471).

«dos casullas usadas con sus estolas y manípulos, una de color encarnado, otra morado; un alba usada, con un amito todo viejo; tres bolsas de corporales; dos paños de cáliz viejos; un cáliz con una patena, antigüísimo y viejo. Esta alajas las deposité en la yglesia de Muelas para mayor seguridad». Por otra parte, «dos casullas con sus manípulos y estolas, una de flores blanca y otra verde; un alva nueba con su amito; una bolsa con sus corporales y un paño de cáliz: estas alajas las deposité en la yglesia del Pino para que se lleven a Zaratán quando se haya de decir misa».

Una visita de 1836 denuncia la gran pobreza de la iglesia, «en la que ni siquiera se encuentra lo más preciso para el culto». Se ordena que se componga o haga de nuevo el cajón de la ropa; y que las casullas duplicadas, dos verdes y dos moradas, que había por entonces en El Pino, se traiga una de cada clase a Zaratán. Se ordenaba también que el cura teniente de El Pino se ocupase también de Zaratán.

La iglesia de Villaselva, en 1836, debía según el visitador ser desmontada, pues se encontraba ruinosa:[336] sus efigies habían de enterrarse; una campana rota había de fundirse con otra que estaba rota en Muelas; la teja y madera se debía llevar a la iglesia de Muelas; la piedra, para el nuevo cementerio que estaba haciéndose allí.[337]

En 1850, la iglesia de Zaratán fue desvalijada por unos ladrones, que se llevaron: un cáliz, una patena, una corona, el rastrillo y la media luna de la Virgen, todo de plata; un alba, un amito, cuatro pares de manteles de altar, un paño para el cáliz de seda de colores, dos candeleros de metal y algunas bolas de cera (*La Patria* 30.6.1850). También en 1869 hubo una oleada de robos, en Zaratán, Mata de Ledesma y Carrascal de Barregas (*La Alianza del Pueblo* 27.8.1869). En 1905 robaron alhajas en la iglesia de San Pedro del Valle (*EA* 19.1.1905).

El Palacio de los Ovalles en el Catastro de Ensenada

Finalmente, consideremos El Palacio.[338] Su interrogatorio se hace el 31.7.1753. Convocan a Pedro Berrocal, alcalde pedáneo de El Pino; y a dos peritos, Domingo

---

[336]   En la visita c. 1608 se indicaba que era una iglesia de paredes de tapia (barro) (Casaseca y Nieto 1982: 214).

[337]   Entre 1896 y 1911, la Villaselva (como suele decirse) era de Patrocinio Murga García, viuda de Gerardo Vázquez de Parga y Mansilla, que fue senador. Gerardo, n. en Salamanca en 1833, era hijo de Jacinto Vázquez de Parga y Antonia Mansilla Ramos del Manzano. Era rentero Adolfo García. Patrocinio falleció en 1911; Gerardo en 1896. La finca pasó a su sobrina Pilar Murga Murga, hija de Vicente Murga, la cual había casado en 1909 con Saturnino Charro, de una familia de industriales de los curtidos.

[338]   En la documentación, tanto La Aldehuela como El Palacio se citan como alquerías, nunca como dehesas; ello es indicio de que ha prevalecido el uso agrícola sobre el ganadero.

Pérez, vº de Aldehuela de la Huelga, nombrado por el intendente; y Lucas Núñez, vº de El Palacio y nombrado por el alcalde pedáneo. Acude el beneficiado de Muelas, José Ortiz de Samaniego. Lugar realengo, como El Pino y Zaratán, de la misma jurisdicción, era término redondo y privativo de la Marquesa de Castelar y Rionegro. Pero dentro había cuatro tierras entradizas, dos del Colegio de N.ª Sra. de la Vega, y dos del convento de agustinos calzados, ambos de Salamanca. Su extensión era de ¼ x ¼ legua, con un perímetro de ½ legua. Lindaba al E con Aldehuela de la Huelga, ya en tº de Zarapicos. Se cultivaba como en El Pino, a dos hojas (la hoja de Abajo, de 90 fanegas; la hoja de la Raya del Pino, de 80 fanegas), intercalando a veces una siembra de cebada, algarrobas o garbanzos en el año de descanso. Como Zaratán, la alquería carecía de árboles, cosa sorprendente en un paraje de ribera.[339] La marquesa consorte de Castelar, citada como dueña de la alquería, era María Josefa de Castro, esposa de Lucas Fernando Patiño, II marqués (1700-1757). Era vecina de Madrid y residente en Zaragoza.[340]

Antes de pasar por casamiento al marquesado de Castelar, la dehesa había sido de los Ovalles, señores también de las dehesas de San Esteban, Pelazas, Valverde, Puebla de Escalonilla y otros heredamientos en tierra de Alba (Villar y Macías, 1887, III: 434).[341] Puede conjeturarse que anteriormente, la alquería era de los Nietos, grandes propietarios en la zona durante el siglo XV, que entroncaron con los Ovalles.[342] De hecho, consta en 1530-1533 el matrimonio de Hernán Nieto de Porras (hijo de Pedro Álvarez Nieto, regidor de Ledesma, y su mujer Aldonza de Porras) con Beatriz de Ovalle Ordóñez (de Juan de Ovalle e Isabel Ordóñez, ya difuntos), hermana de Gonzalo de Ovalle, regidor de Salamanca.[343] Por otra parte, Guiomar de Ovalle casó con Pedro Fernández Nieto: otorgó testamento en 1570.[344]

¿Cómo pasó la alquería de los Ovalles a los marqueses de Castelar? En 1624, la alquería todavía consta como el Palacio de Juan de Ovalle. Ninguna relación tenía

---

[339]   Información que ha de tomarse con escepticismo.

[340]   Había nacido en Ronda en 1699; casó en 1722 con Lucas Fernando Patiño Attendolo y Visconti (Milán 1700-Zaragoza 1758) (AHN, OM-CASAMIENTO_SANTIAGO. APEND. 120). Era hija de Sancho Castro Losada, del consejo del rey, (n. Lugo 1663) y Melchora Rodríguez de Ledesma y Cáceres (n. Madrid 1656), que se casaron en 1694 en Salamanca (Ramos 1781: 470; Cadenas y Vicent 1979: 303; CAPGEN).

[341]   Que situamos así: Pelazas y Santisteban eran dos dehesas adyacentes en Villar del Buey (Zamora); Valverde es V. de Gonzaliáñez; la Puebla de Escalonilla está en Pitiegua. Cabe añadir que, como indica Monsalvo Antón (2013: 228), Gonzaliáñez alude a su dueño Gonzalo Yáñez de Ovalle.

[342]   Los Nietos de Ledesma constan como señores de Tirados de la Vega (Villar y Macías 1887, III: 434); de ellos eran también, entre otros lugares, Espino de los Doctores, Baños y Pelazas en Sayago desde al menos 1622 (AHNOB, LUQUE, C. 807, D. 14).

[343]   AHN, VILLAGONZALO, C.59, D.6; D.7; y D.23. Hubo pleito entre ambos: ARCV, PL CIVILES, ZARANDONA Y BALBOA (OLV), CAJA 1712,5.

[344]   AHN, LUQUE, C.579, D.5.

Lucas Fernando Patiño, el II marqués, con Salamanca; sí la tenía su esposa M.ª Josefa de Castro, Mari Pepa, cuyos padres se casaron en Salamanca. Ella era sin duda la heredera de la propiedad, pues el CME la menciona expresamente, y no al marido, que vivió hasta 1757. La alquería vendría del abuelo materno de Mari Pepa, Francisco Rodríguez de Ledesma y Ovalle,[345] general y gobernador de La Habana, caballero de Santiago, casado en Salamanca en 1650 con Beatriz de Cáceres (Ramos 1781: 470; Fernández de Béthencourt 1901: 76).[346] Francisco, n. 1596, era hijo de García Rodríguez de Ledesma, n. en Zamora, que casó en 1564 con María de Ovalle Girón, n. Salamanca. María, n. 1564, era a su vez hija de Juan de Ovalle de Solís y María Girón, salmantinos (Fernández-Prieto 1953: 314; Cuervo 1914: 620).

La capacidad de la alquería era de 222 fanegas: de ellas, 115 eran de trigo, 75 de centeno; dos celemines en un huerto de *legumbres*, cercado de seto; 32 fanegas, para pasto. Sobre los diezmos, se eximía de pagar si el número de cabezas de ganado era menor de cinco. El reparto de diezmos era como en El Pino, especificándose el nombre de Manuel Pérez Minayo, maestrescuela, como receptor del préstamo. El beneficio curado era de José Ortiz Samaniego, al ser El Palacio anejo de Muelas. Dado que en El Palacio no había iglesia, un noveno iba a la fábrica de la iglesia de San Lorenzo. El total de diezmos ascendía a 36 fanegas de trigo, 33 de centeno, 18 de cebada, 12 de *garrobas*, 3 de garbanzos, 3 corderos, 3 cerdos, 9 pavos, 9 pollos, 45 libras de lana, 9 de queso y 45 reales de *blancajes* (un tributo que originalmente se cobraba en blancas, moneda equivalente a dos maravedís, cuando las crías de ganado del año no llegaban a ser cinco). El término redondo era imperfecto, pues tenía dos tierras grandes entradizas del Colegio de N.ª Sra de la Vega,[347] cerca del río; y otras dos tierras de los agustinos calzados.

En el lugar había cuatro vecinos renteros; la marquesa era dueña de las tres casas habitables y un pajar que componían la alquería. Vivían allí cuatro labradores cabeza de casa, y dos mozos de más de 18 años; se les estimaba un jornal de 3 reales al día. La lista de vecinos, todos labradores, es la siguiente:

> Francisco Pérez López, de 24 años, casado con Catalina Muñoz Sánchez, oriunda de Almenara. Tenía un criado, Miguel de Sanromán y Prada (*Plada* en el CME), de 22 años, y una criada. Eran suyos dos bueyes y dos vacas para la labor. Era tutor de su sobrina, huérfana de Manuel Pérez, Catalina Pérez, que tenía otros dos bueyes y dos vacas.

---

[345]   Los Rodríguez de Ledesma eran señores, entre otros lugares, de Muchachos, alquería en el camino de Ledesma (Villar y Macías 1887, III: 434).

[346]   Beatriz, de origen también salmantino, era hija de Antonio Cáceres Pacheco y Portocarrero y de Antonia de Solís y Guzmán (Ramos 1781: 470; Cadenas y Vicent 1979: 303).

[347]   Del colegio era la alquería de Santibáñez de Velambélez.

José Pérez Ralero (30 a.), casado con Águeda Hernández Asegurado, procedente de Almenara, con un hijo, Domingo, de un año. Su criado era Antonio González, de 19 años; tenía dos bueyes.

Lucas Núñez Hernández (33 a., natural de Almenara), casado con Lorenza Elena Lucas, nacida en El Palacio; hijos Francisco (6 a.) y M.ª Antonia; dos vacas de labor.

Santiago Elena (22 a.), soltero; vivía con su hermana.[348]

En 1784 y 1785 solo consta un vecino contribuyente de diezmo: Catalina Muñoz y su yerno. Una parte de la alquería estaba arrendada por los renteros de Aldehuela de la Huelga (Miguel Pérez de Vega y su madre, antes citados por los amoríos de Miguel con la criada Sinforosa).

---

[348]   Una síntesis del INE reduce a reales las rentas dentro de cada categoría: labradores, 3.240 rs; colonos, 2.200; total: 5.440 (CPROF 1059). El ganado de la alquería era de 27 reses bovinas, una caballar, una mular, siete asnales; ocho ovinas, 54 porcinas (CGND 454-455).

Los siglos XVI y XVII

CENSO DE LOS PECHEROS (1528) Y CENSO DE LOS MILLONES (1591)

El Censo de los Pecheros [PECH] se realizó durante el reinado de Carlos I, para revisar y poner al día los padrones de pecheros, vecinos obligados al pago de un impuesto personal, cifrado en atender los «servicios de Su Majestad». Eran impuestos aprobados por las Cortes; la nobleza y la iglesia estaban exentos.

En tierra de Salamanca, cuarto de Baños, constan agrupados Çaratán, El Pino, Palacio y La Huelga, sumando un total de 46 vecinos pecheros (PECH II: 59). La Huelga parece ser una localidad próxima a Aldehuela de la Huelga, que deberá estar aguas arriba de esta, más hacia el Palacio de los Ovalles. No se detalla el peso de cada localidad a la hora de contribuir a esa suma total. Otro grupo censal es Parada de Yuso [Villaselva, por sí sola con 13 vecinos], con Muelas, Las Borrinas y El Puerto de Martín Fernández [P. de la Anunciación], que suman 65 vecinos. En la vecina roda de Tirados, de tierra de Ledesma, aparecen localidades como La Vega [de Tirados], El Valle [S. Pedro], *el aceña* de la Naharra [La Narra] y el Aldehuela [Aldehuela de la Huelga] (PECH 76). Esta última cuenta con dos vecinos.

Posteriormente se repite el esfuerzo. El nuevo censo [CTG], realizado en 1591 en las tierras de la Corona de Castilla, aspiraba a sentar las bases para recaudar un nuevo impuesto, llamado de los Millones, que introdujo Felipe II el año antes.[349] El Pino y sus inmediaciones pertenecen al arciprestazgo de Baños. Se indica que El Pino cuenta con tan solo dos vecinos [probable error: 22 vᵒˢ en realidad] (CTG 317). El Palacio, luego llamado de los Ovalles, también del arciprestazgo de Baños, tiene la misma población, dos vecinos. Zaratán aparece con cuatro vecinos. Todas estas lecturas de cifras son suspectas, pues, al englobar el conjunto de Zaratán, El Pino, El

---

[349] La labor del salmantino Tomás González en 1829 pecó de apresurada: contiene errores en las cifras y en la transcripción toponímica. La edición del INE (CTG1) repara muchos de estos errores.

135

Palacio y La Huelga, el censo informa de 46 vecinos (CTG 99), o 32 según los datos más precisos de CTG1 (509).[350] Habrá error en las cifras desagregadas. El Aldehuela (CTG 54), sigue como en el censo de 1528 adscrito a la roda de Tirados, en tierra de Ledesma, y se considera despoblado; por lo que cabe sospechar que la pareja de lugares adyacentes El Aldehuela (Ledesma) y La Huelga (Salamanca) se han fusionado en el actual Aldehuela de la Huelga.[351] Muelas, con Villaselva, Burrinas y El Puerto suma 65 vecinos (CTG 99), o 62 según CTG1 [de ellos, un hidalgo y un clérigo] (509). Las cifras parciales son erróneas: Borrinas, 2; Parada de Abajo, 8; Muelas, 34; El Puerto, 1; ello daría una suma de 45 vecinos, no 65. En Muelas se precisa que 30 vecinos eran del barrio de arriba; y 4, del de abajo (CTG 317).

Una relación de villas del alcabalatorio de Salamanca, de 1624, menciona varios lugares próximos, dentro del cuarto de Baños: Santibañez, Carrascal de Barregas, Las Borrinas [Burrinas], Muelas, El Pino, Zaratán, Zarapicos, El Palacio de Juan de Oballe / Juan d'Oballe, La Güelga, Porteros, Parada de Abajo [Villaselva], Parada de Enzima…[352] Es interesante encontrarse aquí el nombre del Palacio, cuyo propietario no está pluralizado: es Juan de Oballe. En 1548, con motivo de una recaudación para la cruzada, se encarga del cuarto de Baños Andrés Blázquez, vº de Salamanca; aparecen citados Muelas, El Pino, Parada de Abaxo, Çaratan (Barrios García 1997: 317).

CUESTIONES DE SEÑORÍO: EL MARISCAL, LOS CONDES DE BENAVENTE Y LAS FAMILIAS NIETO Y MALDONADO

Era gran propietario en Salamanca el mariscal García González de Herrera (ca. 1344-1404), mayordomo del infante D. Sancho (1342-1374), señor de Ledesma (hijo de Alfonso XI), quien le hizo mercedes varias. El mariscal, casado primero con Estefanía Fernández de Monroy y luego con María de Guzmán,[353] tenía en Muelas seis casas, un lagar y seis yugadas de tierra; también un piélago [molinero o pesquero, no se especifica] en Las Borrinas [Burrinas]; dos yugadas y dos casas pajizas de Monterrubio de Armuña, y muchas otras propiedades.[354] Es apropiado tratar estas conexiones, dado que El Pino era anejo de Muelas. Del mariscal dijo Pérez de Guzmán: «muy malenconioso e triste, […] amó mucho mugeres; y es bien de maravillar que

---

[350] La misma secuencia de lugares, así ordenada, en CTG (50).

[351] Es importante la población de las dehesas vecinas: Villaselva tiene 13 vecinos; Miranda de Pericalbo, 18; Porteros, con Villaescusa, Cojos y Torrrecilla, 30.

[352] ALCB = Relación de las villas comprendidas en el alcabalatorio de Salamanca, AHNOB, VILLAGONZALO, c. 47, D. 19-21.

[353] Sus hijos, de la segunda mujer, fueron Luis de Herrera († 1406), Pedro Núñez de Herrera y Juana de Herrera; se repartió la herencia en 1410 (Franco Silva 1996: 385; AHNOB, OSUNA, CP. 101, D. 6).

[354] Franco Silva (1996: 394); DBE / Alonso Franco Silva.

franqueza e amores, dos propiedades que requieren alegría e placer, que las oviese honbre tan triste e tan enojoso». En 1410 se repartieron Pedro Núñez de Herrera y Juana de Herrera, hijos del mariscal, las propiedades salmantinas. A Pedro cupo, entre otros bienes, «toda la heredad e casas e casares e aliños […] con sus huertas, aldea […], con sus doze aranzadas e media de viñas» en Muelas, así como la heredad de Las Borrinas con su piélago, la heredad de Miranda de Pericalvo y la de Tesonera. A Juana, todas las viñas de Salamanca salvo las de Muelas,[355] y otras tierras.[356] El mayorazgo de Pedraza de la Sierra, en Segovia, donación de Juan I al mariscal, quedaba en manos de Pedro Núñez de Herrera. Pedro dictó testamento en 1434, por poder concedido a su mujer Blanca Enríquez.[357]

Descendiente de la primera mujer del mariscal, Estefanía Fernández de Monroy, sería un tal Fernando de Monroy que, en 1492, con poderosas influencias en Salamanca, avasallaba a Juan de Vargas en el disfrute de ciertas «casas, vyñas y eredat» en Muelas; Vargas no se atrevía a acercarse a ellas (Monsalvo Antón 2013: 182). Estas propiedades de Muelas habían sido en 1487 confiscadas al dicho Fernando de Monroy, vº de Salamanca, y adjudicadas por el ejecutor a los hijos de Fernando de Tejeda y doña Leonor de Guevara, ya difuntos.[358]

Al alborear la Edad Moderna, las heredades del Mariscal en Muelas se agregaron por matrimonio al condado de Benavente. El v conde de Benavente, Alonso Pimentel y Pacheco, fallecido en 1530, había casado hacia 1502 con su primera esposa Ana [Fernández] de Velasco de Herrera, señora de Pedraza de la Sierra y tataranieta del Mariscal, de quien heredaba las posesiones de Muelas.[359] Seguidamente se produce un intenso ajetreo de ventas condicionadas y reversibles (retroventas, que vuelven al propietario original si el vendedor desea devolver la cantidad recibida dentro de un plazo). El 9.11.1504, en Valladolid, los condes venden a Francisco de Vivero, su administrador,[360] tres cuartas partes de una extensa heredad en Muelas, Burrinas

---

[355] Esta salvedad parece responder al deseo de crear otro término redondo completo en Muelas.

[356] AHNOB, OSUNA, C. 477, D. 16. Véase en Franco Silva (1988: 184). En ambas fuentes, la identificación de topónimos, producto de errores arrastrados por copia, presenta inexactitudes.

[357] AHNOB, OSUNA, C. 522, D. 13. Pedro y Blanca fueron padres de García de Herrera († 1483), que casó con María Niño y Portugal, hija del conde de Buelna (Franco Silva 1988: 186). Ellos, al no tener herederos varones, dejaron sus propiedades a su hija Blanca de Herrera, la cual casó con Bernardino Fernández de Velasco, primer duque de Frías, por capitulaciones firmadas en 1472. Hija de estos fue Ana Fernández de Velasco de Herrera (196), que casó con el conde de Benavente.

[358] AGS, RGS, LEG, 149204, 151.

[359] Franco Silva (1988: 199).

[360] Hijo de Alonso Pérez de Vivero e Inés de Guzmán y González Dávila, futura duquesa de Villalba (AHNOB, OSUNA, C. 471, D. 2-11). Su padre Alonso fue asesinado en 1453 por orden de Álvaro de Luna (DBE / Alfonso Franco Silva). Francisco era vº de Valladolid; hasta 1491 había litigado con los condes por sus derechos sobre la villa de Villalba del Alcor en Valladolid.

(*Las Borrinas*), Tesonera y Monterrubio, propiedades todas mencionadas entre los bienes del Mariscal.[361] En Muelas eran seis yugadas, cinco huertos, once casas grandes y pequeñas con un lagar;[362] todo ello procedía de Blanca de Herrera, madre de la condesa. En fecha no especificada, Francisco de Vivero,[363] les había revendido por 600.000 mrs esta misma heredad.[364]

Estos lugares eran comprados a los condes o a Francisco de Vivero en 1505 por María de Tovar y su marido (tío de la condesa) Íñigo Fernández de Velasco y Mendoza;[365] todo por 950.000 mrs. La venta debió de revertirse poco después. En 1506 estas mismas propiedades eran vendidas por los condes al arzobispo de Santiago Alonso de Fonseca y Acevedo por 800.000 mrs.[366] En 1507, el arzobispo de Santiago revende estas mismas propiedades a los conde-duques de Benavente.[367] La venta se hace al mismo Francisco de Vivero, apoderado de los condes en Salamanca desde 1504. En un apeo de tierras del beneficio, de 1580, actualizado en 1673 (APB, APB2), aparecen en Muelas numerosas fincas del Conde de Benavente y de D. Alonso Fonseca, así como alguna tierra de D. Rodrigo Maldonado, Rodrigo Nieto, Juan Álvarez de Ledesma, Gaspar de Alderete y Juan Rodríguez.[368] También era poderoso el hospital de Benavente, que tenía en 1730 cinco yugadas. Las Burrinas era asimismo del hospital en 1752, sin duda por alguna donación piadosa de los condes; parte de dicho término era ya del hospital en 1547 (TSNR).

En 1547, fray Bernardo de Santa María, dominico, en representación del convento de San Esteban, recuerda como herederos (es decir, grandes propietarios) en

---

[361]   El eje vertebrador era el arroyo de Mozodiel o de la Encina, estratégico corredor en el cual se comprueban varios yacimientos romanos tardíos o visigodos y una villa (Ariño 2006: 321; Ariño y De Soto 2016: 42). Desde Mozodiel del Camino hasta Villaselva se extendía una franja vinícola, importante para abastecer a la capital. Correas (1967: 116) recoge el refrán «El mosto de dokiera, i la tinta de Villikera», añadiendo «Es en tierra de Salamanka; usan rrenovar el vino del otro año kon mosto nuevo de tinta mollar». Todavía en 1728 consta el hospital de Benavente como gran propietario en Monterrubio (AHNOB, VILLAGONZALO, C. 58, D. 106-128).

[362]   AHNOB, OSUNA, C. 420, D. 7-8.

[363]   Hijo de Alonso Pérez de Vivero e Inés de Guzmán y González Dávila, futura duquesa de Villalba (AHNOB, OSUNA, C. 471, D. 2-11). Su padre Alonso fue asesinado en 1453 por orden de Álvaro de Luna (DBE / Alfonso Franco Silva). Francisco era vº de Valladolid; hasta 1491 había litigado con los condes por sus derechos sobre la villa de Villalba del Alcor en Valladolid.

[364]   AHNOB, OSUNA, C. 477, D. 15.

[365]   AHNOB, OSUNA, C. 492, D. 92.

[366]   AHNOB, OSUNA, C. 471, D. 2-11.

[367]   AHNOB, OSUNA, C. 492, D. 90.

[368]   Un Rodrigo Maldonado es propietario de tierras en Zarapicos en 1469; asimismo, es dueño de una cortina y una tierra allí el licenciado Lorenzo Maldonado (1520 ZRP, 1521 VZAR). Pero el Rodrigo de los apeos de Muelas será Rº Maldonado de Monleón, propietario de aceñas y heredad en Valverdón, y sus herederos, entre ellos un bisnieto de igual nombre. Juan Rodríguez puede ser el síndico del monasterio de San Francisco en Salamanca, gran propietario en Tesonera (1547 TSNR).

Muelas, aparte de los propios dominicos, a Alonso Ortiz, vº de Salamanca; Juan Cabezuela [Maldonado], vº de Calzada de Valdunciel; el hospital de Benavente; Pedro de Fonseca, vº y regidor de Salamanca; el licenciado Alderete, vº de Valladolid (que también era propietario en Carrascal de Pericalvo); y Diego Cornejo, vº de Salamanca (TSNR).

En fecha no conocida, parte de la propiedad nobiliaria en Muelas debió de pasar del condado de Benavente a los Álvarez Maldonado.[369]

> Ya en 1546, en un pleito entre herederos del difunto Mateos del Portal,[370] de Muelas, sobre los bienes de la menor Catalina, cuyo tutor era Pedro de la Rad, se mencionan tierras en el vecino lugar de Barregas, que lindan con posesiones de Juan Álvarez Maldonado.[371] A principios de siglo, el término redondo de Carrascal de Barregas era compartido por Juan y Payo Maldonado; al morir Juan, su viuda María de Guevara pleitea con Payo, que había empezado a extender su porción a expensas de María (ARCV, REG. EJECUTORIAS, CAJA 261, 30).

El nuevo nombre, La Florida de Liébana, parece impuesto por los Maldonados y los Liébanas hacia 1640.[372] En los libros parroquiales persiste el nombre Muelas hasta al menos 1639; el primer registro como «La Florida de Liébana» es de 1640.[373]

---

[369] Eran señores, entre otros lugares, de Barregas (Villar y Macías 1887, III: 434; Monsalvo Antón 2013: 216): Juan Álvarez Maldonado, llamado *el bueno*, fue VII señor de Barregas (c. 1498-1534) (Solís 1670: 52v; Dorado 1776: 544). Tuvo un hijo de igual nombre, que casó con Francisca de la Cueva y falleció en 1576; su hija Mariana de la Cueva pleiteaba en 1584 con Juan Álvarez Maldonado Díez, de Ledesma, por la posesión de Barregas (ARCV, REG. EJECUTORIAS, CAJA 1513, 46). En la primera mitad del s. XIV consta un antepasado, Alonso Pérez Maldonado, señor de Barregas (Solís 1670: 54). Pero no está claro el parentesco entre los Álvarez Maldonados, señores de Barregas y luego de Muelas, o los Maldonados dueños de Carrascal de Barregas hacia 1500, y la línea de Rodrigo Maldonado, dueño de heredades y aceñas en Valverdón.

[370] Juan del Portal era propietario en Parada de Arriba (1550 HERR).

[371] ARCV, REG. EJECUTORIAS, CAJA 636,9. Descendiente de este será Mateo del Portal, vº de Muelas, que en 1590 había arrendado una yugada en el lugar a Antonio Colmenero, por seis años. La renta era de 50 fanegas de pan terciado (30 de trigo y 20 de cebada) y cuatro gallinas. Por impago, el alguacil requisó a Mateo un capote pardo (ARCV, REG. EJECUTORIAS, CAJA 1706,72; PL CIVILES, ALONSO RODRÍGUEZ (F), CAJA 2917,7).

[372] En 1591, la villa consta como Muelas (CTG). Florida es nombre tardío, que no deriva de un poblamiento medieval emanado de aquella comarca santanderina, como sospechó Sánchez-Albornoz. En cambio, sí que parece étnico el topónimo *Valdevaniego* (raya de Villafuerte y Valbuena de Duero VA; citas antiguas en Sanz Alonso 1997: 117, 118). Asimismo, *Valdevaniego*, monte en Villavelasco de Valderaduey LE, se corresponde con un antiguo *Valle Levanego* (950), *Valle Liebaneco* (1080). Un despoblado próximo a Campo de Villavidel LE era *Leuanega* (1009), *Lavaniega* (1362, 1377). Por otra parte, en las proximidades de Bembibre LE, *Lauaniego* (1273). Cf. Riesco (2018: 471).

[373] En los libros parroquiales y escrituras aparece a veces con el pomposo nombre de *La Gran Florida de Liébana* (1746 LBAUT, 1850 CHIP, 1897 ESCR).

Puede situarse tal mudanza en lo siguiente: sucesor en el señorío de Muelas es Juan Álvarez Maldonado y Figueroa,[374] casado hacia 1600 con Ana de Liébana y Gibaja, hija de María de Gibaja y el salmantino Juan Fernández de Liébana.[375] En 1639, Juan Álvarez Maldonado otorgó la jurisdicción de Muelas a su esposa Ana de Liébana por escritura (Cárdenas Piera 1999: 476).[376] Datará de entonces el cambio de nombre, desde el prosaico Muelas al airoso Florida. Juan Fernández de Liébana fue hombre ilustrado y poeta, del que se conserva un framento de una carta fechada en 1589 en Simancas, que trata de cuestiones del buen gobierno salmantino;[377] fue oidor en la Contaduría Mayor (Cabrera de Córdoba 1877: 332). Su hermano Francisco Fernández (o Hernández) de Liébana, natural de Aldearrubia (c. 1512-1584), fue catedrático de la Universidad, presidente de la Chancillería de Valladolid, consejero de Castilla, de la Cámara, de Indias y de Hacienda.[378] Fundó en 1577 la capilla llamada del Presidente o del Sudario en la catedral nueva de Salamanca, cuyos patronos eran los descendientes de su hermano Juan, señores de Florida de Liébana (González Dávila 1606: 445; Rojas y Contreras 1768: 120); en 1584 amplió la fundación de la capilla, con misas por su alma y la de su mujer Isabel Valdés (Casaseca 1993: 92). Villar y Macías (1887, III: 433, 439) identifica también a los Liébanas, que tenían en Salamanca casa en la calle San Pablo, como señores de la villa de la Florida, vulgo Muelas.[379]

Juan Fernández de Liébana compuso uno soneto laudatorio para la edición príncipe, de 1569, de *La Araucana* de Ercilla. Aunque sea desmedida ilusión, resulta tentador aplicar sus dos tercetos al presente libro: «Vos habéis justamente merescido / el lauro y palma con doblada gloria, / premios del elocuente y esforzado, // y a pesar de las aguas del olvido, / de las fuentes del Nilo al Carro helado, / harán perpetua vuestra memoria».

Les sucede Juan Manuel [de Figueroa] Álvarez Maldonado, que a finales del s. XVII es señor de Monleón y la Florida de Liébana, regidor de Salamanca (Rojas y Contreras 1768: 523; cf. Portal Monge 1988: 50, 57).[380] Juan Manuel era hijo

---

[374]   Natural de Ledesma, hijo de Juan Álvarez Maldonado y Ana de Figueroa.

[375]   Juan y Ana tuvieron a Manuel y a Juan, fallecido en Madrid con un año en 1614 (Marín Perellón 2015: 11). Consta Juan de Gibaja, cantero, vº de Ledesma, en 1501 (AHNOB, LUQUE, C. 579, D. 19-20).

[376]   De ellos será hija Ana María Maldonado de Liébana, que en 1653 era viuda de Fernando Alfonso de Tejeda.

[377]   AGS, PTR, LEG, 81, DOC. 61.

[378]   Alegó en 1558 contra los Villafuerte en la Chancillería (VLLF). Su retrato, de la escuela de Pantoja de la Cruz, está en una capilla de la catedral de Salamanca (Rivero Rodríguez 2014; DBE / Manuel Rivero).

[379]   Como *Florida*, también parece de imposición culta —impronta de Garcilaso— el nombre *Villaselva*, que sustituye hacia 1600 al anterior de Parada de Abajo o de Yuso.

[380]   ARCV, REG. EJECUTORIAS, CAJA 2998, 24; 3015, 73 (ejecutorias de 1680-1681).

de Manuel Álvarez Maldonado, regidor de Salamanca y caballero de Santiago,[381] y de Manuela de Grado y Mendiola.[382]

Juan Manuel casó con Inés María de Vereterra Rivera y tuvieron a M.ª de los Remedios Álvarez Maldonado Vereterra y Figueroa. El CME indica que Muelas era de señorío, propiedad de esta M.ª de los Remedios; ella había casado con Domingo Antonio Guzmán Anaya y Toledo, sin tener hijos (Vilar y Pascual 1860: 360). Cada vecino (los alcaldes estaban exentos) daba una gallina. Por otra parte, se tributaban (conjuntamente) cuatro pares de pavos, y tres arrobas de fruta, la mitad de peras y la mitad de ciruelas; 700 nueces y cuatro *riestras* de cebolla. En 1806 Joaquín Álvarez Maldonado declara ser poseedor del mayorazgo fundado por Francisco de Liébana, pudiendo nombrar alcaldes y regidores en Muelas como dueño de la jurisdicción (Cárdenas Piera 1999: 476). Se trata de Joaquín Álvarez-Maldonado y Abadelancena, mariscal de campo de artillería, casado con M.ª de los Dolores Lóriga y de la Reguera. Su hijo Manuel, nacido en 1808, fue teniente general (DBE). Joaquín era hijo de Francisco Álvarez Maldonado y M.ª de la Soledad Abandelacena.[383]

Es a María de los Remedios a quien dedica Torres Villarroel un almanaque, de 1719 («mi señora doña María de los Remedios Álvarez, Maldonado, Figueroa, Liébana, Jivaja, etc.»): «una obra de sol, luna y estrellas en ninguna parte está más bien dedicada que al cielo» (Durán López 2014: 256).

Una fuerte presencia señorial constatamos también en El Pino. Aunque el panorama que dibuja en 1752 el catastro de Ensenada es de un término totalmente en manos de conventos, encomiendas y monasterios, no parece ser igual la situación en 1580, cuando un apeo muestra que buena parte de las tierras eran de Antonio Maldonado y Alonso Maldonado;[384] había otra yugada de Cristóbal Nieto, vecino de Salamanca, que luego debió de pasar a manos eclesiásticas. Se mencionan también tierras de Hernando Araújo y de Hernando de Herrera.[385] En 1427, ante el notario Juan Rodríguez, se hace acta de posesión de unas casas y dos tierras en El Pino; habían pasado a ser de la Universidad, por estar empeñadas por Juan Núñez, vecino de El Pino, por 10.000 mrs que este debía a dicha institución (RBLC).

---

[381]   El cual era a su vez hijo de los antes citados Juan Álvarez Maldonado y Figueroa y Ana de Liébana y Gibaja.

[382]   ARCV, REG. EJECUTORIAS, CAJA 3046, 9 (ejecutoria de 1689).

[383]   Todavía en 1947, al fallecer M.ª Luisa Maldonado y Salabert, se dicen misas por su alma en Florida.

[384]   La huerta grande que luego fue de los agustinos había sido primero de Cristóbal Nieto; pasó después a Antonio Maldonado.

[385]   Beatriz de Herrera, mujer de Juan de Araúzo, fue gran propietaria en Tirados a finales del s. XV (TRD, CTRD). Por entonces eran propietarios principales en Zaratán los Rodríguez de Araúzo.

Desde fecha temprana figuran los Nietos y Maldonados como caballeros poderosos en nuestra área:[386] en 1456, Pedro Nieto de Aragón hizo testamento, ordenando que el convento de San Agustín de Salamanca heredase el lugar de Muelas y medio lugar de La Aldigüela [de la Huelga].[387] Muelas pasaría al convento a la muerte de su padre, si es que aún vivía; y La Aldehuela, una mitad a la muerte de su madre y otra a la de su hermano Fernán.[388] Fundaba una capilla en la iglesia del convento, cuyos ejecutores eran el maestrescuela de Salamanca, el prior del monasterio y su hermano. Pedro era hijo ilegítimo de Hernán (o Fernán) Nieto el viejo y de Benita González, de familia salmantina y ledesmina;[389] se llamó *de Aragón* porque militó a sueldo del rey de Aragón. De hecho, el testamento lo dictó estando herido de muerte en las galeras del rey. Hernán Nieto el viejo, que parece haber muerto hacia 1467, era hijo de Pero Aluarez Nieto y de Aldonza Díez; su esposa legítima era Isabel de Estúñiga o Zúñiga.[390] Ya Pedro Álvarez Nieto,[391] señor del Cubo [de Don Sancho],[392] que también fue guarda del rey, en su testamento de 1431 legó a su esposa Aldonza sus

---

[386]   Véanse las aportaciones de Tomás Herrera (1652: 14, 38, 44, 45, 155, 260), Manuel Vidal (1751: 19, 31, 32, 83) y Juan Gil Prieto (1928: 112).

[387]   Véase Dorado (1776: 324). En 1345, Gonzalo Rodríguez de las Varillas, marido de Teresa Martínez Nieto, hizo testamento; tenía muchos heredamientos, entre otros en Parada de Ayuso (Villaselva) y en «La Aldehuela con sus haçeñas», que pasó a su hijo Alonso (Solís 1670: 8v, 15).

[388]   Por edad no puede ser el Fernán Nieto el mozo, violento señor, usurpador de tierras, del que trata Monsalvo Antón (2004: 246-247). El Fernán Nieto que se apoderó *forciblemente* del Campo de Muñodono hacia 1433-1453 (243) podría ser, por las fechas, el Hernán Nieto el Viejo (de la crónica de Herrera), muerto hacia 1467. Monsalvo (247), con el respaldo de los documentos de Ciudad Rodrigo (CDR §212, 284), propone otro árbol familiar, basado en suponer a Fernán Nieto el viejo hermano de Pedro Álvarez Nieto; pero según Herrera (1652: 260), el orden generacional es: Fernán Martínez Nieto (muerto después de 1403) > Pedro Álvarez Nieto, guarda del rey (testamento 1431) > Fernán Nieto el viejo, guarda del rey († 1467) > Pedro Nieto de Aragón y su hermano Fernán Nieto. Claro es que un Nieto llamado *el mozo* en Ciudad Rodrigo, en 1434, podía ser llamado *el viejo* en el entorno de Salamanca hacia 1467.

[389]   El apellido Nieto consta en Ledesma al menos desde 1350, cuando se cita a Ferrand Martínez Nieto (LDS §41, 42); en 1377 recibe en donación un corral Fernán Martínez Nieto, bisabuelo paterno de Pero Nieto de Aragón (Herrera 1652: 11). Fernán Martínez Nieto era en 1386 uno de los ocho hombres buenos de la villa (LDS §61); usurpó tierras en el entorno de Villoria de Buenamadre hacia 1383 (Monsalvo Antón 2004: 245-246).

[390]   Los Zúñiga tenían también vieja vinculación con los agustinos. En 1339 Lope de Zúñiga y su mujer Violante de Lanuceda, que no tenían hijos, donaron al convento once yugadas y una dehesa en Sando y Santa María (Vidal 1751: 5). Lope era hijo de Luisa Nieto, de quien hubo la dehesa de La Berrocala o El Berrocal.

[391]   Hijo de Fernán Martínez Nieto, regidor de Ledesma, en su segundo matrimonio, con Inés Álvarez. Fernán e Inés tuvieron también a María Álvarez, que en 1416 hizo testamento en favor de su hermano Pedro Álvarez Nieto (AHNOB, YELTES, C. 10, D. 59).

[392]   Fernán Nieto el viejo era señor del Cubo cuando redacta testamento en 1467 (Herrera 45); Juan II le había dado jurisdicción sobre el lugar en 1429 (Monsalvo Antón 2004: 249).

posesiones en La Aldihuela y Almenara, dejando a la orden de S. Agustín lo que tenía en Utero de Rollán y Valverdón. La viuda, Aldonza, hizo testamento en 1445, repartió sus bienes entre sus nietos, ambos hijos naturales de Hernán Nieto el viejo y de Benita González:[393] a Pero Nieto, que luego se llamaría de *Aragón*, El Aldihuela; a Fernán o Hernán Nieto, Valcuevo (Herrera 13-14; Vidal 19).[394] Los dominicos compraron diversas heredades en Valcuevo a este Fernán Nieto, de las que se hace apeo en 1481; ese mismo año suscriben un acuerdo con este, el llamado «Hernán Nieto el Bastardo» (BCRV).[395]

Eran también grandes propietarios Pero y Rodrigo Nieto, caballeros salmantinos, del bando de Santo Tomé, que pusieron en 1474 sus heredades en Muelas como prenda a raíz de un acuerdo de pacificación (ALB §72). Pedro y Rodrigo (señores del Cubo y de Medinilla, respectivamente), así como Toda Íñiguez, eran hijos legítimos de Hernán Nieto el viejo e Isabel de Estúñiga (Herrera 1652: 260), por lo tanto, hermanastros de Pedro de Aragón y Fernán Nieto. La lucha de bandos a la que se intentó poner fin en 1474 (ALB §72) enfrentaba a estas dos ramas de la familia, entre otros. Este Pedro Nieto, casado con Lucía de Vega, funda mayorazgo en 1489, sobre El Cubo de Don Sancho, Quejigal, Arevalillo y una heredad en Muelas. Había de ser heredero su hijo mayor Fernán Nieto o su otro hijo Pedro Nieto; si estos fallecían sin descendientes, los hijos de Rodrígo (Fernando, Blanca, Beatriz o Catalina, por ese orden); si no era posible, Toda Íñiguez.[396]

En la venta de unas casas en El Pino, de 1515, es testigo Alonso Nieto, hijo de Juan González del Alberca,[397] escribano de cámara de la reina.[398] El carpintero Pedro González, hijo de Juan Santos, vende a González del Alberca una casa, con

---

[393]   Benita González, que casó después con Juan del Acebo, hizo testamento en 1491 (Herrera 38; Vidal 83). Los Acebo vieron con ello estrechamente ligadas sus fortunas con los Nietos y los agustinos; en 1494 Herrera cita a Antón del Acebo, señor de la mitad de la Aldehuela (Solís 1670: 60). En efecto, Benita y Juan fueron los padres de este Antón (ARCV, REG. EJECUTORIAS, CAJA 107,9).

[394]   En una nota al margen, sin duda posterior a 1405, se indica que ciertas yugadas en Muelas, exceptuada la capellanía de Santa Bárbara, habían sido dadas a Fernand Nieto, como compensación de un pleito sobre Villoria de Buenamadre (APEOS 299). Dicho pleito tendrá origen en las usurpaciones de Fernán Martínez Nieto (Monsalvo Antón 2004: 246), abuelo de Fernán Nieto el viejo.

[395]   En 1513-1514 compran también y reciben en donación los dominicos varias heredades en Muelas procedentes de los hijos de Francisco Madaleno o Magdaleno, escribano en Salamanca, y su mujer Catalina de Medrano (BCRV). Francisco Magdaleno obtuvo su escribanía al ser despojada de ella un judaizante, Gonzalo García de la Fuente (AGS, RGS, LEG, 148802, 256).

[396]   AHNOB, YELTES, C. 11, D. 1-3.

[397]   En 1456 era escribano en Salamanca (Herrera 1652: 38). En 1478, siendo vecino de Salamanca, testifica en un pleito entre impresores (Varona García 1994: 27). Probablemente emparentó con los Nietos por boda.

[398]   Otros testigos: Martín Rodríguez, entallador; Martín López, *follero*; Pº Domingo, vº de Gansinos.

sus pesebres de piedra, su corral delantero y la mitad de una *cámara* [¿una panera?] junto a ella. Lindaba con casas de Pedro Santos, Antonio Rodrigo y una tierra de la iglesia del lugar. Asimismo le vendía la mitad de una casa, en la que vivía Alonso del Alberguería, lindante con casas del comprador (el escribano) y casas de la iglesia.[399]

El parentesco entre los Maldonados y los Nietos es explicado por Vidal (48-49) y Herrera (45): el citado Hernán Nieto el viejo [de Ledesma], guarda y vasallo de Enrique IV, tuvo de Isabel de Zúñiga, entre otros hijos, a Toda Íñiguez, así como a Pedro y Rodrigo Nieto. Toda casó con Alonso Maldonado, regidor de Salamanca, cuyo hermano Pedro Maldonado recibió un juro perpetuo sobre las alcabalas de Salamanca en 1470, que Pedro traspasó luego al convento de agustinos. El epitafio de Alonso, que estaba en el convento de San Agustín, dice: «con poco caudal sostuuo mucha honra» (González Gil 1606: 429). Probablemente derivan de esta rama los Maldonados que figuran como grandes propietarios en El Pino a finales del siglo XVI, pues consta una donación entre hermanos realizada ante Fernando Correa, escribano salmantino, el 26.9.1527: Pedro Maldonado, vº de Segovia, donaba la mitad del río que tenía en El Pino a su hermano Hernando Maldonado, vº de Salamanca; ambos eran hijos de Pedro Maldonado (RBLC). En 1559, Pedro Maldonado era poseedor de un censo sobre una viña en El Pino, en Lobaguera o La Bagüera; la viña era de Catalina, viuda de Juan Hidalgo, vº de Muelas.[400] Entre los propietarios menores en El Pino, cabe también citar a los Canete, de Salamanca, pero con mucha propiedad de viñas en Villaselva (véase).

Citemos finalmente a los Maldonados de Valverdón. Eran dueños de una heredad y aceñas en el vecino lugar; a comienzos del s. XVI eran de Rodrigo Maldonado de Monleón, regidor de Salamanca;[401] pasaron luego a su hijo, también Rodrigo y regidor, casado con Isabel de Acevedo; hijo de ambos fue Juan Maldonado de Acevedo, casado con Marina, padre de Isabel, Rodrigo y Jerónimo. Rodrigo Maldonado de Acevedo [y Ponce de León], hijo de Juan, fue heredero (ARCV, REG. EJECUTORIAS, CAJA 1355,3); estaba en Flandes en 1571 (RMAL).[402] Hacia 1562, pusieron a censo sus bienes para reedificar una aceña en Valverdón, «caída en el

---

[399]　AHP, notario Pedro González, sign. 2911, f. 587. Regesto en Barbero y de Miguel (1987).

[400]　AHP, notario Pedro Godínez, sign. 2936, f. 1024. Regesto en Barbero y de Miguel (1987).

[401]　Rodrigo Maldonado, señor de Monleón, pleiteaba en 1502 con los canónigos de N.ª Sra. de la Vega a raíz de un contrato de permuta de aceñas (ARCV, REG. EJECUTORIAS, CAJA 173, 8). De él se originan varias generaciones de Rodrigos Maldonados (López Benito 1991: 420). Hacia 1570, las aceñas de Valverdón, ya en manos de otro Rodrigo —su bisnieto, probablemente—, estaban endeudadas por censos contraídos con dicho convento y con el de San Andrés (RMAL).

[402]　El administrador le envía, «por la vía de Medina del Campo», 57.600 mrs. Su hermano Jerónimo partió también a Flandes el 5.4.1568 a servir al rey (RMAL).

suelo por las grandes avenidas».[403] Las obras estaban en marcha en 1563; iba y venía para supervisarlas desde Salamanca, en cabalgadura, Juan Fernández, criado del escribano Francisco González, curador de los entonces menores Rodrigo e Isabel Maldonado.[404]

En 1563, se gastaron tres fanegas de cal para asentar las piedras; la viga nueva y la cal vinieron en una carreta de mulas hasta Valverdón; desde Villamayor se trajo una carretada de pizarra; además se usaron cuatro libras de acero, 8,5 de hierro y 5 de clavos, un cuartón y tablas; se compraron varias mudas de *peñaços* [peinazos]; el herrero cobró una fanega por «adreçar los palos». Varios canteros, Muñoz, Juan Martín y Juan de Sequeros, labraban la piedra del *petril* que se llevó el río. Pedro Ramos, de Tejares, asentó la piedra de moler; un peón estuvo reparando la pesquera; un hombre «enbarró la pared de las tolbas y las baldó». Otro «fue tras la rueda de dentro y la entruesga y rueda». La rueda y *el entruesga* se trajeron de tierra de Ledesma. Doce hombres ayudaron a poner «una rueda de la canal». Hubo pleito con los frailes de Zorita, por perjuicios en su aceña causados por esta; se dirimió ante la jurisdicción de los molares. Se compró medio celemín con su rasero para maquilar y una sierra, candados, cerrojos, armellas; el herrero reparó «el palo e anadixa». El coste de dos piedras de molino, una de ellas corredera, incluida la traedura, fue de 108 reales. Vino una crecida grande, estando dos ruedas fuera de cabezal, y Pedro del Valle y su yerno estuvieron metidos en agua ajustándolas. Juan de Susaña, de Tejares, hizo obra en la represa. El herrero *arregló* un guijo de hierro para la aceña. Cinco reales se gastaron en «alargar el palo cuando se echaron las piedras a moler y calcalle del cuello y alargalle». Se compraba paja para los moledores. Se cambió una piedra, y vinieron Juan y Pedro Ramos para «echar a moler» la aceña y poner las tolvas. Tenían otra [rueda de] aceña, la Herrada, y se imputaban gastos para atender a los moledores y para la mujer que venía a guisar para los mozos de la aceña (RMAL).[405]

[403]   En 1503 pleitea Rodrigo Maldonado de Monleón con Rodrigo Godínez por la posesión de unas aceñas de Valverdón, en el Tormes (ARCV, REG. EJECUTORIAS, CAJA 221, 4). Su hijo Rodrigo Maldonado era en 1514 regidor de Salamanca y dueño de dos yugadas y tres ruedas de aceña en Valverdón (López Benito 1991: 186). En la aceña había cuatro ruedas, en dos cuerpos separados; a la muerte de un nieto del primero, Juan Maldonado, hacia 1563, tres de ellas eran de sus hijos, dos en el cuerpo de fuera, y una en el de dentro; esta se la había llevado el río y estaban reparándola (RMAL).

[404]   Las cuentas son muy minuciosas y extensas. Ofrecemos una selección.

[405]   En 1556, Rodrigo Guerrero de Anaya imponía un censo sobre dos yugadas de tierra y la aceña de Valverdón; dichas propiedades procedían de Gutierre de Monroy (hijo de Sancho de Monroy) y su mujer Constanza de Anaya; Gutierre había hecho donaciones a conventos en 1475 y 1490 (Riesco Terrero 1977: 113, 134; ARCV, REG. EJECUTORIAS, CAJA 1063, 15; 1052, 32). En fecha posterior, 1596, se menciona una rueda en Valverdón, de Rodrigo Maldonado Ponce de León, en la aceña de la Galiana; había una cantera cerca, también de Maldonado (ARCV, REG. EJECUTORIAS, CAJA 1898, 86; CAJA 1872, 32).

EL PLEITO DE ANTONIO MALDONADO

Todavía residen los Maldonados en El Pino en 1584-1586. Se refleja en un pleito que concluye el 24 de enero de 1586 en la Real Audiencia de Valladolid. Antonio Maldonado, padre y administrador de María Maldonado, denuncia a Andrés Cornejo, vecino de Muelas, por haber practicado estupro con María teniendo ella doce o trece años, persuadiéndola a casarse con él.[406] Andrés Cornejo (el mismo o un familiar próximo) es en 1587 vecino de Parada de Abajo, la actual Villaselva.[407] La denuncia inicial la formuló Antonio Maldonado, casado con Luisa de Vadillo o Baíllo, en Salamanca el 25.10.1584. Acusa a una criada de la casa, Isabel, que «abía alcagüetado e llebado muchos rrecaudos de parte del dho Andrés Cornexo a la dha su hixa, para que, sin su consentimiento, se casase con él e tubiesse con él cópula carnal, y abía ynduçido e persuadido por muchas beçes a la dha doña María Maldonado a lo sobredicho». La misma acusación la extiende a otros colaboradores necesarios, incitadores del amorío: Antonio García y su mujer, que parecen vecinos de la familia. Estos «abían rronpido las buenas costunbres e obediençia paternal» que María, siendo como era niña, le debía. Así las cosas, habían conseguido de tapadillo licencia del provisor de la ciudad para desposarse. Un tal Juan Ortiz, conchabado con Andrés Cornejo, había presionado a María engañosamente, haciéndole creer que ya no había marcha atrás en el matrimonio, por lo que este se había celebrado. A la ceremonia, clandestina, habían acudido Juan Ortiz, quebrantando una orden de destierro por diversos y graves delitos, y un tal Pedro de Requena, «mozo bagabundo e que no tenía de qué se sustentar».

Antonio García, aprovechando que los padres de María se encontraban en una huerta en El Pino, había sacado de la casa, por mandato de María, una saya de terciopelo verde con guarnición de oro, valorada en más de 40.000 maravedís; y muchas varas de randas de oro, que estaban guardadas en un cofre, valoradas en más de 50 ducados; un manto de seda nuevo y otras alhajas. Todo ello se lo entregó al novio clandestino. La huerta parece coincidir con la célebre posesión que luego pasó a los agustinos calzados. Un apeo de 1580, actualizado en 1732, registra una huerta que era de Antonio Maldonado y «hoy es de los religiosos de San Agustín Calzado».

La justicia de Salamanca crea una comisión, integrada por el escribano Francisco de Vallesa y un alguacil, para que acudan a El Pino, se informen y detengan a los culpables. Al no poder prender a Andrés Cornejo, que se habría escabullido, fue llamado por pregones, y se le secuestraron todos sus bienes. Son apresados Juan Ortiz y un tal Juan Pascual; Andrés es declarado prófugo y principal

---

[406]   ARCV, REG. EJECUTORIAS, CAJA 1546,48.
[407]   ARCV, REG. EJECUTORIAS, CAJA 1700, 67.

delincuente, aunque cierto tiempo después se presenta voluntario ante la Audiencia, donde es apresado. Allí declara que las acusaciones del padre son falsas; él no ha «sacado» a María, sino que ella, de su propia voluntad, se ha desposado con él, con licencia del provisor de la ciudad de Salamanca. Además, declara que la madre de María, Luisa de Baíllo, había consentido el desposorio. Y Andrés no había hecho un agujero (para llevarse prendas) en la casa de los Maldonados, sino que ello fue obra de Antonio Maldonado, una vez que comenzó el pleito. Tacha de criados y familiares, tendenciosos por tanto, a los testigos presentados por el padre. Andrés dice ser «onbre hixodalgo notorio, rrico e prinçipal, buen cristiano temerosso de Dios e de su conçiencia».

El padre, que se describe a sí mismo como «un caballero muy prinçipal», se reafirma en las acusaciones, señalando a Andrés «por aberla hecho fuerza [a María] por ynportunas persuasiones e otros medios ynlíçitos […] para engañar e poner miedo a persona de tan poca hedad» y «por aber sacado de su cassa muchos bestidos e xoyas»; el matrimonio era nulo, al realizarse de modo «biolento y echo por fuerza». La niña, tras la procelosa boda, se había metido a monja, con licencia del obispo y entero conocimiento de causa, en el monasterio de Santa Ana de Salamanca, donde al presente estaba.

La audiencia dicta sentencia el 13.4.1585, condenando a Andrés al destierro: dos años fuera de los reinos y señoríos del rey; otros dos, a más de cinco leguas de la corte de Valladolid, y de los lugares de El Pino y Muelas. Lo condenaban también a una pena de 20.000 maravedís para la cámara y fisco del rey, y gastos de justicia. Recurre Andrés, diciendo que el matrimonio había tenido lugar y era entre iguales, pues era «de tanta suerte e calidad» como la otra parte. El padre, en nuevo recurso, pide más graves penas para Andrés, incluso la condena a muerte, y suplicaba la restitución de galas y alhajas llevadas por el novio. La Audiencia corrobora el 6.10.1585 la sentencia anterior, pero reduce a dos años la pena de destierro, solo en lo tocante a la corte y los lugares de Muelas y El Pino. La pena pecuniaria, en cambio, es aumentada, a 30.000 mrs.

En los libros de difuntos aparece un Andrés Cornejo, probablemente el mismo. Fallece el 21.12.1600; dejó por testamento 55 misas ordinarias y 200 más, así como una ofrenda entera; se enterró en la iglesia de Muelas. En 1622 se menciona un aniversario de cuatro misas por san Martín y 8 reales de limosna, creado por Andrés Cornejo en Muelas; estaba fundado sobre la hacienda que poseía Pedro Cornejo, hidalgo, vecino de Ledesma.

El libro de fábrica proporciona dos datos de interés. El cura había impuesto en 1593 una pena de 12 reales y otra de 3 a Maldonado, probablemente por alguna falta menor en lo tocante a la asistencia al culto. En la visita que cursa Jerónimo Echebarría en 1600, siendo beneficiado Salvador Hernández, se ordena:

«[que se venda / un panno] Iten que el paño de luto que tiene la igl<esi>a de / la tumba de Alonso Maldonado y la tumba se / venda, lleuando el paño a Salam<an>ca; conque si / el conçejo quisiere dar dos doçenas de r<eale>s por / él, se quede en la igl<esi>a para que los vez<in>os se / entierren con el d<ic>ho paño».[408]

El paño de luto, también denominado paño mortuorio, es una tela o paño negro y pesado, que se coloca sobre el ataúd en la iglesia, en un funeral, o sobre el catafalco en otros servicios para los difuntos. En su centro suele ir una cruz roja o blanca. Símbolos de la muerte como calaveras o huesos cruzados, prohibidos en el altar y en las vestimentas sacerdotales, se permiten aquí. La iglesia de Muelas tenía en 1612 «un paño de luto con quatro calaberas».

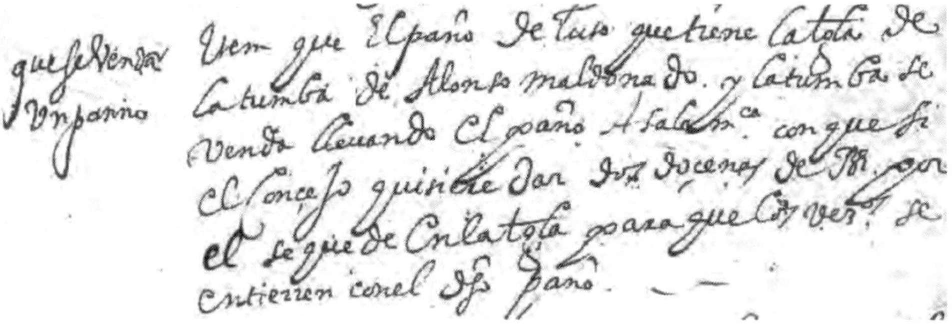

Ilustración 13: Libro parroquial. Venta del paño de luto de Alonso Maldonado.

Puede imaginarse que, por entonces, la familia Maldonado no vivía ya en El Pino, y debía de haber salido del pueblo de forma traumática, pues se liquida algo tan importante como una tumba (¿venta de piedra?) y el paño que la revestía: casi una *damnatio memoriae*. Sus posesiones en el lugar pasaron al convento de San Agustín de Salamanca.

Un apunte sobre Villaselva

Villaselva era en 1752 del décimo conde de Grajal, a quien le llegaba por ser asimismo señor de Villafuerte. El IV conde, Francisco de Vega († 1667), había casado

---

[408]   Esto nos lleva al testamento de el 23.9.1501 de su probable pariente remoto Rodrigo Álvarez Maldonado, padre de Juan Álvarez Maldonado, heredero del mayorazgo de Muelas. Una cláusula establece lo siguiente: «Ytem mando que me ofrenden de pan y vino todo el año e el cavo de año e el Noveno e el dia de mi enterramiento me digan mis vigilias e responsos, los clérigos de la Clerecia, teniendo las d(ic)has cuatro achas encendidas e que tenga un paño de seda negro sobre la sepultura e este allí para siempre mientras durare» (Portal Monge, 1986-1987: 43)

con las hermanas María y Leonor Rodríguez de Villafuerte; ello lo convertía en IX señor de Villafuerte (Rubio Pérez 2003: 180). En 1720 se celebraban honras por la muerte de la señora de Villafuerte y Villaselva, VII condesa de Grajal, Beatriz Francisca de Vega.[409]

Juan [Rodríguez] de Villafuerte, tercer señor de Villaselva (llamado *el mozo* para distinguirlo de su padre y su abuelo, ambos Juan de nombre), fue regidor de Salamanca y capitán de los salmantinos en la conquista de Málaga (1482-1487). Casado con Inés de Solís, consolidó su mayorazgo en 1498; fue padre de Inés Rodríguez, cuarta señora de Villafuerte, que casó con Antonio Maldonado, el cual, por las condiciones del mayorazgo, hubo de llamarse Juan Rodríguez de Villafuerte, accediendo a los honores de caballero de Santiago (Solís 1670: 14, 14v; Dorado 1863: 541). El tercer señor y sus hijos se decían señores de Parada de Yuso (luego Villaselva), y ejercían un control arbitrario y abusivo sobre sus recursos.

El señorío llegaba a los Villafuerte por su antepasado directo, Gonzalo Rodríguez de las Varillas (1270-1345), casado con Teresa Martínez Nieto, dueño de múltiples heredades en Villaescusa de Barregas, Parada de Ayuso, La Aldehuela[410] y Miranda de Pericalvo, por citar solo las más próximas a El Pino (Solís 1670: 8, 11, 15). Parada pasó inicialmente a Alfonso Rodríguez de las Varillas, hijo de Gonzalo y Teresa (Dorado 1863: 541). Nieto de Gonzalo fue Juan Rodríguez, primer señor de Villafuerte. Sobre la trayectoria de este Juan Rodríguez de Salamanca, que fue letrado y falleció hacia 1421, ha de consultarse el importante estudio de Franco Silva (1999).[411] Parada de Yuso figura entre los bienes del mayorazgo, instituido en 1421;[412] su hijo Juan, habido de Toda González, que heredó dichos bienes y fue padre del regidor Juan de Villafuerte, III señor, hubo de adoptar el apellido Villafuerte (Franco Silva 1999: 78).

> Se abre con ellos una interesante conexión con Iberoamérica, pues Inés Rodríguez de Villafuerte casó con Gonzalo Nieto del Manzano de la Villa, hijo del oidor Juan de la Villa; son abuelos de Francisco Rodríguez del Manzano y Ovalle (1567-1649),[413]

---

[409]   Con ocasión de las honras fúnebres de Beatriz compuso un pomposísimo epicedio sacro el capellán José Francisco Biguezal (1692-1762), futuro obispo de Ciudad Rodrigo.

[410]   Lugar con aceñas: no parece que sea Aldehuela de la Huelga. Villaescusa era adyacente a Porteros.

[411]   En el que, sin embargo, no explica cómo había llegado Parada de Abajo a este mayorazgo. No era adquisición propia, sino herencia directa de su abuelo. Juan Rodríguez no era «un modesto letrado», sino que descendía de uno de los principales linajes salmantinos.

[412]   «toda la eredat de pan leuar, e vinnas e prados e pastos e todo lo ál, poco o mucho, que yo oy día he, e obier de aquí adelante en Parada de Yuso, otrosí aldea de la dicha çibdat» (Franco Silva 1999: 91). Nótese que no se trata aún de un término redondo, y que no se mencionan casas, torres, solares.

[413]   Hijo de Suero Alonso Rodríguez del Manzano e Inés de Ovalle.

que partió a América en 1599 en compañía de su primo Diego Rodríguez Valdés de la Banda. Luchó Francisco en Chile con los araucanos; fue padre del insigne historiador Alonso de Ovalle (1603-1651).[414] A través de esta rama de la familia, la iglesia de Villaselva y su filial en Zaratán hubieron de recibir cuadros y enseres de procedencia chilena o peruana.

Hacia 1415, estuvo alojada en Villaselva una visitante ilustre, la reina Beatriz de Portugal (1373-c. 1420), quien escribe desde allí a Fernando I de Aragón para recomendar a una sirviente suya (Olivera Serrano 2005: 43). Beatriz, esposa de Juan I de Castilla, del que enviudó en 1390, tuvo estrechas conexiones salmantinas; fue señora de Alba de Tormes y de Béjar.

Había llegado a la Real Audiencia de Valladolid un pleito entre varios propietarios en Villaselva, atosigados por los Villafuerte. Por su extraordinario interés lo extractamos aquí. Es sorprendente la fragmentación de las heredades en el lugar, indicio de una incipiente propiedad rural burguesa, de una clase de menestrales y profesionales libres de la capital que invertían en tierras de labor; también sobresale la importancia del viñedo, cultivo insistentemente mencionado durante el largo litigio.[415] El pleito, que llega a la Chancillería en 1510, enfrentaba a dos partes: la primera (que llamaremos *los herederos*) se componía del concejo de Parada de Abajo, el convento de San Vicente en Salamanca (orden de San Benito) y varios vecinos de la ciudad, propietarios en Villaselva;[416] la segunda se componía de Juan de Villafuerte, ya difunto (el III señor), su hija Inés de Villafuerte y su yerno Juan Rodríguez de Villafuerte Maldonado. Villaselva tenía entre sus vecinos no solo a jornaleros y pastores, sino también a pequeños propietarios con ínfulas de hidalguía.

Los herederos, poseedores de viñas, tierras, casas y heredades en Villaselva, alegaban que el III Villafuerte, ya difunto, amparándose en su poder como regidor de Salamanca, los avasallaba. Se declaraba señor del lugar; ocupaba «térmynos, prados e pastos y exidos y heras públicos y conçejiles del dicho lugar de Parada e lo amojonava por suyo» y hacía prendas a los que quisieran usar dichos terrenos; a los renteros y obreros que labraban las viñas y heredades no les dejaba salir de las casas y «les

---

[414]   Espejo (1917: 185-186); DBE / María Estela Maeso Fernández.

[415]   VLLF = ARCV, REG. EJECUTORIAS, CAJA 478,9 y CAJA 509,73.

[416]   Hernando del Cantillo, Juan Martín librero, Juan de Valencia, el bachiller Juan Sánchez de Olivares, Alonso sedero, Blas de Vergara librero, Salvador González, Juan Delgadillo, Nicolás Canete (antes citado), Juan de Moscosa, Cristóbal de Rueda espadero, Luis Rodríguez calcetero, Alonso de León, Hernando librero, Alonso de Almenara, Pedro de la Peña, Cristóbal de Villacreces, Juan del Río, Gonzalo Hernández, Alberto de Medina. Como el pleito se alarga, van nombrándose otros herederos: Pedro y Luis Rodríguez, Alonso Sánchez, Luis Hernández, Martín López *follero*, Alonso Hernández, Juan Martín. Al menos dos de ellos (Blas de Vergara y Cristóbal de Rueda) habían sido de la Junta de Comunidad de la ciudad durante las Comunidades (Vaca Lorenzo 2011: 184, 234).

prendaba hasta las gallinas». Contraviniendo lo estipulado en las ordenanzas de Salamanca, en un capítulo redactado (según el pleito) en 1412 [17.ª], metía sus ganados
en las viñas de particulares, tanto en verano como en invierno, que «se las comýan
e rroýan e destruýan»; si los viñaderos (guardas de viña puestos por los herederos)
espantaban al ganado o lo prendaban,[417] los amenazaba. El miedo era tal que los herederos no encontraban quien quisiera hacer de guarda. A un viñadero del convento,
por haberse atrevido a prendar ciertos ganados de Villafuerte, a pesar de tener una
carta de amparo del convento para sí, sus familiares y criados, se lo llevaron de noche
a una salceda, lo ataron y azotaron hasta dejarlo por muerto. Villafuerte coaccionaba
a los vecinos del lugar para que fuesen sus renteros, y no les permitía traer ganado
por los eriales y pastos públicos del lugar. Haría dos años [hacia 1508] que Villafuerte llegó un día a Villaselva con algunos parientes y criados; se apropió de ganados y
casas por fuerza; «les dexerrajava las puertas, e les hechó huéspedes en ellas como sy
fueran sus basallos». Fue de caza por entonces con sus deudos atravesando viñas en
tiempo de uvas y haciendo estragos en ellas. A un viñadero que quisó prendarlos,
le dieron de palos. También ponían a su servicio a los jornaleros, llevándoselos a la
fuerza de las viñas donde trabajaban en tiempo de vendimias. Se estimaban en 1.000
castellanos de oro los daños causados.

Tras largos y enconados pleitos, se diseña en 1.2.1519 una minuciosa iguala y
concordia, fijando obligaciones a ambas partes (la de Villafuerte y la un grupo de herederos, encabezados por Juan de Moscosa): ni en invierno ni en verano se permitiría
entrar en las viñas a «cabras ni cabrones ni cabrytos ny mula ny mulo ny yegua ny
rroçín ny ningu<n>a bestia asnal ny buey ny baca ny otro nyngún ganado que sea,
eçepto el ganado ovejuno, que es ovejas o carneros o corderos e puercos, e que este
tal ganado ovejuno o porcuno, que pueda entrar a paçer en las d<ic>has viñas syn
ynpedimy<ent>o nynguno», de 23 de octubre a 1 de enero. Este ganado exceptuado
era el de Juan Rodríguez de Villafuerte, o el de sus renteros o mayordomos. Además,
podrían entrar en el mismo periodo los ganados de fuera, comarcanos, ovejunos o
porcunos, que entrasen en Villaselva «a yerba», siempre que fueran contratados por
los hombres de Villafuerte. El resto del año, si entrase ganado en las viñas, podía ser
prendado por «los dueños de las dhas biñas e las guardas dellos e sus moços e criados», con arreglo a las ordenanzas de Salamanca. Un posible conflicto dimanaba del

---

[417] En nuestro pleito, por sesenta ovejas o cabras que entraran, eran requisadas seis; «dende
ayuso» [es decir, 'de ahí para abajo'], por cada oveja o cabra, 5 dineros; por cada bestia, mula, buey o
puerco, de día, 2 mrs y de noche 4 mrs; por cada yegua, 4 / 8 mrs (día / noche). Ello era aplicable a
la entrada de ganado en viñas, panes y prados [17b]. Se ajusta *grosso modo* al Libro 6º, título 1º, de
1567, de las ordenanzas de Salamanca (Rupérez y Lorenzo 1994: 258). Véanse también la recopilación
contenida en ORDNZ (1619: 54); en la versión de 1585 (Martín 1997: 29), las penas por bestia, mula,
buey o puerco eran más cuantiosas, de 4 / 8 mrs; las de ovejas y cabras, 2 / 4.

hecho de que algunas viñas tenían que ser labradas en el periodo de pasto (23.10 a 1.1); en tal caso, una vez labrada, la viña (o la parte de ella que hubiese sido labrada) quedaba acotada y el ganado no tenía permiso de entrada.

Pero el pleito sigue. Villaselva entonces era aldea, con al menos ocho vecinos;[418] estos se reúnen el 21.8.1530, a son de campana tañida, bajo los portales de la iglesia de San Miguel del lugar, donde solían hacer concejo. Se congregan Alonso Sánchez, jurado, Sebastián Frayle «de los quatro»;[419] Juan Baxo, Pedro García, Francisco García, Sebastián Fernández, Macías Sánchez y Juan Fernández. Nombran procuradores para su causa, entre ellos al prior de San Vicente.[420]

> Puede compararse con otra junta que se hace el 2.2.1537 para oponerse a las pretensiones de hidalguía del convecino Cristóbal del Burgo. En ella se reúnen bajo el portal de la iglesia Matías García, alcalde; *Grauiel* Fernandez y Sebastián Fernández, regidores; Juan Pastor, jurado; Pedro de Grado, Tomé Gutiérrez, Salvador Moro, Lorenzo Martín, Juan Garrido y Pedro de San Martín (CRB). Se citan por entonces otros vecinos: Juan Zurdo, Hernando del Cantillo, y un testigo, Fabián, vº de Pino; era cura del lugar Cristóbal de la Torre.

La sentencia, dada el 19.9.1533, fue muy favorable a los herederos. Prohibía a Juan Rodríguez de Villafuerte Maldonado que en adelante se hiciera llamar señor del lugar de Parada de Abajo; no podría más «echar huéspedes» a los vecinos; ni tomarles los obreros y jornaleros contra su voluntad; ni tendrían los vecinos que acudir a la fuerza a las labores de Villafuerte; la concordia habría de ser respetada por los firmatarios de ella; pero todos los demás (el convento, vecinos del lugar y otros herederos) podían acogerse a las ordenanzas de Salamanca, por lo que en ningún momento de año podría entrar ganado de ninguna clase en sus viñas. Villafuerte había de desocupar todos los terrenos concejiles, que quedaban a libre disposición de los vecinos del lugar («prados y montes y heriales e baldíos e exidos e t<ie>rras dél, alçado el fruto»), pudiendo meter cada vecino hasta un tope de 30 ovejas y un carnero, 3 bueyes, 2 bestias [asnales], 8 puercos, una yegua con su cría y un ánsar.[421]

Tras la sentencia, prosiguió el pleitear: los argumentos aportados contra las pretensiones de Villafuerte fueron varios. Parada de Abajo no era término redondo: había eras de concejo, baldíos y heredades de particulares, así como tierras concejiles

---

[418]   Todavía hacia 1608 contaba con 6 vecinos; su anejo Zaratán era ya mayor, con 14 vecinos (Casaseca y Nieto 1982: 214).

[419]   Aludirá a los cuatro cargos: un alcalde, dos regidores y un jurado.

[420]   Entre los testigos, aparte de varios criados de los herederos, se incluye a Gonzalo Hernández, tendero del Desafiadero. Habían acudido expresamente desde Salamanca a Villaselva.

[421]   En ello se sigue lo establecido en las ordenanzas de Salamanca para los vecinos que no tuviesen yugada completa en un lugar: ORDNZ (1619: 54), Martín (1997: 30).

y montes. Muchas casas del lugar eran de los vecinos, aun cuando no fuesen herederos. Juan Rodríguez no había podido mostrar durante todo el proceso un título de propiedad ni un apeo. El monasterio de San Vicente no aceptaba la concordia, alegando que esta restringía derechos comunes.

Villafuerte, por su parte, se amparaba en una supuesta costumbre inmemorial a su favor. El que los vecinos pudiesen, según sentencia, meter tanto ganado en montes y prados, era lesivo a su conservación. Supuestamente, eran de Villafuerte los montes: «hera poco monte e nuevo, e baxo, e sy entrasen ganados, lo rroerían e desgajarían e destruyrían»; por ello, para proteger el crecimiento del arbolado, «sus ynquylinos e rrenteros lo avían guardado e guardaban e criádolo desde el pie, e prendado a todos los que del dicho lugar e de fuera parte avían entrado en el dicho monte»; sin aquella guarda de montes, realizada por los Villafuertes, el encinar «se talaría e se perdería, contra las leyes e premáticas destos n<uest>ros rreynos». Para fomentar el monte, sus antecesores habían renunciado a labrar tierras situadas en el monte, aún siendo suyas propias. El monte estaba adehesado para los bueyes de la labranza y no para ovejas ni puercos ni ánsares u otro ganado. Sus renteros acotaban y desacotaban el monte en aras a la mejor cría del arbolado. Si entrasen las ovejas o puercos, «hollarían e hoçarían de tal manera que los bueyes de labrança» no podrían aprovechar la hierba. Así pues, de tiempo inmemorial habían guardado los prados y la dehesa. Y las eras eran privativas suyas y de sus renteros, no de los vecinos del lugar. Si entraban puercos en las eras, como permitía la sentencia, las cavarían y estropearían. El río de Villaselva atravesaba enteramente por medio de propiedades de los Villafuerte. La fuente del lugar se había encharcado, por lo que sus renteros habían hecho otra fuente en un prado suyo propio, que solo podían usar los vecinos con su permiso. Añade otra afirmación desorbitada: antes de que se fundase el lugar de Parada, ya el término era de los antepasados de los Villafuerte.

La réplica de la otra parte insiste en que las ordenanzas de la ciudad de Salamanca habían sido observadas cuidadosamente, sobre todo en una aldea como Parada de Abajo, del cuarto de Baños. Y que Villafuerte seguía sin mostrar título alguno de sus pretendidas posesiones; era un gran abuso querer restringir el acceso a fuentes y caminos a los vecinos. Si no se aplicaba pronto la sentencia, podría ocurrir que cuando esta llegase, ya el lugar se hubiera despoblado. Todos los pueblos comarcanos gozaban de sus bienes concejiles, «el lugar de Muelas y el lugar del Pino y el lugar de Valverdón e Parada d'Ençima», ¿por qué Parada de Abajo no?

A pesar de la concordia, los agravios de Villafuerte a los de Villaselva eran muchos. Con armas ofensivas y defensivas amenazaba a los vecinos para que no aprovecharan lo concejil; les impedía poner guardas. Arrendaba el lugar como si fuera término redondo, metiendo mucho ganado de forasteros. Si intentaban prendarle los ganados infractores, «con mano armada les [había] quebrado las puertas de los corrales del conçejo e sacado los dichos ganados». Les había quitado los cántaros con que iban a beber y sacar agua de la fuente; les cercaba y araba ejidos y tierras concejiles, les había «ensangostado los camynos»; «avían andado a caça a cavallo e con perros por las viñas del dicho lugar, estando con fruto e sin él».

Resultado de las alegaciones: la sentencia fue confirmada. Se añadió una cláusula de protección del monte, separando suelo y vuelo: las encinas y carrascos son declarados propios de los Villafuertes; los vecinos pueden llevar a pastar sus ganados al monte, «rroçar e cortar tomyllos e escobas» y beneficiarse de otros aprovechamientos, siempre sin cortar por el pie ni por la rama las encinas o carrascos. La fuente que habían hecho los Villafuertes en un prado quedaba para ellos; los vecinos no podrían ya meter ganados mayores ni menores para abrevar allí; pero los vecinos, sus mujeres, hijos y criados podrían entrar a la fuente para beber y sacar agua para las casas.[422]

El inventario de bienes que hizo en 1540 Inés de Villafuerte, al fallecer su marido Juan Rodríguez de Villafuerte Maldonado, da interesantes datos sobre las propiedades en Villaselva. La pareja había adquirido numerosos bienes para reforzar su posición en la aldea.[423] Los renteros de Parada de Abajo debían pagar antes de San Martín 20.000 mrs, y varios vecinos de la aldea estaban oprimidos por deudas contraídas con los Villafuertes: Pedro Delgado, 4.400 mrs por dos bueyes; Marigiral, 6.000 mrs; Juan pastor el mozo, 6 ducados por un buey; los Pajares, 60 fanegas de trigo a 7 rs la fanega; Sebastián Martín, vº de Muelas, 2.827,5 mrs (Franco Silva 1999: 112-113).[424] Juan Rodríguez de Villafuerte era también propietario de numerosas tierras en Parada de Arriba (1550 HERR).

Las fricciones continuaron. En 1620, varios propietarios de Villaselva, Alonso Canete, Alonso García de Aguilar y José de Olivares, sin duda descendientes de los herederos, se querellan contra dos pastores de ovejas, que se metían en sus viñas «a pastar, en lo qual se les seguía mucho daño por roher las parras y ollar la tierra, no lo pudiendo hacer»; todo ello infringía las ordenanzas.[425] Los pastores, Pedro de

---

[422]   Todo lo cual suscitó nuevas quejas y alegaciones de los Villafuerte: los vecinos, al entrar por agua, hollaban las hierbas de su prado; la recogida de leña menuda (escobas, tomillos) no debía ser libre, sino por arrendamiento. Fue expedida carta ejecutoria de la sentencia definitiva el 29.7.1536. Hubo continuación de pleito en lo tocante a ciertos particulares (ARCV, REG. EJECUTORIAS, CAJA 478,9).

[423]   A Sebastián Sánchez y Juan Ramos, sendas casas; a Pedro Sánchez, una casa y un lagar; a Francisco Cabo, un suelo (es decir, un solar); a la de Juan de Moscosa, dos suelos (entiéndase, la viuda; parece que esta habrá de ser la lectura correcta y no Moscoso, pues Moscosa es aldea ledesmina y en el pleito antes citado consta siempre como Juan de Moscosa). Viñas: de Francisco García, de la viuda de Moscosa, de Alonso Martín, de Catalina Rodríguez (Franco Silva 1999: 109-110).

[424]   «De çiertas reses que paçieron en Parada de Abajo de diversas personas el anno que estuvo desarrendada» se debían 16.657 mrs (Franco Silva 1999: 115).

[425]   VÑS = ARCV, REG. EJECUTORIAS, CAJA 2425, 59. Alonso era propietario de varias viñas en el término de El Pino, en la actual raya de Villaselva.

Cabo o Pedro Calvo, vº de Parada de Abajo (nombre todavía del lugar), y Domingo García, yerno de Juan García, vecino de Muelas (¿), habían metido sus *pearas* por las viñas en el mes de noviembre, desoyendo advertencias. Alonso Canete declaró tener en Villaselva 48 *alançadas* (= aranzadas) de viña, en cuyas labores gastaba anualmente mucho dinero, y estimó los daños causados por los pastores en más de 50 ducados. Villafuerte apelaba a la citada concordia, con arreglo a la cual, sus ovejas podían entrar en las viñas de los firmatarios de 23 de octubre a 1 de enero. En 1522 vuelven a denunciar Canete y consortes que habían entrado más de ochenta ovejas en unas viñas suyas, por lo que, con arreglo a las ordenanzas, habían prendado y llevado a corral seis de ellas, más otras ocho como garantía. Por orden del alcalde mayor de Salamanca, fueron presos Pedro Calvo y su pastor Pedro Sánchez.

Alonso Canete, dueño hacia 1614 de cuatro viñas en El Pino,[426] parece nieto de otro de igual nombre, vecino de Parada de Abajo (Villaselva), que en 1553 movía pleito con el concejo de Salamanca sobre su hidalguía.[427] Nicolás Canete,[428] antes citado, su padre, se había negado a hacer servicio de guerra, por ser hijodalgo: «no era obligado a tener armas ny hir / a guerras syn sueldo, ny hazer vela ny rronda, / ny lo haría aunque la comunydad del pueblo le hechase la casa a cuestas». Nicolás y Alonso habían comprado hacía unos diez años heredes, viñas y casas en Parada de Abajo.[429] En 1673 tenía casa y tierras en El Pino D.ª Antonia Caneta. Todavía en 1673/1732 se menciona a una D.ª Josefa Caneta, propietaria de una casa.[430]

Por otra parte, era propietaria Inés de la Peña, casada con el escribano salmantino Francisco Gago (o Gao); fallecen ambos antes de 1582. Sus hijos, Francisca, María y Antonia de la Peña, y Andrés Gago, pleitean por la herencia entre 1582 y 1587 con un pariente próximo, Juan Gago, sobre algunas casas en Salamanca, y diversas propiedades en Parada de Arriba, Villaselva y en El Pino (VLLS). Son todos vecinos de la capital. Anteriormente, la viuda, Inés de la Peña, y sus hijos habían litigado con otras

---

[426]   Ya hacia 1550, un tal Canete era propietario de una viña en el Bago Frío de Parada de Arriba (HERR). Otro Alonso Canete tenía una viña en Villamayor hacia 1519. En 1620, Alonso Canete se querellaba contra dos dueños de *pearas* de ovejas que entraban en sus viñas de Villaselva (VÑS). El mismo tenía cuatro viñas en El Pino. Nicolás Canete se querellaba con Tomás Cuello por el reparto de las tabernas de vino blanco en Salamanca en 1577 (ARCV, REG. EJECUTORIAS, CAJA 1359, 32).

[427]   ARCV, REG. EJECUTORIAS, CAJA 783, 73.

[428]   Un Nicolás Canete era dueño de aceña en el Tormes en 1500 (AGS, RGS, LEG, 150002, 240).

[429]   Alonso residió en la parroquia de San Mateo y, tras casar, en la de Santa Olalla, de Salamanca; era hijo de Nicolás Canete y Mencía de Olivares; nieto de Alonso Canete el viejo y María Alonso; padre y abuelo, de la parroquia de Santo Tomás. Cuatro vecinos pecheros de Villaselva fueron juramentados (Graviel Fernández, Juan García, Macías García y Alonso Sánchez). Testigos de Villaselva: Pedro de Grado (40 a.) y Juan Pastor (42 a.). Satisfecha su petición, fue reconocido como hidalgo.

[430]   Probablemente son familia de Francisco Nieto Canete Medina y Grado, regidor de Salamanca en 1729 (Álvarez Villar 1966: 213).

partes, entre las que se incluía un tal Mateo Canete; el motivo eran los bienes de una heredad en Villaselva y cercanías de sus padres, Pedro de la Peña, ya difunto, y María Sánchez.[431] En 1579 se remataban 42 aranzadas de viña, dos palomares, unas casas y bodega, con lagar y cubas (VLSV).[432]

El parentesco entre los Canete y los Gago es probable. Las viñas de la Vagüera Grande, citadas en 1614 como propias de Alonso Canete, aparecen en un apeo de 1673 como «viñas de Gago» (APB2). En el mismo apeo consta una tierra en el mismo paraje de los herederos de D. Francisco de la Peña.[433]

No solo Villafuerte presionaba, sino que, a su cobijo, ciertas familias menores medraban y buscaban privilegios.[434] Es el caso de los Del Burgo, que habiendo sido criados y escuderos de los Villafuerte, pelearon durante mucho tiempo por ver reconocida una dudosa hidalguía (1510-1636 VLLF). El concejo era la parte oponente, pues a cada nuevo vecino exento de pechar, perdía contribuyentes y sumaba consumidores de recursos.

El linaje de los Del Burgo, de padre a hijo, es el siguiente, por generaciones: [1] Pedro de Toro († c. 1490), vivía en Salamanca, en la plaza de la catedral, junto a las Escuelas Mayores; casado con Catalina Sánchez; era maestresala y mayordomo en las obras del Estudio;[435] tenía propiedades en Villaselva, a la que iba y venía; enterrado en la catedral, ante el altar de San Bartolomé; [2] Sebastián del Burgo († c. 1520); fue escudero y vivió en casa de Juan Rodríguez de Villafuerte, que era capitán en la toma de Baza (1489), a la que le acompañó; después casó con Bernalda, y se instaló como mayordomo del Villafuerte; vivió desde unos seis años en Muelas y otros once

---

[431] ARCV, REG. EJECUTORIAS, CAJA 1625,23; CAJA 1650,51.

[432] El rendimiento de las viñas de Pedro de la Peña en Villaselva era alto. En 1565, de cuarenta aranzadas de viñas, se cogieron 550 cántaras de vino; otras veinte aranzadas quedaron, injustificadamente, sin labrar, y se le hacía cargo de esta merma al administrador. En Villaselva, donde se encerraba el vino, valía cada cántaro tres reales. De cada diez cántaras de vino, se descontaba una por el *abertaxe*, pues una «se da baldada cuando se vende». Se estimaba una producción de 160 melones anuales, a real el melón; no se computaban ganancias por el *bruxo* de las viñas [orujo] (ARCV, REG. EJECUTORIAS, CAJA 1307, 51).

[433] Por allí cerca, junto al cº de Parada, tenía algunas tierras hacia 1752 un vecino de Salamanca, capellán, Francisco Junquera (CME) = *Tierras de Junquera* (1900, 1911 ESCR).

[434] Descendiente de los primeros Nietos será Diego Nieto, que defiende su hidalguía en 1553 desde Villaselva, entonces Parada de Abajo (ARCV, SALA DE HIJOSDALGO, CAJA 86,5; REG. EJECUTORIAS, CAJA 803,46). Su padre era Rodrigo Nieto el mozo; su abuelo, Rodrigo Nieto el viejo; testigos de Parada: Lorenço Sánchez (40 a.); Juan Çurdo (70 a.); Pedro de Grado (38 a.).

[435] Existen abundantes referencias a él (Santander 1993: 29, 203). En el testamento de Gonzalo de Vivero, obispo de Salamanca, en 1480, manda se den y paguen a Pedro de Toro la madera y piedra que se tomó del Estudio (Hernández Jiménez 2008: 216). Pedro de Toro, *ecónomo* de la obra, debía en 1477 hacer un atajo en el patio de las Escuelas para labrar piedra de la librería y las ventanas (Castro Santamaría 2013: 144). En 1476 recibió órdenes de sacar piedra para la librería (Martínez Frías 2017: 16).

en Villaselva; al enfermar, lo llevaron a Salamanca, donde está enterrado en la catedral; hermanos de Sebastián: Juan del Burgo († c. 1524), Pedro del Toro II (soltero, † c. 1532), la mujer de Pedro de Salamanca; la mujer de Antonio de la Barreda; otra hermana. [3] Cristóbal del Burgo I († c. 1550), casó en Almenara c. 1512 con María del Río; fue luego a vivir a Villaselva, como criado de Villafuerte. [4] Cristóbal del Burgo II, n. en Villaselva; fue de niño a Roma a casa de un tío suyo; regresó a Salamanca, viviendo en el Arrabal del Puente; casó con Juana de Salvatierra y fue a vivir a Villaselva; hermano: Sebastián († c. 1556), casado en Villaselva cinco o seis años; murió siendo residente en el Arrabal del Puente. [5] Cristóbal de Salvatierra del Burgo, casado con Isabel Maldonado. [6] Diego de Salvatierra, casado con Leonor de Salcedo. [7] Diego de Salvatierra, casado con Jerónima de Salcedo y Pardo; hermano: Cristóbal Maldonado.

El largo pleito, litigado ante los alcaldes de los hijosdalgo y notario del Reino de León de la Chancillería, fue favorable a las pretensiones de hidalguía de los Del Burgo, aunque se retrasó indefinidamente su efecto, por fallecimiento prematuro de los contendientes.[436] El linaje subió como la espuma, pero para los vecinos de Villaselva y sus procuradores, su origen era infamante: «no heran sus binietos ni rrebisnietos lixítimos ni naturales, y quando lo fuesen heran vastardos, yncestuosos y adulterinos y nascidos de dañado ayuntamiento».

El concejo sostenía que los Del Burgo eran pecheros; si alguna vez se habían librado de pechar, era por tener armas y caballo, según el fuero de León; o por el oficio de Pedro del Burgo [1] como maestresala de las obras de la universidad; o, más probablemente, por ser protegidos de los Villafuerte, caballeros poderosos, y servirles en Villaselva como mayordomos, criados, guardas de prados y montes.

Merece la pena dar la lista de testigos en el primer pleito (1537). Dos de ellos eran de la capital: el maestro Lucas Hernández, catedrático de música en la universidad de Salamanca, residente en la cal de Canónigos, de 65 a., pechero; el canónigo Pedro Hernández de Toro, morador de la plaza de la catedral, de 60 años. Por otra parte, varios labradores pecheros:

Juan García Fraile, vº de Parada de Abajo (80 a.); Alonso Hernández, vº de Muelas (80 a.); Francisco de Calzada, vº de Salamanca (60 a.); Alonso Martín, vº de Juzbado (50 a.); Francisco Bueno, vº de Zarapicos (62 a.); Fabián Rodríguez, vº de Parada de Encima (66 a.); Pasqual Fernández, vº de Parada de Encima (50 a.); Antón García, vº de Porteros (60 a.); Sebastián Martín, vº de Muelas (33 a.); Pº Marcos, vº de Muelas (38 a.); Juan Díez, vº de Yanpatos (36 a.).

---

[436] Sentencias en 1537, 1558 y 1627.

¿Quién es este testigo primero, catedrático en Salamanca, de 65 años? Ningún otro que Lucas Fernández, el de las farsas y églogas. Gusta imaginar que a este su cóctel idioléctico, el sayagués, pudieron sumarse retazos del habla de los criados y pastores de los Villafuerte, oídos por él en Muelas y entorno.

> Interesante la deposición del memorioso y viejo Juan García *Flayre*; fue jornalero de Pedro de Toro, e iba con él a sus viñas de Villaselva, a cavarlas; en sus viajes a Salamanca, Pedro le preguntaba cómo iban sus viñas. Conocía a todos los de Villaselva, pues de Parada a Parada «no había sino obra de una correndera». Alonso Hernández también acudía a Salamanca a llevar la renta (en pan, o sea en cereal) a los de Villafuerte; fue cogedor de pechos en Muelas durante cuatro años.
>
> En el pleito de 1558 fue testigo nuevamente Francisco de Calzada, vº de Salamanca (80 a.); también Sebastián Martín, vº de Muelas (54 a.) y Francisco Marcos, vº de Muelas (65 a.).

A las coacciones señoriales, por lo tanto, se sumaba la presión fiscal creciente por sucesivas exenciones a convecinos que veían reconocida su hidalguía (Diego Nieto, Alonso Canete, Cristóbal del Burgo). El resultado es sabido: Parada se despobló, quedando reducida a dehesa.

EL SEÑORÍO DE ZARATÁN

Según Villar y Macías (1887, I: 190, 205) fue señor de Zaratán y Palacios en 1150 el caballero salmantino Miguel Domínguez, del que luego se tratará con más detalle. Esta línea parece perderse o cambiar de apellido; a tenor de algunos archivos consultados, y preferentemente del inventario del archivo del vizconde de Garcigrande, editado por García Álvarez y López Alonso (1991), el primer señor de Zaratán, en el siglo XV, es Fernán Rodríguez.[437] Le sucede su hijo Gonzalo Rodríguez de Araúzo, marido de Inés de Solís. De estos tiempos será una comisión al corregidor de Salamanca, de 1499, a propósito de un pleito de Fernán Rodríguez de Araúzo «con los v<eçin>os del logar de Çaratán, aldea desta d<ic>ha çibdad [de Salamanca]», para aclarar si se habían repartido más maravedís de los gastados.[438] Por la fecha, se tratará

---

[437]   Según García y López (1991: 610), se trata de Fernán Rodríguez de Sevilla, casado con Isabel Ordóñez de Villaquirán. Si este dato es correcto, Fernán es de la misma familia de la que proceden los Villafuerte, que tenían muchas heredades en Villaselva. Pero parece haber error, pues Isabel casó con Fernán Rodríguez de Sevilla, señor de Araúzo y Terrados, hijo de Juan Sánchez de Sevilla (= Samuel Abravanel, judío sevillano), contador mayor de Juan II, y su esposa Juana Rodríguez de Monroy. De ahí el apellido de sus herederos (Rodríguez de Araúzo).

[438]   AGS, RGS, LEG, 149902, 168. Se deduce que los vecinos pagaban a escote los gastos de un pleito contra su señor. El mismo año, en septiembre, se dio orden al corregidor, Juan Gutiérrez Tello,

de un hijo de Gonzalo, Fernán Rodríguez de Araúzo, fallecido hacia 1525, el tercer señor. Estaba casado con Leonor Ordóñez. Fernán y Leonor fundan un mayorazgo sobre los bienes de Zaratán y otros términos. En 1512 consta que Fernán, que era vecino y regidor en Salamanca, establece un censo enfitéutico sobre una heredad en Zaratán a favor del patrono y el capellán de una capellanía sita en la iglesia mayor de Ledesma (García Álvarez y López Alonso 1991: 358).

El heredero de Fernán y Leonor es Antonio Rodríguez de Araúzo, IV señor, casado con Josefa de Isla. Hijos de Antonio y Josefa son Fernán Rodríguez de Araúzo, V señor de Zaratán, cuya línea se extingue, y su hermana Antonia Rodríguez de Araúzo, que casa con Juan López Vaca, y dará continuidad al linaje.[439]

> El V señor consta también como Hernando Rodríguez de Isla y Araúz, regidor de Salamanca y señor de Torregamones, que falleció, aún joven, en Salamanca en 1580. Dicta testamento el 2.10.1579; dice ser hijo de Antonio Rodríguez de Araúz y Josefa de Isla, ya fallecidos (es albacea su cuñado el licenciado Francisco de Salamanca). Fue su segunda mujer Ana [Abarca de Sotomayor], ya fallecida; a la sazón lo era Jerónima; de la primera le quedaron dos hijos: Antonio y Antonia, menores de 12 años. Menciona sus propiedades en Torre de Gamones, Villanueva [la Malsentada], Çaratán [enmendado sobre la lectura «Garatan»] y Santa Marta.[440] Se inicia pleito en 1612 entre los dos hermanos Antonio Rodríguez de Araúço y Antonia Abarca de Sotomayor, hijos del V señor y su mujer Ana, sobre alimentos, con arreglo a la calidad que se le suponía a Antonia; el mayorazgo, que incluía «la villa de Villanueva la Malasentada [en Zamora] y Çaratán», tenía una renta anual de más de 3.000 ducados en juros y censos y pan de renta.[441]

Ana Joaquina, descendiente de esta rama de los López Vaca, que ya circulaban con el rimbombante apellido Cabeza de Vaca,[442] se casa con Cristóbal Espinosa y Castillo, zamorano, primer conde de Garcigrande. Ya en 1748 hubo litigios de

---

para que acudiera a Zaratán a tomar las cuentas de los repartimientos (AGS, RGS, LEG, 149902, 224). En 1500 se repartían 7.000 mrs para continuar el pleito (AGS, RGS, LEG, 150001, 169).

[439] Hubo pleito en 1573 entre Fernán y otra hermana, Leonor Ordóñez de Isla, por la dote de esta. Fernán se había apoderado de toda la herencia (ARCV, PL CIVILES, FERNANDO ALONSO (F), CAJA 1083, 3). Se menciona, entre los bienes del mayorazgo, «el n<uest>ro lugar de Çaratán, qu'es en t<ér>mi>no e ju<risdiçi>ón de la dicha çiudad de Sal<amanc>a, con todo su t<érmi>no rredondo, prados, tierras e labranças, e prados e pastos, montes e fontes, casas e casares» (ARCV, REG. EJECUTORIAS, CAJA 1318, 79). Leonor casó con el licenciado Francisco de Isla, abogado de la Real Chancillería de Valladolid. Otra hermana era Isabel Ordóñez, casada con Pedro de la Cueva, vº de Úbeda. La madre de ellos, Josefa de Isla, falleció en Azpeitia.

[440] RB, PN / Anastasio Rojo Vega. <https://investigadoresrb.patrimonionacional.es/node/5956>.

[441] ARCV, REG. EJECUTORIAS, CAJA 2197, 69; CAJA 2159, 38. Ya en 1592, siendo Antonia todavía menor, su curador, Antonio Rodríguez de las Varillas, pleiteaba con Antonio Rodríguez de Isla y Araúzo (CAJA 1726, 21).

[442] De ellos era también un sexto de la aceña de Santa Marta (CME).

pastos que implicaban a los vecinos de Zaratán con los del Palacito (el Palacio de los Ovalles); hubo un dictamen, solicitado por Cristóbal de Espinosa (García Álvarez y López Alonso 1991: 371). Desde 1760, al adquirir Cristóbal este título, Zaratán pasa a ser de los vizcondes de Garcigrande, que en Salamanca tenían casa en la plaza de los Bandos (Villar y Macías 1877, III: 435). En 1760 toma posesión del mayorazgo fundado por sus antepasados en Zaratán y otros lugares José Vicente de Espinosa Cabeza de Vaca, menor (García Álvarez y López Alonso, 1991: 360) A final de siglo XIX, el titular era Luis Espinosa Villapecellín, cuyo hijo, Manuel Espinosa, el VII vizconde, fallece en 1964. Zaratán queda entonces en la línea de su hija, María Teresa Espinosa Méndez de Vigo, que hereda el título de condesa de la Cabaña de Silva.

El término redondo de Zaratán se había consolidado por adquisición a censo de heredades de otros propietarios; inicialmente sería aldea, con concejo, hasta quedar reducida a alquería.[443] Estos censos colean todavía en el siglo XIX: el vizconde de Garcigrande, dueño entonces, redimió un foro perpetuo, que era del Colegio de Benedictinos de Salamanca, sobre el término redondo de Zaratán; se limitaba al pago anual de 7 fanegas de trigo y otras tantas de cebada (7.10.1849 CHIP). En 1856 se menciona otro censo de 20.400 reales sobre fincas en Zaratán, con una renta anual de 18 fanegas de trigo y 12 de cebada (CHIP).

El primer censo se remonta a las heredades del convento de San Vicente, orden de San Benito, en Villaselva y en Zaratán. Hubo pleito con el antes citado Fernando Rodríguez de Araúzo, el conflictivo V señor, vecino y regidor de Salamanca, que fue marido de Ana Abarca de Sotomayor; las heredades del convento en Zaratán las habían dado a censo perpetuo al señor de la alquería en tiempos remotos, por 14 fanegas de pan mediado (7 de trigo, 7 de cebado o centeno). En 1580 el convento observa que se les adeudan ocho años de censo, o sea, 112 fanegas.[444]

Durante el pleito fallece Fernando, en 1579, y sus hijos Antonio Rodríguez de Isla y Araúzo y Antonia Abarca, menores, estaban bajo la tutoría de Antonio Rodríguez de las Varillas.[445] La sentencia, dada por el corregidor de Salamanca en 27.1.1582,

---

[443]   Aparte de propiedades conventuales, hubo otros herederos seglares. Consta en 1636 un pleito de Gonzalo Hormaza y Baeza sobre unas tierras en Zaratán (ARCV, PL CIVILES, PÉREZ ALONSO (OLV), CAJA 1306, 3). Gonzalo de Hormaza Maldonado, señor de Moronta, estaba casado con Isabel de Torres y Baeza. También dejó Catalina de Herrezuelo a su muerte, c. 1540, numerosas tierras en Parada de Arriba, y una dentro de Zaratán (1547-1554 HERR). Entre 1693 y 1697 el cabildo hace una averiguación de rentas para contribución de subsidio y excusado en Villaselva y su anejo Zaratán (ACS, CJ. 66BIS, LG 3, n.º 61).

[444]   ARCV, REG. EJECUTORIAS, CAJA 2045, 70.

[445]   Como se indicó anteriormente, Antonio Rodríguez de las Varillas, procurador ahora de Antonia en 1592, la defiende ante las abusivas pretensiones de su hermano durante el reparto de la herencia (ARCV, REG. EJECUTORIAS, CAJA 1726, 21).

obligaba a pagar lo adeudado. Fue confirmada en 1608, y recurrida el mismo año por Antonio Rodríguez de Isla en Zaratán, con testigos de la aldea: Alonso Hernández, Francisco Hernández y Mateo García. Declaraba ser Zaratán término redondo y de mayorazgo; admitía que su madre había hecho algunas pagas del censo, pero él era por entonces menor. Pero la sentencia fue confirmada de nuevo el 7.9.1608.

Antonio Rodríguez de Isla y Araúzo casó con Andrea de Tejeda y Valdés. Ambos residen en Zaratán en 1608, cuando toman ciertas disposiciones para hacer frente a las deudas heredadas del padre de Andrea, Diego Rodríguez de Valdés, que fue regidor de Salamanca y había fallecido.[446] Un poder otorgado por Andrea en favor de su marido se firma en Zaratán el 13.12.1608, siendo testigos Domingo Esteban, Tomé Domingo y Domingo Matías, vecinos del lugar. Pero Zaratán pasó a la línea principal, la de Antonia, hija de los IV señores de Zaratán, Antonio Rodríguez de Araújo y Josefa de Isla.

Un tal Alonso Martín, vecino de Zaratán, probablemente rentero, era a mediados del s. XVI dueño de un importante patrimonio. Casado con Francisca Marcos, vª de Valverdón, había vendido a censo al licenciado Miguel Rascón, de Salamanca, una heredad compuesta por cuatro tierras y una casa en Valverdón, más cinco viñas en Almenara. En 1559 Miguel pleiteaba con Francisca sobre el cumplimiento del censo.[447]

---

[446] ARCV, REG. EJECUTORIAS, CAJA 2305, 2; CAJA 2291, 49.
[447] ARCV, REG. EJECUTORIAS, CAJA 998, 21. El licenciado, casado con Beatriz Cornejo, debió de fallecer hacia 1569; probablemente, sus tierras en Valverdón habían pasado a los Maldonados, que le pagaban 3.000 mrs de censo anual (RMAL).

Libros parroquiales de la iglesia del Pino

Los libros de bautismos, bodas y defunciones ofrecen datos de valor para el estudio de movimientos de población.[448] Es de particular interés el libro en que se registran las cuentas que sustentan el culto y el templo. El llamado libro de fábrica registraba las entradas y salidas de dinero de cada parroquia; dentro de la general variabilidad de estos libros, muy sensibles a la dedicación y minuciosidad del clero encargado, ofrecen un complemento destacado a las fuentes históricas generales, abriendo una ventana hacia la vida pública e íntima de los lugares.

> Los libros de fábrica muestran detalles de la economía parroquial; ofrecen una descripción contable sistemática de los bienes, ingresos y gastos; son útiles para conocer de primera mano la historia de una vecindad. De sumo interés son las noticias sobre sus pertenencias artísticas: encargos, reparaciones, adquisiciones, deudas y pagos. Si se tiene en cuenta la insignificancia relativa de El Pino, es asombrosa la dedicación y el detalle de estas densas páginas, que atestiguan la riqueza, el poder y la modernidad contable de la iglesia.

En ellos además se registran las visitas pastorales, vía privilegiada del obispo para ejercer seguimiento y gobernación de sus diócesis; así como la elección anual de mayordomos, que ayudaban en la administración económica. En los siglos XVI a XVII, los datos han de buscarse en los libros de fábrica de Muelas, que incorporan información sobre la iglesia de San Lorenzo del lugar del Pino, anejo a Muelas.

El vecindario y otros datos de los primeros libros parroquiales

El primer libro de bautizos da comienza en 1594, siendo beneficiado de Muelas y El Pino Salvador Hernández. De este dice el *Libro de los Lugares y Aldeas* hacia 1608:

---

[448]   Se han utilizado en todo este libro para complementar los datos obtenidos de otras fuentes.

«aquí ay un beneficio curado, que vale de ordinario, un año con otro, trecientos ducados, y servido quatrocientos; poséele el licenciado Salvador Hernández, que le llevó por concurso há doze años; este beneficiado es iurista, muy buen estudiante y virtuoso, celoso de su yglesia y tiene mucho cuidado de enseñar la doctrina xristiana, y la saven muy bien todos sus feligreses»; le asistía como cura un portugués, Antonio Luis (Casaseca y Nieto 1982: 213). En efecto, la letra de Salvador es clara y cultivada.

Repasemos algunos matrimonios residentes en El Pino, tal como aparecen en estos primeros registros, al bautizar a sus hijos.

> 1594 y 1596: Lorenço M<art>ýn, casado con [cc] Ysabel Gómez; padrinos (1) Al<ons>o Bajo cc Ysabel Rodríguez; (2) Al<ons>o Bajo el moço y Mª de Nauidad, vᵒs de Zaratán.

> 1595 y 1596: Domingo G<arcí>a, cc Mari Repolla; padrinos (1) Al<ons>o Bajo el moço cc Ysabel R<odrígue>z; (2) Benito G<arcí>a e Ynés Polla.

> 1595: Benito G<arcí>a, cc J<uan>a G<arcí>a; padrinos Al<ons>o Bajo, vᵒ de El Pino, y María de Nauidad, vª de Zaratán. Fue mayordomo en 1592.

> 1596: J<ua>n Gómez, cc Ju<an>a G<arçí>a; padrinos Peralta, vᵒ de El Pino, y María de Nauidad, vª de Zaratán. Tal vez se trata de Juan Peralta, que fallece en 4.4.1601, enterrándose en la iglesia del Pino. Juan Gómez fue mayordomo en 1599-1600.

> Seuastián Pérez, cc --; padrinos Pe —e Ysabel G<arçí>a. Sebastián fue mayordomo en 1593.

> 1597: Pº Sánchez, cc Mª Gómez, vᵒs del Palacio; padrinos Al<ons>o Bajo y Mª de Nauidad, vᵒs de Zaratán. Este parece ser el que en 1591 y años posteriores fue mayordomo de la iglesia de El Pino; a su muerte en 1633 fundó una memoria pía, con una alhóndiga para guardar grano.

> 1601: Santiago Pérez, cc Mª Baja; padrinos, Lorenço Bajo y la hidalga. Esta era de Muelas. Lorenzo Bajo y Santiago habían sido mayordomos de la lumbre en esos años.

> 1604: Pedro Hernández, cc Madalena García; padrinos Fran<çis>co Hernçandez y Catalina García.

> 1632: Antón Pérez, cc María Sánchez; padrinos Domingo Sánchez, vᵒ de El Pino, e Inés Sánchez, vª de Muelas.

Engordamos esta sección con los datos extraídos del libro de fábrica sobre otros vecinos de El Pino, los mayordomos de la iglesia y cargos similares.

Año o curso	Mayordomos de la iglesia	Mayordomos de la lumbre	Arrendadores de la fábrica
1590	Juan García, apodado *Rojo*	Alonso Bajo	Francisco Esteban
1591	Pedro Sánchez Peralta	Juan Gómez	
1592	Benito García	Sebastián Pérez	
1594	Pedro Sánchez		

Año o curso	Mayordomos de la iglesia	Mayordomos de la lumbre	Arrendadores de la fábrica
1595	Juan Gómez	Lorenzo Bajo	
1596	Pedro Sánchez Peralta, de El Palacio		Pedro de Barbadillo
1597, 1598	Pedro Sánchez	Sebastián Pérez el viejo	El beneficiado
1599	Pedro Sánchez, de El Palacio [Pedro de Peralta]	Sebastián Pérez el mozo	Manrique mesonero, vº de Salamanca
1600	Juan Gómez	Santiago Pérez	Juan Gómez
1601	Juan Gómez	Lorenzo Bajo	Juan Gómez
1602	Juan Gómez		Lorenzo Bajo
1603	Lorenzo Martín	Castillo	Juan Gómez
1604			Sebastián Pérez, Lorenzo Bajo y Pedro Hernández
1605			Pedro Miguel, vº de Zaratán
1606	Lorenzo Martín		
1607	Sebastián Pérez	Juan García	
1608	Pedro Sánchez		
1609	Juan Sánchez		María Hernández, hornera, vª de Salamanca
1610	Juan Sánchez		
1611	Antón Herrero		Gregorio Prieto, vº de Muelas
1612	Domingo Borrego		Antón Garuña (¿), vº de Muelas
1613	Francisco Hernández		Antón Benito
1614	Domingo Sánchez		Pedro Pedrera, cantero, vº de Salamanca
1615	Sebastián Pérez	Sebastián Pérez	Domingo Borrego
1616	Lucas Martín	Mateo García	Macías de Muelas y Andrés Benito
1617	Mateo García		Francisco de Ledesma, beneficiado
1618	Lorenzo Martín		Pedro Vicente
1619	Domingo Crespo		Lucas Martín
1620	Domingo Crespo		Juan Mozo
1621-1622	Domingo Crespo		Domingo Crespo
1625	Antón Pérez		
1626-1627	Lucas Gavilán		
1627-1628	Antón Pérez		
1628-1629	Juan Martín		
1630-1631	Antón Pérez		
1631-1632	Francisco Pérez, hijo de la Bernarda		
1632-1633	Francisco Pérez casado		
1633-1634	Pedro Crespo		
1634-1635	Antón Pérez		Antón Pérez
1635-1636	María Sánchez, viuda de Alejo García		

Año o curso	Mayordomos de la iglesia	Mayordomos de la lumbre	Arrendadores de la fábrica
1636-1641	Pedro Crespo, Pedro García		
1642-1643	Pedro García		
1643-1644	José Gavilán		
1645-1646	Andrés Benito		
1646-1647	Pedro Maestre		Alonso del Campo y Domingo, vᵒs de Almenara.
1647-1648	Alonso Nieto		Pedro Crespo, vᵒ de Salamanca.

El primer libro de fábrica de El Pino (1590-1650)

Se transcriben algunos fragmentos de especial interés. El esquema de los libros de fábrica es simple; en nuestro caso los oscurece cierto desorden cronológico en los asientos. Cada año, el beneficiado le pide cuentas al mayordomo. Este es nombrado por *cursos* completos (llamamos así al periodo comprendido entre San Juan de junio de un año hasta el siguiente, que también usaba la iglesia para arrendar una casa de su propiedad).[449] El nombramiento de mayordomo, que era hecho por los alcaldes y regidores en el caso de Muelas, no siempre era aceptado gozosamente; en 1645 Antón Pérez fue condenado en 80 reales por no aceptar la mayordomía de la iglesia de Muelas. A veces, además de un mayordomo de la iglesia, se menciona a un mayordomo de la lumbre, el *alumbrajero* o *lumbrajero*, que tiene a su cargo gestionar los gastos de aceite o cera de la iluminación.[450] La contabilidad se agrupa en dos secciones: ingresos (*cargo*) y gastos (*descargo* o *data*). La fábrica de la iglesia, un noveno de lo recaudado en los diezmos, se solía arrendar por subasta a una persona, habitualmente de El Pino, el *fabriquero*. Otros ingresos habituales eran los censos y aniversarios, las *derechuras* (recaudación por ofrendas de cera, vinajeras e incienso y otras cosas menudas: solía hacer esta ofrenda, en especie, el fabriquero), las rentas de tierras y viñas del beneficio,[451] los pagos por sepultura (que distinguen sepultura

---

[449]   Se constatan varias excepciones e irregularidades, pero, en la visita de 1614 a Muelas, se ordena que los nombramientos de mayordomo allí deben ajustarse al mismo ciclo, de San Juan a San Juan, para sincronizar cada mayordomía con el arrendamiento de la fábrica: «de manera que cada mayordomo remate la fábrica de su año y la cobre». Precisaba el visitador de El Pino en 1618: «porque el mismo mayor<do>mo que rematare la fábrica la cobre, que en esto está mucha parte de la claridad que conuiene traigan las cuentas de la iglesia».

[450]   En Florida, se citan en 1604 unas tierras de la fábrica, con cuyas rentas (diez reales al año) se pagaba el gasto de alumbrar la iglesia. Consta en 1634 y 1651 que se venía a gastar tres cuartillos de aceite cada semana para la lámpara de la iglesia, a real y medio el cuartillo.

[451]   Las tierras de Muelas rentaban solo en los años pares, porque se encontraban todas en la misma hoja; en los años impares dicha hoja estaba de descanso. Por ello, el beneficiado José Rodríguez recomendaba hacia 1740 arrendar conjuntamente las tierras de la fábrica y las del beneficio, que al

de cuerpo menor [25 mrs] y mayor). El *canastillo* se asignaba en El Pino a la lumbre del Santísimo, pero en Muelas (1651, 1657) servía para retribuir el servicio de lavar la ropa blanca y barrer la iglesia, que hacía el propio mayordomo (o más bien su mujer). Los gastos fijos eran la cera y aceite para alumbrar la iglesia, el jabón para lavar la ropa blanca (tarea encomendada casi siempre a una lavandera), la retribución de la barrendera y unos tributos denominados «subsidio y excusado».[452] En Muelas había más gastos: se contrataba a un sacristán para ayudar en la Semana Santa y hacer el monumento; se pagaba al vecino que hacía las hostias, para lo cual usaba unos *hierros* (moldes y troqueles). El visitador, nombrado por el obispo, suele variar cada pocos años. Su visita anual se gira *por vereda* (recorrido prefijado); supone una comprobación de cuentas y libros parroquiales adicional a la que hace el beneficiado; suele dar órdenes sobre gestión económica, obras en el templo, compras de imágenes, ornamentos, mobiliario y prendas litúrgicas. La propia visita, que era autentificada con la firma de un notario, costaba un dinero, que se imputaba como gasto para la fábrica: los derechos de la visita hacia 1590-1600 eran de 11 reales, es decir, un ducado.[453] Una fuente de ingresos para la iglesia eran los aniversarios de misas o de ofrendas; estos se solían avalar cargando el gasto anual sobre una tierra o una casa. En 1614, el visitador Garci Hurtado de Avendaño exige cumplimiento de tales compromisos, que debían quedar perpetuados en una tabla expuesta en la sacristía.

La autoridad episcopal se expresa así por persona interpuesta. Pero a las confirmaciones solía acudir el propio obispo. Un apunte del s. XIX menciona a un muchacho, Agustín, hijo de Luisa Santos Sánchez,[454] con la anotación: «se llamaba Santano, y el Sr obispo le mudó el nombre».[455] En 1827 se indica que María Concepción, de la casa de expósitos, estaba adoptada en casa de Pedro González.

El Pino, siendo iglesia aneja a la de Muelas, tenía sin embargo autonomía en sus cuentas. En algún momento se le pide ayudar en algún gasto principal a la iglesia matriz. En 1626, el visitador Jerónimo Sandín de Tiedra ordena que se gaste en fiestas del Corpus hasta tres ducados en Muelas, y que la iglesia de El Pino contribuya la mitad, por no tener dicha iglesia gasto ninguno al no celebrarse allí la fiesta.

---

estar en hojas distintas rentaban todos los años unas 13 fanegas de trigo. Las de Muelas rentaban 18 a 19 fanegas, pero desde c. 1735, «por una testarada», habían subido a rentar 25.

[452] Se indica en Muelas (1604) que el concejo tuvo costumbre de ofrecer a la iglesia, año tras año, el vino de las misas, para lo cual se prescribía tal obligación al arrendatario de la taberna. La costumbre había decaído, y el visitador exige su restauración.

[453] Ya en 1621 era de 12,5 reales.

[454] Santano, nacido en 1816, es caso rarísimo, al ser hijo de madre soltera; ya a finales del XIX empiezan a registrarse más casos. El padre, Manuel Sánchez, lo legitimó al casarse posteriormente con la moza. Pero todavía en 1840 se registraba, en la cofradía de S. Lorenzo, con el nombre de Santano Sánchez.

[455] El mismo nombre recibió en 1854 un hijo de Salvador Santos Campo y Juana Sánchez Santos.

Ilustración 14: Primera página conservada del Libro de Fábrica, 1588.

En 1588 y 1589, las tierras y viñas del beneficio rentaron 9 fanegas y 3 celemines de trigo; reportaron un ingreso de 3.337 mrs. Un apunte coetáneo registra gastos en aderezar los tejados (17 rs), en cal y arena (39 mrs). En 1589, el Dr. Alonso de Butrago manda al beneficiado explique el «euang<eli>o e doctrina a sus fe-/ligreses todos los domingos e fies-/tas prençípales so pena de / ex<comuni>ón mayor». Mandó asimismo comprar una tabla de manteles; pintar el retablo; no hacer la custodia; trastejar y reparar la iglesia. El 15.11.1591 el mismo visitador toma cuentas de los gastos del nuevo retablo. El mayordomo de la iglesia, Pedro Sánchez Peralta, paga 63 reales (2.142 mrs) que se debían al entallador Juan Moreno.[456] A los pintores del retablo se le pagan 231 reales. En gastos menudos se iban 351 mrs: un *lumbrajero*, que traía aceite; unas sogas; una lengüeta de campana. Se sufragaba la lámpara de la Virgen con la renta de unas tierras, que era de 1.428 mrs.[457]

Manda al mayordomo de la iglesia que compre una caja para la cruz y una tabla de manteles, tenga trastejada la iglesia, y que repare «la puerteçilla por donde suben al canp<anari>o». «En estando el d<ic>ho visitador en Sal<aman>ca, acuda a las / casas obispales para dar horden se tase la / pintura del retablo y se traiga a la / d<ic>ha iglessia, y para aberiguar cuenta / con Juan Moreno, escultor». El retablo, al parecer, se encontraba en Muelas; debía colocarse en uno de los altares laterales. Juan Moreno, nacido en 1532, del gremio de ensambladores y entalladores, es mencionado en un proceso judicial sobre las ordenanzas del gremio (Rebollar Antúnez 2016).[458] La iglesia de El Pino le paga seguidamente a Moreno y a sus oficiales seis ducados, luego

Ilustración 15: Sagrario del retablo mayor, de hacia 1590.

---

[456] Juan Moreno hizo un respaldar y cimborio en «el General grande de Cánones» para la Universidad de Salamanca hacia 1555 (ESPM). Estos Peralta podrían ser descendientes de un Pedro de Peralta, bordador, que hizo una manga rica en la iglesia de Muelas en 1589 y también trabajó en Calzada de Valdunciel en 1594 (ESPM). Peralta hizo también una manga de cruz y frontal para la iglesia de Alcabón (Toledo) antes de 1593 (ARCV, REG. EJECUTORIAS, caja 1739, 44).

[457] Se tomaron cuentas de la lumbre a Lorenzo Bajo, Juan Gómez y Sebastián Pérez; el primero había gastado 50 reales en aceite. Ciertas tierras del beneficio estaban asignadas a cubrir los gastos de alumbrar el Santísimo; la renta de las tierras de 1591 fue de 1.670 mrs; la de las viñas, 204. En 1592, fueron 1.394 y 204; en 1593, 3,5 fanegas a 14 reales la fanega (1.666 mrs); la viña rindió 9 reales.

[458] Moreno tenía participación en 1600 en una casa que llamaban el Mesón de Gibraltar (origen de la futura calle homónima), junto a la puerta del Río (ESPM). En 1559 se comprometía a hacer un retablo en Macotera; la hechura de un Cristo fue luego traspasada a Juan de Huerta (Casaseca 1984: 152).

cuatro, en pago parcial. Se gastó en elevar el retablo, y gastos menudos (clavos, hilo, sogas, desplazamientos) 544 mrs. Se dieron 5 ducados al pintor Juan de Aguilar.

El 18.5.1593, por mandato del provisor Andrés de las Infantas, siendo beneficiado y cura de Muelas Juan Bélez de Resbala, se tomaron cuentas a los anteriores mayordomos. Imputan gastos en 1591 de un oficial y su criado cuando fueron a Salamanca para asentar el retablo, es decir, hacer el contrato, «de comida y çebada para las ca-/balgaduras, quatro r<eale>s»; gastó asimismo con el oficial una gallina, valorada en dos reales; se hacen pagos parciales a los pintores Juan de Aguilar y Juan [Bautista],[459] y al entallador Juan Moreno.

Este es sin duda el «retablo nuevo y vistoso» que describirá en 1608 el visitador (Casaseca y Nieto 1982: 212). El pintor, Juan de Aguilar, tiene un apellido conocido dentro la escuela de Salamanca.[460] Es probablemente padre de Antonio y Valentín Aguilar,[461] a juzgar por las fechas.[462]

El 18.11.1594 es visitador el doctor y maestro Francisco Sánchez, canónigo. Se mandó hacer un frontal de guadamecí para el altar colateral nuevo, así como trastejar y reparar la iglesia. El 13.4.1596, siendo ya beneficiado de Muelas Salvador Hernández, se le toman cuentas al mayordomo. Se había enejado la campana, lo que costó 29 reales. En pagos a los pintores del retablo, Juan Baptista y [Juan de] Aguilar, 4 ducados.[463] El alumbrajero del año pasado gastó 19 rs en aceite. La tarea de barrer la iglesia y lavar los paños recayó en Antona, gastándose en ello 5 rs. La visita de 19.12.1597 la cursó Martín de Burgos del Castillo, arcediano de Medina y canónigo en Salamanca; el beneficiado era Salvador Hernández.[464] Las cuentas de 1595 eran:

---

[459]   Aunque aquí conste como pintor, tal vez se trata del escultor Juan Bautista de Salazar (Casaseca 1984: 66, 316). Juan Bautista consta en 1569 como ensamblador en un retablo de Macotera (152).

[460]   Probablemente desciende de Juan de Aguilar, dorador, v° de Salamanca, hijo de Toribio de Aguilar, hidalgo, citado en ejecutoria de 1530 (ARCV, REG. EJECUTORIAS, CAJA 430, 34). Se menciona un retablo en Santiago de la Puebla en 1568 por el escultor Juan Bautista de Salazar y los pintores Diego Gutiérrez y Juan de Aguilar (Casaseca 1984: 316). Juan de Aguilar, ensamblador, trabajó en un retablo para La Bóveda del Río Almar en 1591 (Casaseca 1984: 79).

[461]   Valentín de Aguilar, casado con Isabel de Ledesma, es entallador de un retablo en Campo de Peñaranda a principios del XVII; había fallecido ya en 1630 (Casaseca 1984: 87, 88). Tuvo algunos encargos, como escultor, en la diócesis de Plasencia (Méndez Hernán 2004). Antonio de Aguilar, su hermano, casó con Antonia de Paz; Antonio consta a veces pintor, y a veces como alguacil y mercader de hierro (Rodríguez y Casaseca 1979: 388-389).

[462]   Es un momento de renovación plástica para la ciudad: «Salamanca, a causa de su proximidad geográfica respecto del foco vallisoletano, habría vivido parasitariamente succionando la savia renovadora inyectada en el tronco de la escultura castellana por Gregorio Fernández y su fecunda escuela» (Rodríguez y Casaseca 1979: 387).

[463]   Hacia 1594 se les habían pagado 6 ducados.

[464]   Salvador Hernández dejó en su testamento la *nata* y la *media nata* [*annata*] para hacer una cruz de plata para la iglesia. Una casa suya fue heredada por Alonso Castaño.

> «[Imagen de n\<uest>ra S\<eño>ra] Primeram\<en>te da por descargo que pagó / a Joan de Aguilar, pintor, v\<eçin>o de / Sal\<aman>ca, doçe du\<cad>os por una imagen de / n\<uest>ra S\<eño>ra. Mostró carta de pago del d\<ic>ho. /
>
> [Retablo] Yten se le pasan en q\<uen>ta seis du\<cad>os que / pagó a los pintores que hiçieron el reta-/blo. Mostró carta de pago. /
>
> [...] [Adereçar el / cáliz] Yten de limpiar el cáliz y adereçar la / casulla y echar un aforro a un manípulo, / çinco r\<eale>s».

La nueva imagen, que había sido pintada en Salamanca, supuso algunos gastos menores adicionales; de traer la imagen, un real; de «ir a rresponder a Sal\<aman>ca a una çi-/tatoria, de pedim\<ien>to de los pintores, un real», por gastos de desplazamiento. Se gastó en sogas para las campanas, otro real; y en apretarlas, un real y 20 mrs. Se le dio al *alumbrajero* 10 reales para aceite. La fábrica de 1596 se remató en el propio beneficiado.

Había habido gastos de obra: al oficial que trastejó la iglesia, 2,5 rs; en cal para ello, 2,5 rs; en teja, 2 rs;[465] en la compra de un hostiario, 46 mrs; en hacer un marco para la ventana de la iglesia, 10 rs; en pagos a los pintores, 3 ducados.

He aquí los mandatos que dicta en 1597 el arcediano de Medina, delegado por el visitador general, a la iglesia de El Pino:

> «[Se alargue el / altar de n\<uest>ra S\<eño>ra] Primeram\<en>te mandó su m\<erçe>d que el altar de n\<uest>ra S\<eño>ra se alargue y / se ponga la imagen en medio del altar en su caja. //
>
> [Guardapoluo] Otrosí se haga un guardapoluo p\<ar>a el altar mayor dentro de un mes //
>
> [Purificadores] Otrosí que de una bara de lienço mui delgado se hagan quatro pu-/rificadores que sean del tamaño de un pañuelo de nariçes. //
>
> [Casulla] Otrosí m\<and>ó que se haga una casulla de damasco blanco con la çenefa / de brocatel de colores toda llana, sin bordadura ninguna. //
>
> {Todo este apunte va tachado} [La imagen antigua / de la iglesia de Çaratán] Otrosí m\<and>ó su m\<erçe>d que la imagen antigua de n\<uest>ra S\<eño>ra, que esta iglesia / tiene, se dé a la de Çaratán, que tiene neçesidad de ella, pagándo-/le por ella lo que pareçiere justo y raçonable».

Este último asiento, que pide anexionar la imagen de una iglesia subalterna, parece despertar remordimientos en el visitador, quien lo tacha, y, seguidamente, prohíbe transacciones similares:

---

[465] En 1603, la teja para la iglesia de Muelas se traía de Parada de Arriba y Salamanca. En 1493 había un horno de teja en [San Pedro del] Valle (Vaca Lorenzo 1996: 358); en 1752 consta otro en Espino de los Doctores; el horno de teja de Santibáñez del Río estaba arruinado (CME).

«[que no se preste nada / sin liç<ençi>a del ben<efiçia>do]: otrosí m<an>do que el maior<do>mo ni otra persona deste lugar sea osado de / prestar ninguna cosa de esta iglesia para otra p<ar>te sin liçençia del ben<efiçia>do / so p<en>a de excom<uni>ón mayor».

Está claro que el arcediano quiere dejar las cosas claras, antes de una decisión como la tachada. Después de esta aclaración vuelve a escribir en el libro de fábrica de la iglesia del Pino:

«[La imagen antigua / se dé a Çaratán] Otrosí que la imagen antigua de n<uest>ra S<eño>ra se dé a la igl<esi>a de / Çaratán, que no tiene ninguna, la qual á de pagar por ella tres du<cad>os, / no obstante que su m<erçe>d avía mand<ad>o en la igl<esi>a de Çaratán que se hiciese / una nueva y con esto la podrá escusar, atento que la igl<esi>a de Çara-/tán no tiene aora din<er>o ninguno, y muchas otras cosas a que acudir // y por la mesma rraçón á menester estos tres du<cad>os la del Pino».

Con toda probabilidad, la imagen antigua a la que hace mención el libro sea la que se tratará en sección aparte; actualmente de propiedad privada, está excelentemente conservada en la capilla de Zaratán.

La visita de 7.5.1599 la cursa Jerónimo de Echevarría, siendo obispo Pedro Junco de Posada. Se había arreglado el portal de la iglesia, gastándose en «maestro, piedra, cal y obreros y más materiales» 952 mrs; el maestro es Pedro Bajo [tachado] y fray Juan de Herrera. En trastejar la iglesia, labor que hizo Pedro Bajo, oficial, 918 mrs;[466] a un peón que le ayudó, 102 mrs; el gasto en teja, 123 mrs. Por arreglar la lengüeta de la campana, 170 mrs; en ramos, 14 mrs.[467] El visitador pide traer en breve plazo la casulla encargada en una visita anterior, que ya estaba lista en Salamanca; y comprar un libro para que el beneficiado asiente fincas que se arriendan, pagos a oficiales y otros gastos de la iglesia. Encarece que en los domingos y fiestas de adviento y cuaresma «se tenga cuydado de desçir y anseñar la dotrina cristiana a sus feligreses». Pide se hagan dos *alcobas* (nichos) para los altares colaterales, parecidas a las que hay en la iglesia de Muelas, a criterio del beneficiado.

La visita de 10.12.1600 la hace también Jerónimo de Echevarría, visitador general en el obispado. Había costado una casulla colorada 255,5 reales; había carta de pago del bordador y cordonero. El libro para la contabilidad costó 3 reales. Se mandó avanzar en el guardapolvo y las alcobas encargadas anteriormente. Las viñas del beneficio cuya renta servía para cubrir los gastos de lumbre no se habían arrendado

---

[466]   El oficial que trastejaba la iglesia de Muelas en 1602 ganaba 4,5 reales por día. Ello implica que Pedro Bajo invirtió unos seis días en trastejar la de El Pino.

[467]   En 1824 se gastaron 9 reales en laurel para el Domingo de Ramos.

ese año, por lo que el visitador ordena hacer una investigación. Manda también vender el paño de luto de la tumba de Alonso Maldonado, hecho que se glosa en otra parte de este libro, y comprar manteles para el altar mayor. Se apremiaba a Santiago Pérez a que trajese un libro para las cuentas de la lumbre. Constata el visitador que desde 1593 no se había controlado dichas cuentas.[468] Las tierras del beneficio dieron en 1597 una renta de 1.740 mrs; las viñas rentaron 680 mrs, además de 8,5 cargas de uvas, que valieron 1.590 mrs.[469] Pedro de Peralta, mayordomo de la iglesia, había pasado 9 rs para aceite. Se pagó 4,5 rs de la llamada *viñaduría*.

La visita de 30.1.1602 estuvo a cargo del mismo Jerónimo de Echevarría. En arreglar un trozo de tejado se había gastado 150 mrs. El 20.5.1605 es visitador el doctor Alonso del Villar; pide cuentas a los mayordomos. Se habían pagado 8 ducados (3.000 mrs) a Alonso Rodríguez, vº de Salamanca, por pintar el guardapolvo del altar mayor;[470] 16 libras de hierro para la vara del guardapolvo, a ½ real cada una (total de 272 mrs); la hechura de la vara costó 8 reales. Sortijas, hilo y cintas para el guardapolvo, 110 mrs; teñirlo, 220 mrs. El guardapolvo se hizo con 18 varas de angeo, que costaron 48 reales.

Se hicieron en 1602, asimismo, unos tabernáculos en yeso, los antes denominados *alcobas*, en lo cual se consumieron 14,5 fanegas de yeso, a 7 rs cada una; el *albañir* era Pedro de Tejeda, vº de Salamanca, a quien se pagaron 22 ducados. También se gastaron 6 fanegas de cal, a 3 reales la fanega; 800 ladrillos, por un total de 4 reales. Para traer el yeso, cal y ladrillo, vineron de Salamanca cinco carretas (7 rs cada una) y dos jumentos (1 real cada uno): total, 1.258 mrs. Se compraron dos cíngulos de a dos varas, por 30 mrs, y se alargó por 152 mrs la vara del guardapolvo. Hubo 16 reales de penas (multas). Ese año se enejaron las campanas (1.496 mrs) y se alargaron sus coyundas [correas de sujeción] (170 mrs); se gastó en recorrer y aderezar el tejado, 8 reales; en reparar un cáliz, 6 rs.[471] En los mandatos de 1605 se indica que la iglesia «tiene gran necesidad de trastejarse, y sobre ello está / hecho concierto y concertado con Lorenço / Paredero, vº de Parada deEnçima, por / precio de once ducados».

En 4.4.1606 visitó la iglesia de Muelas en persona el obispo Luis Fernández de Córdoba. En 11.5.1608 el visitador en El Pino es Eugenio de Chiriboga, natural

---

[468]   Los *lumbrajeros* habían sido Sebastián Pérez el viejo, su hijo Sebastián Pérez el mozo (1599) y Santiago Pérez (1600); en 1600 «entró a alumbrar» Lorenzo Bajo.

[469]   En 1600, las viñas dieron 25 reales y las tierras 3,5 fanegas, que cobró Lorenzo Bajo.

[470]   Alonso Rodríguez, que vivía en la calle de Herreros, hizo también el dorado del retablo de talla de La Mata de Armuña (Casaseca y Nieto 1982: 162). En 1575 fue bautizada en S. Julián una hija de Alonso Rodríguez y su mujer María Rodríguez (ESPM). A Alonso Rodríguez se atribuyen los lienzos del retablo mayor de las Carmelitas de Alba (Casaseca 1984: 246). En 1595 se comprometía a hacer un retablo en Ventosa del Río Almar (330); en 1602, la pintura, dorado y estofado de un retablo en Villar de Gallimazo (344).

[471]   En 1605 se gastaron otros 12 reales en «adereçar un cáliz».

de Toledo[472]. Por entonces parece situarse la visita recogida en una interesante recopilación, debida a Antonio Casaseca y José Ramón Nieto, que ofrece una panorámica sobre el arte eclesiástico en los lugares del obispado de Salamanca a comienzos del XVII (Casaseca y Nieto 1982: 212).

> «EL PINO. Este lugar es de diez vezinos y anexo a Muelas, tiene una iglesia graçiosa con un retablo nuebo y vistoso y en medio una caxa, sobre la custodia está la imagen de Sant Lorenço, de vulto, cuya es la advocación. Fábrica vale, un año con otro, 20 ducados, y en las propiedades valdrá treynta ducados; tendrá de gasto ordinario 18 ducados.
>
> Aquí dexé mandado a Lorenço Rollán, vezino de Parada de Encima, con quien está concertado el trastejar toda la iglesia por onze ducados, acave la dicha obra dentro de 40 días, so pena de excomunión mayor y evitación de oras y quatro ducados».

De Zaratán, que por entonces era anejo a Parada de Abajo (= Villaselva), sorprende observar que era más populoso que El Pino (14 vecinos frente a 10):

> «ÇARATÁN: este lugar es de 14 vezinos y es anejo a Parada de Avajo; la iglesia es pequeña y pobre, tiene un pequeño retablo y en medio una imagen de San Bartolomé, que es la advocación de la iglesia; sirve este lugar el beneficiado propio.
>
> La fábrica vale 5.000 maravedís y gasta poco más en gasto ordinario. El beneficio curado vale cient ducados; poséele Juan López, natural de Guadramiro; llevóle abrá dos meses por oposición».

Añade al margen: «el préstamo de este lugar posee Mateo López Manrique, criado de Don Pedro de Zúñiga; renta de 10.000 maravedís». En 1608 este mismo Mateo, estudiante en Salamanca, consta como vecino de Motos en Guadalajara.[473]

Menciona también el libro que en Muelas había una curandera: «ay una muger que se llama la de Juan García, del vario de avajo, la qual suele curar niños con ciertas medidas superticiosas de listones; está amonestada y prometió enmendarse» (Casaseca y Nieto 1982: 213).

Los asientos del libro de fábrica en 1608 (visitador Eugenio de Chiriboga, canónigo; mayordomo Pedro Sánchez del Palacio) corroboran estos puntos.

> «[Ofiçial] Yten dio por descargo çiento y veinte y un rre-/ales que dio a Lorenço Rrollán, arbañir, vez\<in\>o / de Parada deEnçima, en que se conçertó / el trastejar la iglesia del d\<ic\>ho lugar».[474]

---

[472]   Canónigo de Salamanca; el mismo día había hecho la visita de Muelas.

[473]   ARCV, REG. EJECUTORIAS, CAJA 2039,87.

[474]   Por entonces, el mismo Lorenço Rrollán cobró 62 reales por trastejar parte de la iglesia de Muelas.

Por añadidura se gastaron: 30 fanegas de cal, a 89 mrs la fanega (total, 2.670 mrs); la traída de la cal, 8,5 reales (289 mrs); 17,5 reales por cinco terciales, dos cuartones y una docena de tablas (595 mrs); 1 real por traer la madera (34 mrs); dos reales de clavos (68 mrs); 4 reales que costó «traer el arena que se mezcló con la cal», sin duda procedente de la ribera (136 mrs); 600 tejas, a siete reales el ciento (total, 32 reales = 1.428 mrs);[475] 11,5 reales por traer la teja (391 mrs); 1,5 reales de arreglar el caldero del agua bendita. En 1607 era mayordomo Sebastián Pérez, y el mismo visitador le toma las cuentas. Da de paso orden de que se compren unos manteles para el altar.

En la visita de 20.5.1610, por el mismo Chiriboga, se da a entender que las obras siguen. Se gastaron 100 reales en madera, pagados del fondo por el mayordomo; 8 reales de traerla; 515 y 285 reales a Pedro Pedrera, cantero, por la obra; 8 ducados por dos carretadas de cal; a Alonso Baço, sacador de piedra, 182,5 reales; por traer la piedra, arena, barro y pizarra, 38,5 rs. Parte de los pagos a Pedro Pedrera se hacían a través de otros acreedores: Juan Sánchez y María Hernández, hornera, vecina de Salamanca, «que viue a la puerta del río».

La visita del 18.4.1613 la hizo el propio obispo Luis Fernández de Córdoba Portocarrero, que ese mismo día visitó Muelas. El obispo había observado que no había palio en Muelas para llevar el Santísimo en una procesión; ordenó que el mayordomo de El Pino prestara el palio de su iglesia a la de Muelas. Seguían las obras en la iglesia de El Pino: en trastejarla, 1.564 mrs; en poner las campanas en el nuevo campanario, 17 reales. A Pedro Pedrera, cantero,[476] por la obra del campanario, 4 ducados. Se indica que se usó piedra de Villamayor para la iglesia, pues se pagan 1.172 mrs al sacador de piedra de este pueblo; el gasto cubría también arena y la traída de la piedra, así como el vino que se dio a los que subieron las campanas. En 7.9.1614, toma las cuentas el beneficiado, Francisco de Ledesma. Siguen gastos de obra: 19 reales en teja para el tejado; 18 reales al oficial de Villamayor; dos ducados al tasador de la iglesia. El visitador acude poco después, el 17.9.1614: es Garci Hurtado de Avendaño. Manda se haga una casulla blanca de catalufa, a criterio del beneficiado, y un cofrecito para el Santísimo. Añade:

> «Por quanto Al<ons>o Canete, veçino de S<alaman>ca,[477] tiene compradas / unas viñas que tiene esta iglesia en la Va-/güera Grande, que son quatro viñas que estauan per-/didas y no rrentauan cosa alg<un>a, por preçio de / treçe ducados, y su m<erçe>d se á inform<a>do e le á / constado ser útil a la iglesia la venta».

---

[475] En 1645, para la iglesia de Muelas, se trajo de Baños «un millar de texa» por 77 reales.

[476] Trabajó en la misma época este Pedro Pedrero o Pedrera, cantero, en la construcción de la sacristía en Muelas: cobró 466 reales; hacia 1610, otros 125 rs. Los pagos de la obra dieron lugar a un pleito, que coleaba en 1613. Mateo Sánchez, de Villamayor, sacó para ello 403 carretadas de piedra.

[477] Gran propietario de viñas en Villaselva, de familia de dueños de tabernas, como se indica en otra sección.

Pedía que se hiciese escritura de venta, y que los 13 ducados se empleasen an la hacienda raíz del beneficio. El beneficiado guardó dichos ducados durante varios años, por seguridad, y en 1622 los abonó en la compra de una casa en El Pino para la iglesia. En una liquidación firmada el 21.9.1614, el cantero Pedro Pedrera se compromete a revocar las paredes de la iglesia, quedando el saldo a su favor, pendiente de pago, en 225 reales.

En 15.3.1614 (será errata por 1615) el beneficiado Francisco de Ledesma toma las cuentas. Se trata de gastos menudos: 11 reales de cal; 2 reales de un hostiario; 3 reales de clavos; 3 reales por hacer la escritura de venta a Alonso Canete. El 12.1.1616 se anota el ingreso de 5 fanegas de trigo y dos ducados que dio de limosna Marigómez del Palacio [de los Ovalles], un total de 3.068 mrs. La viña del beneficio rentó 612 mrs. Se le pagan a Pedro Pedrera, cantero, 10.268 mrs, incorporando al pago lo que se le debía (225 reales) y otras deudas pendientes que la iglesia tenía con Juan Sánchez. A Pedro Bajo, que trastejó la iglesia, se le abonaron 1.054 mrs. En cera se gastó en el año 560 mrs.[478] En la arquita del Santísimo, 544 mrs. El 27.1.1617 se apunta que las viñas del beneficio habían rentado 18 reales y un cuartillo, que equivalen a 620 mrs; de las tierras y la limosna, 90 fanegas de trigo; se compró por 4 ducados una sobrepelliz; se gastaron 16 reales de teja. El visitador del 5.3.1617 es Pedro de Angulo Saravia, que ordenaba: hacer, en el plazo de quince días, una tapa de pino para la pila bautismal; cubrir el tejado de la iglesia (tal vez en el sentido de forrar las vigas y ripias); hacer un frontal de *guadamaçí* para el altar mayor.

Una visita de 1.4.1618, siendo obispo Francisco Hurtado de Mendoza y visitador Mateo Palomar Montejano, daba indicaciones precisas y coactivas al beneficiado Francisco de Ledesma.

> «[Casulla blanca] Primeram<en>te m<an>dó su m<erçe>d que se haga una casulla / de catalufa blanca para las fiestas de n<uest>ra señora / y que sea llana y sin bordadura al parecer de el ben<efiçia>do / e m<an>dó su m<erçe>d al Mayor<do>mo de la Iglesia que acuda a / el dicho ben<efiçia>do con el dinero que fuere menester para / la dicha Cassulla so pena de excom<uni>ón mayor y eui<taçi>ón de horas».

Se ordenaba también la compra de un misal, a criterio del beneficiado; manteles para el altar mayor, purificadores y ropa blanca. La casulla, según un apunte posterior, costó 4.122 mrs. El 23.9.1618, el beneficiado tomaba cuentas al mayordomo. Las tierras rentaron 5 reales al año; las viñas, 16 rs. Ese año se gastaron también 416 mrs en manteles para la iglesia, y 1.292 mrs en un frontal de guadamecí. Por otro lado, se hizo obra en la espadaña, gastando 3.298 mrs «en aderezar el campanario, / ansí en tabla y madera y clauos y cal, como en / offiçiales». En el curso 1618-1619,

---

[478]   Lo que vendría a ser unas cuatro libras, a cuatro reales por libra.

rentaron las viñas 470 mrs; las tierras, 4,5 fanegas de trigo.[479] La visita de 9.11.1619 la hizo el visitador doctor Gómez Alemán. Ordenó se hiciese un par de corporales, media docena de purificadores y un arca para los ornamentos.

Se repiten los trasiegos entre iglesias del beneficio. Así, en 5.1.1621, el visitador Mateo Palomar Montejano, siendo obispo Francisco de Mendoza, da la siguiente orden:

> «[Cruz de plata] Otrosi m<an>dó su m<erçe>d que se traiga la cruz de plata / de el lugar de Muelas conforme lo que su m<erçe>d dejó / mandado y proueído en el d<ich>o lugar».

Era beneficiado Francisco de Ledesma, alcalde Lucas Martín, regidores Domingo Sánchez y Lorenzo Bajo, mayordomo Domingo Crespo (1619-1622).[480] Se trataba de una cruz de plata vieja, de la iglesia de Muelas, que el visitador Alemán, en 8.11.1619, había ordenado se vendiese a otra iglesia cercana, para con el producto hacer un cruz de latón para uso ordinario y un roquete de damasco para cuando sale el Santísimo a los enfermos.[481] La cruz vieja de Muelas fue reparada, gastando en ello la fábrica 5 ducados. En 31.12.1621 era alcalde Domingo Sánchez, regidores Mateo García y Antón Pérez. Se compran un amito y dos cíngulos en 7 reales; se repara un azadón por 7 rs; unos oficiales hacen obras en la iglesia por 10 rs.

En 14.10.1623 es visitador el propio beneficiado, Francisco de Ledesma. En noviembre de 1622, el beneficio había comprado a Santiago y Miguel Sánchez, por 18 ducados (6.750 mrs), una casa en El Pino, con intención de ponerla en alquiler para obtener ingresos. En efecto, el año siguiente ya renta:

> «[Cassa] Item se le haçen de cargo de seteçientos y quarenta / y ocho m<aravedí>s que rentó la casa q<ue> se compró para / la iglesia».[482]

Otros gastos de 1623 son imputables a la casa: mano de obra y materiales de un *arbañil*, 5.236 mrs; una carretada de cal, 1.360 mrs; cuatrocientas tejas, 816 mrs;

---

[479]   Renta de las viñas: 1619, 540 mrs; en 1620, 544; en 1621 y 1622, 594; en 1624 y 1625, 730; en 1628, 816. La renta se pagaba, este año y los siguientes, en fanegas de trigo, 4,5. El trigo de 1618 se vendió a un precio muy bajo, a menos de 9 reales la fanega. En 1619, a un ducado por fanega; en 1620, a 10 rs; en 1621, a 14 rs; en 1622, a 15 rs; en 1624, a 8 rs; en 1628, a 11 rs.

[480]   Lucas Martín dio 6 reales de limosna en 1620.

[481]   Muelas tenía otra cruz de plata mucho mejor en peso y en labor, pero los vecinos se resistieron a perder la vieja. En la visita de 1620 resulta que dos oficiales del concejo, Juan Hidalgo y Pedro Santos, habían escondido la cruz vieja, sacándola de los cajones de la iglesia, y ausentándose luego del lugar. El visitador Mateo Palomar les da plazo de tres horas para que devuelvan la cruz, condenándolos en 1.500 mrs cada uno, para la lámpara del Santísimo y la santa cruzada.

[482]   Entre San Juan de 1622 y el mismo dia de 1623, la casa rentó 748 mrs. El año siguiente, 28 reales (952 mrs); en 1625, 20 reales; en 1628, 408 mrs.

cuartones, tablas y clavos, 782 mrs; ladrillos, 6 reales (204 mrs); *traeduras* (coste de traer la teja y madera), 20 reales (680 mrs). Se dieron además 1.250 mrs por una lámpara, 3.740 mrs por unos cajones y su traedura; 12 reales (408 mrs) por limpiar el retablo de la iglesia. El año siguiente, 1624, el beneficio vendía teja, probablemente vieja, a Lorenzo Bajo y Juan Martín, por 7,5 reales.

El beneficiado y ahora visitador general, Francisco de Ledesma, declara en 1624 que obran en su poder 110 reales, unos 10 reales, previstos para gastar en una custodia. Se compromete mediante carta de pago en abonar esta cantidad al artífice, si esta se llega a hacer; de lo contrario, deberá devolverlos de sus bienes. En 1.5.1625, siendo visitador el propio obispo de Salamanca, Antonio Corrionero,[483] se ordenó «se aga una custodia de talla y pintura en la forma que / al d<ic>ho bisitador le pareziere». En 1626 consta un apunte según el cual Antonio G<onzale>s Ramiro, <e>scultor,[484] había recibido de Francisco de Ledesma 100 reales a cuenta de lo que había de llevar por la hechura de la custodia.

En 20.5.1625, el cura de Muelas y El Pino, Eliseo de Novoa (que hacía de teniente del beneficiado Ledesma), menciona una costumbre local. Los feligreses de El Pino tenían obligación de acudir a los oficios divinos a la iglesia principal, de Muelas, el jueves y viernes santo de cada año. El beneficiado-visitador, Francisco de Ledesma, condenó en dos libras de cera a cada vecino que faltase a los oficios. Juan Martín y su madre Isabel Gómez fueron por ello multados en dos libras, aplicadas a la lumbre del Santísimo de El Pino. Francisco Sánchez había faltado el jueves, por lo que hubo de pagar media libra. Se comisionó al mayordomo Antón Pérez para que cobrase las multas, so pena de pagarlas él de su casa.

Anota también Eliseo el 22.5.1625 que era costumbre el martes después de Pascua de Espíritu Santo (Pentecostés, cincuenta días tras la Pascua de Resurrección) hacer una procesión desde El Pino a Muelas. Ciertos vecinos se negaban, por lo que se les notificó que debían acompañar la procesión so pena de tres ducados para la Santa Cruzada. Francisco Blanco y Lorenzo Bajo, remisos inicialmente, dieron su brazo a torcer; pero Juan Martín se negó, pronunciando palabras muy desobedientes y levantiscas, cuya gravedad se acentuaba pues el cura estaba revestido de la sobrepelliz. Es condenado por ello en un ducado, por no acompañar la procesión, y una libra de cera por desacato. Lorenzo Bajo, que era viejo y enfermo, y se quedó en la iglesia, es condenado en una libra de cera. A Francisco Blanco, que se volvió a casa

---

[483]   El día antes el obispo había visitado Muelas. El 18.8.1627, Miguel del Salto, nuevo beneficiado, recibe en Muelas carta de pago de Antonio Gºs, que obraba en poder de Francisco de Ledesma.

[484]   Antonio González Ramiro es recordado como ensamblador (Casaseca y Rodríguez G. de Ceballos 1980), pero también se encargó de dorar custodias (Pérez de Castro 2006). Otorgó testamento en 1640, declarando ser autor de un retablo en Cantalapiedra. Véase Casaseca (1984: 77, 105, 207, 224, 226).

sin aguardar a que las insignias lo hicieran (desde Muelas), se le pone de pena media libra. A la Bernalda, que no quiso ir con la procesión, media libra. Al mayordomo se le confía la ardua tarea de cobrar, casa por casa, estas penas.[485] El 26.8.1625 es visitador Francisco de Ledesma[486] y el mayordomo cesante es Antón Pérez. Se habían gastado 10 reales en unos candeleros. Otros gastos eran de incienso (2 rs), ramos (1 real), vino y hostias (6 rs), jabón (1 real). El visitador dio limosna para comprar unos corporales ricos, por 30 reales.

El 23.4.1626 es visitador en Muelas y El Pino Jerónimo Sendín de Tiedra. De nuevo se menciona la custodia:

> «[Custodia] Yten mandó su m<erçe>d que por quanto esta / yglesia tiene dada açer una custodia y está / por dorar, y no tiene dinero, mandó a las / personas en cuyo poder estubiere, y enttró / la limosna del dinero que se yço y rresultó / de unos toros que sse an bendido para // nuestra Sseñora, acudan con la mitad / al mayordomo de la yglesia».

El mismo visitador pasa el 27.4.1628. Habían venido obreros a trastejar la iglesia (136 mrs en teja; 1.598 en salarios). El 12.6.1630 visita Muelas y El Pino Domingo Corrionero, arcipreste de Ledesma. En 1627 había bajado la renta de las tierras, ahora 2,5 fanegas, a 14 reales la fanega; las viñas dieron 25 reales; la casa, 14.[487] Hubo gastos menudos de teja y cal, salario de un oficial, y la *traedura* de una escalera; la barrendera cobró 8 reales. Las órdenes incluían echar unas tiras de lienzo al sagrario por la parte de dentro, y acabar la obra de la escalera [para el campanario], encargada a un maestro albañil.

El mismo visitador Corrionero, que consta ahora como racionero en Salamanca, repite inspección el 18.11.1631. Se había gastado en cien tejas 6 rs y, en traerlas,

---

[485] También en Muelas se impone con rigor, en la visita de 1626, el precepto del ayuno: los *confrades* de la Santa Vera Cruz, tras la disciplina del Jueves Santo, comían empanadas de prestado (que les ofrecía el mayordomo). Se prohíbe tal uso y se ordena que lo gastado por los mayordomos no se les descargue en su presentación de cuentas.

[486] Como visitador, Francisco de Ledesma fue sancionado por haber cobrado irregularmente 11 reales en su visita a la iglesia de Doñinos. En 23.4.1626 el nuevo visitador, Jerónimo Sandín, le ordena los devuelva a dicha iglesia so pena de excomunión. Pero el obispo revocó y dio por nula dicha orden cuatro días después. En 1628 volvió a poner tachas a Francisco de Ledesma: los gastos en incienso y ramos le parecieron excesivos e injustificados. En 1630 otro visitador impuso a Ledesma que pagara 200 mrs al mayordomo «por ciertos descuidos». Ese año entró un nuevo beneficiado, Miguel del Salto, a quien el visitador de 1631 impuso una multa de 40 reales por defectos y descuidos en los libros de bautizados.

[487] En 1628, la renta de las tierras fue de 21 celemines (1,75 fanegas), que se vendieron a 16 rs la fanega, por un total de 28 rs; en 1630 y 1631, igual volumen, a 18 rs la fanega. En 1628, las viñas y la casa dieron 50 rs; en 1630, la casa estaba desocupada («estubo baca») y no rentó; las viñas dieron 23 rs. En 1632, las tierras y viñas rentaron 3.758 mrs; la casa, 8 rs.

2 rs; en unas andas, 1.326 mrs; en reparar las campanas, 340 mrs; en recorrer la iglesia y hacer la escalera, 2.244 mrs. Hubo gastos menores: dos cíngulos, una aceitera. El visitador sanciona con cierta dureza al beneficiado. La razón es la siguiente:

> «Su m<erçe>d halló en la custodia / del Sanctíssimo Sacramento unas telas de araña, / y en el cáliz un purificador muy suçio y ynde-/çente para el ministerio, que no se podía usar dél. / Por tanto amonestó y mandó al d<ic>ho beneffiçiado que / de aquí adelante tenga gran quenta y cuidado / de que el Ss^{mo} Sacram<en>to esté con el ornato y decençia / que se requiere, y los purificadores limpios y los de-/más ornamentos bien conpuestos y con la decençia que se / requiere. Con aperçibim<ient>o que será castigado con rigor, / y por la culpa deste caso le condenó su m<erçe>d en / veinte reales aplicados para la lunbre y fábrica de / la misma iglesia».

Le daba de plazo un mes para el pago.

El visitador en 1.6.1635 fue el licenciado Melchor de Albistur, canónigo penitenciario de Salamanca, estando vacante la sede episcopal de la ciudad por muerte de Antonio Corrionero. Tomó cuentas a Antón Pérez, mayordomo 1630-1631. Se seguían pagando costes de la escalera del campanario, en esta ocasión, 3 ducados al oficial. En el curso 1631-1632 habían quedado *vacas* las viñas, es decir, sin labrar. El beneficiado había hecho una limosna especial, de 66 reales y pagó de su bolsillo las hostias y vino. El curso 1632-1633 había habido ligeros gastos en trastejar la iglesia; el beneficiado había impuesto una multa de 2.346 mrs a sus feligreses. El visitador ordenó que la iglesia estuviera bien mantenida, y que en adelante no se nombrara mayordomo ni se arrendaran viñas ni tierras ni se rematase la fábrica sin la asistencia del beneficiado.

En 1633-1634 volvió a estar sin ocupantes la casa; dos tierras y dos viñas se remataron en 40 rs. La fábrica de la iglesia se había rematado en Antón Pérez, por falta de otro postor. El curso siguiente, 1635-1636, fue singular, pues fue fabriquero Francisco Pérez el mozo, y mayordoma María Sánchez, viuda de Alejo García. En 1634-1635 se reparó la casa de la iglesia, con gastos en materiales y mano de obra (886 mrs); la campana fue enejada, y se le echaron unas clavijas nuevas: el oficial encargado de ello era Hernando Rodríguez, vecino de Villaselva; se compraron tejas por 306 mrs al padre fray Hernando, vecino de El Pino [tal vez de los agustinos], para trastejar la casa; y un cabrio por 68 reales, barato porque se sacaría del soto del Tormes. En la capilla mayor se había hundido una *cornixa*, y se gastaron 22 reales en subirla y en dos cabrios.

Entre 1636 y 1641 parece detectarse una mayor negligencia en las cuentas y un sensible empobrecimiento del pueblo.[488] La casa había estado sin ocupar cinco

---

[488] Se interrumpen las visitas o dejan de hacer apuntes en el libro de fábrica. Desde la de 1635 pasan quince años sin apuntes del visitador general.

años. Entre 1636 y 1640, las tierras y viñas de la iglesia no encontraron postor, y las llevó Pedro Crespo, dando una renta de 150 reales por un total de cinco años. Los gastos imputados a la iglesia son mínimos. El licenciado Jerónimo de la Fuente fue beneficiado entre 1635 y hasta al menos 1650. La fábrica se había rematado en el mayordomo por falta de postor. Las viñas las traía Francisco Pérez y las tierras Andrés Benito.[489] La casa volvía a arrendarse como cilla en 544 mrs.[490]

Entre 1646 y 1647, las viñas del beneficio las labraba Pedro Crespo. Se trajeron dos carros de cal; hicieron obra en la iglesia, por 70 rs, Hernando Rodríguez y su hijo, alarifes. Hacia 1646 vino el visitador general Antonio Vasco. Consta otra visita de 17.4.1650, por el licenciado D. Pablo de Teza y de la Vega, canónigo, siendo obispo Pedro Carrillo de Acuña.

Poco después se vino abajo la iglesia de Muelas, que por entonces empezaba a llamarse La Florida. Consta que el cantero Matías de Acosta,[491] apuntalando la iglesia, «dio con ella en tierra». El obispo Pedro Carrillo de Acuña, en visita de 27.4.1653, indica que no es posible asegurar la pulcritud y decoro debida, por «hauerse deribado la mayor p<ar>te de la yglesia, de cuya reedificación se trata y se va obrando en ella». Para cubrir los gastos, el obispo ordenó recurrir a censos y aplicar los saldos de la fábrica de dicha iglesia y la ermita de Nuestra Señora de los Santos, así como los de las hermandades y cofradías del pueblo. En los años siguientes, la iglesia quedó muy endeudada, pagando un censo anual de 82 reales a las Ánimas, de la iglesia de San Martín en Salamanca, y otro de 30 rs a Santa María de los Caballeros. El siglo siguiente seguían las obras, no solo en la iglesia, sino también en el osario, la cilla y la casa. El artesonado de la capilla mayor amenazaba ruina en 1734. Otras desdichas golpearon a la parroquia de Florida. En 1859 hubo una oleada de saqueos en iglesias: el 15.3.1859 robaron en Porteros un cáliz, unas vinajeras y un platillo de plata. El 28 de marzo saquearon la iglesia de Muelas, llevándose un cáliz con patena de plata, una cruz de oro de la Virgen, con otras medallas (BOS 9.5.1859). El 14 de junio de 1867 se cayó parte del templo, destrozándose los retablos de N.ª Sra. del Rosario y del Santo Cristo, nueve bancos de pino y las andas de San Antonio. En la noche del 23 a 24 de agosto de 1881, se repitió el robo de alhajas y ornamentos, así como del dinero del cepo.[492]

---

[489]   Renta anual en 1642: 35 reales (viñas) y 36 (tierras). En 1643: 35 rs (viñas) y 40 rs (tierras, por un total de 2,5 fanegas).

[490]   La renta de la casa era de 816 mrs en 1635.

[491]   Matías de Acosta y Francisco González, canteros salmantinos, hicieron la espadaña de Almeida de Sayago en 1654 (José Martín Barrigós, <jmb.blogcindario.com>). Matías trabajaba en 1656 en el convento de la Madre de Dios de Alba (Madruga Real 1982: 232).

[492]   Los objetos robados eran: un rostrillo de plata de nuestra Señora del Rosario; cuatro pequeñas joyas de la misma; un corazón de plata del Niño; una medalla de plata del mismo; una cruz pequeña

Elocuentes anticipos de otra ruina, esta vez de modo terminante, ya a finales del siglo xx.

De libros posteriores, basten algunos apuntes. La fábrica de El Pino se remató en 1678 en Domingo Solano, vº del lugar, en 28,5 ducados y las derechuras. En 1679, la llevó José de Villalón, vº de Salamanca. Fueron testigos Domingo Yáguez Montero, D. Melchor de Retes y Juan Castillo, de Salamanca. En 1734 se contrató obra en la iglesia con Juan Rodríguez, maestro; la portada, de cantería, y una ventanita.

La alhóndiga y la cofradía de San Lorenzo de El Pino

Una iniciativa meritoria es la de la alhóndiga o pósito del pueblo, descrita en un apeo de 23.4.1673, siendo beneficiado el licenciado Francisco Castro y Cornejo, y apeadores Juan Miguel, alcalde ordinario, y Pedro Crespo y Domingo Blanco, vecinos. La fundó Pedro Sánchez,[493] vecino de El Pino, dando de capital 26 fanegas de trigo, que dejó para obras pías y para remedio de los pobres. Su testamento, de ca. 1633, se conserva en el oficio de Mathías de Zamora, vecino de Salamanca; «quísose meter el corregidor en posesión, y estorbóselo el prouisor, y está pleito en casa de Mathías de Zamora, y hallí está el testam<en>to». Lindaba con la casa de la iglesia y casa «que fue de María Viz<ent>e, que oy gozan las Ánimas». Cada año se convocaba una reunión vecinal para el reparto. El grano se almacenaba en una panera perteneciente a la iglesia, que cobraba por ello (tasa llamada de *paneraje*) 1,5 fanegas anuales;[494] además, el beneficiado, que actuaba como supervisor del reparto, dado que en El Pino no había fiel de fechos, recibía 1 fanega. Su capital inicial era muy escaso, de 26 fanegas de trigo; hacia 1700 pasó a ser de 77 fanegas; era patrono el beneficiado y alcalde; se repartía con licencia del provisor, «por cuio repartim<ien>to y asistencia a él tenía el beneficiado antiguam<en>te una f <aneg>a de trigo; y oy solo se le da un quarto por fanega. Y de panerage a la ig<lesi>a se paga anualm<en>te

---

también del Niño; una corona de plata de Nuestra Señora de los Santos (de la vieja ermita); una diadema de plata del Niño; una casulla blanca floreada; dos casullas de terciopelo; un galón dorado, arrancado de un paño de facistol; los corchetes de plata de una capa blanca (Bz 21.9.1881). En 1902, el obispo, de visita en Muelas, «dio las oportunas órdenes para la recomposición del templo parroquial» (BOS 3.11.1902): ¿había habido derrumbes? En 1864 hubo obras en el templo, y se esperaba la subasta para continuarlas (BOS 1.8.1864).

[493]   Probablemente Pedro Sánchez de Peralta, del Palacio, que había sido mayordomo de la iglesia repetidas veces.

[494]   El paneraje de los años 1755-1767 no se había registrado en los libros parroquiales como ingreso del beneficio. El beneficiado responsable de este leve escamoteo ya había fallecido, por lo que reclamó el pago de 18 fanegas a sus herederos.

fanega y m<edi>a de trigo, que son solas las crezes que tiene».[495] El reparto, operación delicada, se hacía intentando que los labradores del término tuviesen asegurado el suficiente grano para la siembra en años en que había poco remanente de la cosecha anteror; también se repartía directamente para comer en años de hambruna. El libro del pósito da comienzo en 1633; el último reparto es de 1806. Los primeros repartos (1633-1638) se celebran en mayo, mes de tradicional escasez en las cocinas, por lo que parte del trigo sería molido directamente para pan. Tocan cada uno de los aproximadamente 20 vecinos de entonces a unas dos o tres fanegas.

Como era común en muchos lugares, los labradores se organizaban en cofradías piadosas. En Muelas, era la de la Veracruz; en El Pino, la de San Lorenzo. Según las ordenanzas de 26.7.1808 (firmadas por el beneficiado Francisco Alonso Arévalo), actualización de otra anteriores, regían la cofradía de S. Lorenzo un *abad* (el párroco) y un *alcalde* (no se trata del municipal); la función de este era velar por el cumplimiento de las constituciones, pudiendo reprender y aun castigar los abusos.

> Las desobediencias se pagaban en libras de cera. Inicialmente el mayordomo llevaba las cuentas; luego esta tarea recayó en el alcalde. El muñidor[496] se encargaba de avisar casa por casa para las reuniones de la cofradía (cabildos). El primero se hacía el día de Santa Ana (luego pasó a celebrarse por Santiago), con misa por los fallecidos, a la que debían asistir los cofrades, vela en mano. El segundo cabildo era el día de San Lorenzo. Ese día los mayordomos convidaban a una comida a los cofrades, limitada a ellos y los oficiantes: predicador, sacerdotes, músicos y sacristán.[497] Si un mayordomo fallecía, ocupaba su puesto su mujer, salvo cuando la casa del difunto pasaba a situación de pobreza grave. Para ingresar en la cofradía, se había de pagar media libra de cera. No sería admitida ninguna «persona infame, escandalosa pública, amiga de cismas y discordias, por oponerse al fundamento de esta hermandad, que es vivir unidos y enlazados como hermanos»; «se suplica y aun manda se eviten entre los hermanos los odios y rencores, y si llegasen a indisponerse los ánimos de algunos cofrades pasando a pleitos y discordias (causa de la perdición de muchas almas, y ruina de las haciendas), procure el alcalde de la cofradía sosegarlos y traerlos a la unión y paz de la hermandad». Cuando un cofrade estaba enfermo y sin medios, el alcalde nombraba uno o dos cuestores, que salían a pedir por el pueblo e incluso por las inmediaciones recursos para mantener al enfermo. Esta misma colecta, casa por casa, se hacía para los pobres necesitados, aunque no fuesen cofrades. Si fallecía un cofrade, se la organizaba

---

[495]   Es decir, por cada una de las fanegas (inicialmente 26; luego creció) repartidas se le abonaba al beneficiado un cuartillo (1/48 fanegas); en total, un poco más de ½ f. Luego, al aumentar el capital a 77 f, el pago ascendió a unas 1,6 f. Estas cantidades eran módicas, si se piensa en el interés que muestra el corregidor por encargarse del reparto.

[496]   A menudo se grafía, impropiamente, *mullidor*.

[497]   Este punto parece haber sido polémico, porque el artículo quedó suspendido.

misa con vigilia, de asistencia obligada. Cuando un hermano fallecía fuera de El Pino, si se traía a enterrar al pueblo, los cofrades debían salir al encuentro de su cuerpo, y acompañarle, con solemnidad, a la casa donde se depositase el cadáver, o a la iglesia. En las procesiones de entierro, la cofradía iba en dos filas bien ordenadas, siguiendo al Santo Cristo, «con grave silencio». En los años 1820 la cofradía se organizaba con un muñidor, un alcalde y dos o tres mayordomos.[498] Los criados de labor tenían algunas dificultades para acudir a todo como los demás. Por eso en 1859 se les exime de asistir a cabildo el día de Santiago; y tampoco han de acudir a los entierros, salvo que «les coja la campana» (en caso de encontrarse en paraje donde la puedan oír, deben asistir).

En 1734 el visitador observa que la carga impuesta a cada cofrade de sufragar una misa por cada uno de los cofrades difuntos del año era excesiva «en estos tiempos tan calamitosos». Limita a una misa la obligación anual por cofrade.

Existió también en El Pino la hermandad de las Ánimas. En 1733 eran sus mayordomos Manuel Casado y Francisco y Juan Ramos. Debían de organizar comidas, pues dan cuenta de un copioso ajuar de loza: 23 fuentes, 95 platos, 2 aceiteras, 4 pucheros, 2 ollas, 3 botijones, 94 escudillas grandes, 34 escudillas pequeñas, 100 cucharas, 24 cucharas finas, 24 jarros, 2 jarros vidriados.

SOBRE LA EVOLUCIÓN DE LA IGLESIA DE SAN LORENZO

No sorprenderá el hecho de que se desconozca la fecha de edificación de la iglesia del Pino, si es que tal cosa significa algo, pues los inicios serían tan básicos que apenas serían distinguibles de cualquier casa del lugar. Llama la atención el calificativo que se aplica en una visita c. 1608 a la iglesia de El Pino, «graciosa», en el sentido de 'primorosa, armoniosa, bien compuesta'. Nada se dice, evidentemente, sobre su fecha de primera edificación ni sobre su estilo: ¿pudo ser románica, como la hermosísima iglesia de Santibáñez del Río, o como la de Almenara? La referencia en 1608 a un «nuevo retablo vistoso» podría abonar la hipótesis de que la nueva iglesia, tras la reedificación de 1892, se realizó en función del retablo, pues carece de ventana al este.[499] Desde sus orígenes, como muestran los libros de fábrica, eran preciso intervenciones para evitar la ruina del templo, como la antes mencionada, de 1891. En 1762 vinieron unos gallegos a retejar la iglesia. En 1824 fue preciso demoler parte de la espadaña, que se estaba «arruinando a toda priesa, y volverla a hacer de nuevo,

---

[498]   Había cofrades de lugares vecinos: Francisco Miguel, de Muelas (1800); Mariana Puente, de Villaselva (1808); Onofre Sánchez y María Martín, de Carrascal de Barregas (1818); Domingo Delgado, de Almenara (1820).

[499]   En sección anterior, se ofrecen algunos inventarios de enseres y alhajas, de 1670, 1769 y (en anejo), de 1831 y 1865.

pues de lo contrario ya no habría yglesia». En 1831, se advierte: «para impedir que se originen frecuentes reparos en el edificio, cuidará [el párroco] de que no se juegue a la pelota contra sus paredes, amonestando a los padres de familia y especialmente a los señores alcaldes». En 1832, estando próxima la iglesia a la ruina, hubo obras de consolidación, a cargo de Francisco Olmo, maestro de carpintero, y Benito Jilguero, maestro de albañil, ambos vecinos de Salamanca.[500]

En cuanto al retablo, debido a la carcoma y mal estado de conservación, en el año 1962 se decide quitarlo, con alguna polémica entre los feligreses. Ha quedado, en la sacristía, una pieza de aquél, el sagrario. La imagen de San Lorenzo, «de bulto», permanece en la iglesia. También el sello, que en su diseño general concuerda con el de los primeros libros, que datan del año 1590.

Virgen con el Niño, madera tallada y policromada, en Zaratán

Debemos la siguiente descripción e interpretación de la talla a la amabilidad de Ismael Mont Muñoz, historiador del arte en Salamanca.[501] Se trata de una obra de autoría anónima. Es una imagen datable entre 1530 y finales del siglo XVI. Es un tanto difícil la datación, porque se trata de una Virgen de cierta calidad, pero ni mucho menos de primera línea; se puede decir que es regular. Como parece confirmar el libro de fábrica de la Iglesia del Pino, antes glosado, no está hecha para el lugar; está ubicada en él por circunstancias, en este caso, porque es vieja, El Pino tiene una nueva, y Zaratán parece precisar de imágenes.

El grupo de la Virgen con el niño es muy curioso: encaja en la etapa romanista con el tipo de escultura que hacen en Castilla ya escultores como Esteban Jordán o Sebastián de Ucete o incluso el propio Gaspar Becerra; no solo por el tratamiento escultórico sino también por el tipo de policromía y dorado. Corresponde formalmente con toda esa época de los romanistas de la Castilla de mediados del siglo XVI; incluso las formas, las manos de la Virgen, conectan con esa época, así como el tipo de pliegues, que recuerda ese periodo.

Hay un detalle muy bonito en el Niño Jesús, que es ese amuleto de coral, muy curioso porque es algo que se empieza a representar en la pintura flamenca en el siglo XVI con Jan van Eyck; tiene carácter apotropaico, es decir, es un amuleto de carácter defensivo, una protección mágica que preserva del mal de ojo; es un detalle cotidiano, un amuleto que llevara la gente para protegerse y se lo ponen también al niño

---

[500]   En 1836 estaba «desmenuzada y hecha pedazos gran parte de la teja de la iglesia». En 1864 se anunciaba la subasta para unas obras en la iglesia de El Pino (BOS 1.8.1864).

[501]   Graduado en Historia del Arte y doctorando por la Universidad de Salamanca.

Ilustración 16: Imagen antigua de Nuestra Señora, que perteneció a la iglesia de El Pino.

Jesús y empieza a ser habitual en las representaciones.

La pintura flamenca a lo largo de los siglos XVI y XVI en España sabemos que tuvo muchísima influencia. Cabe deducir que esa representación del Niño con amuleto de coral llega primero a Aragón antes que a Castilla. No ha de sorprender: en Aragón, por su comercio con Italia, se traía mucho coral de allí, e incluso en las propias costas de Cataluña se sacaba coral, por lo que allí se consolida antes una tradición de este material. Por ejemplo, Luis Dalmau en su Virgen de los Consellers, que está en el Museo Nacional de Arte de Cataluña, ya presenta al Niño con ese amuleto de coral.[502] A primera vista podríamos pensar en aquellos amuletos primeros de coral. Sin embargo, el análisis de este detalle nos permite comprobar que se trata de un añadido posterior, que además se superpone al dorado del manto del Niño.

El Niño lleva el orbe en la mano izquierda; parece faltarle el brazo y la mano derecha, que generalmente se extiende para bendecir. El orbe, desde muy antiguo ya aparece, en representaciones medievales por ejemplo en vírgenes romanas del siglo XII o del siglo XIII se muestra, ya la Virgen o bien con un fruto, que indica el carácter de María como madre del niño, como madre que hace germinar el fruto, es María como nueva Arca, remitiendo a ese pasaje del Antiguo Testamento, del Arca

---

[502] Esta explicación es sumamente interesante y cultural; podía haber sido, pero la realidad de este grupo escultórico es que se le han añadido, colgado, puesto sobre la talla objetos anacrónicos a ella, y lo que parece un amuleto es un colgante del siglo XIX que ni siquiera es coral. Así como el collar de la Virgen o el escapulario.

de la Alianza, ahora María se convierte en la Nuevo Arca, es una teología un tanto compleja. Y otras veces en lugar de aparecer ella con el fruto o el orbe, aparece el niño con el orbe, como es el caso, que indica que ya tiene sobre Él, el Espíritu Santo, que ya tiene la gracia Divina. Muchas veces se asegura que tiene la bola del mundo; sin embargo, en esta época todavía no se puede hablar de esto, porque no se tiene la concepción de la tierra como algo circular. Demasiadas veces se tiende a cometer ese error en la historiografía, suponiendo que el niño lleva la bola del mundo, cuando ni siquiera todavía en el pensamiento de esa época existe la imagen del mundo como algo redondo: se cree que la tierra es plana.

La imagen mariana tiene en el manto la representación de una flor: siempre la asociación de la virgen con las flores. Esta flor puede ser un lirio, alusión a la virginidad en la flor del lirio, utilizada mucho en la iconografía. Este tipo de Virgen es muy habitual en toda Castilla y en toda España en el Renacimiento; tiene una serie de atributos iconográficos muy característicos de las Vírgenes de esa época, los rasgos estilísticos también encajan, por lo tanto, es en todos los niveles una virgen muy habitual, muy canónica. La escultura presenta un intenso policromado con abundante oro, que llega al cabello; los vestidos policromados con diseños vegetales. Es una imagen de rostro sereno, con la mirada baja.

La Edad Media

Lɪ́ᴍɪᴛᴇs ᴍᴇᴅɪᴇᴠᴀʟᴇs ᴇɴᴛʀᴇ ᴛɪᴇʀʀᴀ ᴅᴇ Lᴇᴅᴇsᴍᴀ ʏ ᴛɪᴇʀʀᴀ ᴅᴇ Sᴀʟᴀᴍᴀɴᴄᴀ

El límite, fijado por Fernando II, entre ambos territorios (Castro y Onís 1916: 216), dejaba del lado de Ledesma una estrecha banda que luego se conocerá como Roda de Tirados, con pueblos como Zarapicos, Golpejas y Pozos de Almóndar. Citemos a Llorente Maldonado de Guevara (2003: 282):

> «Otro topónimo difícil de identificar que encontramos en la delimitación de su alfoz que aparece en el *Fuero de Ledesma* es de *Penna Corva*, que en relación de límites va entre Torresmenudas y Zarapicos («e ende por Torres menudas, e ende a Penna Corva, e ende Çarapicos»), lo que quiere decir que el lugar denominado *Penna Corva* se hallaba más o menos a medio camino entre Torresmenudas y Zarapicos, no sabemos si en la orilla derecha o en la orilla izquierda del río. Después de examinar los mapas y las hojas topográficas no he encontrado nada que recuerde a *Peña Corva*, que por cierto tanto puede referirse a un lugar habitado o ser simplemente un orónimo. Ahora bien, en el *Libro Becerro de los Apeos* aparece una noticia que puede resultar interesante para la identificación de *Penna Corva*: en el término de Florida de Liébana, entonces *Muelas*, había una «ermita de çorva», y hay que tener en cuenta que los términos de Muelas y Zarapicos casi son colindantes».

Llorente sigue aquí una pista falsa, pues este topónimo, situado en Muelas y repetidamente consignado en el libro de Apeos, se presenta con la inequívoca y repetida lectura *hermita de Çorita* (1405 ᴀᴘᴇᴏs 300, 306); se llamaba así por estar en el camino entre Muelas y la cercana alquería de Zorita, del otro lado del Tormes. Ninguna relación pues. Por otro lado, es imposible que el límite entre las dos tierras, de Ledesma y Salamanca, corriera tan lejos de la línea Torresmenudas-Zarapicos, una línea inconmovible que todos los censos posteriores señalan como vigente. De seguir la sugerencia de Llorente, El Pino, El Palacio y Zaratán quedarían en tierra de Ledesma: imposible.

Es preciso buscar en otra parte. En un apeo de 1696, de propiedades de la iglesia de Almenara, se menciona «el rodillo de Peñacorba», en la hoja de Badía (Bastida) de este pueblo, sobre el cº de Torremenudas (cf. Gómez Santamaría 1991: 164).[503] El calificativo «corva» no alude pues a ninguna curva del río, sino que describe la forma de una peña destacada en término de Almenara. Si no engaña la enumeración de tierras cercanas al cº de Torresmenudas en el citado apeo (Valdegorio > El Pollo > El Rodillo), Peña Corva estaría próxima a la raya Almenara-Torresmenudas.[504]

No cabe duda pues, que la frontera Ledesma-Salamanca, un hecho territorial de gran estabilidad (y que el propio Llorente remonta a época romana), cortaba el río Tormes unos 6 km aguas abajo de Muelas; pues, inequívocamente, tanto El Pino como El Palacio de los Ovalles y la Huelga constan en todas partes como perteneciente al cuarto de Baños, por lo tanto, de tierra de Salamanca; como también lo era Valverdón.

Sorprende que, al describir la línea fronteriza entre Ledesma y Salamanca, no se mencione un topónimo tan principal como Almenara, que ya tenía castillo en 1167 (DCS §33, DCSB § 40) en la hitación del fuero de Ledesma, de 1161 (Castro y Onís 1916: 216), y se use como hito, en cambio, este paraje menor. Posiblemente el hecho de que el rey pensaba donar Almenara a la catedral de Salamanca aconsejaba omitirla como término de deslinde. El rey se reservaba hasta 1164 Almenara, Juzbado y Baños como villas propias; ese mismo año las donó a la catedral de Salamanca y a su obispo Ordoño. Existe una copia coetánea (en el Archivo Diocesano de Salamanca) del privilegio rodado de Fernando II de León.[505] El 17.5.1164, en efecto, entrega a Santa María de Salamanca y a su obispo Ordoño las villas de Almenara, Juzbado y Baños, con sernas, aceñas y derechos jurisdiccionales («illis meis villis totis et integris Almenara, Iusvado et Bannos», DCS §28, DCSB § 30). En referencias posteriores a la tierra de Ledesma se incluye Almenara, cabeza de una roda ledesmina.

Al tratarse de una copia no tiene el signo ni la rueda.

> «Poco después de su acceso al trono de León en el año 1157, el rey Fernando II comenzó a otorgar diplomas solemnes que presentan en sus formas extrínsecas una destacada novedad: la especial marca de validación que ostentará la condición de *signum regis*. […] Esta innovación formal consiste en la introducción del signo rodado, que se convertirá en marca distintiva de los diplomas más solemnes, los privilegios

---

[503]   Esta es la hoja llamada en documentos de 1752 *hoja de la Bastida y de las Cárcavas*. La otra hoja en que se dividía el término era la del Cerezal y los Llanos.

[504]   En 1453 se menciona también la pesquera de Peñacorva, junto a una aceña caída (Cabrillana 1969: 279).

[505]   El privilegio rodado transmite una orden, haciéndola durable y solemnizando la validación del documento. Se aplicaban a las concesiones o confirmaciones de gracias y mercedes a perpetuidad, con cláusulas penales en caso de incumplimiento; iban avalados por una lista de individuos que confirmaban su veracidad. Sobre la reiterada donación, véase Gómez Santamaría (1991: 23, 26, 29).

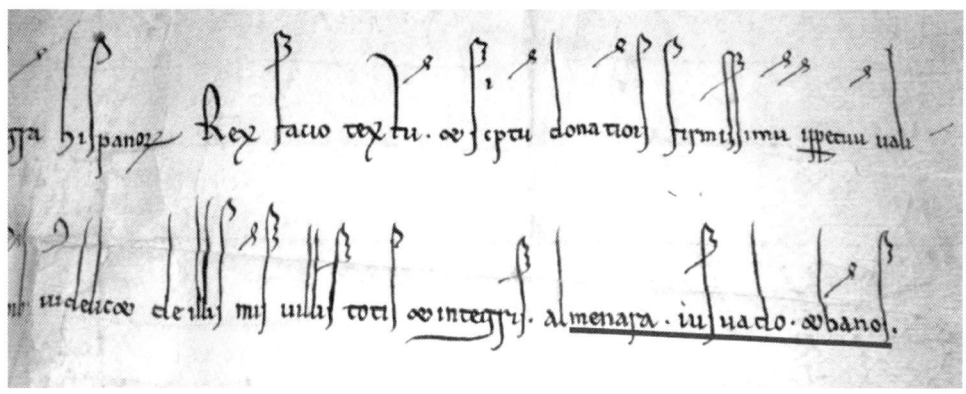

Ilustración 17: Privilegio rodado de Fernando II de León a la Catedral de Salamanca.
Archivo Diocesano de Salamanca.

rodados expedidos por las cancillerías regias de León y de Castilla. […] El signo regio de los privilegios leoneses [es] la *rueda*, representación importada del exterior. […] La rueda se mantuvo constante en la suscripción diplomática de Fernando II» (Martín Fuertes 2002).

Estas donaciones de lugares fronterizos (entre Salamanca y Ledesma) eran precarias. Señala Martín Martín (1985: 37) que, poco después de la donación, Miguel Sesmiro y los del Hospital de la Espada arrebataron a los canónigos los lugares de Baños y Juzbado; Fernando II hubo de repetir la donación (1173, 1174 DCS §59, 61, 62). En 1176 vuelve a donar Almenara, específicamente, a la catedral, obispo y cabildo de Salamanca (DCS §65); en 1205, Alfonso IX confirma la donación de Almenara a la catedral y su obispo Gonzalo (DCS §120).[506] Constituyen lugares de excepción, fronterizos, con los que los monarcas han solido mercadear favores, sin que por ello pasen a cambiar de adscripción territorial. Juzbado luego fue de la Orden de San Juan; Baños siguió encuadrado en la roda de Tirados, y Almenara, en la de su propio nombre, ambos en tierra de Ledesma. Esta situación anómala de los tres pueblos, de tierra de Ledesma en lo territorial, pero del dominio de la catedral de Salamanca, provocó disputas. Alejandro III ordenó zanjar las discusiones entre los obispos de Zamora y Salamanca sobre los diezmos de tierra de Ledesma, incluidos Baños, Juzbado y Almenara («super decimis de Ledesma cum terminis suis, necnon super Balneos, Iusuado et Almenata», 1163 DCSB §26).[507] Juan I de Castilla hubo

---

[506]   Una bula del papa Inocencio IV, en 1250, ordenaba al rey restituir Almenara al cabildo (RBLC; DCS § 234).

[507]   Véase en Gómez Santamaría (1991: 31). La concordia de 1185 entre los obispos de Zamora y Salamanca precisaba que si los lugares de Almenara, Juzbado, Olmillos y San Pelayo eran poblados de nuevo, debían pertenecer jurisdiccionalmente a la catedral de Salamanca (DCS §88).

de pedir al cabildo en 1380 que se posesionara de unos bienes en Almenara (dos yugadas y una ribera) y otros muchos lugares, que había usurpado Benito Fernández Maldonado (Gómez Santamaría 1991: 34). Tales lugares, de confín, eran muy apreciados por señores belicosos ansiosos de medro; es conocido el caso del castillo de Almenara, pero lo es menos el de la fortaleza de Zarapicos, que estaba siendo construida por Francisco de Sotomayor, clavero de Alcántara, cuando los Reyes Católicos, en 1494, mandaron parar las obras (LDS §114; López Benito 1991b: 209).

LIBRO DE PRÉSTAMOS, ACTAS CAPITULARES Y OTRAS FUENTES MEDIEVALES

El archivo de la Catedral Vieja de Salamanca contiene interesantes y copiosísimos materiales descriptivos de la hacienda capitular.[508] Los diezmos eran la base impositiva principal, que se desgajaba en préstamos, veintenas, cuartos dezmeros, raciones, tercias reales. De toda esta compleja información dan cuenta diversos libros. Destaca el *Libro de los Préstamos*,[509] de 1265 (PREST); posteriormente merecen ser destacados la *Memoria de los Préstamos* de 1417 (MPR = cj 43 lg 1 n.º 1) y el *Libro de Veros Valores* de 1588-1596 (LVV = cj 68 lg 3 n.º 1). Estos interesantes textos son libros de hacienda del cabildo, que exponen los préstamos y otras propiedades que la institución capitular tenía en el campo. Proporcionan una relación de localidades salmantinas, e incluso algunas de Zamora, Ávila y Valladolid. Se complementan con los denominados «libros de Actas Capitulares» de la catedral, compilados entre los años 1298 y 1489. Las propiedades de la Mesa Capitular se compendian en diversos libros, entre ellos uno redactado en 1740, que detalla distintas adquisiciones de miembros del cabildo, desde la Edad Media (MCAP = cj 66 lg 4 n.º 2). También se ha consultado un inventario con variados apuntes del siglo XVI, que proporciona otros detalles (INVENT = cj 8 lg 3 n.º 6).

El cabildo administraba sus rentas y propiedades adquiridas por donación, herencia, compraventa o privilegio. Los cabildos podían ser ordinarios, extraordinarios o espirituales. Los ordinarios comienzan con una oración y se tratan las peticiones, negocios de su hacienda y de los negocios de cada uno en particular, se aprueba o deniega con los votos de los participantes. El secretario deja constancia de todo en las Actas Capitulares.

El capítulo correspondiente al cuarto de Baños, encabezado con el título «Hec sunt prestimonia del quarto de Vaños», presenta a dos columnas los lugares y los

---

[508]   Marcos Rodríguez (1977); Gómez González y Vicente Baz (2007); Vicente Baz (2008 y 2016).
[509]   Inserto en el libro de estatutos de la Catedral de Salamanca con sig.: ACS. Cj. 30 lg. 1 n.º 5, folios 63v-64v. Véase Martín Martín (1985: 110-121).

particulares (en genitivo) que gozaban cada uno de los préstamos. ¿En qué consistía esta prebenda? Por el Catastro de Ensenada y otras fuentes sabemos que quien gozaba el préstamo recibía la tercera parte de los diezmos anuales del lugar. Casi al final de la relación aparecen, en este orden, «Magistri Roderici: Çaratam; Sancii Alfonso: El Pino; Decani compostolani: Muelas». En una copia de 1268 (cajón 30, n.º 82, folios 57ss) figura un apunte similar, especificando unas cantidades que parecen corresponderse con las rentas: «Magi<str>i Roderici: Çaratán, XVII; Sancii Alfon<so>: El Pino, VI; Decani compostellani: Muelas, XI». Es decir, el préstamo de Muelas era del deán de Santiago de Compostela; el de El Pino, de Sancho Alfonso; el de Zaratán, de un maestre Rodrigo o Rodríguez. Los citados propietarios gozaban también muchos otros préstamos en la comarca: Sancho Alfonso, el de Parada de Yuso (Villaselva); del deán de Compostela («decani apostolli») era Zarapicos; de «magistri Rod<er>ici» era Parada de Arriba. La pervivencia de estos vínculos se refleja en el hecho de que un apeo de tierras del beneficio de Muelas, de 1580, muestra numerosas tierras del Arzobispo de Santiago y de la Iglesia Mayor de Salamanca.

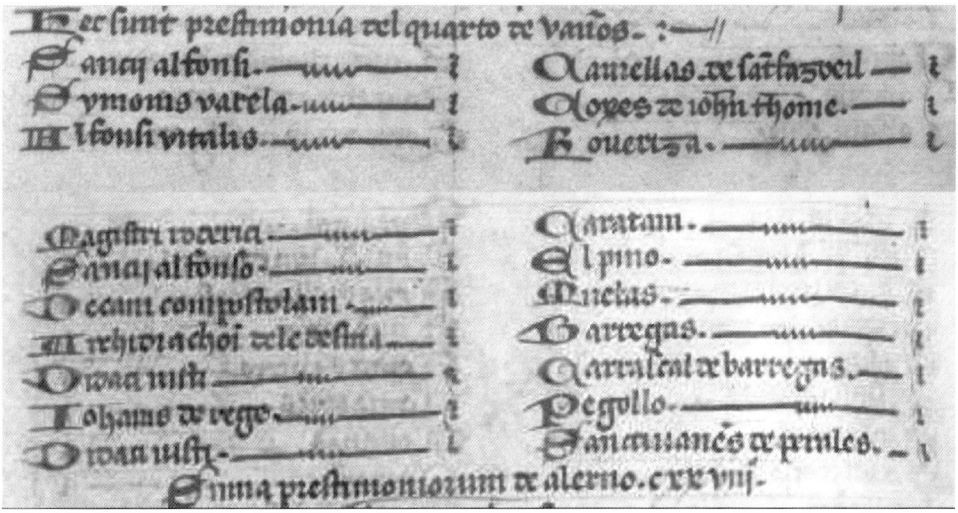

Ilustración 18: Del libro de los Préstamos, Cuarto de Baños.

Puede intentarse una mejor identificación de alguno de los prebendados. Sancho Alfonso, el titular de El Pino, era un canónigo de Salamanca, pues en 1270 se menciona a «Sancium [corregido sobre Sancuim] Alfonsi et Iohanem Velasci, canonicos salmantinos» (DCS §323). De Sancho Alfonso era también Valcojo y Caniellas de Sant Fazveil, topónimo mal transmitido, seguramente coincidente con Canillejas. Sancho Alfonso debía de haber ya fallecido en 1299, cuando se mencionan unas casas que fueron suyas, no lejos de la plaza de San Cebrián en Salamanca (DCS §457).

El deán de Santiago, titular de Muelas, cuyo nombre no se indica, asiste a reuniones del cabildo en 1259 (DCS §280). Pero entre 1266 y 1281, al menos, era deán de Santiago y arcediano de Salamanca D. Fernando Alfonso, hijo ilegítimo de Alfonso IX de León (1171-1230) y entrehermano de Fernando III.[510] Falleció hacia 1285 y está sepultado en la catedral vieja. En 1286 Juan Fernández, merino mayor del rey en Galicia, es mencionado como heredero del «muy noble don Fernand Alfonso, dean de Santiago et arcidiano de Salamanca» (DCS §402, 403).

En cuanto al magister Rodericus, que comparte apellido con otros prebendados,[511] parece que se ha de identificar con el maestro Rodrigo, racionero.[512] El título magíster se solía aplicar a los profesores de la Universidad.

En las actas de un Cabildo ordinario de 1383, se acuerda poner en pública almoneda (subasta) los frutos de los préstamos de distintos lugares, entre ellos los de El Pino y el Palacio de los Ovalles. Estos pertenecían a Diego Gómez, deán de la Catedral de Orense y canónigo de la Catedral de Salamanca; el objeto era pagar las procuraciones de «Dⁿ Pedro de Luna, cardenal y después antipapa», como consta en una nota marginal de fecha posterior. También figura en esa misma acta capitular que Alfonso Fernández, canónigo, sacó en renta los préstamos de El Pino, El Palacio y Frades, por cien maravedíes (Vicente Baz 2008: 165). En 1510 fue arrendador del dezmero de Muelas y El Pino Francisco Ortiz, vº de Valverdón (ACS, AC 25, f. 85v).

Muelas aparece con mayor profusión: estas mismas transacciones se detallan en la colección documental editada por José Luis Martín Martín y colaboradores en 1977 (DCS). El canónigo Domingo Martín, que ya había fallecido en 1299, tenía una heredad allí, con casas, viñas y huerto, que fue arrendada por Nicolás Pérez (en 1301 le sucede como rentero Velasco Pérez). Esta heredad pasa a sustentar una capellanía en la catedral (Vicente Baz 2008: 116, 120). El mismo canónigo había ido adquiriendo propiedad: de Juan Lucas y su mujer D.ª Sancha, hija de don Meléndez de Muelas, sendas tierras «enna vega contra Çorita» y en la vega de Rascón en 1293; en 1295, siete tierras y dos faceras en el pueblo (MCAP, RBLC; DCS §426, 427, 436).[513] Doña

---

[510]   DCS (§312, 315, 322, 368, 370, 380). Martín Martín (1985: 113).

[511]   Homónimos el Libro de los Préstamos: se menciona a Dom Roderici (= don Rodrigo), que gozaba el préstamo de la iglesia de San Pelayo en Salamanca y otros varios. Con el mismo apellido constan un Arias Roderici y un Nuño Roderici; este último es canónigo en 1265 (Numpno Rod<rigue>z, DCS §307); Arias Rodríguez es racionero en San Martín en 1260 y se le menciona también en 1267 (§289, 315). Aparece también otro prebendado, el magister scolarum, sin indicar su nombre. Pero el maestre en cuestión es el racionero.

[512]   Figura abundantemente en la colección documental, en 1244, 1246, 1248, 1249, 1251, 1254, 1256, 1257, 1259-1261, 1263 (DCS §212, 219, 224, 227, 229-230, 238, 251, 263, 267, 280, 290-291, 300).

[513]   Se mencionan varios propietarios en Muelas: Pedro Vidal, Domingo Gil, Domingo Román, Pedro Pérez Maldonado, Lorenzo Guiral.

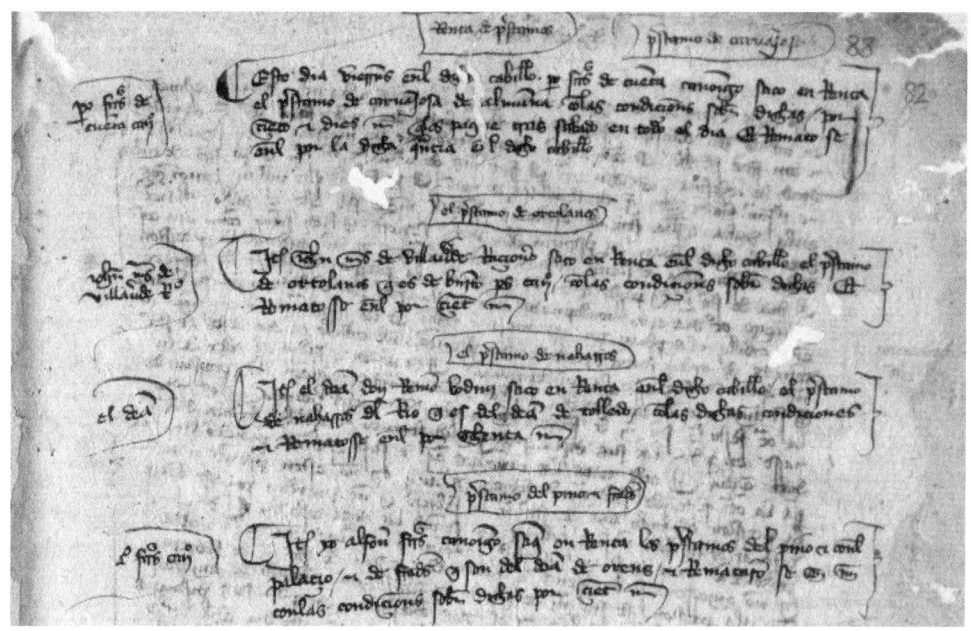

Ilustración 19: Alusión a El Pino en el libro de Actas Capitulares de la catedral.

Sancha debió de estar casada antes con Domingo Román, de conjunto con el cual hacen un trueque con el cabildo: entregan un solar «eno barrio que dizen de yuso», el barrio de abajo, «cerca el camino que va pora el Pino», lindante con el arroyo y «ela carrera que va pora el barrio de suso» (el barrio de arriba).[514] La fecha es 1271, según DCS §326, DCSB § 332, pero 1302, según MCAP y RBLC. En 1281, el cabildo arrendaba por 142 mrs anuales dos yugadas a Pedro Téllez con viñas, dos casas y un lagar, una bodega y un corral, y otras casas para el yuguero (MCAP, RBLC, DCS § 382).

En 1378, se menciona en relación con las rentas por una viña al racionero Pedro González (Vicente Baz 2008: 148). En 1414, el racionero Ruy López coge en renta una heredad del cabildo en Muelas, que había sido de Pedro Enríquez, caballero; al morir el racionero, le sucede Diego González, criado de un antiguo arcediano de Salamanca; fiador en 1422 era un hortelano local, Alfonso Fernández, hijo de Pedro Fernández, también hortelano. En 1460 era beneficiado de Muelas Andrés Fernández.[515] Esta misma heredad parece haber pasado posteriormente al racionero Fernando Martínez, y luego, ya en 1443, a otro racionero, García Álvarez (328).

Figura El Pino en los índices de la Mesa Capitular, de 1740: «posesión que tomó por parte de la universidad de esta ciu<da>d de unas casas en el lugar del Pino y dos tierras en su término, cuyas casas hauía dado en empeño a d<ic>ha univ<ersida>d

---

[514] Véase también Martín Martín (1985: 71-72).
[515] Vicente Baz (2008: 212, 231, 232, 323, 353).

Juan *Núñez*, vº de d<ic>ho lugar, por 10.000 mrs que le estaua deuiendo. Pasó ante Juan Rodríguez, notario, en el año 1427» (MCAP). Puede haber error en el apellido, porque consta en otro lugar así: el 9.4.1427 Juan *Martínez* da a la Universidad y, en su nombre, a Alvar Alfonso de Valencia, síndico de ella, unas casas en El Pino (Marcos Rodríguez 1961: 743).

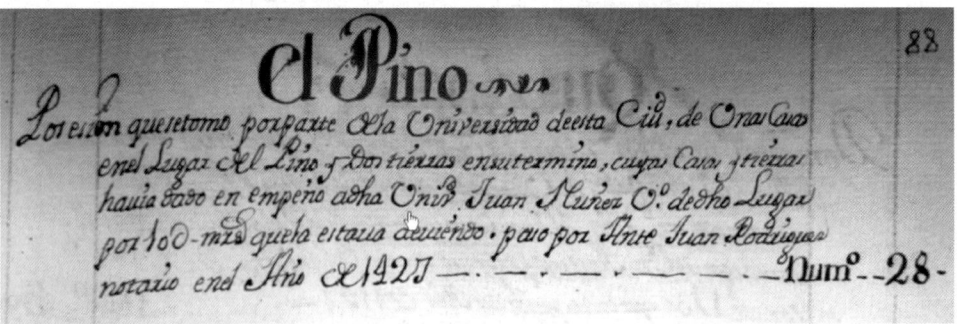

Ilustración 20: Posesión en 1427, El Pino. Índices de la Mesa Capitular.

En 1389, Mariana Fernández había dejado en su testamento una heredad en Muelas al cabildo para fundar una capellanía en la catedral (Marcos Rodríguez 1961: 727)[516]. Se registra en los Inventarios (INVENT = cj 8 lg 3 n.º 6) como capellanía de Santa Bárbara, sustentada sobre una yugada en Muelas donada el 6.5.1389 por Mari<na> Fernández, mujer de Gonzalo García, de San Benito.[517] En 1528 daban en renta por esta heredad, que disfrutaba el racionero Francisco de Xaque, 28 fanegas de pan, mitad de trigo y mitad de cebada.[518] El mismo racionero compró para la dicha heredad, que no tenía casa, una casa, «de los hijos de la Çebriana», en Muelas en 1531. Ese año, un pariente de él, también racionero, Alonso de Xaque, sucedió en la heredad, encontrando la casa en buen estado; la renta pasó a ser de 36 fanegas de pan mediado. En 1532 la heredad pasó a su sobrino Cristóbal de Xaque, con la misma renta. Le sucedió en 1553 (¿) un maestro de capilla, Roque de S<alamanc>a, subiendo la renta a 23 fanegas. En 1609 se arrendaba la correspondiente heredad por seis años a Juan Hidalgo, empezando el día de San Martín de dicho año; había de pagar 26 fanegas de pan mediado. Francisco de la Rad[519] sucede en el arrendamiento por diez ducados y dos pares de gallinas desde 1625 a 1627; en 1627 vuelve a ser rentero, por seis años, Juan Hidalgo (INVENT).

---

[516]   Se trata de los bienes de la capellanía de Santa Bárbara, apeados en 1405 (APEOS 308).

[517]   Levantó ficha de la donación Ricardo Espinosa Maeso (ESPM).

[518]   En 1529 Francisco Xaque hacía comparecer a un vº de Pino, Andrés Fernández, probablemente rentero, para aclarar cuentas (ACS, AC 25, f. 350v). Sobre los Jaque, véase también ACS (AC 26).

[519]   Había sido mayordomo de la iglesia de Muelas entre 1624 y 1625.

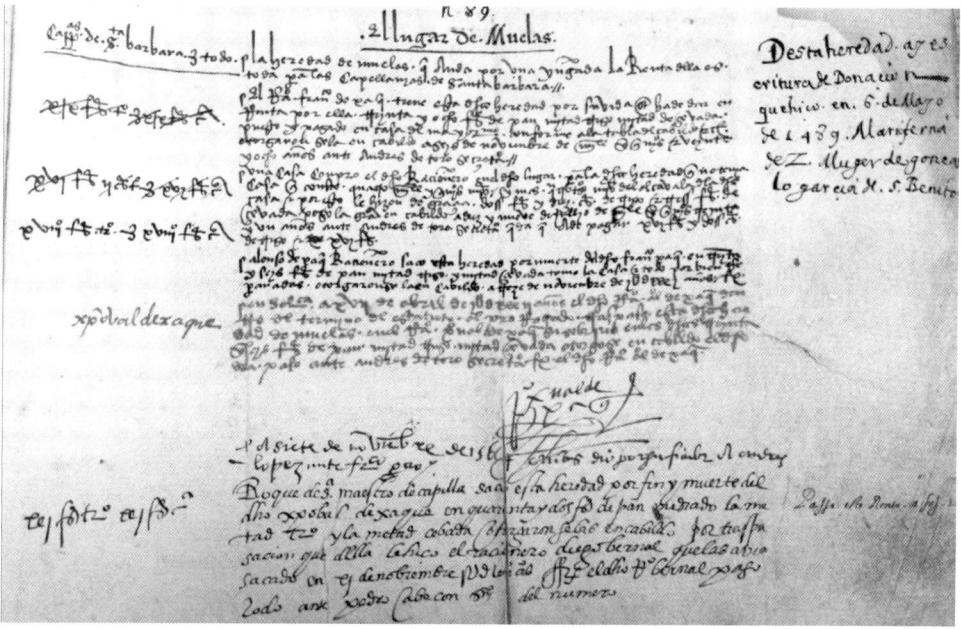

Ilustración 21: Fundación y rentas de la Capellanía de Santa Bárbara en Muelas.

De Zaratán hay menos rastro documental. En 1262 era cura de Zaratán Alfonso Marcos (DCS §296). En 1405 se menciona a Diosdado de Çaratán, cuyo hijo Juan Martín vivía en Muelas (Vassallo et al. 2018: 299). Pero en uno de los primeros documentos de la colección catedralicia, hacia 1150, en su testamento, Micael Dominiquiz dona a la catedral «illa aldea de Zaratan, tota integra» (DCS §16; Gómez Moreno 1967: 489). Este caballero Miguel Domínguez, señor de Zaratán, era probable pariente del leonés Domingo Miguel y de María Pérez; Domingo fue a Jerusalén de peregrino en 1149 y aprovechó para redactar su testamento (González 1943). En el mismo documento Miguel Domínguez dona «casas illa pagaza et illa tegata et suos magolos que sunt in Ceratam»: es decir, una casa techada de paja y otra de teja, con sus majuelos de viña. A Juan Álvarez le dona la aldea de Palacio de Suso, seguramente identificable con El Palacio de Lope Rodríguez junto al Tormes en t° de Carrascal de Barregas. En otro punto figuran «illas terras que teneo in Palacios de Mido»: improbable que se refiera al Palacio de los Dieces, aldea de la orilla izquierda del Tormes, 3 km arriba de Ledesma; por el contexto territorial del testamento, es preferible pensar en que se trate del Palacio luego llamado de los Ovalles, lugar siempre vinculado a Zaratán. Mido sería el nombre de su propietario en el s. XII. El propio testamento incluye entre sus testigos a un tal Mido Onoriquiz, pariente del dueño de la dehesa, si no es él mismo. El mismo Miguel Domínguez donaba a la iglesia de Santa María de la Vega, al pie de Salamanca, 40 maravedís y cuatro aranzadas de viña; nombraba como albacea para distribuir sus bienes a Gómez Sancho y a Velasco Íñigo. Estos bienes permitieron instalar en el entorno de Santa María de la Vega una fundación de inspiración agustiniana, pues el mismo Velasco Íñigo, su mujer Amadona Domingo y su hermana Justa Íñigo los cedieron al abad de San Isidoro de León en 1166.[520]

> Tal vez merece la pena indicar que en Yucatán (Méjico) hubo una isla llamada Zaratán, al este de una localidad de nombre Salamanca (Velázquez Minaya 1628: 260). ¿Fue implantado el nombre por gente oriunda de la actual dehesa, o bien eran del lugar, más populoso, de Valladolid? No faltaban topónimos Valladolid en la misma península. Gran parte de estos nombres no llegaron a arraigar.

El libro de los apeos (1401-1405)

Un importante esfuerzo corográfico, el libro de apeos de la Catedral de Salamanca (= APEOS) ha sido transcrito y analizado por Vassallo, Cimino, Porterie y Wasserman (2018).[521] De El Pino y Muelas aparecen dos vecinos, propietarios en 1402 en Forfoleda, que labrarían pasando el vado de Valverdón: Pero Martín de Muelas y Pero Martín del Pino (128).[522] La visita de Muelas se hizo el 17.2.1405 (298-310); no se especifican tierras en El Pino, por lo que no habría heredades directamente poseídas por el Cabildo; y solo cabe deducir alguna proximidad al actual término revisando la toponimia citada en el apeo. Se cita la carrera de Valverdón, que desde Muelas iba a buscar el vado, cortando en su tramo final un piquito del término de El Pino. Se menciona también el camino de Çaratán, pasando por la Cabeça; y la vega del Pino.

La catedral tenía varias yugadas en Muelas, cuyos renteros se especifican.[523] La iglesia salmantina de Sant Yuste tenía otra heredad. El terrazgo parece dividido; se citan varios propietarios seculares en Muelas: Garçi Gonçales de Ferrera; Ruy Martines de Pineda; Ruy Diez; Alfonso Godines; Sancha Alfonso, hija del arcediano de Sabugal; Pero de Paz, el moço (de estos cinco últimos se especifica que eran vecinos de Salamanca). El paisaje que implícitamente se nos revela es muy distinto

---

[520]   Viñas Román (1994: 21-23); Martín López (1995: 113); Hernando Garrido (1998-1999: 73).

[521]   Véase Martín Martín (1985: 155-231).

[522]   En 1478 (censo de Alfonso Sánchez Montesino, vº de Salamanca, AUS, Colegio S. Pelayo, 2727, ff. 19-30: regesta en Vaca Lorenzo 1995: 146) se menciona un vecino de Calzada de Valdunciel, Pedro del Pino (Vaca Lorenzo 1996: 228).

[523]   Per Enriques tenía tres yugadas, llevadas por Joan Benito, hijo de Domingo Juan, por el propio Per Enriques, y por Ferrand Martín. Benito Pérez llevaba otra yugada. Otra era tenida por Marcos Ferrandes, hijo de Andrés Domingues Bocalán. Había también una yugada de la capellanía de Santa Bárbara.

del actual. Había bastantes viñas, algunas en estado de abandono; las huertas tenían valladares y se regaban por turnos del arroyo que baja de Villaselva («echan suertes e al que cabe la suerte primero, ryega primeramente e dende adelantre los otros ansý»). Las producciones de las huertas serían similares a las que, más tarde, encontraremos en El Pino: «siete pies de nogales e un peral cogorçal e otro peral canpanino e sesenta pies de çeruelos e de gingales e tres binbreros»; «tres pies grandes de nogales e otros dos pies de almendros en una çepa e dos çermeñales e más un pie de pera figo e mas treynta e nueve pies de gindos e çeruelos e más dos pies de binbreros». Es de destacar que varias de las casas inventariadas son pajizas, es decir, de cubierta vegetal (con paja larga de centeno, o tal vez con retamas). Inventarios de propiedades del cabildo en Muelas, de 1529 y años siguientes[524] revalidan esta situación: no se mencionan heredades en El Pino.

Los préstamos y ciertas exacciones papales

Un acta capitular de 14.8.1383 indica que los lugares de El Pino de Tormes, con el Palacio de los Ovalles y Frades de la Sierra, eran de Diego Gómez, deán de la catedral de Orense y canónigo de Salamanca; los frutos de sus préstamos se subastaron para pagar las procuraciones de Pedro de Luna, cardenal y legado del papa, que luego habría de convertirse en el célebre antipapa; los préstamos de El Pino de Tormes recayeron en el canónigo Alfonso Fernández, que los sacó en renta por 80 maravedís (Vicente Baz 2008: 165).

El nombre de Pino reaparecerá en una bula del Papa Benedicto XIII,[525] de 1415, de la cual existe una copia simple, de 1651, en el archivo de la Catedral de Salamanca, como se puede ver en la imagen.

> El papa en cuestión es el cardenal Pedro Martínez de Luna, entronizado en Aviñón con el nombre de Benedicto XIII. Conocido como el Papa Luna, preside la Iglesia durante un periodo de la historia de la Iglesia católica —el Gran Cisma o Cisma de Aviñón—, en el que tres obispos se disputaron la autoridad pontifical quedando solo Benedicto XIII que, al negarse a la abdicación, fue abandonado por todos los países que lo habían apoyado.[526]

---

[524]   ACS, CAJA 8, LEGAJO 3, 6, §50.

[525]   Marcos Rodríguez (1961: 735; 1977: §852); Hernández Jiménez (2008: 207); Beltrán de Heredia (2001: 69).

[526]   Las tesis conciliares defendían que un concilio era superior al papa. Por ello, en 1415, el mismo año de la bula, se celebró el concilio de Constanza, que lo condena como hereje y antipapa. Aislado, en 1417 se refugió en Peñíscola, donde mantuvo sus derechos papales hasta fallecer en 1424.

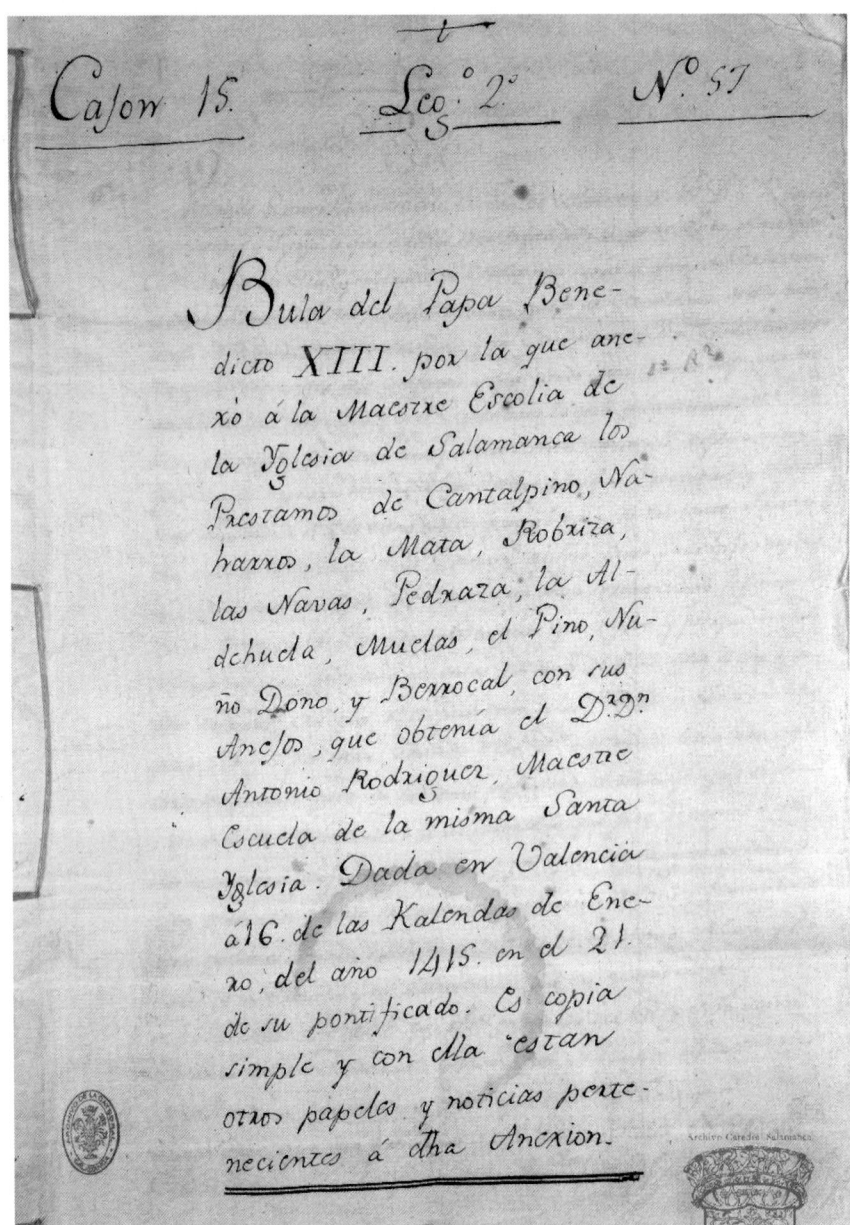

Ilustración 22: Reproducción de un regesto de la bula papal.

La bula en cuestión anexiona a la maestrescolía de la iglesia catedral de Salamanca los préstamos de Cantalpino, Naharros, La Mata, Robliza, Las Navas, Pedrazuela, La Aldehuela, Muelas, El Pino, Nuñodono y Berrocal, con sus anejos. Beneficiario de todo ello era el doctor Antonius Roderici segoviensis, maestre escuela a la sazón

(Beltrán de Heredia 1954: 20). A partir de esta fecha, El Pino pasa a tributar un tercio de sus diezmos, el llamado *préstamo*, a la maestrescolía. Pero ya en 1405, en el Libro de los Apeos, se recoge una relación de préstamos «que andan anexos a la maestrescolia de Salamanca, los fructos de los quales ha de llevar el cabildo hasta que aya fecho residençia el maestrescuela de seys meses continuos».[527] Entre ellos, «el prestamo de Muelas e El Pino e el Palaçio, la Huelga, las Borrinas e el Portezuelo»,[528] así como el del Aldeyuela (Vassallo et al. 2018: 352-353) [El Portezuelo = Puerto de la Anunciación;[529] Las Borrinas = despoblado de Burrinas]. El préstamo de Zaratán no era de la maestrescolía, sino de un particular (1417 MPR).[530] Hacia 1477 aparecen de nuevo, en una lista de lugares cuyos préstamos eran anexos a la maestrescolía, «Muelas, e El Pino, e El Palaçio e El Portezuelo»; también El Aldihuela (ALB §97).[531]

En 1495, una relación de préstamos especifica que «Çaratán es de Nicolao de Çercelo, e tiene cargo Gutierre Quexada, deve DVII mrs. por CC mrs.; ítem, CCCVII» (Vaca Lorenzo 1996: 417);[532] no se menciona aquí el préstamo de Muelas y El Pino. Ese mismo año, en un repartimiento que impuso el papa Alejandro VI sobre el diezmo para entregarlo a los Reyes Católicos, le tocó pagar al préstamo de Zaratán 507 mrs; al de Carrascal de Barregas con El Palacio, 507; a Zarapicos con sus anejos, 2.282 (Vaca Lorenzo 1996: 390, 392, 393); ni aquí ni en un reparto entre beneficiados, de la misma fecha, se mencionan Muelas o El Pino.

El Libro de los Veros Valores

Aunque escapa del ámbito medieval, sus orígenes están en el Medioevo. Recoge detalles contables de las rentas de la catedral. Es de 1588-1596 (LVV = cj 68 lg 3 n.º 1). En la entradilla del capítulo dedicado al lugar, se lee: «Muelas y el Pino. / Los diezmos deste lugar se parten en terçios: el uno, en anbos / lugares, lleua el benefi<çi>o, con dos <terçios> de primi-/çias; otro lleua el préstamo, que es anexo a la / maestrescolía, con un t<erçi>o de priminçias; otro t<erçi>o / llevan fábricas y t<erçia>s del Studio». Ha de entenderse así. El diezmo se parte en nueve lotes iguales. Tres los lleva el beneficiado de Muelas. Tres el préstamo, que iba en rotación y

---

[527]   Tal vez es un añadido de fecha posterior, pues figura al final del libro. Pero con idéntico tenor figura esta advertencia en la Memoria de los Préstamos, de 1417 (MPR).

[528]   Idéntico en MPR (1417).

[529]   En 1528 y 1591 consta como *El Puerto de Martín Fernández* (PECH 59, CTG 99).

[530]   También en 1608 es de un particular, Mateo López Manrique (Casaseca y Nieto 1982: 212).

[531]   Esta Aldehuela aquí incluida es la Aldehuela de Flores, en Zorita de la Frontera.

[532]   Se trataría de un recaudador (¿genovés?). Otro genovés, Yllario Gentil, llevaba el préstamo de Barbadillo. En el repartimiento para los Reyes Católicos, Zaratán había de contribuir 507 mrs (compárese con Zarapicos, 2.782 mrs) (Vaca Lorenzo 1996: 393).

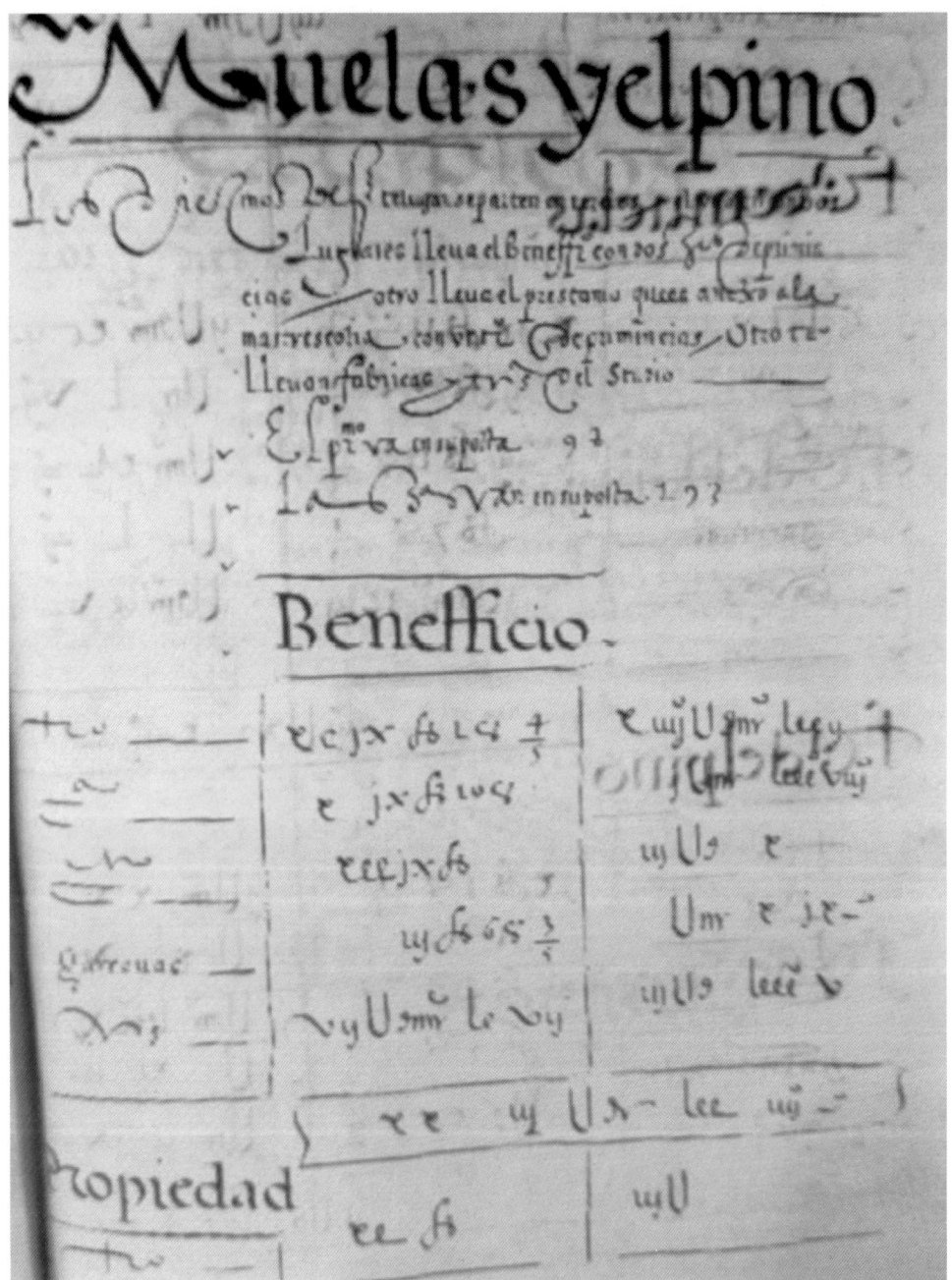

Ilustración 23: Libro de los Veros Valores.

lo gozaban miembros de la Maestrescolía (en 1265 el préstamo de Muelas era del maestre Rodericus; el de El Pino era del canónigo Sancho Alfonso, que no consta que fuese la maestrescolía). Dos iban a las tercias del Estudio, es decir, la Universidad. El último trozo, un noveno, era para la fábrica de la iglesia: se repartiría entre las dos iglesias de Muelas y El Pino y una ermita llamada de los Santos. De las primicias, 2/3 iban al beneficio; y 1/3 al préstamo. Aunque, como privilegio adquirido, el beneficiado se llevaba enteras las primicias de las cebollas hacia 1730.

Se menciona también una ermita llamada de los Santos, que percibía 1.020 mrs, que, con el factor 0.45, quedaban en 459 mrs para su fábrica. Sin duda es la ermita que, situada entre Muelas y Zorita, figura en el libro de Apeos como *hermita de Çorita*.[533] El 15 de agosto se hacía una procesión con misa a la ermita, con limosna de 12 reales; el 4 de octubre se hacía otra misa, de 3 reales; todo se fundaba sobre las posesiones de la ermita (1733 APB2), entre ellas una cortina que medía 306 *palos*, es decir 9 celemines. Hacia mediados del siglo XVIII, su imagen se había llevado a la iglesia de Florida: «al otro lado, una Nuestra Señora que llaman de los Santos, que tenía hermita»; el beneficiado, Antonio López Neira, le hizo un trono y la situó en el retablo de la iglesia.

En la tabla adjunta se muestran las cantidades destinadas a la fábrica para cada localidad. El grano se mide en fanegas (f), celemines (c) y fracciones de celemín; una fanega equivale a doce celemines. No se mencionan garbanzos ni otras producciones. La columna de la derecha convierte a dinero las fanegas de grano de la izquierda. No se entiende bien por qué las cantidades de maravedís, al pasar de la primera a la segunda columna, son multiplicadas por un factor de 0.45. Probablemente, la diferencia era una retribución directa, de carácter personal. Sin duda, se aplica un factor similar a los granos, pues, si procediéramos por división directa, se deduciría que la fanega de trigo estaba a 150 maravedís; la de cebada, a 70 mrs; la de centeno, a 90; la de algarrobas, a 90. Estas cantidades, aunque redondas, son claramente inferiores a lo que sabemos de precios en estos años. Por ello, sin duda se ha producido un recorte. Supondremos que de nuevo se ha aplicado el factor 0.45, por lo que los precios reales por fanega serán: trigo (333 mrs); cebada (156 mrs); centeno y algarrobas (200 mrs), muy próximos ya a los datos coetáneos.

Fábrica de Muelas	Cantidades	Registro en maravedís
Tr<ig>o	19 f, 11 c, 2/5 = 19.95 f	2992.5
C<ebad>a	3 f, 8 c, 1/5 = 3.68 f	258.5
C<ente>no	4 f, 11 c, 1/5 = 4.93 f	444
Garrouas	7 c, 1/5 = 0.6 f	54
M<aravedí>s	1923	865.5
Total		4614

[533] Todavía en 1622 se menciona un aniversario, fundado por Ana Gragata, de una misa en Nuestra Señora de los Santos cada día de San Fabián, con dos reales de limosna, fundado sobre la casa en que vivía Juan Marcos. En 1580 se cita una huerta, ya convertida en tierra, de los bienes de la ermita (APB).

Fábrica de El Pino	Cantidades	Registro en maravedís
Tr<ig>o	9 f, 5 c, 1/5 = 9.43 f	1415
C<ebad>a	8 c = 0.67 f	47
C<ente>no	5 f, 4 c, 4/5 = 5.4 f	486
Garrouas	3 c = 0.25 f	22.5
M<aravedí>s	598	269.5
Total		2240

Sumando las fábricas de Muelas, El Pino y la ermita, resulta lo siguiente, en fanegas: 29.38 (trigo), 4.35 (cebada), 10.33 (centeno), 0.85 (algarrobas); más 3541 mrs, que se reducían a 1594 al aplicar el citado factor. Nótese que no se menciona producción de vino. En cambio, en Villaselva, importante por sus viñas hasta el s. XVI, consta, según el LVV, que el beneficio obtenía 39 cántaros y cuatro azumbres de mosto (valorados en un total de 945 mrs).[534]

El beneficio de Muelas y El Pino, que recibía un tercio de los diezmos y dos tercios de las primicias, presentaba la siguiente estimación. Si consideramos que las primicias suelen ser de mucho menor cuantía que los diezmos, se esperaría que la relación entre lo destinado a fábricas y lo percibido por el beneficio fuera un poco menor de 1/3. Es así, aunque con una considerable rebaja.

Beneficio de Muelas y El Pino	Cantidades	Registro en maravedís
Tr<ig>o	99 f, 1 c, 4/5 = 99.15 f	14872.5
C<ebad>a	19 f, 10 c = 19.83 f	1388.5
C<ente>no	39 f	3510
Garrouas	3 f, 6 c, 3/5 = 3.55 f	319.5
M<aravedí>s	7967	3585
Total		23674.5

Además de lo percibido por diezmos y primicias, el beneficiado de Muelas contaba con un patrimonio local, denominado «propiedades». Aportaban lo siguiente:[535]

Propiedades de Muelas y El Pino	Cantidades	Registro en maravedís
Tr<ig>o	20 f	3000
C<ebad>a	22 f	1540
M<aravedí>s	750	337.5
Total		4877.5

---

[534]   Cuatro azumbres hacían un cántaro. Se deduce que el cántaro de mosto valía 24 mrs, que, con el factor 0.45, resulta en 53.3 mrs el cántaro. Testimonios de 1565 en Villaselva estiman el cántaro de vino (tras tratar el mosto) a tres reales (102 mrs).

[535]   Compárese con las cifras en 1608: fábrica (7.500 mrs); propiedades (11.250 mrs) (Casaseca y Nieto 1982: 212).

La alta producción de cebada concuerda con el hecho de que las propiedades del beneficio incluían cortinas para herrén. En Muelas consta que a mediados del siglo XVIII había una cilla para almacenar los productos del diezmo y primicias; el beneficiado Antonio López Neira la había reparado, le puso puerta nueva con dos llaves; tenía media fanega, rasero, medio celemín y cuartillo. Un vecino del pueblo, el llamado *cillero*, tenía la función de registrar la cantidad de granos que cada vecino *empaneraba* anualmente en la cilla.

Añadimos los datos de Zaratán, que tenía una riqueza similar a la de El Pino. El préstamo era de un particular. La fábrica de Zaratán es superior a la de El Pino en trigo, pero inferior en lo demás; no consta producción de algarroba ni de cebada. Las propiedades en Zaratán debían de ser escasas, pues solo se mencionan 9 celemines de trigo, tasados en 112.5 mrs.

FÁBRICA DE ZARATÁN	Cantidades	Registro en maravedís
Tr<ig>o	11 f, 1 c, 2/5 = 21.11666 f	1667.5
C<ente>no	3 f, 5 c = 3.41666 f	307.5
M<aravedí>s	302.5	131
TOTAL		2106

Como referencia, los diezmos totales del beneficio de Muelas, El Pino y alquerias anejas en el año 1785 {y 1784}, siendo beneficiado Antonio Gamboa Dorado, eran: 256,75 fanegas de trigo {279}; 57,17 de centeno {58,8}; 50,5 de cebada {56,83}; 29 de garbanzos {18,5}; 112,1 de algarrobas {120,3}; 3,5 de guisantes; 0,5 de avena {2}; 1 de alverjas {1}; 2.070 reales de dinero de mesa [que englobaba los llamados *menudos sanjuaniegos* y *martiniegos*] {2.751}; {536 mañas de lino}; 39 corderos {39}; 42 pollos {42}; 15 pavos, también registrados como *pavipollos* {15}; 18 quesos {18}.

Los horizontes remotos: Roma, El Bronce

Villa romana

La ya célebre villa romana de Zaratán ha sido objeto de atención desde su descubrimiento fortuito en 1884.[536]

> La provincia de Salamanca cuenta con quince o más villas romanas conocidas (Salinas de Frías 1994: 187; Ariño 2006: 321); se documentan mosaicos en trece puntos, entre villas y asentamientos rurales (Regueras y Pérez Olmedo 1997: 15; Pérez de Dios y De Soto 2017). Los cercanos Baños de Ledesma disponían de instalaciones termales en tiempos romanos; se han hallado monedas y sepulturas (García López 1884: 71).

El agustino y cultivador de la Arqueología, padre César Morán Bardón, que residía durante sus visitas a la zona en la dehesa de Porteros, cuyo rentero era Manuel José Hernández, informa del fruto de sus pesquisas en un libro publicado en 1919:[537]

> «Debajo de la tierra, arada y sembrada, a medio metro de profundidad, me dijeron que estaba el magnífico mosaico romano que mide 8,36 metros de largo por 5,85 de ancho y que fue descubierto casualmente por un pastor en 1884. La Comisión de Monumentos lo puso entonces al descubierto, ordenó levantar un plano y escribió una Memoria que mandó a la Academia y de la que creo debe haber una copia en el archivo de dicha comisión. El plano, por D. Manuel Huerta, debe estar en los archivos de la Real Academia de Historia, en cuyo *Boletín* (V: 12) hay una brevísima reseña del mosaico hecha por Fernández Duro. Según esa reseña está formado el mosaico por cubos de un centímetro, de seis colores, y las paredes de la estancia, que tienen un pie de altura, están revestidas con zócalo del mismo mosaico.

---

[536] Morán Bardón (1919: 31-32); véase también Morán Bardón (1946: 116, fig. 60); Maluquer (1956: 93); Regueras y Pérez Olmedo (1997: 47-50); Ariño (2007: 252).

[537] Morán (1919: 30-33), luego extractado en *La Basílica Teresiana* (94, 1.4.1922).

Parece fuera de duda que, en Zaratán, llamado antiguamente los Siete Zaratanes, ha habido casas romanas, como lo demuestra el mosaico, y población a través de la Edad Media, como lo dicen las tejas que allí se encuentran. Pero el mosaico, juzgando por la fotografía y por el lugar, no es de la Edad Media, sino romano, y romano de los buenos tiempos del imperio. Cierto que tiene figuras geométricas, pero es de factura delicada e irreprochable, impropia de los pueblos que después ocuparon esta región. No es de los visigodos, porque sabido es el grado de decadencia que se apoderó de las artes con motivo de las invasiones [...]; y este mosaico, *tesellato, recticulato, vermiculato*, que forma un espléndido pavimento, no acusa decadencia sino florecimiento. No es tampoco de los árabes porque no tuvieron tiempo ni ocasión de construir en este país una mansión tan lujosa como arguye la casa a que perteneció el mosaico; no en la primera época (de 711 a 900), por las continuas guerras que se originaron entre las diversas tribus de que se componían los invasores, y los tiempos de guerra no son los más a propósito para que las artes florezcan».

Atribuye el hallazgo a un pastor, que habría encontrado el mosaico por accidente (Morán 1946: 116), aunque la versión de un informe más detallado, de Fernando Araújo, que presentaremos más adelante, parece contradecir este punto.[538] Señala Morán, juzgando solo por el dibujo y el emplazamiento, que el mosaico parece guardar gran semejanza con otros, ciertamente romanos, de Itálica y Mérida. Se dispone de una foto realizada por el académico correspondiente Jacinto Vázquez de Parga y Mansilla.[539] Una primera reseña, muy escueta, daba la siguiente información:

«En la dehesa del Zaratán (Salamanca), se ha descubierto un hermoso mosaico romano de cinco colores. Mide 30 pies de largo por 21 de ancho. La Comisión de monumentos de la provincia, entiende en secundar el loable celo de los Sres. Condes de la Cabaña de Silva, que no dan aún por terminadas las exploraciones arqueológicas en aquel sitio de su propiedad».[540]

La reseña a que hace referencia el padre Morán, firmada por Cesáreo Fernández Duro en 6.6.1884, dice lo siguiente:

«En la dehesa de Zaratán, propiedad de los Sres. Condes de la Cabaña de Silva, distante tres leguas de Salamanca, al arrancar unas matas, se ha descubierto á medio metro de profundidad un precioso mosaico de 30 piés de longitud por 21 de latitud

---

[538]   Otra información errónea lleva a *La República* (7.6.1884) a publicar que se había encontrado un gran mosaico «en la iglesia de Zaratán».

[539]   Casado con Emilia Blanco Téllez, era hermano de Gerardo, dueño de Villaselva; falleció en 1919. ¿Cómo pudo hacer la foto sin ninguna distorsión? Tal vez montó un andamiaje para enfocar el conjunto desde arriba. Véase en *La Basílica Teresiana* (1.4.1919), año VI, 58: 123.

[540]   *Boletín de la Real Academia de Historia*, tomo IV, cuaderno VI, junio 1884, p. 346.

formando piso de una estancia cuyas paredes tienen un pié de altura, mostrando zóca-lo del mismo mosaico. Éste se halla en perfecto estado de conservación y está formado con cubos de un centímetro, de seis colores, algunos de cristal, al parecer. Al acabar la estancia se ha descubierto un pasillo que comunica con otros, también con pavimen-to de mosaico de distinto dibujo, pero no se ha hecho la excavación por completo, ignorándose si hay algunos más. Aparecieron al mismo tiempo algunas monedas y un trozo de cadena de hierro.

Se ha dado aviso á la Comisión de monumentos de Salamanca».[541]

En verano de este año, los redactores de *El Progreso* (29.6.1884) habían podido ver varias piezas del mosaico, todas de tamaño inferior al centímetro cuadrado: «de varios colores, sumamente duras, y se encuentran tan perfectamente unidas que pa-recen una sola pieza; todo el mosaico ha sido cubierto de arena con el objeto de que no se deteriore por los agentes atmosféricos».

El mosaico ha sido objeto de un exhaustivo estudio en la valiosa monografía provincial de Fernando Regueras y Esther Pérez Olmedo, *Mosaicos romanos de la provincia de Salamanca*, de 1997,[542] a la que es inevitable acudir para la descripción y puesta en contexto del hallazgo. A partir de la fotografía incluida por Morán en su *Reseña Histórico-Artística*, ha sido elaborado por A. Rodríguez (47) un detallado dibujo, que permite hacerse idea de los patrones del mosaico.

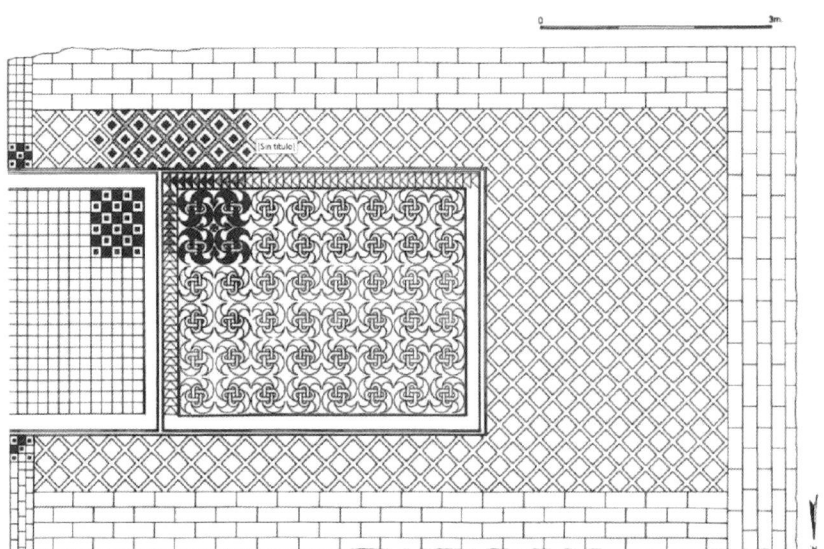

Ilustración 24: A. Rodríguez. Dibujo del mosaico de Zaratán (Regueras y Pérez Olmedo 1997: 47).

---

[541] *Boletín de la Real Academia de Historia*, tomo V, cuaderno I, julio 1884, p. 12.
[542] El estudio sobre Zaratán ha sido realizado por Pérez Olmedo (pp. 47-50).

Aludimos ahora a algunos documentos y cartas cruzadas que aluden al descubrimiento del mosaico, con algunas mediciones, un dibujo y una memoria incompleta. No consta ningún estudio coetáneo dirigido a la descripción del conjunto de la villa, que por aquel entonces aun poseía parte de los muros, de ladrillo revocado (hasta medio metro de altura), dejando adivinar al menos dos salas con sus suelos de mosaico; tampoco se dispone de un inventario de los objetos que se hallaron, ni su paradero ulterior. Cabe sospechar que las inercias y apremios de la cotidiana labor, sumados a la voluntad de preservar el coto redondo, se coaligaron para enmudecer la historia sepultada en el lugar. La visión al respecto de la prensa coetánea al hallazgo es plural. La Liga de Contribuyentes de Salamanca, en su edición de 10.6.1884, indica: «los señores condes se proponen continuar las excavaciones por creer que no sea este el único objeto precioso que allí exista».[543] Pero *El Progreso* (23.7.1884), recela, con algún don profético, de tal intención:

> «Don Ramón Losada y D. Manuel Huerta han estado examinando el mosaico de Zaratán, tomando apuntes el segundo para reproducirlo en acuarela. Si fuera verdad que el propietario del mismo, como nos aseguran, no está dispuesto a velar por su conservación, sería de sentir que se perdiese aquella obra de arte, hecha pedazos por la ignorancia o la codicia».

Manuel Huerta Fuentes, que falleció en 1911, era profesor de Dibujo en el Instituto Provincial y la Facultad de Ciencias; realizó un dibujo del mosaico por encargo de la Comisión de Monumentos de Salamanca; lo había terminado a comienzos de septiembre de 1884 (*El Progreso* 7.9.1884). Actualmente se da por perdido (Regueras y Pérez 1997: 47). Ramón Losada y Campero, propietario, correspondiente de la Real Academia de Historia, escritor y erudito salmantino,[544] agasajó a Pedro Antonio de Alarcón durante su excursión de octubre de 1877, origen de su obra *Dos días en Salamanca*. Losada firmaba sus cartas con el pseudónimo La Baronesa del Zurguén. Veamos los documentos cruzados entre la comisión y la Real Academia de la Historia.

> Fecha: 17.6.1884. Minuta de oficio en la que se solicita una fotografía o dibujo del mosaico, CASA/9/7968/13(2)
> Real Academia de la Historia
> Señor Gobernador Presidente de la Comisión de monumentos históricos y artísticos de la provincia de Salamanca.

---

[543] Igual en *El Progreso*, 11.6.1884.

[544] Pariente del poeta José Iglesias de la Casa, Losada fue recaudador de las contribuciones en Zamora. Era doctor en derecho, con despacho en su casa de la plaza de la Verdura 23 de Salamanca. Casado con M.ª Teresa Santana de Pando, falleció en 1896, dejando una excelente biblioteca y archivo.

Noticiase esta Real Academia de que en la dehesa de Zaratán, propiedad de los Condes de la Cabaña de Silva, a 3 leguas de esa ciudad, se ha hecho un importante descubrimiento consistente en un ~~primer~~ mosaico de 30 pies de longitud y 21 de ancho, otro no acabado aun de desenterrar y varios objetos sueltos; ha acordado excitar el celo de esa Comisión provincial de monumentos para que vea de obtener y remitir a este Cuerpo literario una fotografía o dibujo de lo descubierto hasta ahora.

Dios &c, Madrid, 17 de Junio de 1884 / El Secretario

Fecha: 1884. Carpetilla de expediente relativa a la memoria sobre el mosaico, con otras observaciones, CASA/9/7968/13(3)

El Correspondiente Señor D. Fernando Araujo, desde Salamanca, con carta de 26 de Octubre próximo pasado, remite una breve descripción ó memoria del Mosaico descubierto en la alquería de Zaratán […]

Fecha: 26.10.1884. Carta de remisión de la memoria sobre el mosaico, con otras observaciones, CASA/9/7968/13(4)

Salamanca 26 de Octubre de 1884

Excmo Sr. D. Pedro de Madrazo:

Mi respetable amigo: Adjunto tengo el gusto de enviarle una breve descripción ó memoria del mosaico de Zaratán, del que he enviado fotografía a «La Ilustración Española y americana» para que dé cuenta, si lo estima oportuno, á la Real Academia de Historia, en cuyo poder supongo obrará tiempo hace el exacto dibujo del mosaico sacado por D. Manuel Huerta por encargo de la Comisión de monumentos de esta ciudad. El trabajillo adjunto es copia del que he remitido a «La Ilustración». […] Sin más por hoy, me repito de V. affmo amigo y s.s. q. b. s. m. Fernando Araújo

Fecha: 7.11.1884. Carpetilla de expediente sobre el hallazgo del mosaico, CASA/9/7968/13(1)

[Antigüedades Salamanca]

El Señor Gobernador-Presidente de la Comisión de monumentos históricos y artísticos de la provincia de Salamanca, con oficio de 30 de octubre último, remite a la Academia el dibujo de un mosaico de 10 metros, 30 centimetros de largo, por 5 metros 92 centímetros de ancho, descubierto recientemente en la alquería de Zaratán, propia de los Excmos. Señores Condes de la Cabaña de Silva, que cuidan con laudable esmero de la conservación del mosaico.

Acadª de 7 de noviembre de 1884. Pase al Señor Fernandez-Guerra

Fecha: 11.11.1884, Minuta de oficio solicitando informe sobre el dibujo del mosaico, CASA/9/7968/13(5)

Real Academia de la Historia

Excmo. Señor Aureliano Fernández-Guerra, Individuo de número y Anticuario de la Real Academia de la Historia

Excelentísimo Señor: Por acuerdo de nuestra Real Academia de la Historia paso a V. E. para que se sirva informar lo que se le ofrezca, el dibujo, que el Señor Gobernador-Presidente de la Comisión de monumentos históricos y artísticos de la provincia de Salamanca ha remitido con el oficio adjunto a nuestro instituto, de un mosaico descubierto recientemente en la alquería de Zaratán, propia de los Excmos. Señores Condes de la Cabaña de Silva.

Dios &c. Madrid, 11 de Noviembre de 1884, el Secretario accidental.

La Real Academia de la Historia nos ha facilitado la memoria manuscrita de Fernando Araújo, un documento de cinco páginas. Las partes más significativas de dicha memoria se han extractado en Regueras y Pérez (1997: 47-48). Allí se omiten las opiniones del autor y algunos datos sobre las circunstancias del hallazgo; por su interés, incluimos la memoria completa en anejo.[545]

Gómez Moreno, en su *Catálogo*, da cuenta de la ubicación del mosaico: «se halla en terreno llano, buen trecho alejado de las casas de la dehesa, que caen hacia S.SO».[546] Don Manuel había llegado a Salamanca en agosto de 1901 y terminó su labor en la provincia dos años más tarde. Fue consciente de la ubicación, pues consiguió ver un trozo del mosaico, que había sido soterrado tras su hallazgo en 1884 y «que no ha mucho se desenterró de nuevo, en el que se abarcan sus elementos decorativos principales». Describe la alfombra principal (la más vistosa, con un campo de ruedas de peltas girando como molinetes en torno a nudos de Salomón):[547] «un rectángulo de más complicada labor, compuesta de una serie de lazos a ruedas, difíciles de describir, si bien de carácter muy típico en este género de obras, trazado a colores blancos, negro y rojo». Sobre las teselas, indica, «miden 0,012 m, término medio; y en ellas reconocí los tres colores susodichos, no hasta seis, ni con piedras de vidrio como dicen». «Por aquellos sitios se han descubierto una sepultura de piedras, un horno de gruesos ladrillos, monedas, etc.; lo que vi fueron pedazos de ladrillos y tégulas dispersos» (Gómez Moreno 1967: 64-65).

En cuanto a la ubicación de la villa, dada la gran extensión de Zaratán (unas 1.200 ha) y el profundo borrado que hace la arada de profundidad, no se disponía de datos precisos hasta el hallazgo, que luego se menciona, de un mosaico adicional a los citados en 1884. Enrique Ariño no consiguió localizar el yacimiento en sus visitas a la dehesa (Ariño Gil 2007: 252). La denominación del yacimiento como Campilmojado, que reaparece en varios textos contemporáneos, procede sin duda de un error debido a que la cartografía del Mapa Topográfico Nacional presenta erróneamente desplazado el topónimo Campilmojado, cuya ubicación real es unos 700 m al Este del yacimiento.[548]

---

[545] Rectificamos de paso la lectura de varias de las medidas del texto original.

[546] Dato sorprendente. Ello situaría el mosaico a levante del regato del Soto, es decir, en su margen derecha y no en la izquierda como parece, a juzgar por otros indicios.

[547] Es un motivo que se comprueba entre los s. II y IV (Palahí Grimal 2013: 162).

[548] Incorporamos un mapa de ubicación, mostrando tanto la villa como otros elementos tratados a continuación. No ofrecemos mayor detalle, tanto por la existencia de cierto margen de duda, como para proteger los restos.

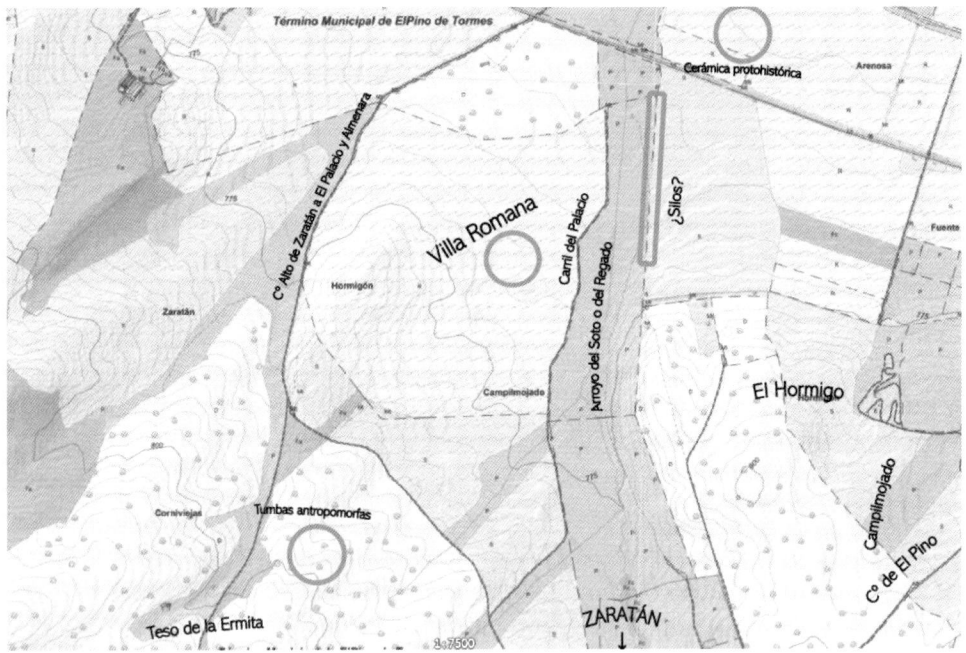

Ilustración 25: Ubicaciones arqueológicas. Mapa CyL 1: 5000.

En este punto, ha sido crucial la colaboración de D. Manuel M., encargado de la finca durante muchos años. Es conocedor de cada porción de tierra, monte y caserío: familiarizado pues con todos los componentes de la dehesa. En sus años de trabajo, ha sido testigo presencial de hallazgos arqueológicos fortuitos. Su testimonio proporciona importantes observaciones, necesarias para reconstruir una parte sumergida del pasado arqueológico de Zaratán.

Sobre un mosaico C, no estudiado previamente, y otros hallazgos

Terminamos con una breve alusión a otro mosaico, del cual nada más se supo, tras su fugaz emergencia hacia 1990 durante labores agrícolas en el eje Zaratán-El Palacio. Presumiblemente se trata de un mosaico de la misma villa, cercano por lo tanto a los dos de 1884, el principal y el adyacente (A y B: el segundo, con una cenefa de octógonos adyacentes determinando cuadrados, situado al sur del principal, no llegó a excavarse [Regueras y Pérez 1997: 50]).

Unas fotografías privadas, realizadas hacia 1990, van a permitir mostrar por primera vez los diseños geométricos, así como los colores de las teselas que lo formaban. Estas imágenes son el único documento fotográfico de la villa romana, con la

Ilustración 26: Mosaico C en Zaratán, excavación parcial, hacia 1990.

excepción de la foto del mosaico A por Jacinto Vázquez de Parga. Sin duda, un valioso documento, más allá de todas las palabras. Son fotografías sin gran calidad, que se hicieron con cámaras simples y no salieron a la luz por tratarse de sencillas tomas improvisadas, sin más justificación que la curiosidad y el interés por lo novedad.[549] De lo que se sabe sobre estos tres (o dos) mosaicos,[550] se abre un espacio de imaginación a la presumible grandiosidad de aquella villa romana. El patrón geométrico es sencillo: un campo de círculos tangentes, de cuatro gajos, que acogen rombos en los huecos. En un ángulo de la parte que se excavó aparecía una alfombrilla con otro patrón (¿el fondo en blanco de un motivo figurativo?).

Ilustración 27: Mosaico C en Zaratán, detalle, hacia 1990.

Partiendo del testimonio, el arquitecto D. Valeriano Herrero ha esquematizado el patrón geométrico. Actualmente, en ese lugar no queda nada en superficie; con mucha suerte alguna tesela suelta.

---

[549]   Sobre la potencia evocadora de la imagen como propulsor de reflexión histórica hay una abundante literatura. Stephen Bann recuerda que, al situarnos frente a una imagen, nos situamos «frente a la historia» (Peter 2015: 17).

[550]   En este mosaico C no se distinguía cenefa de borde; por lo que no es descartable que lo mostrado por las fotos sea una parte, no descubierta en 1884, del llamado mosaico B.

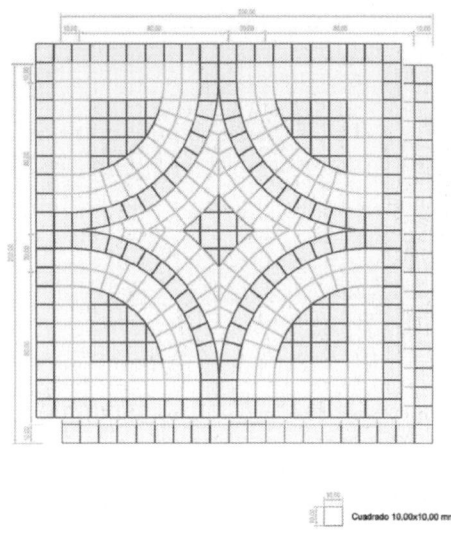

Cuadrado 10,00x10,00 mm.

Ilustración 28: Esquema del mosaico C. Valeriano Herrero Martín.

Las teselas dispersas recogidas en el entorno del mosaico C han sido analizadas en cuanto a materiales por M.ª Ángeles Gómez Hernández. Se describen con referencia a la fotografía, en el sentido de las agujas del reloj:

> [1] Ópalo: una característica suya es que, al mojarlo, se pega; se trata de depósitos de sílice, esencialmente, en rocas metamórficas. Son rocas muy duras que dan lugar a resaltes en el paisaje.
>
> [2] Episienita, o granito rosa; es el resultado de una alteración hidrotermal del granito de la zona, debido a fluidos de origen profundo que hacen que se disuelva el cuarzo y cristalicen nuevos minerales al interaccionar los elementos de los fluidos con los minerales existentes.
>
> [3] Cuarzo, de algún dique de cuarzo dentro de granito.[551]
>
> [4] Caliza con una lámina de carbonato cálcico en uno de los extremos.
>
> [5] En esta pieza se duda, pues está zonada con una costra exterior; parece una arenisca, pero hay cristalizaciones. Puede ser comienzo de metamorfismo.

---

[551]   Una cantera de cuarzo duro, de el vado del Pino, pasado el Tormes, se usó para los km 11 al 15 de la carretera de Salamanca a Fermoselle (*EA* 9.7.1890). Otra similar había del mismo lado, a la altura del vado de Almenara. En 1572 se trajeron 160 carretadas de piedra de Almenara para laa pesqueras de la aceña de Valverdón (RMAL).

Ilustración 29: Diferentes materiales en las teselas del mosaico C.

Cabe mencionar otro significativo hallazgo; se trata de una alineación de silos, fondos de chozo o algo parecido, cercanos al punto donde estuvo la villa romana; su hallazgo, como otros tantos, no ha trascendido. Hacia 2012, los propietarios de Zaratán instalaron un pívot de riego a 1,5 km al N del caserío, en la orilla derecha del Regao, junto al antiguo camino bajo de Zaratán a El Palacio de los Ovalles. En la excavación aparecieron nuevos restos, cuya ubicación se señala en la imagen. Se hallan a unos 300 m al este de los mosaicos de la villa, próximos al regato del Soto, paralelos al regato y del lado de El Pino. Según la descripción del hallazgo, narrada por un testigo ocular, se trataba de seis o más círculos de tierra negruzca, de 1 o 1,5 m de diámetro, alineados a distancia muy regular —¿un conjunto de silos, fondos de choza?; ¿tocones, ya reducidos a humus, de una hilera de corpulentos árboles?—. No se vieron sillares o ladrillos, por lo que no se trataría de una estructura termal.

Teso de la ermita en Zaratán

Evidencia adicional de poblamiento antiguo son varios hallazgos en la parte occidental del término de El Pino, que seguidamente mencionaremos. Enlazan con focos cercanos, como los yacimientos de Almenara, pegados a la otra orilla del río,

Aceña Caída (calcolítico) y Arroyo de la Cárcava (de datación incierta) (Rupidera, Jiménez y Prieto 2009).

Morán (1919: 30-31) visitó un despoblado en Zaratán: «Durante estos días he visto, a un kilómetro NW. de Zaratán, término municipal de El Pino, un despoblado en el que aparecen infinidad de ladrillos y tejas planas sin grandes caracteres de antigüedad; pueden ser perfectamente de la Edad Media, quizás del pueblo visigodo.» A renglón seguido menciona el mosaico romano hallado en 1884. No queda claro si este despoblado es independiente del mosaico o coincidente con él. En todo caso, se trata de un paraje muy próximo al del mosaico, pues este se encuentra a 1,3 km al norte del caserío de Zaratán.

Al margen de este primer despoblado, Morán (1919: 32-33) menciona un segundo asentamiento en el teso de la Ermita:

> «En el mismo término de Zaratán, hacia el W, hay una elevación del terreno llamada el Teso de la Ermita. Es otro despoblado, resto de un antiguo castro cristianizado en los primeros siglos de nuestra Era. En él he recogido trozos de cerámica negra primitiva, probablemente de la edad de bronce, y en él me dijeron haber encontrado sepulcros de piedra de una sola pieza con la forma del cuerpo humano. Igualmente han salido sepulcros de esta clase en las inmediaciones de la iglesia de Zarapicos que está próximo a Zaratán. Sólo he podido ver fragmentos de tales sepulcros. Uno de ellos, con la hendidura para encajar la cabeza, está en el pórtico de la iglesia. Podrían ser prehistóricos, fenicios con influencias egipcias, o de los judíos de la Edad Media. Como no he tenido la dicha de ver ninguno completo para apreciar las diferencias, me abstengo de formar juicio sobre ellos».

Queda la incógnita acerca de la datación de tales sepulcros, de los cuales han seguido hallándose evidencias hasta los años 1970, como se explica seguidamente. Además de los sepulcros de Zarapicos, menciona Morán (1946: 116-117, fig. 61) el hallazgo de 17 sarcófagos de piedra de variadas formas en Santibáñez de Velambélez, alquería de la orilla izquierda del Tormes, situada frente a Almenara, unos 4,5 km aguas abajo de El Pino. Los sepulcros eran, unos de forma corriente, otros antropomorfos, otros de piedras hincadas; las tapas, de dos vertientes, monolíticas o en varias piezas. Uno de ellos contenía tres esqueletos bien conservados. La piedra es identificada como de Zarapicos.[552] Se halló algún trozo de tinaja, así como un depósito con paredes y piso de cal y canto, con un hoyo central, que Morán interpretó como un lagar; la necrópolis en su conjunto le pareció visigoda, rural y pobre.

---

[552]   Se recuerdan tales hasta fecha reciente tales sepulturas de piedra en tº de Almenara (Gómez Santamaría 1991: 17).

En el teso en cuestión, unos 900 m al W-NW del caserío de Zaratán, se hallaron hacia 1970-75 varias tumbas antropomorfas, como las mencionadas por Morán; se descubrieron de forma fortuita realizando las labores agrarias; el tractor y los aperos de labranza chocaron con un tope, inesperado, que les impedía continuar. Se trataba de una gran piedra quebrada por la fuerza del tractor y dejaba ver una tumba; era la tapa que había cubierto durante siglos los restos intactos de un cadáver humano. Junto a este primer descubrimiento hallaron varias tumbas más.

Al lado de una de ellas, los huesos del esqueleto de un niño, pero estos directamente en la tierra, sin tumba de piedra. En el alma de ese montículo de pedruscos y maleza, permanecen las tumbas milenarias, en un calvero rodeado por encinas. Su desconocimiento y olvido son su protección presente. Aun así, D. Manuel M. cuenta que, poco después del hallazgo, se extendió la noticia y, en otra de sus visitas al lugar, pudo comprobar su expolio: los restos óseos habían desaparecido.

El padre César Morán, recordamos, asimilaba los sepulcros de Zaratán a los de Zarapicos, antropomorfos, con una extensión para encajar la cabeza; sin embargo,

Ilustración 30: Sepulturas del teso de la Ermita en Zaratán. Dibujo de María Herrero Zazo.

las tumbas de Zaratán, excavadas en la roca, no incluyen este rebaje o extensión para la cabeza; recuerdan por su forma a un ataúd actual, en piedra. Se trata pues de una cavidad rectangular o quizás trapezoidal.

Hay una observación importante sobre los esqueletos encontrados dentro del grupo de tumbas que pudo ver D. Manuel. Los restos óseos humanos, en el sepulcro de piedra, se hallaban en posición de decúbito supino, con sendas piedras sin labrar a la altura de los oídos a cada lado, como pétreos cojines, sin duda destinadas a sujetar la cabeza. Se orientaban los cuerpos según el eje Este-Oeste, con la cabeza del difunto a poniente y los pies a levante. Al esqueleto que vieron le faltaban todos los huesos de uno de los brazos; no se sabe si fue enterrado sin él o si por el contrario se destruyó o perdió en los ajetreos inevitables del hallazgo.

Yacimiento del Regado

Cabe mencionar ahora lo que fue otro yacimiento arqueológico que ha estado a punto de desaparecer, en todos los sentidos, orales, escritos y fotográficos. Estaba en el tramo final del valle del Regado o del Soto, situado unos 850 m al NE de la villa romana, y casi a 2 km de las tumbas del teso de la Ermita; a unos 300 m al SW de la casa de El Palacio, cerca de la carretera El Pino-Santibáñez-La Narra. La ubicación aproximada de este conjunto de hallazgos se muestra en el plano anterior.

Su hallazgo, como tantos otros yacimientos en el campo, se debe a la casualidad; fue encontrado por los dueños de terreno, José y Francisco Sánchez Ledesma. Allá por los años 70, realizando labores agrícolas, un vecino de El Pino se dio cuenta al roturar la tierra de que salían fragmentos de barro con cuencos y piedras graníticas redondeadas; en un principio lo sacaron todo fuera de la parcela.

Continuaron saliendo fragmentos, y entre ellos aparecieron restos óseos humanos, entre ellos una calavera; los restos se deshacían al intentar tocarlos. Preguntado el labrador sobre si había alguna piedra más grande cerca, como lápida o sillar, responde negativamente; los huesos estaban solos en tierra, cubiertos de ella. Cree recordar que, dentro de un cuenco de barro, había varios más pequeños.

Se comunicó el hallazgo a alguna autoridad del pueblo, que se puso en contacto con el experto coleccionista arqueológico Ignacio María Belda (1910-2007), sacerdote del Sagrado Corazón de Jesús, conocido como Padre Belda. Este se acercó al lugar en varias ocasiones, realizando fotografías, recogiendo lo que pudiera ser de interés y tomando notas. Las piezas encontradas y recogidas las expuso Belda en su primer museo, en Alba de Tormes, donde fueron invitados los dueños de la tierra, que las habían donado; allí pudieron comprobar que figuraba un escrito a máquina donde se indicaba la procedencia de los restos y el nombre de los donantes.

Con estos datos, todo parecía muy fácil: solo había que ir, hacer unas fotografías de los hallazgos y ver la datación. Pero el museo arqueológico del Padre Belda se había reorganizado hacía ocho años, en el 2008. No le di importancia: supuse que se trataba de una reorganización de los fondos. Pero cuando he ido, no hallé nada, ninguna referencia al lugar ni a los donantes; si las piezas se separaron para ser catalogadas, ¿dónde estaban ahora? Me puse en contacto por correo electrónico con el encargado actual del museo, explicando los antecedentes, las piezas buscadas y los donantes. Esta fue su respuesta:

> «Desgraciadamente tengo que comunicarle que no disponemos de ninguna documentación acerca de la pieza a la que se refiere. Tampoco sabemos quiénes son José Sánchez Ledesma y Francisco, pues el Padre Belda tenía relación con muchas personas de este entorno, pero no hay referencias precisas, cartas o algún diario que expliquen sus salidas arqueológicas con estas personas. He estado mirando en su biografía, y sólo se refiere a algunas salidas muy precisas y a algunas relaciones personales con amigos franceses. De lo demás no tenemos nada. Siento no poder serle de más ayuda».

Insistí, pero no he tenido más respuesta. No podía creerlo: ¿cómo se podía sumir en el olvido todo aquello, sin dejar trazas sobre el paradero de las piezas?, ¿dónde estaban, qué trayectoria habían seguido, qué gestión del patrimonio era esta? Mi desaliento fue grande. De ese mismo yacimiento, poseo, como curiosidad, unos molinos de mano, testimonio material que espoleó este trabajo; de repente me sentía paralizada: todo parecía terminar, los restos prehistóricos, una vez devueltos a la luz, se pulverizaban de nuevo en el camino de su estudio.

Quizás quiso el azar que, en esos días de desesperanza, llegase a mis manos un suplemento del periódico local, con un reportaje de dos páginas sobre el Museo del padre Belda. A través de esta noticia, por internet, me puse en contacto con GAEM ARQUEÓLOGOS. En un primer correo, la respuesta a mi petición fue:

> «Hemos estado consultando la base de datos de la catalogación. Solamente aparece un ítem perteneciente al yacimiento de Pino de Tormes. Es el n.º de inventario 889. Descripción: Gran fragmento de cazuela, parcialmente restaurado, con fondo plano, carena alta, borde ligeramente vuelto y labio convexo. Presenta un mamelón resaltado en el área de la base, cinco líneas de impresiones con objeto de punta roma, imitando ungulaciones, en el cuello y una línea incisa en zigzag sobre el labio. Tiene unas pastas muy decantadas, de color pardo-grisáceo y no es muy gruesa. Medidas = 200 mm de diámetro de boca y 8 mm de grosor. Observaciones: Hallado por Juan Muñoz al remodelar la carretera. Es posible que hubiera más materiales de este lugar, pero en el momento de la catalogación no tenían procedencia».

Con esta referencia y respuesta, intuí que estaba en el camino certero para hallar lo que buscaba; envié otro correo con las explicaciones que había obtenido de fuentes orales, y la respuesta no pudo ser más satisfactoria:

> «Con tus aclaraciones del último correo hemos estado revisando tanto nuestro inventario original (a mano) que hicimos en 2007, como las fotocopias de los dos inventarios-registros que en aquel momento nos facilitaron allí. Uno era el manuscrito «registro del museo de Prehistoria» realizado por el propio Padre Belda, al parecer a finales de los años 80-principios de los 90 del pasado siglo. En él aparecen dos piezas con procedencia de Pino de Tormes. Una de ellas es la que te envié ayer, ya que la pudimos identificar por los datos que conservaba. La otra ya no pudo ser identificada durante nuestro trabajo. El otro inventario es el realizado por la empresa EXCAR para la Junta de Castilla y León en 1991. Aparecen registradas las dos piezas anteriores como procedentes de Pino de Tormes, pero ningún dato sobre su donación o detalles de su aparición. Son las que te envío en fotos adjuntas. En otro correo te envío las fotos del libro de registro del museo que hizo el Padre Belda, aunque en él tampoco hace referencia a su procedencia. Por lo que nos dijeron en su día, la exposición del museo cambió varias veces, por lo que pensamos que, aunque en su día (como dices en el correo) estuvieran las piezas expuestas con los datos de su donación, en cambios posteriores esa información desapareció y se perdió, ya que no aparece en ninguno de los dos inventarios. Esperamos haberte podido ayudar».

Sin lugar a dudas... En contacto telefónico con don José Manuel Morlote, ha quedado aclarado que la referencia a otra pieza, encontrada por Juan Muñoz al remodelar la carretera, no se encuentra.

 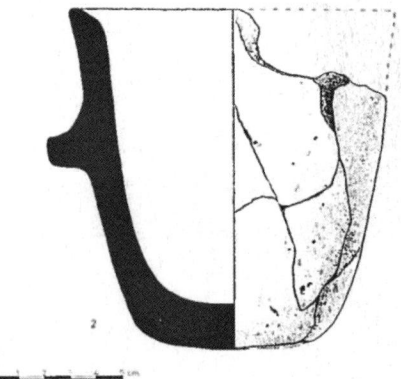

Ilustración 31: Vaso completo, con mamelones (714). Foto, cortesía de GAEM ARQUEÓLOGOS. Dibujo en Martín Valls y Delibes (1973: 396).

En estas vitrinas estuvieron expuestas, en el Museo Belda de Alba de Tormes, en sus inicios. Actualmente, su paradero es desconocido. Uno de los dueños y donantes, que aún vivía en 2019, vio las fotografías de GAEM ARQUEÓLOGOS, confirmando con toda seguridad que las imágenes corresponden a las dos piezas que encontraron al labrar la tierra. La ficha descriptiva de las piezas es la siguiente:

«713. Gran fragmento de cazuela con carena alta y borde ligeramente vuelto. Lleva decoración externa sublabial y a partir de la inflexión de la carena en cinco líneas a base de impresiones con objeto de punta roma, imitando ungulaciones. Por el interior lleva zig-zag sobre el labio. Pasta muy tamizada, con espatulado exterior e interior. Paredes no muy gruesas. Dim<ensiones> 130 x 160 x 8 mm. Diámetro aprox<imado> de la boca: 200 mm. Procedencia: Pino de Tormes. Parcialmente restaurado.

714. Vaso completo —restaurado— de paredes rectas con dos mamelones o pezones contrapuestos, borde recto, fondo plano. Paredes espatuladas exterior e interiormente. Altura 123 mm. Diámetro boca: 130 mm. Diámetro fondo: 70 mm. Procedencia: Pino de Tormes [añadido a mano: modelado para medida de capacidad, igual que otros hallados en Portugal]».

Ilustración 32: Exposición original de las piezas de El Pino. Imágenes facilitadas por D. José Manuel Morlote, GAEM ARQUEÓLOGOS.

En la exposición original, mostrada en la figura, el 714 estaba en la balda mediana (lado derecho);[553] el 713, en la balda superior del lado izquierdo. Estos mismos hallazgos [713, 714] son estudiados por Martín Valls y Delibes (1973: 396):

> «durante los trabajos realizados para allanar un terreno en las inmediaciones de El Pino de Tormes, entre el pueblo y el río, se descubrieron varios fragmentos cerámicos, algunos de los cuales pudieron salvarse gracias a la intervención del P. Belda de Alba de Tormes.[554] Desconocemos el carácter exacto del yacimiento, pero cabría pensar en un pequeño poblado, cerca del Tormes, cuyo emplazamiento a campo abierto excluiría una preocupación inmediata por la defensa. Habría que paralelizarlo por esta razón, con algunos poblados zamoranos próximos al Duero del área Casaseca de las Chanas-Cazurra, dados a conocer recientemente, y no con los salmantinos de Castillo de Carpio Bernardo y Mesa de Carpio que, aún perteneciendo al mismo horizonte cronológico e idéntico medio geográfico –zona de penillanura- presentan un tipo distinto de emplazamiento, mucho más adecuado para la defensa».

Mencionan seguidamente los dos vasos conservados, hechos a mano, que se muestran en figura. Sin duda se trata de los mismos de las fichas antes reproducidas. «Los dos vasos conservados […], naturalmente hechos a mano, tienen gran interés, uno por la decoración y otro, aunque liso, por la novedad de su forma. El primero es un cuenco de pasta pardusca espatulada, cuya decoración exterior consiste en diversas líneas de impresiones de uñas, mientras en el interior del borde se desarrolla un zig-zag inciso. El vaso liso, en forma de cubilete, es de pasta similar al anterior y de paredes muy gruesas; presenta un solo tetón muy pronunciado». Proceden luego a diferenciar estos hallazgos y contexto del poblado en la cumbre del cerro del Castillo de Carpio Bernardo, que arrojó numerosos vasos de la fase Cogotas I (siglos xv a viii a.C.), destacando el carácter defensivo de este (397). Añaden:

> «no dudamos en incluir en esta fase cultural y cronológica los vasos de El Pino de Tormes, pues la decoración con impresiones de uñas del primero puede paralelizarse con la de otras cerámicas procedentes del Cancho Enamorado en el Cerro del Berrueco, La Requejada en San Román de Hornija o Las Carretas en Casaseca de las Chanas, encontradas junto a vasos decorados con *boquique* y excisión. En este sentido el hallazgo de El Pino de Tormes es el punto más occidental en tierras salmantinas de este grupo y enlazaría con los portugueses procedentes de la zona comprendida entre el Duero y

---

[553]   Con la anotación en ficha «vaso de medida de capacidad procedente de Pino de Tormes». No es descartable que algunos de los vasos y fragmentos de la exposición sean también de El Pino, pues se trajeron piezas sin identificar.

[554]   Pero si el padre Belda acudió al lugar es porque fue alertado por los probos labradores que habían realizado el hallazgo.

el Miño, desgraciadamente no bien precisados, y hacia el Norte con un conjunto de yacimientos zamoranos, que servirían de unión con el hallazgo aislado de Covas, al sur de Orense» (399).[555]

El citado hallazgo en El Pino de enterramientos del Bronce Medio y Final, con vasos troncocónicos y globulares, y líneas de impresiones de uñas, similares a los del cerro del Castillo en Carpio Bernardo, ha sido objeto de atención en otros estudios (Bellido Blanco 2005: 80, 271). Parece implicar una ubicación en campo abierto, sin preocupaciones defensivas.

Ilustración 33: Posible molino de mano hallado cerca de los vasos.

Es en todo caso de sumo interés la referencia a una pieza de inventario 889, pues abre la posibilidad de dos hallazgos independientes en la misma zona: uno, durante las obras de la carretera (de El Pino a Santibáñez); otro, al arar la tierra.[556] Parece

---

[555] Parece que alude a este hallazgo la referencia que encontramos en Blanco y Esparza (2019: S3) a un yacimiento *del Regado*, dentro de Zaratán, incluido como perteneciente a Cogotas I. Del mismo horizonte incluyen los cercanos Valdecidiel en Barbadillo, Teso del Cuerno en Forfoleda y Las Cabrillas en Calzada de Valduncíel.

[556] Se parece bastante la descripción de 713 y la de 889: ¿se trata de la misma pieza, con dos números de registro? Hace dudar la alusión a un mamelón en la base, puesto que la figura de Fernández-Posse (1986-1987: 233), procedente de El Pino, muestra un fragmento sin base, en coincidencia con la imagen del museo Belda (véase figura).

también evidenciarse que la colección Belda contenía más piezas cerámicas del yacimiento del Regado, aparte de las dos que fueron entregadas por José y Francisco Sánchez Ledesma.

Fernández-Posse (1980; 1986-1987: 233) sitúa en la fase inicial de Cogotas I (1700 a 1550 a.C.) la vasija con decoración ungulada de El Pino, por lo que sería anterior a las cerámicas más refinadas de Carpio Bernardo, que se remontarán a la fase media y avanzada de Cogotas I (234), es decir entre 1550-1000 a.C. Pero estas dataciones han sido objeto de alguna revisión posterior tendente a retrasar el final de Cogotas I hasta cerca del siglo VIII (Delibes y Fernández-Miranda 1987).

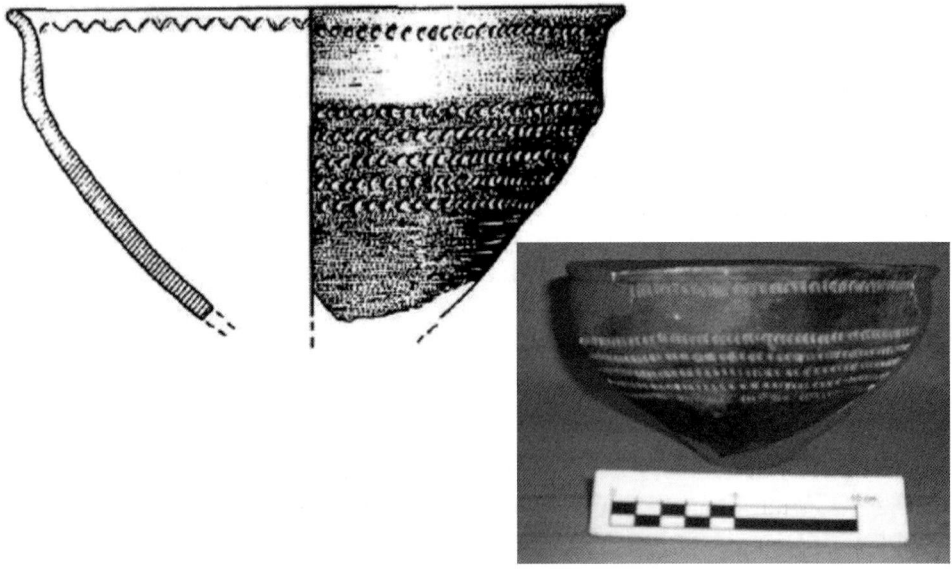

Ilustración 34: Cazuela con decoración ungulada, El Pino (Fernández-Posse 1986-1987: 233).
La misma vasija (713), restaurada en el museo Belda (cortesía de GAEM ARQUEÓLOGOS).

Susana Oliveira Jorge encuentra parentesco entre las vasijas de El Pino y alguna de las encontradas en el Tapado da Caldeira (conc. Baião, dist. Oporto); por su carácter de asentamiento sin preocupaciones defensivas, parecido a otros con los llamados «silos basureros» y «fondos de cabaña», lo encuadra en un núcleo de las planicies del Duero Medio y sus afluentes (Jorge 1980: 38, 47).

Anejos y referencias

Anejo I: Sobre la toponimia de El Pino

Aunque los nombres de lugar en este pequeño término no son espectaculares en términos filológicos, su recogida parece un deber. La concentración parcelaria, el regadío industrial, el despoblamiento, la nueva cultura urbana: todo ello se añade para producir un profundo borrado de estos lindos receptáculos de historia que son los topónimos. La pérdida de los archivos municipales en fecha no remota (estaban atesorados en un cuarto con librotes y legajos, que recibieron trato de escombros), obliga a buscar los nombres por distintas vías (protocolos, apeos, escrituras), en una tarea que intenta oponerse a aquel súbito cataclismo. Los topónimos ofrecen indicios importantes sobre la historia del paisaje local; hablan de una rica cubierta vegetal; muestran modos de parcelación y posesión del terrazgo; dejan aflorar bastante léxico salmantino.[557]

Junto a los topónimos, más o menos consolidados, que designan partidas del término, hay otros, más efímeros, que describen determinadas tierras. Por su carácter familiar tienen tono juguetón y afectivo: tierras llamadas *La Malota*, *La Sastra*, *La Desgraciada*, *La Retuerta*, *El Cuartico*, *Arenal de los Claveles*, *La Cuadra del Monte*, el *Cuadro Ancho*, la *del Perro Rabioso*, la de *los Pantalones*.[558]

De los sucesivos apeos parece desprenderse que entre los siglos XVII y XVIII se produjo cierto grado de abandono de tierras, sobre todo en el contacto del término

---

[557] No se ha dedicado una sección separada a las variantes léxicas presentes en El Pino y su entorno. Sobre la marcha, a lo largo del libro, se ilustran algunos términos significativos. En hospitalarias pláticas con vecinos, recogimos términos de interés: *desmigollar* 'quitar las migas de un pescado'; *pelo lambido* 'el que se pega a la cabeza y parece mojado'; *espelujado* 'despeluchado'; *descombarcado* 'enorme, desmesurado'; *bayón* 'espadaña, anea'; *bliendo* 'bieldo'. De un burro cargado de ollas, en Rollán: «el burro olió las burras, se puso a rosnar, y escachó los pucheros».

[558] Sin duda, por la forma.

con las alquerías de Zaratán y Villaselva. Muchas viñas, que aún se cultivaban en Villaselva y El Pino a mediados del XVII, aparecen ya en 1733 y 1754 abandonadas, convertidas en erial o invadidas por carrascales. Se mencionan cuatro tierritas (en los Saozes, junto al Boonal), que el concejo ha cedido a la iglesia por desconocerse su propietario (APB2). A partir de 1790, se produce un explosivo crecimiento de los huertos, la población crece, y previsiblemente aumenta con ella la presión sobre el territorio.

El término, sin contar las dehesas de Palacio y Zaratán, se dividía en dos hojas. Ello es indicio de buena calidad de la tierra, pues solo tenía que descansar un año, sembrándose en el siguiente. Ya desde el primer apeo conocido (1580 APB) se comprueba la división: (W) hoja hacia el Palacio; (E) hoja que linda con Muelas. Gran parte de las tierras citadas entonces son longueras, hazas muy alargadas que se delimitan con expresiones como «sale de», «va para» / «llega a»;[559] se especifican por lo general solo dos propietarios colindantes, uno por cada flanco o larguero, y el nombre de los parajes donde se sitúa uno o los dos testeros o lados estrechos (los llamados *cabos* de la tierra).[560] Posteriormente, por división, van apareciendo parcelas más o menos cuadradas, denominadas popularmente *cuadros*; las tierras convertidas en erial se llamaban *perdidas*. Las hojas E y W son separadas por el camino de El Pino a Zaratán; tras una bifurcación, la divisoria sigue por el camino de Parada de Arriba. Hacia el río Tormes, divide las hojas el regato del pueblo, también llamado *de la Alameda* (CME; popularmente, *la Lameda*).[561] Como suele ocurrir, las hojas reciben más de un nombre. La hoja E se llamó también *de las Guadañas* (APB2), porque un importante de prado de concejo, así llamado, estaba en ella; también *de la raya de Muelas* o *la Florida de Liébana* (CME), *hoja de la raia de Florida de Liévana* (AGUST); los administradores de la Encomienda de San Juan la llamaban *Hoja de la raya de Valverdón* (CME). La hoja W recibe el nombre de *Hoja del Palazito* (CME), pues este nombre se aplicaba a El Palacio de los Ovalles; también *Hoja de la raya del Palacio* (CME); *Hoja de la raya de Zaratán y el Palacio* (CME).[562]

---

[559]   En 1405, en Muelas, se expresa la cabeza de las longueras con sintagmas «toma del», «va al», «sal del»; la cola, con «descabeça en», «fiere en» (APEOS 300, 301). En 1482, en Tirados, se añaden fórmulas como «comiença en», «remata en» (TRD). Variantes para el cabo primero: «se lebanta de».

[560]   Una tierra de Almenara en 1696 «linda con el valle a la larga, y a la corta en rodillo» (Gómez Santamaría 1991: 156).

[561]   Generalmente consta como el *regato de concejo* (CME), también *de la Alameda* (CME, 1911 ESCR); *Los Carcabones*, lindantes con el regato de concejo (1861 CHIP). Se menciona el *Teso de la Alameda* (CME, 1851 CHIP), la *alameda comunal* (1862 CHIP) y, cercana al pueblo, la *Fuente de la Alameda* (1849 CHIP, 1900 ESCR).

[562]   Florida de Liébana, de calidad similar en cuanto a suelos, estaba también dividida en dos hojas por un trazo perpendicular al Tormes. Una era la hoja grande o del Puerto (llamada *de Gurrinas* en el CME); otra, la hoja chica o del Pino (APB).

Citemos algunos parajes inmediatos a la población, que participan de las dos hojas. Las calles no presentan nombres hasta tarde; en los apeos se observan descripciones del tipo «calle de concejo […] que traen los que viven por bajo del arroyo a dicha yglesia» (APB2). Hacia 1862 empezaron a usarse números de calle: se nombran por entonces las calles de *El Recreo*, *La Muerte*, *Calzada de Baños* o *de Ledesma*, *Las Guadañas*, *Los Huertos*, *El Colmenar*. La plaza del pueblo recibía el nombre del *Toral*, luego plaza del Generalísimo Franco y plaza del Diamante; allí había un potro de herrar, de madera; y un pilón. *Toral* es voz salmantina, sin relación con *toro*; se usa en tierra de Ledesma y hacia Ciudad Rodrígo; también en Sayago; su sentido general es 'plazoleta; explanada en la que se juntan varias calles'. Del toral salían hacia el regato y los huertos dos calles: General Sanjurjo (actualmente C/ Ágata) y Calle del Regato (actual C/ Coral; en ella estaba la alameda). Se corresponderán con la *Calle de los Huertos* (1853 CHIP); *Calle Larga de los Huertos* (1860 CHIP); *calleja que va a los huertos* (1852 CHIP); *calle del Colmenar* (1861 CHIP; RFES). La *Calle de las Guadañas* (1859, 1861 CHIP) o *de la Guadaña* (RFES), luego calle José Antonio, actual Diamante, salía del Toral hacia Florida. De dicha calle salía una que se dirigía a El Palacio atajando por el norte del pueblo, la llamada *Calzada de Baños* (CME) o *Calzada de Ledesma* (1853, 1857 CHIP), *calle de los Baños* (RFES, 1928 ESCR), luego calle Salas Pombo, hoy calle Esmeralda o Camino del Palacio. La *calle del Recreo* (1897, 1911 ESCR; RFES), luego Calvo Sotelo, actual calle Rubí, daba a una plazoleta, que salía por un lado a el cº del Río (*calle del Río*, RFES) y por otro al del Palacio; su nombre se deberá a que los niños, al salir de la escuela, cercana a la iglesia, bajaban a corretear y retozar en esta calle. La *calle de la Muerte* (1861 CHIP, 1897 ESCR; RFES; *NS* 30.5.1904) fue luego calle General Yagüe, actual calle Topacio. En ella estaban la casa del concejo y la escuela (respectivamente, numeradas 6 y 18 en 1927; la escuela daba por detrás a una cortina y a las eras). Atribuyen su nombre a que en ella apareció un esqueleto. La *calle de la Iglesia* (1857 CHIP, RFES, 1912 ESCR), luego calle Onésimo Redondo, actual calle La Perla, llegaba hasta la iglesia y las eras. La calle Saliquet, actual Turquesa, salía por el flanco occidental del pueblo hacia las eras.

Otras referencias internas a la población son *El Barrio* o *Sitio de Abajo* (CME), *El Corral de Concejo* (CME) (en 1904, en el 3 de la calle de la Iglesia; en 1927, en el 5 [RFES]), *El Pozo* (1894 ESCR), *La Lóndiga*, panera de una obra pía fundada en 1633 (CME), *La Fragua* (CME): esta era en 1752 una casa arruinada, entre el regato y la iglesia, que había servido de taller. En la salida del pueblo hacia El Palacio estaba *El Palomar*, donde se hicieron quiñones (1861, 1862 CHIP).[563] *La Poza*, en el regato de

---

[563] *Sendero del Palomar*; quiñones en *El Palomar* (1862 CHIP). Parada tenía la hoja de Valdemirlas, hacia Zaratán, y la de la Dehesa (1550 HERR).

la Alameda, era probablemente un cadozo para lavar la ropa (1862 CHIP). Cerca del pueblo estaban *Los Mudadales*.

Un elemento central en el pueblo, además de su iglesia de San Lorenzo, era la *huerta cercada de los agustinos* o *huerta del convento* antes mencionada; tenía en su interior una alameda de negrillos, y por fuera, hacia el regato de la Alameda, 17 negrillos (16 según AGUST); lindaba por el E con una tierra llamada de la huerta, de 2.805 estadales, al sitio del *Barrero* (AGUST), con cuatro negrillos. A su lado se menciona en 1897 el *Melonar de Cosido* (ESCR), denominación sin duda efímera, basada en el apellido de un vecino. La huerta recibe innumerables menciones: quedaba del lado oriental del regato, por lo tanto en la hoja de Muelas; su cabida era de 2.805 estadales; cogía agua del regato del pueblo, en torno al cual crecía la *Alameda* (APB2, CME, 1900, 1911, 1914 ESCR).[564] En 1580 consta que la huerta fue primero de Cristóbal Nieto, vecino de Salamanca; luego pasó a Antonio Maldonado; seguidamente, antes de 1732, a los agustinos calzados.

Desde el pueblo hacia el río, en lo que sin duda era un paraje delicioso, sonoro de aguas corrientes, chirriar de norias, vibrar de hojas y retumbo de azadones, había huertos y herrenales o cortinas. Regaba los huertos una *cancera*, es decir, una acequia o zanja de riego, sangrada del regato,[565] que llegaba a Ribera Hondo: *La Cancera de los Huertos*, la *Cancera de Concejo* (1846 CHIP, 1900, 1912 ESCR), también llamada la *Regadera de Concejo* (1847, 1856 CHIP), *La Regadera* (1850 CHIP), *La Reguera Grande* o *La Reguera Maestra* (1850 CHIP).[566] La *cancera* que se hizo en paralelo al arroyo en Muelas, en 1741, tenía como principal misión evitar desbordamientos y proteger las tierras de la vega; de 4 varas de ancho, admitiría caudales excepcionales sin desbordar. El *prado de la Alameda* (CME, AGUST, 1900 ESCR) y la *Charca de los Huertos* (CME, 1940 ESCR)[567] quedaban en el lado occidental

---

[564] Toponimia asociada o secundaria: la *Alameda de San Agustín*; *detrás de la Alameda* (CME). *El regato de la Alameda* (AGUST) o *regato de la Iglesia*. El *Pedregal de la Alameda* (CME). *Los Espinos de la Alameda* (CME) rayaban con el camino de Zaratán. Alameda, «cercada de pared y vallado», del común (1862 CHIP).

[565] Tanto aquí como en Muelas se plantea una duda: ¿era la cancera una derivación, paralela al cauce natural del regato?, ¿o un ensanchamiento y regularización del lecho primitivo? No aparecen documentos que lo aclaren. En 1936, Santos Ramos, de El Pino, deseaba comprar noria usada en buen estado. Ya en 1332 se menciona una noria en Santibáñez del Río (RBLC).

[566] Se repite en la toponimia comarcal: *Cancera* (Villamayor, Almenara: cf. Coca Tamame 1993: 193, 293); el topn. de Almenara se recoge como *Las Canceras* (BVBNS 4.10.1856). *Las Canceras* (Tirados). Las escrituras a veces corrigen, infundadamente, como *caucera*: *La Caucera de Abajo* de concejo (1859 CHIP); *La Caucera de los Huertos* (1861 CHIP). En Tesonera, una *tierra de la Caucera / Cancera* (1572 TSNR); una *regadera* para un prado (1548 TSNR).

[567] Top. asoc.: *Los Huertos del Medio* (1852, 1859, 1861 CHIP); el sitio del *Largo* (1862 CHIP). En referencia a la huerta de los agustinos, la *Charca de la Huerta* (1900, 1911, 1914 ESCR). *Tras la Huerta*, en la hoja de Muelas (CME).

del regato. Dentro del prado se menciona un *cabarcón* (CME), esto es, un hoyo excavado por las aguas o por la extracción de barro. Por su forma se mencionan unos quiñones, junto a la cancera, llamados *Los Cuarterones* (1859-1861 CHIP), *El Cuarterón* (1857 CHIP), «un cuarterón a los Quiñones Grandes» (1861 CHIP), «un majuelo, a los Cuarterones» (1862 CHIP). Hacia 1900 se cita algún huerto cercado de pared de piedra; en 1673, un pedacito de huerto adyacente a una cortina cerrada con murete de piedra; en 1732 y 1768 este huerto se hallaba cercado de seto verde de carrascos (APB2, AGUST). En su gran mayoría, los huertos, que surgieron hacia 1790, estaban sin cercar hacia 1960. Los había de secano y de regadío; de uno se indica «se riega con agua de pie permanente» (1854 CHIP). Las especies arbóreas cultivadas que se mencionan en ellos hacia 1850 son mimbreros, guindos, ciruelos, nogales, negrillos. Otras se infieren de la toponimia: un paraje junto a la cancera, *Los Melocotonales = Los Amelocotonares* (1857, 1858, 1860 CHIP); otros huertos eran *El Brenbillar, El Bembrillar* (1861, 1862 CHIP); *Los Perales* (1862 CHIP); el *Huerto de los Guindales* (1859 CHIP). Ocasionalmente se menciona algún murete de tapia en los documentos consultados,[568] cosa explicable dada la abundancia de barreros en la parte baja del término, aunque se haría necesario proteger con bardas o tejas la coronación del muro. La cita de un paraje, *El Vallado del Río*, dando a los huertos (1857 CHIP) = *El Vallado de los Huertos* (1854 CHIP), indica que existiría un seto de protección del conjunto de los huertos para evitar la entrada del ganado pastoreado por la ribera, donde estaba el sestil o rodeo. El mismo paraje se cita en 1861 como *Las Cañizas*, cerca de *Los Fresnos*, en alusión sin duda a los de Ribera Hondo (CHIP). En *Los Fresnos* se hicieron quiñones. Pegado al río Tormes, al norte de Las Estórdigas, se encontraba el *Huerto de la Verdura* (1862 CHIP).

En Muelas se registra en 1753 la presencia de nogales en las tierras, amén de perales y ciruelos en los huertos, pues el lugar tributaba nueces, peras y ciruelas a Remedios Álvarez Maldonado, su señora. Los frutales se ponían en línea junto a las *regaderas* (zanjas de riego); otros iban en dos hileras; otros acomodados a la forma de la parcela; los nogales estaban dispersos por las tierras de labor. Cada nogal producía unos seis celemines de nueces; una fanega de regadío, con cincuenta ciruelos de media, 30 arrobas de ciruelas. Viejos nogales dispersos pervivieron hasta la concentración parcelaria.

---

[568]   Un huerto «vallado de tierra» (1848 CHIP), con ocho frutales; un huerto «cercado de piedra y vallado» (1853 CHIP); un corral de tapias en el casco del pueblo (1861 CHIP). También se menciona el *Huerto de la Piedra*, dando a la *Reguera Grande* (1850 CHIP); estaría cercado de piedra. Había un prado con árboles frutales, en *Las Piedras*, probablemente cercano (1862 CHIP).

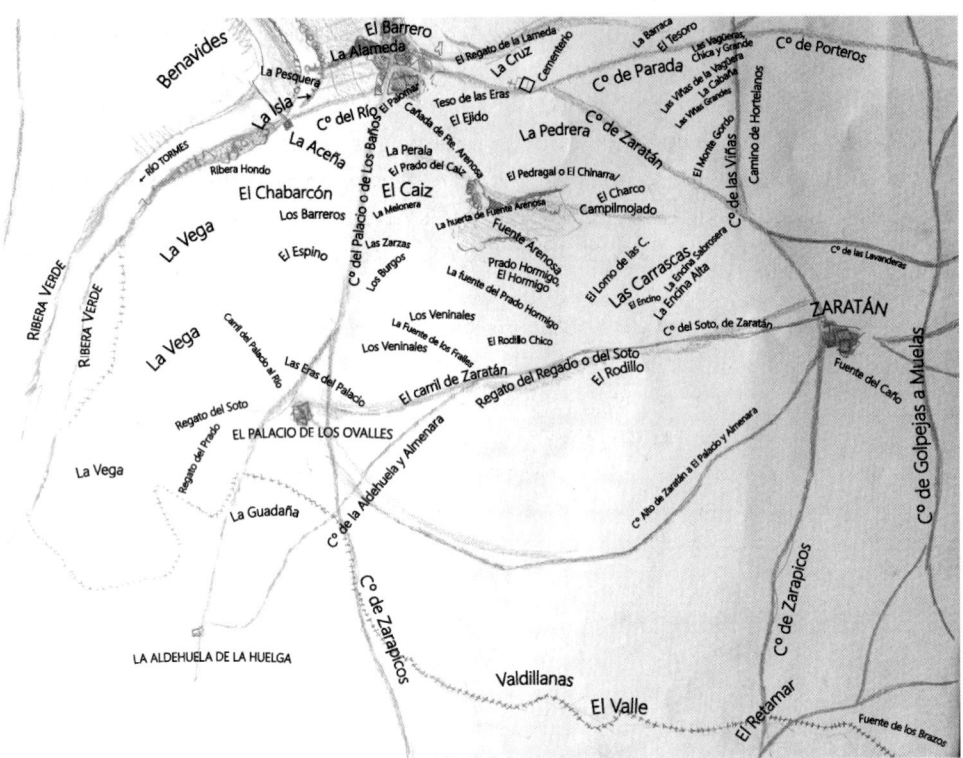

Ilustración 35: Plano de la hoja del Palacio. Elaboración propia.

Hoja del Palacio

El principal camino vertebrador de esta hoja es el cº del Palacio, también llamado *camino del Palacito* y *cº de Salamanca a Los Baños* (CME).[569] A su derecha se desgaja el cº del Río, que se dirige a la aceña: el *Carril del Río* (CME), *El Carril Río* (AGUST), *camino que baja al río* (1914 ESCR).[570] No lejos, cerca del paso en barca, estaría *El Puerto* (1860 CHIP); había allí una tierra de regadío. La aceña está situada en el paraje de *Ribera Hondo* (APB, CME, AGUST, 1897 ESCR). Junto a dicho paraje, hacia el pueblo y hacia Las Guadañas estaban distintos herrenales privados (1726 APB3): los *Arrenales* (CME), *El Herrenal* (APB); se trata de cortinas para forraje;[571] luego

---

[569]   Se describían como «por baxo del cº» las tierras que quedaban hacia la Ribera; «por cima», las que estaban al sur del camino.
[570]   *Casa y aceña de Manuel José Hernández* (PÑ).
[571]   Se repite el topn. en Valverdón: *Los Arreñales* (1597 VLV).

denominados *Las Cortinas* (DSANG).[572] Ribera Hondo, paraje ribereño del Tormes, de los propios del concejo, contaba con varios pies grandes de fresno (CME). La discordancia de género *Ribera Hondo* parece sugerir una forma primitiva *ribera del [prado] hondo. Algunas citas regularizan a *La Ribera Onda* (CME, 1851 CHIP), *Ribera Honda* (1900, 1911, 1914 ESCR), o *Rivero Hondo* (1861 CHIP).[573] Por allí se habían hecho quiñones de forma alargada, y se menciona «una estórdiga» (1857 CHIP); *Las Estórdigas* (1860, 1862 CHIP) = *Estórdigas de Custodio Herrero / de Isidro Delgado* (1855 CHIP) lindaban con el río Tormes. El sentido es 'tira esbelta; haza de tierra'.[574] Se cita también, en el mismo lugar, un rompido y «una estórdiga, al Rodeo» (1861, 1862 CHIP). *Rodeo* aludirá a un paraje donde sestea el ganado, probablemente a la orilla del Tormes. Para acceder al rodeo, había una *Cañada del Río* (1861 CHIP).

Hay cierta duda en cuanto a la localización de uno o más topónimos alusivos al género *Pyrus*. Al sur del cº del Palacio se cita un paraje de *Los Perales* (APB, CME, 1850 CHIP) = *La Perala* (CME, AGUST, 1897 ESCR), *Las Peralas*.[575] Era cerca de una tierra que llamaban *de la linde [¿gorda?]*. Sobre la forma con desinencia en *-a*, pueden dudarse entre: (a) reflejo del antiguo femenino de frutales (*la peral, la manzanal*), luego regularizado para enmendar la aparente discordancia de género; (b) feminización predial: una tierra del Peral pasa a calificarse como «la tierra perala», «la perala», dando a *peral* un valor casi adjetivo. En las citas de 1580 se comprueba la forma masculina (*Los Perales*), lo que parece apoyar la segunda hipótesis. Sin embargo, un apeo en Villaselva, de 1571, muestra que las formas masculinas y femeninas coexisten: *El Mançano*, *El Mimbrero*, «una nogal e un peral» (VLSV). Aisladamente se menciona una *tierra de los Perotonales* [por cima del Encino] (CME), *El Encino* (CHIP), que quedaría más cerca ya de la raya de Zaratán. *Perotonal* es el peralillo bravo, *Pyrus bourgaeana*. Sus ásperas frutillas apenas se podían consumir, a menos de dejarlas fermentar (*emborracharse*) en el árbol o entre pajas (Velasco, Criado y Blanco 2010: 99).[576]

---

[572] Ya en 1732 se alude a una cortina, «cercada oy de piedra», que estaba exenta, en medio del lugar (APB2). El CME menciona una cortina junto a la huerta de los agustinos. Otros pedazos estaban cercados de seto de carrascos. Más tarde se alude a una pequeña cortina cercada de pared, *aportillada*, en el casco (1911, 1914 ESCR).

[573] Top. asoc.: *Prado de Ribera Hondo* (1850 CHIP, 1897 ESCR), *Prado del Ondo* (1850 CHIP).

[574] Lo emplea José María Gabriel y Galán, en el poema «Entre yo y el mi criado»: «¡es más largo que una estórdiga / de la Calzá de la Plata!». Aquí adquiere el valor de 'tramo largo y recto de un trazado viario»; yendo a Ledesma desde Salamanca, pasados Olmillos y Frades, se pasaba por «una interminable estórdiga» (*EA* 4.8.1923).

[575] Top. asoc.: *tierra que llaman la Perala por encima de dicho camino* [del Palacio] (CME). En otro asiento se indica «por donde corre el agua de la Fuente Arenosa» (CME). Se repite, de forma independiente, en Parada de Arriba: *Cº de la Perala* (1849 CHIP). En la provincia se constatan topónimos análogos: *La Manzanala, La Morala*.

[576] Se repite como topn.: *El Perocanal* en Villaselva (APEOS 310), que deberá leerse *Perotanal*. *Perotonales* (variante *Pelotonales*), en las cercanas dehesas de Barregas (1904 PÑ) y Porteros; *arroyo de Perotonadas* (Carrascal del Obispo MTN25).

Un poco más adelante hacia Palacio, el camino era cortado por un regato que bajaba de Fuente Arenosa. Recibía el nombre de *El Caiz* (CME, 1897 ESCR), *El Caiz del Río* (1897 ESCR) y tenía un acceso desde las eras.[577] Este nombre, sin duda variante de *cauce*, un caz o zanja para agua, presenta una forma singular. No ha de confundirse con la voz *cahiz*, aguda, unidad de medida superficial que se usa en los apeos salmantinos de 1401-1405, entonces en la forma *cafiz*.[578] El topónimo pinense se repite entre Valverdón y Zorita: el *Caiz*; *el regato del Caiz*, cerca de *Las Presas* (CME) = *El Caez* (1597 VLV);[579] en Santibáñez de Velambélez, la hoja del Caiz (1696) (Gómez Santamaría 1991: 205); en Cabezavellosa de la Calzada, *Las Caices* (CTS). En Mozodiel del Camino, un apeo antiguo muestra un topn. *Los Cauzes*, *Los Cahiçes* (1402 APEOS), que pervive en la forma *Los Caices / Los Cauces* (1901 PÑ), junto a *Las Abuelas* (< *Agüeras) y *El Caño del Romo*, topónimos hidráulicos. Partiendo del lat. CALIX, -ĪCIS 'vaso para beber' 'tubo en una conducción de agua' (DCECH s.v. cauce; DELLA s.v. cálcer), surgen varias formas sinónimas, que en la toponimia suelen asignarse a zanjas, siempre artificiales, para riego o drenaje. En la Meseta Norte predomina la forma arcaica con *l* conservada *calce*, a menudo reinterpretada como *cance*[580] e incluso *cáncer*.[581] Otro derivado, *caz*, se especializó para su uso en la tecnología molinera: es el canal que lleva agua al rodezno. En Muelas se menciona el *Caz de los Huertos* (APB) = *El Calçe* (1405 APEOS), en este caso sin significación molinera.[582] Las formas *cauce / caiz[e]* pueden entenderse como resultado de una vocalización (a vocal cerrada) de la *l* posnuclear, como en SALĬCE[M] > *sauce*. *Caz*, por su parte, presupone una pérdida precoz de la vocal final, con asimilación subsiguiente: *calz* > *caz*.

---

577 Top. asoc.: *En bajo del Caiz* (APB). *El prado del Caiz y del Cadiz* (CME), por ultracorrección, que de paso evidencia que no hay hiato (no es *caíz*). *El carril del Caiz* (CME, AGUST, CHIP), *El cº del Caiz* (1850 CHIP). *Las heras y entrada del caiz* (CME). *La llanada del carril del Caiz* (CME). *El hoyo del Caiz* (1850 CHIP, 1911 ESCR), luego llamada *Rodera de la Huerta* o *Vonales*. *Tierra del Hoyo*, al camino del Palacio (1897, 1911 ESCR). *Cañada de las Eras* (1859 CHIP).

578 También aparece en el apeo de Tirados (1482 TRD).

579 Coca Tamame (1993: 165) lo intepreta como *cahiz* 'medida de capacidad': imposible, al menos en el caso de El Pino, por la posición del acento; el contexto también avala la hipótesis hidronímica.

580 De donde provendrá *cancera*. En Huerta consta un doble representante toponímico: *El Cáncer*, *La Calza* (*Adelante* 10.9.1865). *Los Cances* (Castellanos de Moriscos 1959 PÑ) se documenta *El Canze de la Reina* (1656, ACS, caja 39, legajo 1, n.º 2). En Machacón, el *Cançe de Francos* (1704, AHP, protocolos Pablo de San Martín Sánchez de León, 3803).

581 Y quizá también en *Los Calzones* (Cabezavellosa CTS; Hinojosa de Duero CTS; Valverdón, Coca Tamame 1993: 172), si no se alude a la forma de una parcela. En Sancti Spíritus, *Los Calzones* eran un paraje de linares, tierras de regadío por lo tanto (BVBNS 19.8.1856, *Adelante* 10.6.1866). En Trabazos ZA, *La Canzona* (1911 PÑ), con variante *La Calzona* (Manzanas 2008: 76).

582 Mencionado también en 1299, si enmendamos como *Calse* la lectura *El Talse* de DCSB (§ 445).

Suscita dudas un *Cº de Zarapicos, Carril de Zarapicos* (CME).[583] Probablemente salía de las eras, atajaba por la Fuente Arenosa, dejaba Campilmojado al sur, pasaba por los Veninales y venía a cortar el Regado en un punto equidistante de Zaratán y El Palacio, para enlazar con el cº de Salamanca a Zarapicos, llamado de Cebolleros o de Hortelanos. Se debió de perder y borrar del todo. Una tierra ubicada antes en el Carril de Zarapicos consta posteriormente como la *del Camino de la Huerta* (1940 ESCR).

Cerca del camino, entre el Caiz y el río, aparece el topn. *El Chabarcón* (1897, 1900 ESCR). Tenía un pequeño prado y lo cruzaba un *regatón*.[584] Junto a él, probablemente, se encontraban *Los Barreros* (AGUST). Es voz muy presente en la toponimia salmantina y zamorana; describe áreas encharcadas, pequeños bodones o lagunajos.[585] En las provincias leonesas y en Extremadura y Andalucía se constata su uso apelativo (*chabarco, chabarcal, chabanco*; LLA II: 307). Se ha sostenido que *chabarco* deriva de un cruce entre *charco* y *chabanco*; la segunda voz, usada en Portugal, sería de origen onomatopéyico como *chapatal* y términos afines (DCECH s.v. charco). Es interesante observar que no parecen encontrarse testimonios antiguos de *chabarco* en los diplomatarios leoneses. Tal vez es posible conjeturar el cruce de derivados de *chab-* con ciertas voces de este mismo campo semántico, como *lavajo* 'charca' (venga de *nava* 'valle encharcadizo' o de *LAVACLUM) o, con mayor probabilidad, derivados de *cavar* como el topn. *Cavarcón* (El Pego ZA 1908 PÑ) y el gallego y berciano *cavarca, cavarco* 'zanja, barranco' (DdD).

El antiguo paraje *El Hoyo del Caiz* había pasado a denominarse *La Melonera* o *Las Meloneras* (1911, 1914 ESCR). El uso de suelo fresco y suelto para un plantío de melones fue cosa habitual. No lejos estaba *La Zarza del Palacio* (APB2, 1900, 1911, 1914 ESCR), *La Çarça del Palazio* (CME) = *Las Zarzas del Palacio* (CME, 1897 ESCR), que lindaba con el camino: referencia a *Rubus ulmifolius* o similar. Más adelante se cita *El Espino*, también *El Espino del Palazio* (APB, CME). Este tipo de topónimos, muy circunstancial, alude a algún retazo de seto con presencia de vegetación arbustiva (*Crataegus monogyna, Prunus spinosa*). Se repite en el mismo término. Había una tierra allí que se llamaba *La de la Fuente* (CME, AGUST, CHIP, 1897 ESCR), lindera con tº de Zaratán, al sur del camino del Palacito. Quizás este topn. remite a la llamada

---

583 La referencia en el CME a un «conzejil de Zarapicos» ha de entenderse como un prado concejil situado junto al cº de Zarapicos.

584 Top. asoc.: *El Regatón del Palacio* (1852 CHIP), el *cuadro del Regatón* (1940 ESCR), *Prado de los Chabarcones* (1897 ESCR). *El Picón del Chavarcón* (1849 CHIP, 1900 ESCR), que daba al río Tormes. *El carril que va a los Chabarcones* (1911, 1914 ESCR): salía del cº del Palacio hacia el río. Una tierra inmediata era dividida por un *regatón* (1897 ESCR).

585 *Aº del Chabarcón* (Aldeanueva de Figueroa, 1904 PÑ; Tenebrón, 1944 PÑ); *El Chabarcón* (Topas 1903 PÑ); *Los Chabarcones* (Golpejas, BVBNS 7.6.1856; Fuente de San Esteban, BVBNS 9.2.1856; raya de Carbajosa y La Vellés, 1960 PÑ; Juzbado, Coca Tamame 1993: 318).

Fuente de los Flaires de San Agustín (APB2); dicha fuente lindaba a su vez con *Los Vininales* (APB2, 1850 CHIP) = *Los Veninales* (APB2, CME), *Los Beninales / Meninales* (CME, AGUST).[586] Era paraje rayano con el tº de Zaratán y con el llamado *Carril de Zarapicos*, que salía directamente desde El Pino hacia dicho pueblo. La variante más primitiva nos permite postular un colectivo de VĪMEN, -INIS 'varita verde' > 'mimbre', *Viminales*, que con otros sufijos se manifiesta en *Vimioso* (dist. Braganza), popularmente *Bibinoso* desde los pueblos de la raya zamorana; *Bibinera* en Aliste ZA; los gallegos *Vimieiro*. *Viminal* sería un doblete arcaico de *mimbral* y variantes, aplicado a especies arbustivas como *Salix viminalis*;[587] observa Navaza Blanco (2006: 559) que escasean los derivados en -ALE de la base VĪMEN: una cita del tumbo de Celanova, «eira vimenale», de 1010; y un barrio de *Vimbial* (conc. Viveiro).

Es de interés el topn. *Los Burgos* (CME, 1859 CHIP, DSANG), *El Burgo* (CME), *tierra que llaman el Burgo* (CME), adyacente al camino del Palacio.[588] Se registra también como *El Burgo Grande* (CME, AGUST), que en otro asiento figura como *La tierra del Oyo, por cima del cº del Palacio* (CME). Es voz que recoge Llorente (1947: 185, 231) en la Ribera: Vilvestre *burguete* 'huerto plantado de frutales y a veces vid'; *burgaño* 'burguete pequeño y malo'. En Lagoaça y Mogadouro, *burguete* es un pequeño trozo de tierra cercado para abonar y cultivar en los escarpados arribes (LCH I: 239). Tales cercados habían de tener la forma de un castillete, vistos en el paisaje abrupto de los abarrancados Arribes. El valor de los topns. *Burguete*, *Burguillos* y similares debe aproximarse a 'casar; castillejo; caserón con su cerca; resto de población antigua y en ruinas'; en los Arribes alude a un huerto cercado (Riesco 2013: 206-207). En el caso del topn. de El Pino no es descartable su valor como indicador arqueológico (cf. Gordón y Ruhstaller 1991: 52), en referencia a un recinto cercado o un pequeño poblado en ruinas; especialmente si se tiene en cuenta que allí cerca se hallaron las dos vasijas del Bronce hacia 1972.[589]

Junto a las *Eras del Palacio*, el camino se bifurcaba: un ramal seguía hacia las casas y La Aldehuela de la Huelga; otro se dirigía a Zarapicos. De las casas de Zaratán a las del Palacio bajaba un valle con su arroyo, el llamado *Regato del Soto*, o *del Regao*.[590] Dicho valle era transitado por un camino que unía las dos alquerías, *El camino del Soto* (1897 ESCR). En el encuentro de los términos de Zaratán, El Palacio y El Pino, se cita el paraje *Las Tres Rayas* (DSANG). Un vallejo secundario, tributario del valle principal, era conocido como *El Rodillo*; cerca estaba El *Rodillo Chico*, a la misma

---

[586]   Por error de copia, *Los Benicales* (1911, 1914 ESCR), *Los Vecinales* (CHIP, 1897 ESCR).

[587]   En Muelas, una tierra que llaman *de la Bimbre* (APB2).

[588]   Había allí una tierra llamada *del Perro Rabioso* (1940 ESCR).

[589]   En documentos más recientes, se documenta, por error de copia, como *El Borge* (1911, 1914 ESCR). Estaba próximo a un carril que iba desde El Palacio al río.

[590]   Variante: *el regato de Zaratán* (CME).

raya de Zaratán (CME, AGUST).[591] Este término, frecuentísimo, reaparece aquí y allá para designar pequeños prados entrepanados. Su origen habrá de estar en un simple diminutivo de *ruedo*: el entorno de un pequeño cauce o surgencia, que no se cultiva, sino que se deja de prado. Un apeo de 1580 describe una tierra entradiza en término de Aldehuela, en el Prado de la Era: «tiene en medio un pedazo de prado que llaman rodillo» (APB). En término de Zaratán, en la hoja de los Redondos o las Regueras (que luego se llamará del Regado) había una tierra llamada *El Rodillo del Encinal* (APB). Uno de los principales pastizales de la alquería era el Rodillo Grande (CME).

Desde El Pino al Palacio, empezando en Ribera Hondo y al norte del camino, se extendía la *Vega* (CME, 1900, 1911, 1914 ESCR, 1902 PÑ) o la *Vega del Palacito* (CME, 1851 CHIP), la *Vega del Palacio* (1897 ESCR). Unas tierras en la Vega, rayanas del Palacio, se llamaban *la Grande, el Cuadro Ancho y el Centenero Chico* (1897 ESCR); esta última estaba en el paraje de *La Encina del c° del Palacio* (1911 ESCR) = *La Encina* (AGUST, 1849, 1852 CHIP, 1900 ESCR), *El Enzino* (CME). La denominación «cuadro» indica que su forma contrastaba con otras cercanas, del tipo de las longueras. La producción principal, de centeno, era frecuente en suelos arenosos como estos. Por allí se menciona *La Bagüera* (CME).

Otro eje importante era el camino de Zaratán, que, al menos en su tramo inicial, dividía las dos hojas. Al sur del pueblo, a la derecha del camino saliendo hacia Zaratán, estaban las eras o el ejido: *El Exido / Ejido de Concejo, El Ejido Conzejil* (CME, AGUST), *El Teso de las Heras* (APB, CME), *Las Heras de Concejo* (CME), *rompido al sitio de las Heras* (1851 CHIP). Sobre el camino, pasadas las eras, había una cruz entre los prados de Valdelamielga y la Alameda, no lejos de donde hoy está el cementerio: *La Cruz* (1849 CHIP, 1900, 1911 ESCR). Un poco más adelante parece haberse encontrado *La Pedrera* (CME, 1851 CHIP), es decir, la cantera, aunque había otras en el término.[592]

A corta distancia del casco del Pino, hacia el SW, se encontraba la *Fuente Arenosa* (APB, CME, AGUST, 1851 CHIP, DSANG, ESCR, PÑ), paraje extenso y que luego fue el núcleo de una primorosa finca.[593] A su alrededor había un prado concejil, cuya *punta*

---

[591]   Top. asoc.: *La retuerta del Rodillo*, junto al mojón de Zaratán (1897 ESCR), *Los Retuertos / Las Retuertas* (1850, 1852 CHIP).

[592]   Se repite en Zarapicos: una tierra *de la Pedrera* (1511 ZRP; 1521 VZAR); estaba en el camino de Zarapicos a San Pedro del Valle. En 1588 se menciona una *pedrera*, con muy buena piedra, junto al Tormes, propia de Rodrigo Maldonado.

[593]   Top. asoc.: *El llano de Fuente Arenosa* (1726 APB3); *La charca del carril que va a Fuente Arenosa; El carril de la Fuente Arenosa; el prado de la Fuente Arenosa; el teso de Fuente Arenosa; el concejil de Fuente Arenosa* (CME); *el Prado de Fuente Arenosa* (AGUST); tocaba con el *Prado del Ormigo* (CME) por un lado, y por otro, con el *Carril de Campimojado. El carril de la Huerta de Fuente Arenosa* (1897, 1911 ESCR), antes llamado *El Caiz. Rodillo de los Huertos* [parece erróneo este plural] (1850 CHIP) = *Rodillo de la Huerta* (1897 ESCR). *El camino del pueblo a la Huerta* (1852 CHIP). *Rodera de la Huerta* o *Los Vonales*.

(extremo más alto) se alargaba hasta la raya y monte de Zaratán, tocando también al cº de Zaratán. Vertía aguas al prado del Caiz. Se accedía a ella por la *Cañada de Fuente Arenosa* (CME, AGUST, 1897 ESCR). La Cañada, que era del común de vecinos, y media 1 huebra y 70 estadales, salió a subasta por 550 reales en 1861; estaba junto al *Campo Santo* (*Adelante* 19.12.1861). Desde Zaratán, confluía el *Prado Hormigo*. Aguas arriba de la fuente estaba *Campilmojado*. Donde antes estaba el *Caiz del Río*, y por bajo de *La Cruz*, se instaló la llamada *Huerta de Fuente Arenosa* (1897, 1911 ESCR). Entre el camino de Zaratán y el prado de Fuente Arenosa se encontraba *El Teso del Pedregal*, también llamado *El Chinarral de Fuente Arenosa* (1897, 1911, 1914 ESCR), *Teso del Pedragal* (CME), *El Pedragal* (1940 ESCR).

Es de interés el nombre de un prado llamado *Campilmojado* (CME, CHIP, 1897 ESCR, PÑ) = *Prado Mojado* (1897 ESCR).[594] Salía desde el ejido, tocando el carril de la Huerta de Fuente Arenosa y el camino de Zaratán, hasta cerca del carril de Zaratán al Palacio. Esta forma apocopada se repite en la provincia, en la dehesa de *Campilduero* (Cerralbo), documentada *Campilduebo, Campildueblo*; compárense *Castildelgado* BU o los frecuentes *Castilblanco*. La forma primitiva habrá sido **Campiel Mojado*, con simplificación posterior del diptongo.[595] Dentro de Campilmojado, cerca del cº de Zaratán, estaba *El Charco* (1911, 1914 ESCR).

Ormigo (CME, CHIP) = *El Ormigo* (1740 ANIV, CME), *El Hormigo* (CME, AGUST, 1897, 1900 ESCR) era un prado que se extendía entre Fuente Arenosa y la raya y monte de Zaratán; dentro del prado había una fuente.[596] Para topónimos similares hemos planteado una hipótesis antroponímica: es el caso de *Valdeformigo* (Carbellino ZA, 1909 PÑ) y de *Valdehormigo* (Torresmenudas: consta como *Val de Formigo* en 1430).[597] Se trataría del nombre personal *Formigo*, sea este un mero apodo desde FORMICA, un antropónimo germánico **Fromicus*, o un derivado del lat. FORMIUS (Riesco 2018: 653). En el caso de El Pino, la hipótesis de un nombre personal se debilita por la presencia ya en 1740 de citas con artículo (*El Ormigo*), que podrían sugerir un valor apelativo.

Podría por ello pensarse en una referencia a la argamasa de algún resto ruinoso, que los pobladores medievales hubieran conocido. Gordón y Ruhstaller (1991: 50)

---

[594]   Top. asoc.: el *Cauce Mojado* (1852 CHIP); el *Carril de Campilmojado* (CME, CHIP); el *Prado de Campimojado* (CME); la *Charca de Campilmoxado* (CME); la *Mangada de Campilmojado* [por cima del carril de la Huerta]; *Vagüera de Campilmojado* (1897 ESCR); un rompido en Campilmojado (1861 CHIP).

[595]   Compárese *Campomojado* (El Manzano; Yecla de Yeltes); *Prado Mojado* (Bularros AV) y *Valmojado*, en San Felices, Fuente de San Esteban y Guadramiro.

[596]   Top. asoc.: el *Prado del Ormigo* (CME); el *Prado de Ormigo* (CME); el *Prado Ormigo* (CME, AGUST, 1897 ESCR); el *Prado Hormigo* (DSANG); la *fuente del Prado Ormigo* (CME, 1897 ESCR). En MTN25 y CTS aparece, erradamente, como *Hormigón*. En sus proximidades había una tierra llamada *Escobal*.

[597]   Y otros como *Valdehormiga* (Arauzo de Miel BU 1908 PÑ).

han mostrado la riqueza de una serie toponímica (*Argamasilla*, *Argamasón*) alusiva a restos de antigua edificación, muchas veces romana, hechos de este resistente mortero de arena y cal con piedras menudas que se ha llamado argamasa. Los autores no incluyen una serie, sin duda sinónima de esta, sobre la base de *hormigos*, voz que significó 'gachas', 'restos de criba', 'postre hecho con almendras o avellanas machacadas'. Por analogía de aspecto, como explica Coromines (DCECH s.v. hormigos), se aplicó figuradamente a las paredes de cal y canto, o de hormigón. El término *hormigón* ya existía a comienzos del s. XVI, aplicado a paredes de argamasa, pues lo define Nebrija como «crusta calcaria», es decir, corteza o concreción de cal. Coromines aporta argumentos para descartar una etimología anterior, que vinculaba *hormigón* a *FORMICARE, voz que no llega a documentarse en el sentido de 'construir con horma, como en los tapiales'. En todo caso, *hormigo* y *hormigón* se aplicaron desde temprano en el sentido de 'argamasa' (cf. Solesio de la Presa 1984). Probablemente aparece con este valor en ciertos topónimos, como el que da nombre al pueblo toledano de Hormigos.[598] También en el *Cerro y Cortijo de los Hormigos* (Nueva Carteya CO), en cuyas cercanías pudo estar la ciudad romana Soricaria (Campos y Bermejo 2018: 306); añádase *Arroyo del Hormigo*, paraje próximo a *El Paredón* (Castroverde de Cerrato 1907 PÑ); *Cº del Hormigo* (Pedrera SE 1873 PÑ); *El Hormigo* (Valdepeñas de la Sierra GU Bgu 15.1.1894); *El Hormigón* (Rivilla de Barajas AV 1905 PÑ; San Juan de la Nava AV 1907 PÑ; Villalón de Campos VA); *Formigones* (Ordás LE); *Majadal de la Horma* (Sando 1906 PÑ). El paraje de Villalón está cerca de varios yacimientos arqueológicos (Matagallegos, El Espino, La Gacha, Basurto). Compárese *la Calle de l'Argamasa* (La Vellés CME).[599]

Por el borde sureño del término se extendían retazos de encinar, como muestra la toponimia. El *Carrascal de concejo* (CME, 1851 CHIP) era de pasto común, y se extendía, pegado a la raya de Zaratán primero y la de Villaselva después, por las dos hojas. El *Lomo de las Carrascas* (APB2, CME) = *Las Carrascas* (CME) estaba aproximadamente al S o SW de la punta de Campilmojado. Posteriormente recibía el nombre de *La Encina Sabrosa* (1897 ESCR) = *La Encina Sabrosera* (1911, 1914 ESCR), *La Sabrosera* (1941 ESCR).[600] Por allí estaba también *La Encina Alta* (1897,

---

[598] Para este, García Sánchez (2004: 192) plantea un vínculo con el lat. FORMA y sugiere otras variantes. Mucho más plausible nos parece la hipótesis arqueológica: un resto de pared de argamasa.

[599] *El Hormigal*, paraje de Tirados de la Vega (1475 BTRD, 1482 TRD), podría hacer referencia a la abundancia de hormigas, aunque no es descartable una derivación desde *hormigo*, si se piensa en una voz como *tapial*, desde *tapia*.

[600] El nombre parece haberse transmitido a otra encina, esta cerca del cº de Villaselva. Las bellotas de este árbol eran particularmente sabrosas. En general, las castañas se asaban en *carvocheros*; las bellotas, en borrajo hecho con paja herbaliza (de algarroba o lenteja). Algunas bellotas resultaban ser *cachizas* (contenían en su interior otra bellota pequeña).

1911, 1914 ESCR).[601] El Lomo de las Carrascas se prolongaba por el Este con el *Monte Gordo* (CME, DSANG; 1850 CHIP; 1897, 1899, 1900, 1911, 1914 ESCR)[602] y el *Monte Nuevo* (CME), *El Monte* (CME; 1899 ESCR), dentro de la hoja del Palacio, aunque con prolongación hacia la otra hoja. Este monte, dedicado a pasto, que lindaba con Zaratán en esta hoja y también con Villaselva en la otra,[603] tenía una extensión de 100 huebras; cuando se tasó para su desamortización, en 1861, había algunas encinas de pequeño porte; también se incluían algunas encinas sueltas en tierras de labor y en el cº de Parada: el tipo para la subasta fue de 28.250 reales (*Adelante* 29.12.1861); el monte volvió a salir a subasta años después (*Adelante* 26.10.1879).[604] *La Milanera* (1862 CHIP), *Milanera del Monte*, erradamente *La Minalesa,* en el monte (1854 CHIP), cerca del cº de Parada.[605]

Dando al cº de Parada y a la raya de Zaratán se encontraba *El Tesoro* (CME, 1850, 1862 CHIP). Se repite en Muelas, en el paraje de *Los Tesoros*, donde parece haberse producido hallazgos. Es topn. común, que se constata en numerosos lugares.[606] Este es otro de los topónimos avisadores de posible presencia arqueológica. Gordón y Ruhstaller (1991: 184-187) muestran múltiples ejemplos andaluces de parajes *El Tesoro*, *El Tesorillo*, donde se han señalado yacimientos romanos. En Muelas, el libro de los Apeos muestra en 1405 algún otro topónimo revelador: *Los Palaçios*; el *Torrión* [enmendado sobre la lectura *tonion*], voz que se suele aplicar a los túmulos dolménicos (APEOS 300, 302).

---

[601]   Topónimos que identifican una tierra en la que se encuentra una encina aislada de tales características.

[602]   En él se encontraba una tierra llamada *La Cuadra del Monte* (1897 ESCR) (*cuadra* en el sentido de tierra más o menos cuadrada). Tal vez sea la misma que se cita en Muelas: una tierra que llaman *La Quadra* (1405 APEOS). En fecha más reciente se hicieron quiñones en el Monte Gordo (1852, 1861 CHIP). La *cañada del Monte Gordo* (1859 CHIP); el *cº de Montegordo*, lindante con la cañada que va al monte (1857 CHIP).

[603]   Se cita el *Monte Gordo de las Fuentes* (1856 CHIP), ya hacia el límite entre Muelas, Villaselva y El Pino. Por allí estaba la *Nava de las Charcas*; en la raya Villaselva-Pino tenían tierras con monte alto de encinas José Martín, Eladio Sánchez y Antonio Corona (1902 DSL).

[604]   Aisladamente se menciona en esta parte del monte una tierra llamada *La Moxica* (CME): ¿de un propietario así apellidado? La subasta de 1879 era extrajudicial: en El Pino, el monte, varias yugadas, huertas y casas; en Valverdón, una ribera.

[605]   Se repite en *Tordamilanos* (*oter de milanos) y *Milano* (1904 PÑ) en el trifinio Muelas-Carrascal-Parada. En 1562, un *Teso Milanero* entre Villarmayor y Espino de los Doctores (ARCV, REG. EJECUTORIAS, CAJA 1019, 40).

[606]   Por citar solo algunos: *El Tesoro* (Almenara BVBNS 4.10.1856, Coca Tamame 1993: 286; El Cubo de Don Sancho 1904 PÑ; Encinasola de los Comendadores 1906 PÑ; Valsalabroso 1905 PÑ), *Fuente del Tesoro* (Martiago 1904 PÑ), *El Hoyo'l Tesoro* (Cespedosa, Sánchez Sevilla 1928: 265).

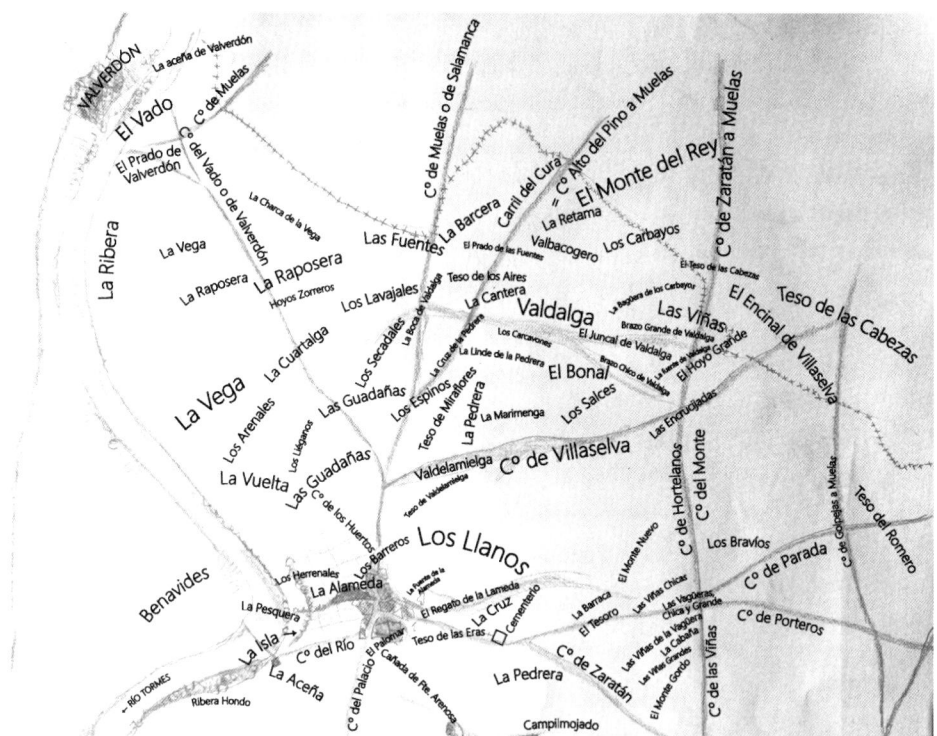

Ilustración 36: Plano de la hoja de Muelas. Elaboración propia.

Hoja de Muelas

Esta hoja se estructura mediante varios caminos antiguos: el de los Huertos, que va hacia la vega; el del Vado o de Valverdón; el de Muelas o de Salamanca; el carril del Cura; el carril de Villaselva. El *camino de los Huertos / Güertos* (apb2, cme)[607] hoy lleva a una serie de chalés y choperas cerca del Tormes. Pasaba cerca de *Los Liéganos* (apb2, cme). Es término en uso apelativo en Salamanca: *liégano* 'limo, légamo, tierra pegajosa'. En la toponimia reaparece en diversas formas: *Diéganos, Yéganos, Céganos*; en la provincia de Zamora, también *Lláganos*.[608]

Cerca de allí había unos prados, que se formaban de las escorrentías de Valdelamielga y Valdalga, que reciben el nombre de *Las Guadañas* (cme, agust), *La*

---

607 Variantes: el *Camino de Huertos* (1900, 1911, 1914 escr); *Calleja que va a los huertos* (1900, 1911 escr), lindante con la «cancera de los huertos».

608 *Los Léganos* (Tesonera, 1401 apeos 113); *Los Liéganos*, en Almenara, justamente frente a El Palacio (Coca Tamame 1993: 294); *Los Yéganos* (La Vellés 1902 pñ; Carbajosa de Armuña) = *Los Léganos* (Pedrosillo Franco, 1401 apeos 95), *Valdiéganos* (Chagarcía Medianero, *Adelante* 10.6.1866).

Guadaña (CME, 1902 PÑ); iban desde la Ribera hasta el tramo inicial del Carril del Cura.[609] Había allí bastante pasto concejil, y su importancia y extensión justifica el que la hoja de Muelas también se llamara *de las Guadañas* (APB2). Junto al Carril del Cura se mencionan *Los Secadales del Prado de las Guadañas* (CME): este término, *secadal*, es común en la toponimia provincial para describir lugares dentro de un prado donde el nivel freático se ahonda, con lo que las capas altas son secas; a otros tramos, donde hay surgencia, se les aplica el nombre *aguachal, aguanal*, o, como en El Pino, *Campilmojado*.[610] También se cita, por la parte Sur, tocando el Carril del Cura, los *Espinos de las Guadañas* (CME) = el *Espino de las Guadañas* (CME) = el *Espino de la Guadaña* (1900, 1911 ESCR) y el *Prado de los Espinos* (CME, 1862 CHIP).[611] *Guadaña* es frecuente en la toponimia:[612] hace referencia a prados que se aprovechaban mediante siega. En vez del frecuente aprovechamiento «a diente» o «a pico», por pasto directo del ganado, se segaba con hoz o guadaña la hierba y se almacenaba. De un prado en Fuente Arenosa, se indica: «por no ser de guadaña, solo sirve para prado de ganados de los renteros» (1850 CHIP); en Las Guadañas parece que ya el aprovechamiento era a diente en dicha fecha. Entre la Ribera y el Cº de Valverdón, en el Prado de las Guadañas, se menciona la *tierra de la Buelta* (AGUST), *La Buelta, tierra de las Vueltas* (CME), *La Vuelta de la villa de Muelas* (1850 CHIP, 1897 ESCR),[613] nombrada así, por la forma de la parcela (improbable que se refiera a la curva del río); de una tierra cercana se indica: «da vuelta en torno al prado de las Guadañas, al cual abraza también por el mediodía» (1850 CHIP, 1897 ESCR); «tierra que da vuelta», cerca del prado de la Ribera (1850 CHIP).[614] *El Cerrojo*, de la yugada del marqués de Caballero (1850 CHIP), lindaba al norte con la Ribera y al sur con el prado de las Guadañas; describirá una tierra que «hace cerrojo», es decir, que tiene entrantes transversales.

El cº de Valverdón también se llamaba de Salamanca (1937 ESCR), lo cual crea cierta ambigüedad, pues también se iba a la capital por Muelas. Un paraje dentro de las Guadañas, atravesado por el camino de Valverdón, era, con sufijación leonesa, la tierra llamada *La Cuartalga* (1897, 1911, 1914 ESCR), o, castellanizado, *Los Quartazgos* (CME), *Los Quartazgos de la Guadaña* (CME), *El Quartago, Los Quartagos* (AGUST),

---

[609]   Top. asoc.: el *Prado de Guadaña* (1726 APB3); el *Prado de las Guadañas* (CME). *Prado de la Guadaña* (CME, 1851 CHIP). La tierra que llaman *La Honda de las Guadañas* (1897, 1940 ESCR); otra tierra era *El Picón de las Guadañas*. En Las Guadañas, cerca del pueblo, se mencionan por entonces *Las Eras de Telesforo* (1897 ESCR).

[610]   Ejemplos: *Los Secadales* (Castellanos de Moriscos, *Adelante* 21.10.1860); *El Secadal de la Reguera* (Forfoleda CME); *El Prado de los Secadales* (Calzada de Valdunciel CME).

[611]   En El Pino se llaman *monjolinos* las frutas del espino albar.

[612]   *Prado de la Gadaña / Guadaña* en Tesonera (1548, 1572 TSNR). Coca Tamame (1993: 165) recoge el topn. *Las Gadañas* en Valverdón.

[613]   Tierra llamada más tarde la *Honda de las Guadañas* (1940 ESCR).

[614]   Por error de copia, aparentemente, figura como *tierra de las Huertas* (1851 CHIP).

Los Cartagos (1862 CHIP). Es voz que contiene el sufijo -ATICUM, como *montazgo, quintazgo, marzadga, titularazgo, arciprestazgo, maestrazgo, mayorazgo*. Este sufijo se aplica habitualmente para expresar el producto de una operación, tributo, nombramiento o concesión; su forma antigua era -*adgo*, que en leonés resulta en -*algo*; en castellano, -*azgo*. Por ello habrá que pensar en que el topn. designa unas tierras asignadas a unos propietarios llamados *Los Cuatros*.[615] No se alude a una partición de tierra, porque lo habitual en Salamanca para indicar repartos de fincas es recurrir a la simple voz «el cuarto», como en una tierra cerca de la Barcera llamada *del Quartico* (CME). Como hipótesis principal, planteamos que se aluda a lo que se llamaba, por antonomasia, «los cuatro»: el regimiento de las aldeas, compuesto de alcalde, dos regidores y un jurado.[616] Una partida de tierras, asignada o administrada por *los cuatro* como retribución a sus funciones, podría ser conocida como *Cuartalga* o *Cuartalgos*.

Desde las Guadañas hasta la *Ribera*,[617] como se conoce el borde fluvial, se ubicaban *Los Arenales* (CME).[618] Cerca del pueblo había cortinas para herrén o forraje (de cebada en verde). Ello ocasiona una curiosa confusión, pues los *Herrenales* se amalgaman con los vecinos *Arenales*, siendo su fonética próxima. Encontramos citas de *Los Herrenales, Los Errenales*, Los *Hereñales* (CME), *Los Arenales* (CME, AGUST, 1851 CHIP, 1900, 1911 ESCR, MTN25, CTS), y también referencias a *Los Arenales de los Herrenes* (CME) y a *Los Arenales o Herrenales* (AGUST). Una tierra del Hospital de Santa María la Blanca ubicada en *Los Arenales*, según los asientos de las Respuestas Particulares, aparece como *Los Arrenales* en la declaración propia.

Parte de Las Guadañas y de los Arenales se dividía en hazas, llamadas *chitas*, entre los vecinos;[619] en su haza, el vecino podía dejar sus vacas: los *Quiñones de los Arenales* (1900, 1911 ESCR). Llegaban a la cancera o regadera: *Los Quiñones Largos* (1850, 1855, 1861 CHIP, 1912 ESCR), cerca del *Regato de las Cabezeras* o *la Cabezera* (1854 CHIP). Gran parte de estos quiñones dejaban de rotar y se convertían en propiedad hereditaria.[620] Se menciona también, cerca de la Ribera y del *Carril de la Ribera*,

---

[615] Ninguna relación pues con *cuartago* 'caballo de poca alzada' 'arma de artillería', voces de origen francés (DCECH s.v. cuartago), que a veces se grafían *cuartazgo / cuartalgo*. La semántica en todo caso sería poco viable.

[616] En una junta de concejo de 1530 en Villaselva, figura Sebastián Fraile, «de los quatro» (VLLF). En 1548, para un apeo en Tesonera, Muelas y otras aldeas, se notifica a los «concejos e omes buenos e jurados e quatro», «a vos, los jurados e quatro» de dichos lugares (TSNR).

[617] Top. asoc.: el *Prado de la Ribera* (CME, 1850 CHIP), junto a los Arenales. Era concejil y se dividió. Quiñón en la Ribera, junto al carril de Valverdón; otro junto a los Arenales (1852 CHIP).

[618] *Carril y quiñones de los Arenales* (1861 CHIP), lindando con el *Carril de Valverdón*.

[619] *Chita* 'jalón' origina un topn. *La Chita*, en la raya de Moríñigo y Villoria (1904, 1905 PÑ).

[620] Se hicieron quiñones, entre otros sitios, en el Monte Gordo, el carril de Fuente Arenosa, los Huertos del Medio, Los Cuarterones, el cº de Valverdón, el cº del Río, Ribera Hondo, El Rodeo, el Huerto de los Guindales, Campilmojado, El Palomar (1859, 1861 CHIP).

un paraje llamado *La Isla* (1861 CHIP, 1899 ESCR), *El Prado de la Isla* (1940 ESCR). Los Arenales se fundían en un amplio topónimo, *La Vega* (1740 aniv, CME, 1851 CHIP, 1902 PÑ, 1911 ESCR), término que describe la franja entre la Ribera y el Camino de Valverdón, hasta llegar a la raya de Muelas, donde continúa con el mismo nombre.[621] Cerca de dicha raya, entre el cº de Valverdón y el Carril del Cura, se encontraban *La Raposera* (CME, 1897, 1911 ESCR)[622] y *Las Fuentes* (AGUST, 1851 CHIP, 1897, 1900 ESCR, 1902 PÑ, MTN25). *Raposera* es topn. muy común: puede aludir explícitamente a madrigueras de zorros, pero por lo común es nombre expresivo, para describir con tono peyorativo tierras sueltas de baja calidad que solo valen para raposos (= golpejas) o tejones. Una tierra no alejada se situaba a «los Arenales y Oyos Zorreros» (CME), al norte del cº de Valverdón. Las Fuentes estaban cerca de la raya de Muelas y el cº de Salamanca (por Muelas).[623] Desde Muelas se aplica al mismo lugar el nombre de *Las Fuentes de Diosayuda* (APEOS 304),[624] *Las Fuentes del Pino* (APB, CME), *Las Fuentes Chicas* (1295 DCS § 434, 1405 APEOS, APB) y *Las Fuentes Grandes* (id., 1849 CHIP), *Las Fuentes de la Florida y El Pino* (CME). Curiosamente se cita allí cerca la *Fuente de el Bao* (AGUST) [pasaría por ella un camino al vado], en La Barcera, entre el Carril del Cura y el cº de Muelas. Se mencionan *Las Huelgas*, tierra entradiza en tº de Muelas, junto al camino (CME).[625]

El Camino del Vado o Cº de Valverdón[626] terminaba frente al pueblo vecino, donde existían dos pasos próximos para cruzar el Tormes. En este punto se juntaba con un camino que venía de Muelas hacia el mismo vado. Es interesante destacar el hecho de que el vado, en la ribera izquierda del Tormes, perteneciera íntegramente a

---

[621]　Top. asoc.: la *Charca de la Vega* (CME), dando al cº de Valverdón y junto a la raya de Muelas. *La Charca*, al norte del cº de Muelas (1859 CHIP).

[622]　También *Las Raposeras* (CME, 1862 CHIP), la *tierra de la Raposera y la del Mojón* (1850 CHIP). La Raposera se extendía hasta la Ribera (CME). En Villaselva se cita una viña grande en «El Mançano y la Raposera e Minbre» (VSLV). Había junto a la raya de Muelas una tierra llamada *La Retuerta* (1897 ESCR), sin duda por la forma retorcida.

[623]　Top. asoc.: *Las Laderas de las Fuentes*, el *Chinarral de las Fuentes* (1911 ESCR). Un *rompido* en *Las Fuentes* (1846 CHIP). El *Prado de las Fuentes* (CME, 1850 CHIP, 1911 ESCR) estaba entre los caminos de Muelas a El Pino y a Zaratán. *La Reguera de las Fuentes* (1862 CHIP). Por allí había una tierra llamada *la Larga* (1911 ESCR).

[624]　Se trata del nombre del propietario de las tierras donde se ubicaba la fuente.

[625]　Como en la vecina alquería de Aldehuela de la *Huelga*. Este término se aplica a parajes ribereños que el río suele inundar, y por lo tanto no se labran. Por ello sorprende constatar este topónimo en la ubicación que indica el apeo.

[626]　*Camino de Valverdón* (CME, 1900 ESCR); *camino al vado de Valverdón* (1902 PÑ); *camino del Vado* (MTN25); el *carril de Valverdón* (1852 CHIP, 1911 ESCR). En el camino había quiñones (1900 ESCR). *El prado de Valverdón*, cerca del vado y el camino (1897, 1911, 1914 PÑ). *El vado de Valverdón* (APB, APB2, CME, 1897, 1900 ESCR), en el habla El Vao. *Rodera de Valverdón* (CME). *Camino de Muelas que va al vado de Valverdón* (1900 ESCR). *Prado de la Ribera = Prado de Valverdón, Vega de Allá* (1940 ESCR).

El Pino en menoscabo de Muelas. ¿Cómo es que Muelas, más poderoso, había consentido el pequeño entrante en su término que aseguraba a El Pino la posesión de
este lado del paso? Probablemente, porque dicha posesión no comportaba ventajas
especiales. Al no haber allí barca ni casa ni aceña, nada sacaba en limpio El Pino de
que su término se estirase hasta allí. Cerca del Tormes, ya en tº de Muelas frente a
Valverdón, se mencionan *La Pedrera* y redor de *La Pesquera* (AGUST).[627]

El camino de Muelas, también llamado de Salamanca, llegaba en la otra dirección
hasta Baños de Ledesma. En el primer tramo del camino, cerca de la cancera de concejo, se menciona *El Sagüeral* (1861 CHIP). Si se trata de una variante de *Salgüeral*,
es probable que aluda a suelos salinos, como *El Salmorial*, en Muelas (APB), o *Los Sal-
morales del Caruajal*, en Tirados (1475 BTRD). Pero podría esconderse una referencia
al saúco (*Sambucus nigra*), pues el ALCL recoge *sagüero* en Villaseco de los Reyes y El
Saúgo (mapa 410), en lo que parece metátesis de la forma más difundida *sauguero,
saoguero*.[628] Salía el camino del pueblo dejando a la derecha *Los Llanos* (APB, 1740
ANIV, CME, 1851 CHIP, 1897 ESCR, MTN25), paraje extenso entre el cº de Zaratán
y Valdelamielga. El *Encinal de los Llanos* (1859 CHIP) daba al cº de Parada: sería ya
cerca del monte. En este lugar se citan varias tierras, *La Malota*,[629] *La Grande* (1897
ESCR), *La Mangada de los Llanos*. El *Corral de Encinas* (CME) = *El Corral de la Encina*
(1862 CHIP),[630] pegado al casco de El Pino, lindaba con el ejido y con Los Llanos. Se
menciona en 1768 una casa que tenía a la entrada un «corral de carrascos» (AGUST).

Pasados los Llanos, bajaba un prado llamado *Valdelamielga* (CME, AGUST, DSANG,
1851 CHIP, 1897 ESCR),[631] por cuyo eje discurría el *camino de Villaselva*.[632] El prado
era de propios del concejo. La mielga (*Medicago* sp.) era una especia de alfalfa silves-
tre, planta apreciada para dar de comer a conejos, burros y mulas (Velasco, Criado
y Blanco 2010: 87). Entre el prado de la Alameda y el de Valdelamielga había un
lugar de extracción de barro para hacer tapias y adobes: *Carcabón de Valdelamielga*

---

[627]   *La Pesquera* (1852, 1859 CHIP) si duda hace referencia a esta, pues la aceña de El Pino, que
también tenía pesquera, se hizo a partir de 1867.

[628]   En Muelas se cita el *Camino de los Ielgos* (APB), alusivo al saúco menor (*Sambucus ebulus*). El
topn. reaparece como despoblado en Ávila, *Los Yezgos*, antiguo *Yedgos*. Un arroyo en Fuentes de Béjar
es *Los Yelgos*, topn. que se repite en Villacidayo LE; *Valdielgo* (Montejos del Camino LE).

[629]   Cf. *Las Malotinas* (1696) en Almenara (Gómez Santamaría 1991: 162); *Las Malotas* (Parada
de Arriba 1904 PÑ; Castellanos de Villiquera 1901 PÑ; Alconada MTN25; Canillas de Abajo 1905 PÑ).

[630]   Top. asoc.: *La Encina de los Llanos* (CME, DSANG); la *Encina Chica de los Llanos* (CME). La
Entrada de los Llanos (DSANG).

[631]   Toponimia asociada: *El Prado de Valdelamielga* (CME, 1897, 1900 ESCR); *El Prado de la Mielga*
(AGUST); *El Teso de Valdelamielga* (CME, 1851 CHIP); *El Carril de Valdelamielga* (AGUST).

[632]   *El Camino de Villaselva* (CME, 1851 CHIP, 1902 PÑ), *Camino de la Villa* (CME), *Carril de Villaselva* (1897 ESCR), *El Carril de la Villa* (DSANG). En su tramo alto se llamaba *El Camino de la Viña*
(CME). Dando al carril, en referencia al cauce del arroyo, se menciona *El Cancerón* (1897 ESCR).

(1897 ESCR). *El Carcavón y Los Barreros* (1897 ESCR) cerca del c° de Salamanca, *El Barrero* (AGUST, ESCR). El término «carcavón» describe un socavón, bien causado por erosión hídrica o producido por las extracciones. También se menciona la *Fuente de Valdelamielga* (1850 CHIP, 1897, 1900 ESCR). El camino de Villaselva era atravesado por el que venía de Zarapicos hacia Muelas y Salamanca en *Las Encruzijadas* (APB, CME) = [error de copia] *Las Curripadas* (1850 CHIP).

Entre el Carril del Cura y Valdelmielga se encontraba el *Teso de Miraflores* (APB [copia de 1732], CME, 1850 CHIP) o *de Mariflores* (CME, 1851 CHIP); *Mariflores, a lo estrecho de Valdalga* (1911, 1914 ESCR). Parece que la forma *Mariflores* es la primitiva, y que remite a una propietaria. La reinterpretación como *Miraflores* era previsible, dada la ubicuidad y popularidad de esta forma toponímica. En efecto, en 1580 consta como importante propietaria en Muelas una tal *María Flores* (APB). No lejos de Mariflores se cita un paraje, *La Marimenga* (CME), cerca del c° de Villaselva. Se tratará sin duda de otra propietaria local, posible pariente de María Flores.

Tras Valdelamielga se desgajaba hacia el SE un camino llamado el *Carril del Cura* (CME, AGUST, 1889 DSL, 1897, 1911 ESCR) = *C° del Cura* (CME, 1902 PÑ), *Sendero que llaman del Cura* (CME), *Sendero del Cura* (1851 CHIP), *Carril del señor Cura* (1897 ESCR), *Camino alto a Florida de Liébana* (1902 PÑ).[633] Comunica directamente El Pino con el barrio de arriba de Muelas, donde se encuentra la iglesia. Dado que el beneficiado de Muelas gobernaba la parroquia de El Pino, y dado que su residencia sería próxima a la iglesia de Muelas, este era el camino que seguiría en sus visitas a la iglesia de San Lorenzo de El Pino. Es interesante observar que en Muelas recibe el mismo nombre, y que en 1580 aparece en lugar de *cura* la voz *crego* 'clérigo': el *Camino del Crego* (APB), el *carril que llaman del crego* (1726 APB3). La forma *crego*, común en gallego y portugués, se extendía al leonés.[634] En Calzada de Valdunciel, un paraje *El Bonete Griego* consta como *Bonete Crego* en el siglo XIX (alusivo tal vez a una tierra con cuatro picos, o —más improbable— a la presencia del arbolillo llamado bonetero).[635] En Parada de Arriba se menciona *El Carril de los Cregos* (1847 CHIP) = *El Sendero del Clérigo* (1550 HERR).

Poco después de la bifurcación del c° de Salamanca y el Carril del Cura atravesaba un prado concejil y valle llamado *Valdalga* (APB, APB2, 1740 ANIV, CME, AGUST, 1851 CHIP).[636] El valle se abría bruscamente al norte del c° de Salamanca, difuminándose

---

[633]   Se mencionan «los dos caminos de Muelas»; el del cura era el alto; el principal era el *Camino Bajo* (1852 CHIP). Una tierra próxima era la *Gavia del Carril del Cura*, donde *gavia* vale 'zanja, cuneta'.

[634]   Pertenece al léxico del autor Lucas Fernández, amigo de los señores de Villaselva.

[635]   *C° de Matacregos* (Tardobispo y Entrala ZA); *Fuencrego* (Foncebadón LE); *El Valle del Clego* (Pelarrodríguez BVBNS 5.7.1856). Otros ejemplos en Riesco (2018: 493).

[636]   Top. asoc.: *Valdedalga* (1850 CHIP, 1897 ESCR); los *valles y los tesos de Valdedalga* (1850 CHIP); *La Vandalga* (1859 CHIP); *Regato de Vandalgas* (1902 PÑ). *El Prado de Valdalga* (CME; AGUST; 1851 CHIP; 1897, 1911 ESCR) era concejil. *El Concejil de Valdalga* (CME). *La Ladera de Valdalga* (CME) =

en las planicies de La Vega y Las Guadañas. Por ello este punto, donde el valle dejaba de ser reconocible, es *La Boca de Valdalga* (CME, AGUST, 1897, 1911 ESCR), *Bocabaldalga* (1859 CHIP): *boca* tiene aquí el sentido de 'desembocadura'; el antónimo es *punta* 'nacimiento o cabecera del valle'. Cerca de la Boca se encontraba *El Teso de los Aires*, tal vez llamado así por su exposición a varios vientos.[637] Allí se encontraba una *pedrera*, es decir, una cantera. *La Cruz de la Pedrera* (APB2, CME, 1850 CHIP),[638] *Baldalga y La Cruz* (CME), *Linde Pedrera* (CME, 1851 CHIP), *La Linde la Pedrera* (CME), *Las Pedreras* (1900, 1911 ESCR), *La Cantera* (CME, 1897 ESCR), el *Teso de la Cantera* (CME).[639]

También cerca, donde Valdalga tocaba el cº de Salamanca, se citan *Los Labajales* (CME), *Los Lavaxales* (CME). Es palabra de alcurnia,[640] pues ya la incluye Nebrija (1951): «lavajo, o lavajal: VOLUTABRUM», es decir, revolcadero, baña de puercos. En nuestro contexto, *lavajo* suele tener un valor menos prosaico: 'charca; laguna pequeña'. Se repetía en Muelas, *Los Lavajos* (APEOS 302), y Parada de Arriba, *Los Labajos* (1550 HERR). Su etimología es debatida. García de Diego (1943: 106) sugiere un origen en *LAVACLUM, variante del clásico LAVACRUM 'lavadero'. Corominas (DCECH s.v. lavajo) piensa en un derivado de *nava* 'valle ancho', que también fue 'lugar inundado o pantanoso', alterado por una natural asociación con *lavar*.[641]

Los Carcavones del prado de Valdalga (CME) = *Los Carcabones* (1861 CHIP), cerca del Carril del Cura, remiten nuevamente a lugares donde el prado está socavado por erosión hídrica.[642] Se registra la variante *Los Carvacones*, en la que intervendrá la atracción de voces afines derivadas de *cavar*. *El Tomillar del Camino de Salamanca* (CME), *Tomillar* (AGUST), parece haber sido una tierra abandonada, pasado Valdalga, al sur del cº de Salamanca.

El topn. *Valdalga* es singular. Se repite en Fariza de Sayago: *arroyo de Valdalgas* (1909, 1912 PÑ); es parónimo de un *arroyo de Valdarga* o *La Valdarga* (San Cristóbal de Boedo P, BP 31.1.1911, 1920 PÑ, Gordaliza y Ortiz 2004: 62). Sopesemos

---

La Ladera de las Guadañas, antes llamada *La Linde del Prado de Valdedalga* (1897 ESCR). *La Fuente de Valdalga* (CME, AGUST), en el Brazo Chico. *El prado Valdalga con su mangada* (DSANG).

[637]   *Teso de los Aires de Valdedalga* (1897 ESCR), *Tesos de los Aires de Valdalga* (1911 ESCR).

[638]   Errado como *La Cruz de la Pradera* (1859 CHIP, 1900 ESCR).

[639]   El *camino de la Pedrera* (CME, 1850 CHIP) quedaba a poniente de Valdalga; parece nombre alternativo del que iba de El Pino a Villaselva.

[640]   *Laguna de los Lavajares* (Rágama 1904 PÑ); *Los Lavajales* (Ataquines VA); *El Lavajar* (Sinlabajos AV 1903 PÑ): todos son humedales.

[641]   De ser así, la alteración habrá de ser muy antigua, pues se constatan abundantes variantes palatalizadas: *Los Llavajos* (Olombrada SG 1903 PÑ; Vegafría SG 1903 PÑ), *Los Llavayos* (Valparaíso, Molezuelas, Flechas, Donado ZA). Es cierto que *Navajo* y *Lavajo* alternan de forma densa en la toponimia castellana, en referencia siempre a charcas y lagunas.

[642]   Ya en término de Muelas había otro *Carcabón* (1673) cerca de Los Carbayos. En Tesonera, dando al río Tormes, un prado remataba en Los Carcabones (1572 TSNR).

algunas hipótesis sobre él. Cabría contemplar la opción de un traslado de nombre, a cargo de pobladores cántabros. En Santander, en efecto, existe el valle y municipio de Valdáliga, en el que se encuentra un monte de la Florida. Doble coincidencia, pues nuestro Valdalga es próximo a la villa que, a partir de 1640, se empezó a llamar La Florida de Liébana. En contra de tal hipótesis obran varias razones: Florida de Liébana parece nombre de imposición tardía (1639), que se debe no a sus pobladores sino a una familia poderosa allí en el siglo XVII; mientras que Valdalga consta ya en 1580. La coincidencia de nombre *Florida* tiene poco peso, pues este nombre de buen agüero es muy común en la toponimia española. No sé tampoco gran cosa sobre la antigüedad del topn. cántabro *La Florida*, que parece más bien reciente. Finalmente, el *Valdalgas* sayagués y el *Valdarga* palentino quedan al margen de cualquier conexión santanderina.

A falta de nuevos datos confirmatorios, es importante el hecho de que los tres parajes homónimos, en El Pino, en Fariza y en San Cristóbal de Boedo, son hidrónimos, aplicados a pequeños valles con su regato central. Podría explorarse una explicación mediante el sintagma *valle de X*, en que la parte final puede ser un nombre personal o un apelativo, descriptivo del lugar. No se columbra ningún antropónimo que pudiera encajar; el plural en *Valdalgas* empuja hacia la opción apelativa. Una especie de trigo rústico y primitivo, la espelta, escaña o escanda (*Triticum spelta*) recibe en latín el nombre ALĪCA (REW s.v. alĭca; Hubschmid 1960). De ahí el castellano álaga, que se aplicó a una variedad de trigo, de grano duro y oscuro, menos cotizada que la que producía el pan blanco. La pérdida de la postónica sería normal.[643] Ello habría ocurrido en el asturiano *erga* 'grano de escanda o fisga; la propia escanda', voz con amplio desarrollo semántico (DELLA s.v. erga; DGLA s.v. erga, la) que parece reflejo popular del lat. ALĪCA, según Piel, García de Diego y García Arias. Corominas secunda esta hipótesis (DCECH s.v. ergotina), atribuyendo la é de *erga* a una evolución secundaria, probablemente por metafonía. García Arias lo considera un fenómeno generalizado, en situaciones en que la tónica se presenta seguida de vocal cerrada (ĭ) y delante de -*a* (GHLA §3.1.14). Pero provoca dudas el hecho de que no hay más datos que avalen la vigencia de ALĪCA en la toponimia zamorana o salmantina. Aisladamente, *El Álaga* (Valdelageve 1903 PÑ).

Por ello, parece prudente buscar en otra parte. ¿Un término sufijado **valdática* > **valdadga* > *Valdalga*, en leonés? El mismo sufijo podría estar detrás del topónimo *Cornocal de Celalga* (1265 PREST), que es el actual Alcornocal, alquería de Garcirrey;

---

[643] Una referencia al *alga* es descartable, pues solo parece emerger toponímicamente en contexto marítimo (REW s.v. alga). Es cierto que en el concejo portugués de Monção y el de Amarante, *argaço* ha adquirido, aparte de su acepción principal 'algas sacadas del mar para abonar el terreno', la de 'agujas secas de pino' (Basto 1916: 259), y que en logudorés (Cerdeña) se comprueba *arga* 'mala hierba'. Pero todo ello queda muy lejos de nuestro contexto.

y lo hemos comprobado en el vecino paraje *La Cuartalga*. El arroyo Valdarga, en San Cristóbal de Boedo, parece registrarse también como *Valdadga* (Gordaliza 1993: 303-306); de confirmarse tal extremo, habría que aclarar cuál es el término troncal escondido aquí. ¿La tierra o heredad de un bando salmantino? ¿la tierra propia de la familia de los Valdés, que tuvo posesiones en Zaratán en 1608? A falta de más datos, queda en duda.

Entre el Carril del Cura y el cº de Muelas, al E de Valdalga, se cita el paraje de *La Barcera*, *Varzera* (APB2, CME), *tierra de la Barcera* (AGUST).[644] Es un abundancial de *barceo* 'alta gramínea amacollada, *Stipa gigantea*'. Esta planta tenía diversos usos en la provincia; se hacían sogas, escobas, cepillos, esterillas; se rellenaban colchones; era comida por las caballerías (Velasco, Criado y Blanco 2010: 116, 284); en la vecina tierra de Miranda se usaban sus tallos para sorber, como pajitas.[645]

En la parte alta del valle, Valdalga se bifurcaba en dos ramales o vallejos de cabecera. Recibían el nombre de *Brazo Chico* y *Brazo Grande*, situados a levante y poniente respectivamente.[646] El Brazo Chico nacía cerca del cruce del carril de Villaselva y el cº de Muelas a Zaratán, en terreno que fue de viñas luego abandonadas. En el Brazo Chico estaba la *Fuente de Valdalga* (CME, AGUST) y *Los Salces* (1897, 1911 ESCR) = *Los Sauzes / Sauces* (CME, 1859 CHIP, 1900, 1911 ESCR), *Los Saozes* (APB2, CME). Sin duda hace referencia a las galerías arbóreas de especies del género *Salix* que acompañan a tramos poco perturbados de arroyos. Lindaban con una charca llamada *El Bonal*, *El Boonal* (APB2), con una denominación muy salmantina que es omnipresente en la toponimia.[647] El Brazo Grande nacía en *el Encinal* de Villaselva (CME), el *Enzinal de la Villa* (APB), *Encinar de la Villa* (1902 DSL, PÑ), *Entrada del Encinal* (1889 DSL), rayando con dicha dehesa. En él se encontraban *El Hoyo Grande*, *El Oyo Grande del Pino* (CME) y *El Juncal de Valdalga* (CME). *El Qüento para el Juncal / Yuncal* (APB2) debía de ser próximo; era área de viñas. *Cuento* aquí tiene el valor de 'punta, extremidad, cabecera de un valle'.[648] Del lado de Villaselva se prolonga este como *El Juncalino* (APB), probablemente coincidente con el *Yuncalino* de Muelas (APEOS 300) = *El Juncalino* (1571 BCRV). En la raya Villaselva-El Pino, yendo al norte desde el trifinio de Zaratán hasta el Tormes, estaban la *Nava de la*

---

[644]   *La Barzara* o *Barraza* (1900, 1911 ESCR), por error de copia.

[645]   Copiosísima toponimia. En Juzbado, *Barcial* (1906 PÑ; Coca Tamame 1993: 312).

[646]   *El Brazo Chico de Valdalga* (APB, 1726 APB3, CME, AGUST, DSANG, 1851 CHIP, 1897, 1911 ESCR). *El Brazo Grande de Valdalga* (CME, 1897, 1900, 1911 ESCR). *El Brazo Grande* (CME). *El Brazo de Valdalga* (DSANG). *Entre los Brazos* (1852 CHIP). Compárese, en Valverdón, la *Manga Chica* y la *Manga Grande* (1597 VLV); en Paradinas de San Juan, el *Prado del Brazo* (BVBNS 17.9.1856).

[647]   Más tarde consta como *La Charca*, junto al carril de Muelas a Zaratán (1940 ESCR).

[648]   Común en la toponimia comarcana: el *Quento de los Pedazos del Conde en la Vega*, *El Cuento de la Manga*, en Muelas (APB); *El Cuento de Valfondo*, en Larrodrigo (1405 APEOS). *Cuento del Vado* (Martiago 1904 PÑ). *El Quento de las Peñas*, entre Tesonera y Burrinas (1572 TSNR).

Charca, la *Ladera de la Villa* y *Rodera de las Cabezas*, el *Encinar de la Villa*, el *Brazo de Vandalga, Los Carballos, Las Fuentes, La Vega, La Rivera* (1902 DSL).[649]

Entre el Carril del Cura y Valdalga, a uno y otro lado de la raya de Muelas, se encontraban *Los Carbayos* (APB, CME, DSANG, 1851 CHIP, 1914 ESCR) = *Los Carballos* (CME, 1897, 1911 ESCR), *Carballo* (1902 PÑ), *Los Carbaios* (APB, 1740 ANIV, AGUST), *Carbaos* (APB), *El Carbayo* (APEOS 30); con anaptixis, *El Carabayo* (1849 CHIP), *Los Caraballos* (1859 CHIP; 1911, 1914 ESCR, MTN25), que es la forma predominante hoy día.[650] Lindando con Muelas, *El Moxón de los Carballos* (CME). Junto al Carril del Cura y dando a la raya, estaba *La Retama* (1897, 1911, 1914 ESCR), que antes se llamó *Rodillo de los Carballos* (1850 CHIP, 1897 ESCR). Por allí, si no hay error de copia, se encontraba *Balbacojero* (1850 CHIP, 1897 ESCR) y una tierra llamada *de las Mangadas* (1850 CHIP).[651] En este contexto, *carbayo* puede aludir al quejigo (*Q. faginea*) (y, con más improbabilidad, al rebollo, *Quercus pyrenaica*) [no a *Q. robur*]. Es interesante el topónimo, por reflejar un tipo de monte menos xerófilo que el actual. Más adelante se trata de nuevo esta cuestión. Por otro lado, predomina la forma leonesa, *carbayo*, en la documentación, aunque el conocido apellido gallego-portugués *Carvallo* podía influir en ciertos apuntes notariales. Del lado de Villaselva, frente a Los Carbayos, estaba el *Teso de las Cabezas* (1850 CHIP, 1889 DSL), entre el carril del Cura y el cº de Muelas a Golpejas. Cerca había una tierra llamada *El Cuartico* (1850 CHIP).

Volviendo a El Pino, pasado el actual cementerio, el camino de Zaratán se bifurcaba: el ramal occidental seguía hacia Zaratán; el oriental seguía a Parada y Porteros; la separación entre el cº de Parada y el cº de Porteros se producía tras rebasar un largo camino transversal, que iba de Zarapicos y Zaratán a Salamanca, llamado de Hortelanos (más adelante, de Cebolleros) o de Muelas.[652] Junto a este camino se menciona una *tierra de la Escoba* (APB, CME), que en 1752 estaba «hecha hereal»; la tierra luego consta como la *del Escobal*, en el prado de la Alameda.[653]

Al igual que Valdalga, el regato de la Alameda se bifurcaba en su punta, junto a la raya de Zaratán, en dos regueras o vaguadas: *La Bagüera Grande* (1613 LFAB, APB2, CME), más a levante, y *La Bagüera Chica* (APB2), más a poniente; *La Bagüera* (CME); este es, en efecto, el valor semántico del dialectalismo *vagüera*: 'vaguada, valle

---

[649]   *La Villa* aquí es Villaselva.

[650]   Erróneamente *Los Caballos* (1900 ESCR, CTS).

[651]   Por hacer codos o entrantes.

[652]   *Camino de Hortelanos* (1902 DSL, PÑ); salía del tº hacia Muelas por Los Carbayos. En el CME, aisladamente, este camino se llama *del Teso Romero*, por atravesar el paraje así llamado. La denominación *Cº del Monte* (1847 CHIP, 1897, 1911 ESCR) pudiera aludir al cº de Parada o al que se le atraviesa, el cº de Hortelanos.

[653]   En Baños de Ledesma, *La Escoba Albar* (1517 BÑS); en Almenara, *El Rodillo de la Escoba* (1696 Gómez Santamaría 1991: 163).

con regato'; es voz que utilizó Unamuno en *Por tierras de Portugal y España*.[654] En 1613 y 1673 era área de viñas, que luego se abandonaron; ya se había producido el abandono y matorralización en 1732. En 1752 *La Bagüera* era erial y monte; en *La Bagüera Grande* no se reconocían las lindes.[655] El CME no menciona ninguna viña en el término de El Pino. El topn. *Las Viñas* (CME, AGUST, 1911 ESCR) no es descriptivo, sino evocador de una realidad anterior; como las viñas se habían situado a ambos lados del camino de Parada, había una parte en cada hoja: *Las Viñas Chicas* (CME) quedaban en la hoja del Palacio.[656] Cercana a ellas estaba la tierra de la *Cabaña* (CME), topónimo evocador de la ubicación habitual de la cabaña guardaviñas, dominando un pago de viñedo.[657] *El Hoyo de la Barraca* (CME), pegando al c° de Parada, podría ser una mera variante, más tardía, de este topónimo. Dentro del Monte Gordo, en la hoja de Muelas, había un paraje llamado *Los Almendros* (1850 CHIP), vestigio sin duda de una antigua viña; había otra tierra llena de carrascos; y una erial, que llaman *La Desgraciada* (1850 CHIP). Una tierra próxima, ya reducida a erial y monte, se llamaba *La Sastra* (CME).[658] Cerca del c° de Parada había tierras de cereal con alguna encina suelta; cerca, hacia el Este, estaba *La Encina de los Huecos* (DSANG). Por allí se mencionan *Los Brauíos* (APB2). Es voz que tenía valor apelativo en Tirados (1482 TRD): se aplicaba a tierras rodeadas de monte, que solo rara vez se sembrarían. El ALCL recoge *bravío* 'erial' en Villaseco de los Reyes (mapa 239).

Muy separada de las vagüeras de la Alameda, quedaba una tierra en las *Viñas de la Vagüera* (CME, 1850 CHIP), «por desidia llena de monte y carrasca», en la hoja de Muelas, cerca de la raya de Villaselva. Se menciona como vaguada filial de Valdalga, *La Babuera de los Carballos* (CME); se extendía hacia cerca del carril de Villaselva: *La Bagüera* (CME). Una viña rayana con Villaselva es citada en 1559 como *Lobaguera*,

---

[654]   Se menciona en Tirados una tierra que «sal del río y va a descabeçar en la vaguera» (1482 TRD); una tierra «saca un prado que llega fasta el rrío, con su vaguera de prado en medio de ella» (1475 BTRD); un prado, en *Las Vagüeras* (1456) (AHNOB, VILLAGONZALO, c. 46, D. 3). En el trifinio Porteros-Rollán-Golpejas, junto a la Valmuza, el paraje *Vahueras* (1904 PÑ).

[655]   Nombre alternativo de estas dos vaguadas: el *Brazo Largo de la Alameda* (CME) sería un ramal del regato, en su tramo de cabecera, ya cerca del Monte Gordo; el *Brazo Chico de la Alameda* (CME, 1850 CHIP), otro ramal, quedaba en la hoja de Muelas. La *punta de arriba de la Alameda* (DSANG) corresponde a uno de estos dos brazos.

[656]   Top. asoc.: el *Camino de la Viña* (CME, hoja de Muelas), que salía del c° de Villaselva; el *C° de las Viñas* (1850 CHIP), denominación ocasional del que iba de Muelas a Zaratán. *Las Viñas* o *Camino del Carrascal*, cerca del C° de Zaratán al Soto del Palacio (1897, 1940 ESCR); este paraje se llamó luego *Pocilgas*. *El Encinal de Villaselva*, antes *Las Viñas* (1897 ESCR).

[657]   Variante: *Las Cabañas* (DSANG). Es frecuente en los *bagos* de viñas la referencia a cabañas de vigilancia y guarda de aperos: *El Chozo*, en Almenara (1696), en área de viñas (Gómez Santamaría 1991: 156).

[658]   Femenino predial: desde **la tierra del sastre* > *la sastra*.

seguramente errata por *Labaguera*[659]; en 1571, *La Baguera* (vslv); *La Baguera* (1582 vlls). Dados los testimonios posteriores en *-güera*, descartamos una reinterpretación asociativa desde un primitivo *Lobaguera*.[660]

Topónimos en Zaratán

No hemos logrado encontrar ningún apeo detallado del término, pero D. Manuel Marcos Sánchez, natural de Garcigrande (Alaraz) y encargado de la alquería desde 1964, ha aclarado amablemente algunas de nuestras dudas. Se labraba a tres hojas, cuyos nombres fluctúan. En el cme se mencionan la *hoja de la Ermita*, en referencia al teso de la ermita, situado como a 1 km a poniente de las casas, lugar despoblado en tiempos remotos. Por otra parte, la *hoja de las Valdillanas*, situada hacia El Palacio de los Ovalles y la raya de Zarapicos: *Valdellanas* (pñ) = *Las Valdellanas* (1889 dsl), *Valdillana* (cme).[661] Esta hoja es probablemente la que en otro asiento se denomina *del Barrero*. Por último, consta la *hoja del Regado*, que coincidirá con la llamada *del Prado*. *El Regado* (1902 pñ), *Prado del Regado* (cme), actualmente *El Regao*,[662] es el arroyo y prado que pasa a los pies de las casas y desagua en el Tormes tras pasar El Palacio, donde se llama *Regato del Soto* (1901 dsl), *El Soto* (pñ). Este arroyo, de aguas continuas, era abundante en cangrejos. Parece ser la misma hoja que se llama en 1580 *de los Redondos* o *de las Regueras* (apb), hacia Villaselva. Una referencia de 1453 al «arroyo Alambrero, que viene de Zaratán» (Cabrillana 1969: 278), parece aludir a este mismo regato del Soto. En tal caso, en su desembocadura estaría la Ribera del Alambrero, mencionada por Villar y Macías (1887, I: 53). Dado que el valor de la voz *alambre* en el Medioevo es 'cobre, bronce',[663] y dado que no se constatan minas ni yacimientos de mineral en el entorno, hay que pensar que el topónimo alude a restos arqueológicos: vasijas o copas de cobre.

Pasemos lista a otros topónimos mencionados en el cme: *El Rodillo Grande* y *Las Mangadas del Rodillo*, entre Zaratán y El Palacio, al E del regato; *mangada* es voz común, que describe un entrante o acodamiento. *Valderrozines* [se recuerda ahora como *Valderrosina*]. *El Barrero*. *La Salzera*, donde de nuevo encontramos la forma

---

[659]   AHP, notario Pedro Godínez, sign. 2936, f. 1024.

[660]   *Lobaguera* < *lupicaria es topn. común, de valor expresivo: tierra donde crían lobos, denominación que no chocaría en un paraje rayano con el monte de Villaselva. En Muelas se cita un paraje de *Las Lobas* (apb2).

[661]   Parece contener un nombre de propietaria, el actual *Juliana*.

[662]   Se repite en Tirados, donde encontramos *Prado Rregado* (1475 btrd). En tº de Porteros y Golpejas, un arroyo llamado *El Regado de Porteros* (1904 pñ). En Aldearrubia, los *Prados Regados* (1700: acs, cj q, lg 1, n.º 1).

[663]   Como en el pueblo abulense *Cabezas de Alambre*.

arcaica, sin vocalizar, *salce* [actualmente *La Saucera*, junto al Regao en su tramo alto, un km al sur de las casas de Zaratán].[664] *La Rodriga. Las Heras de la Fuente* y *Cº de la Fuente. El Campo que llaman el Montuoso.*

En el trifinio Porteros-Zaratán-Zarapicos había un paraje extenso, *Borregueras* (1902 DSL, PÑ), junto al *Teso Redondo* (MTN25),[665] atravesado por el cº de Zarapicos a Porteros, y el de San Pedro del Valle a Parada. En la raya Zaratán-Zarapicos, de S a N, estaban *Las Quebradas, La Fuente de los Brazos, Las Corniviejas, Retamar, El Valle, Valdellanas* ([1889, MTN50], 1902 DSL); del lado de Zarapicos, consta el *Carrascal Gordo* (1521 VZAR); seguía luego la raya El Palacio-La Aldehuela, por *La Guadaña* (1902 DSL).

Cerca del cº de El Pino a Porteros, dentro de Zaratán, estaba *El Teso del Romero* (CME, PÑ) = *El Teso Romero* (CME). Dada la ausencia de la planta en la flora espontánea de la comarca, el nombre derivará de algún propietario o anécdota del camino. Siguiendo la raya Zaratán-Porteros, de E a W, estaban *El Alto de la Fuente Borregueras, Teso de la Misa, El Mirador, Alto de la Fuente del Sapo,*[666] *La Fuente del Sapo* ([MTN25, MTN50], 1902 DSL). La raya coincidía en buena parte con la *Calzada del Lomo,* el viejo camino de Salamanca a Los Baños, actual carretera de San Pedro a Parada. Cortaba desde Porteros hacia Muelas el *Cº de los Requetés* (MTN25): su nombre se debe a que, tras la guerra, estacionados en la alquería unos requetés, construyeron un carril para acceder a la carretera de Vitigudino. Cerca de las casas de la dehesa se mencionan dos fuentes: la *del Caño,* con su regato, a poniente. La *de los Cabreros,* al sur, cerca del Regao; era de aguas dulces, y servía a los cabreros, que ponían chozos no lejos de allí.[667] Existía la llamada *Charca de las Tencas* (1872 RTORR). En el Regao había huertas y piedras para lavar. En un alto, cerca, estaban las casas de los porqueros. A levante quedaba *El Conejar* (PÑ).

En el trifinio Porteros-Parada-Zaratán estaba la *Fuente del Sapo* (1902 DSL, PÑ).[668] Por la raya Zaratán-Parada, yendo de Oeste a Este, estaban *Los Hornos,*[669] *Valdedormidas,*[670] *El Raso*[671] y *Redondos* (1902 DSL, PÑ) y *Los Piñones* (MTN25). El primero se registra *Los Hornos de Çaratán* (1550 HERR). El camino que venía de Parada de

---

[664] En Zarapicos, *La Salceda* (1800) (AHN, CONSEJOS, 32082, EXP. 14). Solían ser lugares tenebrosos, de densa vegetación; hacia 1508, un guarda de viñas de Villaselva fue llevado de noche a una salceda, donde lo maltrataron esbirros de Villafuerte.

[665] Top. asoc.: *La fuente Borregueras;* el *Alto de la Fuente Borregueras* (1902 PÑ).

[666] La Calzada del Lomo coincidía en su trazado con la actual carretera San Pedro-Parada.

[667] Compárese *Las Fuentes Cabreras,* en término de Parada (1550 HERR).

[668] Se repite en San Pedro del Valle (1470 Vaca Lorenzo 1996: 204).

[669] Junto al cº de S. Pedro del Valle a Parada.

[670] Compárese *Las Dormidas* (raya de Carrascal de Barregas y Doñinos, 1904 PÑ): ¿sitios donde pasan la noche los pastores?

[671] El Raso y Valdedormidas estaban donde cortaba la raya el cº de Zarapicos a Parada.

Arriba a El Pino, dejando las casas de Zaratán a poniente, se llamaba *de Lavanderas* (PÑ), por ser el que traían las de Parada cuando iban a lavar al Tormes. En el trifinio Villaselva-Zaratán-Parada estaban *Las Redondas* (1902 DSL); siguiendo la linde Villaselva-Zaratán, *Cº de Rompealforjas* (1889 DSL),[672] *Los Parrales* (1902 DSL, PÑ),[673] *Carril de Dámaso* (1902 DSL),[674] *Nava de la Charca* (1902 DSL). Cerca de dicho teso, se menciona una tierra «hecha hierma por desidia, poblada de carrascos y tomillares», que daba a poniente con el cº de El Pino a Parada (CME). Cerca del trifinio Muelas-Zaratán-El Pino estaba el *Monte del Rey* (1849 CHIP, 1897 ESCR, PÑ). En 1860 fue desamortizado el monte titulado *Monte del Rey, Teso de las Cabezas* y *Las Viñas*, en tº de Muelas, entre el Carril del Cura y el cº de Villaselva, con 225 huebras de tercera (*Adelante* 26.8.1860).

Añadimos algunos sucintos datos sobre la toponimia de la vecina Aldehuela de la Huelga (*Crédito Público* 11.9.1822), que se labraba en dos hojas en tiempos de Ensenada. Los prados del término eran: *la Guadaña*, con *la Cañada* y *la Guadañeta*; *las Heras*; *el Espiral* [¿espinal?]; *la Mangada*, «entre el fuente gordo y el carrascal»; «la cañada que va al huerto y rodillo de la fuente»; «el egido frente a las casas hasta el carrascal»; *detrás de las casas*; entre el monte, a la hoja chica; en el carril de Zarapicos, al vallejo. Dando a Almenara, el *Valle de Choute*.

SOBRE LOS TOPÓNIMOS MAYORES DEL TÉRMINO

El pueblo se recoge invariable desde la primera cita: *El Pino* (1265 PREST, 1271 DCS, 1691 CTG, 1624 ALCB).[675] ¿Un lugar pendiente, *pino*? Muy improbable, pues la orografía local es llanísima; es cierto que hay algunas piedras grandes, descalzadas por el Tormes, en la ribera; pero no constituyen elementos llamativos en el relieve general. Más probable es la referencia simple a un árbol. No sorprende encontrar la forma singular, que a veces advierte de que el topónimo se origina en un árbol destacado, usado como referencia, linde o hito paisajístico. Es cierto que el arbolado dominante en esta área es la encina. El *Mapa de la Vegetación de Salamanca* (1966 MVS) sitúa el área de Muelas, Valverdón y Almenara en una variante de la alianza *Quercion rotundifoliae* con asomos calizos (p. 45). Compañeros preferentes del encinar son

---

[672]   Probable referencia a un lugar apretado de carrascos, donde las hojas pinchudas del matorral hacen peligrar las alforjas. Era el tramo inicial del cº de Lavanderas, que iba de Parada a Zaratán y El Palacio (1902 DSL).

[673]   *El Parral, junto a la viña Barriga* (APB), ya en tº de Muelas.

[674]   Salía hacia Florida (PÑ).

[675]   *La vega del Pino, carrera del Pino* [desde Muelas] (1405 APEOS); *camino que va pora el Pino* (1271 DCS §326).

aquí los cantuesos (género *Lavandula*) y los barceos (*Stipa*). El *Mapa Forestal de España*, hoja 4-5, sitúa los montes de Zaratán, Villaselva y cercanías como dominio del encinar, unas veces con subpiso de pastizal estacional, otras con acompañamiento de *Lavandula stoechas* (MFE 80).[676] La toponimia (paraje de Los Carbayos) deja entrever la presencia antigua de *Quercus* caducifolio, probablemente quejigos, sin descartar rebollos. Un estudio palinológico en el entorno de la alquería armuñesa de Aldealama (Ariño, Riera y Rodríguez 2012: 294, 308) muestra una recuperación de los pólenes de *Quercus* caducifolio (y un retroceso de los pinares en los pisos altos de la Sierra) a partir del siglo VIII.[677] La presencia de quejigos o similar es un hecho confirmado en la comarca por la toponimia; ello ocurre en parajes hoy sin monte o, cuando lo hay, solo de encina. Cerca están *La Carvageda* entre San Pedro del Valle y Zarapicos (1470 Vaca Lorenzo 1996: 204) = *cº de los Carbajales* (1905 PÑ), *El Carvajal* y *Los Carvajales* (Tirados hacia Torrecilla del Río, 1482 TRD); *El Hoyo del Quexigal* (Tirados de la Vega 1482 TRD); *El Carbajal* (Parada de Arriba 1849 CHIP), en vaguadas húmedas orientadas al norte. Añádanse *El Robledo* en Calzada de Valdunciel (CME); *Carbajosa* de Armuña; *El Robledal* en Carreros; *Quejigal*[678] y *Robliza* de Cojos.

En todo caso, todo es de frondosas, sin masas de pino en el entorno. Pueden plantearse dos hipótesis como referente de *El Pino*.[679] (a) Un árbol de recreo, propiamente *Pinus*, plantado por algún señor medieval. (b) Supervivencia local de algún rodal relicto de coníferas, como los enebros (*Juniperus oxycedrus* ssp. *badia*) que aún prosperan en Sayago y Arribes; o los sabinares albares (*Juniperus thurifera*) entre Venialbo y Toro. Para repobladores medievales no familiarizados con estas especies, no sería insólito aplicar el nombre genérico «pino» a un árbol de porte singular, más o menos cónico, como el que suelen adoptar al envejecer enebros y sabinas.

Zaratán se documenta sin cambios significativos desde su donación en 1150 («illa aldea de Zaratan, tota integra», *Ceratam*, DCS §16), la referencia a «Alfonso Marcos, clerigo de Zaratan» (1262 DCS §296), el Libro de los Préstamos en 1265 (Çaratam), y el Libro de los Apeos en 1405 (Çaratan).[680] Fue sin duda lugar importante

---

[676] Las galerías arbóreas del Tormes cerca de El Pino presentan combinaciones de *Populus* (*nigra*, *alba*, x *canadiensis*), *Fraxinus angustifolia*, *Salix* (*alba*, *atrocinerea*, *salvifolia*, *purpurea*), *Alnus glutinosa* y *Ulmus minor* (MFE 78).

[677] Sobre vegetación y clima en torno a la Edad del Hierro, véase Macarro (1999: 57-62).

[678] Probablemente remite a la misma especie un topn. *El Quejido* en Moriscos (1663 AHP, protocolos de Diego de Ledesma). En el pico sur del tº de Cantalpino, el *Sendero del Roble* y *El Robredo*, «tiene una quyxiguera al cabo», en un apeo de 1527 (AHNOB, VILLAGONZALO, c. 70, D. 97). Actualmente perviven en parajes *Robledo* (1905 PÑ) y *Las Cajilleras* (MTN50).

[679] Se repite en Cantalpino (*campo del Pino), donde hay una dehesa del Pino, ya citada en 1527.

[680] En la venta de una viña en Almenara, en 1479, son testigos *Martín de Çaratán*, hijo de Miguel Sánchez, y Bartolomé Ferrández, del Palaçio, vecinos de Almenara (LDS §91).

en el Medioevo; en un apeo en Vega de Tirados, de 1433, se menciona un camino de Çaratán (VGT), que pervive en 1906 (PÑ). El ceutí Al-Idrisi (1100-1165) cita varias ciudades del viejo Portugal, que se han venido identificando como Coímbra, Montemor-o-velho, Nojóes (¿Viseo?), Zaratán,[681] Salamanca, Zamora y Ávila (Maíllo Salgado 1994: 43). Por la presencia de ruinas y despoblados, cabe pensar que este Zaratán es precisamente el de El Pino,[682] aunque no sea del todo seguro, por ser topónimo repetido. Por un lado, el pueblo de Zaratán, cerca de Valladolid. En la toponimia menor, en Villoruela, *El Çaratán* o *Çaratán*, prados citados en 1402 (APEOS), actualmente *Los Zaratanes* en la raya de Villoria (MTN25, 1904 PÑ) = *Zaratán* (*Diario de Madrid* 15.6.1810); en Arganza LE, un paraje *Zaratán*; quizás *Zaratalejo* (Villalba del Alcor H 1897 PÑ).

Corominas (DCECH s.v. zaratán) estudia una voz segoviana, *zaratán* 'taller de cordelería';[683] propone partir del árabe šarraṭîn, 'cordeleros' > 'barrio de los cordeleros'. Corrientes (1999: 477) pone en duda esta etimología por razones fonéticas, aunque la semántica es muy favorable. En todo caso, dado el contexto rural de los topónimos citados, parece que habrá que buscar en otra parte, pues, de haber originado toponimia, *zaratán* 'cordelería' se esperaría en ambiente urbano.

Puede por ello explorarse una aplicación de la voz *zaratán* 'cangrejo', como propuso Asín Palacios (1944: 144). El topn. *Los Alacranes*, muy frecuente en la España meridional,[684] parece tener un valor meramente descriptivo: un sitio en que abundan tales artrópodos. Esta es la opinión de Llorente (2002: 149): «la gran cantidad de alacranes que pulula en los encinares de Zaratán es algo proverbial». Morán registra una variante popular del nombre de la alquería, *Los Siete Zaratanes*, donde el número «siete» parece enfático, sugiriendo abundancia. Con la misma lógica, podría explorarse la posibilidad de que se aluda al cangrejo de río, que también fue abundante aquí. Ahora bien, hay un obstáculo capital: no se encuentra ningún caso de *zaratán* con valor zoonímico en castellano,[685] por lo que no queda fundamentada su aplicación a alacranes ni a cangrejos de río. Es cierto que el topónimo puede ser de creación anterior, en época islámica, en cuyo caso

---

[681]   Identificaciones propuestas por Eduardo Saavedra (*Boletín de la Sociedad Geográfica de Madrid*, XXVII, julio 1889: 166), quien sostiene, siguiendo al primer editor español, José Antonio Conde (1799: 229), que Al-Idrisi alude a la dehesa de Zaratán, la de El Pino.

[682]   Pudo tener cierta preeminencia durante tiempos islámicos por la cercanía de un elemento tan valioso como los baños de Ledesma, y por el aprovechamiento de construcciones de época romana, como la villa de los mosaicos.

[683]   Larruga (1791: 227) menciona unos obradores, que llaman *zaratanes*, donde se labra cordelería de cáñamo. Los *zaratanes* o *zaratanas* se encontraban en Segovia, Cuéllar, Sepúlveda y otros pueblos (Lecea 1897: 91).

[684]   *El Alacrán* (Saelices el Chico 1903 PÑ); *Los Alacranes* (CME Roturas VA, Sanz Alonso 1997: 314).

[685]   Todas las —muy abundantes— citas medievales encontradas se refieren a la enfermedad.

este obstáculo desaparece, pues Pedro de Alcalá recoge esta voz en las acepciones 'escorpión' y 'cangrejo'.

En los textos castellanos solo consta el sentido traslaticio, por una vieja metáfora (Corriente 1999: 436), de 'cáncer de pecho'. Es sorprendente que una voz que siempre ha tenido valor médico encuentre entrada en la toponimia, y en algún caso en parajes rurales. ¿Se usó con valor metafórico para aludir a alguna realidad del terreno? Covarrubias y el Calepino citan a Varrón para explicar por qué se llama CANCER en latín tanto al cangrejo como a la enfermedad: «venas circa se habeat extensas, instar brachiorum cancri»: se trata de dilataciones varicosas de las ramificaciones venosas que rodean al núcleo.[686] Por lo tanto, podría aplicarse figuradamente el nombre a alguna figura o forma con múltiples brazos radiales, como de pulpo: ¿un árbol singular, una cepa de viña? No deja de ser sorprendente que el otro Zaratán provincial, el de la raya entre Villoria y Villoruela, se encuentre próximo a una villa romana con mosaicos (Regueras y Pérez Olmedo 1997: 51-60), como lo está la dehesa de El Pino: ¿se comparó con un zaratán, en ambos casos, algún motivo de mosaico en forma de nudos, lazos, ruedas, aspas o meandros, como los que hubo en las dos villas?[687] Véase la figura de Regueras y Pérez (1997: 47), que muestra los motivos de la alfombrilla principal de nuestro mosaico, basada en un continuo de «ruedas de pelta con nudos de Salomón» (49), imagen que pudo haber sugerido tal metáfora. Es, en todo caso, propuesta arriesgada, que deberá sopesarse con otros datos.

En cuanto a El Palacio, las citas más tempranas son: *El Palacio* (1591 CTG 99, 317).[688] *El Palacio de Juan de Oballe / Juan d'Oballe* (1624 ALCB). *El Palacio de los Ovalle, El Palacito* (CME), *Palacio de la Aldehuela* (PÑ). En 1583, figuran anejos de Muelas y El Pino: *Palacio de Juan de Oballe*, el Puerto, Borrinas.[689] De hecho, en escrituras de El Pino hasta finales del siglo XIX, aparece con regularidad la forma *El Palacio de Don Juan* (1850 CHIP, 1897, 1911 ESCR).

ANEJO II: INVENTARIO DE ENSERES Y ALHAJAS DE LA IGLESIA DE EL PINO

Andrés Salvador, beneficiado, hizo inventario en 28-8-1831 por mandato del visitador:

---

[686]   La noción de base no sería por lo tanto 'devorador, tragón' > cáncer, como sugiere Corominas (DCECH s.v. zaratán).

[687]   Entre el Zaratán vallisoletano y la capital, por otra parte, se encontró la villa romana de Prado, en la que también se estudiaron mosaicos de tipo geométrico con nudos. La villa está a unos 2.5 km al SE de Zaratán.

[688]   Probablemente es de aquí un tal Bartolomé Ferrández del Palacio, testigo en la venta de una viña en Almenara, en 1479 (LDS §91).

[689]   *Congreso Historia de Salamanca, I. Volumen II*. Centro de Estudios Salmantinos, 1992: 145.

Un cáliz de plata con su patena; un copón de plata y una cajita de plata para portaviático; una concha de plata para bautizar.

Cuatro casullas viejas y usadas, con sus estolas y manípulos: una blanca con flores, otra encarnada, otra blanca, y otra verde y morada. Dos albas, una de lienzo, usada, y otra de tela mala, y cíngulo. Una capa encarnada vieja y rota. Dos pares de corporales, unos viejos y otros nuevos y buenos. Cuatro bolsas de corporales y cuatro paños de cáliz, viejo todo.

Otro inventario más detallado fue compuesto por el beneficiado Cipriano Blanco en 27.11.1865:

Alhajas de plata:
Un cáliz con su patena y cucharilla, que pesa 17 onzas. Un copón (12 onzas). Un portaviático (3 onzas). Una concha para bautizar (5 onzas). Una corona de la Virgen (libra y cuarterón). Corona del Niño (7 onzas). Media luna de plata (13 onzas).

Ropas:
Una casulla blanca floreada de seda con galón dorado, paño de cáliz y «bolsa lisa que hace a verde». Otra casulla que hace a blanco y encarnado, de damasco con manípulo y estola desiguales y galón de seda, ya vieja. Otra encarnada de seda, floreada con su estola y manípulo y galón de seda, en buen estado. Otra que hace a verde y morado, de seda, en buen estado. Otra negra de seda con estola y manípulo y galón plateado, sin paño ni bolsa, en buen estado. Otra verde de damasco con estola y manípulo y galón dorado, sin paño de cáliz ni bolsa, en buen estado. Otra de terciopelo morado, sin estola ni manípulo, inservible (fue dada posteriormente de baja). Una capa pluvial encarnada y floreada, con galón de seda, en buen estado. Un paño de púlpito encarnado, de seda, floreado. Otro negro de esparragón, con cinta blanca. Un pendón encarnado de seda con sus cordones, en buen estado. Un estandarte de tafetán encarnado, en buen estado. Una manga encarnada, ya vieja. El tambor de otra negra, inservible. Dos albas muy usadas y remendadas. Dos amitos muy viejos. Un cíngulo viejo. Dos juegos de corporales. Dos purificadores. Dos cornu-altares.[690] Tres tablas de manteles para el altar mayor. Otras dos tablas viejas para los altares laterales. Tres cubiertas de hule para los altares.

Efectos de metal:
Una cruz parroquial de metal blanco, bastante estropeada. Un crucifijo con su cruz de metal. Dos candeleros de metal para el altar mayor. Una campanilla para tocar en la misa. Dos campanas, en la torre, para llamar al pueblo al templo. Cinco lámparas de latón, una grande y cuatro pequeñas. Unas vinagreras de plomo, muy viejas.

Efectos de madera:
Una cajonería de pino, con dos cajones para la ropa, ya vieja. Un atril para el altar. Unas sacras con su marco de pino. Dos blandones o hacheros de pino, viejos.

---

[690]   Sendos mantelillos para los lados del Evangelio y de la Epístola del altar.

Un confesonario de pino, en buen estado. Otro, viejo. Cinco bancos de pino en buen estado. Unas andas para llevar en procesión la imagen de N.ª Sra. del Rosario, en buen estado. Otras para S. Lorenzo. Un ataúd viejo para conducir los cadáveres.[691] «Tiene además esta yglesia cuatro retablos que contienen las imágenes siguientes: el mayor, la de S. Lorenzo mártir, que es el titular; el lateral, que es de piedra, la de S. Antonio Abad; y los dos colaterales, uno con la imagen del Santísimo Cristo, y el otro con la de N.ª Sra. del Rosario».

Libros parroquiales:

Dos misales, uno en buen estado, el otro inservible. Un ritual viejo. Un volumen que contiene dos libros, uno de Bautizados (1744-1852) y otro de Casados (1756-1852). Un libro de Defunciones (1743-1852). Un volumen con tres libros (Bautizados, Casados y Difuntos) (1852-rigen en 1865). Un libro de Fábrica (1759-1850). Un libro con las constituciones de la cofradía de S. Lorenzo.

ANEJO III: MEMORIA DE FERNANDO ARAÚJO

Remitida el 26.10.1884 al académico Pedro de Madrazo y Kuntz. Según Araújo, el mismo texto fue enviado a *La Ilustración*.[692]

En la falda del cerro donde se halla situada la hermosa casa de recreo que los Condes de Cabaña de Silva han hecho construir, junto a la raya del Palacio de los Oballes, próximo a Zaratán y no lejos del Tormes, se encuentra un extenso valle,[693] no ha mucho tiempo roturado para aprovecharse en la lucrativa siembra de cereales, y en el que se tropieza a cada paso con trozos de ladrillos de remota antigüedad, y algún que otro pedazo de baldosa de color oscuro con rústicas labores grabadas en su superficie, indicios todos de la existencia en aquel sitio de alguna extensa construcción, cuyos recuerdos se han conservado tradicionalmente en la memoria de aquellos moradores.

Habiendo dispuesto en el invierno último el administrador de aquellas propiedades, D. Ricardo Torroja, persona ilustrada y amante del arte, que se arrancase de aquellas tierras algunas yerbas que entorpecían el cultivo, y siendo preciso extraer las raíces a cierta profundidad, observóse que, mezclados con la tierra, salían algunos pedacitos de vidrio perfectamente geométricos y piedrecitas coloreadas recortadas con extraordinaria regularidad. Despierta de este modo la atención del administrador, procedióse con cuidado a las excavaciones, hasta que se logró descubrir en su

---

[691]   Tales ataúdes eran usados por los pobres. El cadáver se volcaba en la fosa, y el ataúd volvía a utilizarse.

[692]   Será *La ilustración artística: periódico semanal de literatura, artes y ciencias*, donde solía publicar Araújo. Pero no se encuentra el artículo prometido. ¿Omitiría finalmente enviarlo?

[693]   El valle del Regado, o del Soto, que baja de Zaratán al Palacio.

totalidad el notable mosaico que nos ocupa, recubierto por una capa de tierra de medio metro de espesor.

Mide este mosaico, de forma rectangular, 60,98 metros cuadrados, teniendo de largo 10,30 metros, y de ancho 5,92, y estando compuesto de piedrecitas cúblicas, de un centímetro proximadamente de arista, mármoles o pastas duras de diferentes colores, algunos de los cuales se encuentran en estado de descomposición, junto con algunas piececitas de vidrio verde; estas son semejantes a las empleadas en el *opus grecanime*,[694] y aquellas a las utilizadas en el *opus alexandrinum*.

Hállase encuadrado el mosaico, por los lados de N, S y O, por una faja blanca donde hay compartimentos azules de 0,70 a 0,80 metros imitando las hiladas de piedra de un muro de sillería; cerrando el cuadro por la parte de oriente cuatro estrechas fajas paralelas, de 0,70 metros cada una, alternando las blancas con las azules. Dentro de este sencillo marco se descubre un elegante fondo cuadriculado, cuyos cuadritos de 0,20 metros de lado se hallan perfilados con azul sobre blanco, y cuyo centro se adorna con otros cuadritos de 0,06 metros compuestos de piedrecitas azules y rojas.

Sobre este fondo general del pavimento destácanse, formando como elegante alfombra, dos rectángulos de diversa extensión y labor, que, partiendo del lado oriental del mosaico, se prolongan hasta algo más de dos tercios de su longitud. El primero de estos rectángulos mide 2 metros de ancho por 2,65 de largo, y se compone de un fondo uniforme de cuadrados azules y blancos alternados de 0,12 de lado, adornándose el centro de los blancos con otros cuadritos azules de 0,05 de lado y hallándose circuido este fondo por todos sus lados, excepto el de oriente, por una faja roja de 0,15 metros de ancho, que es una de las partes más destruidas de las obras, sin duda por ser las piedras de este color menos resistentes que las otras a la humedad. A uno y otro lado de este marco, pegando con la cuádruple faja oriental del pavimento, se hallan otros dos rectángulos más pequeños, de 1,40 metros de largo por 0,65 de ancho, cuyo dibujo no es más que una redución del que acabamos de describir, teniendo sus cuadros 0,08 de lado y los inscriptos en los blancos 0,04.

Adosado al rectángulo cuadriculado central, y formando como su continuación, destácase en el centro del mosaico otro nuevo rectángulo que mide 3,50 metros por 2,65, adornado con una cenefa de 0,15 de ancho formada por una serie de rectángulos azules sobre fondo blanco, cerrada exteriormente por triple filete, blanco el del medio y azules los laterales. El fondo de este rectángulo es la parte más bella del mosaico; fórmase en efecto por una linda conbinación de líneas curvas triangulares, figurando a manera de molinetes o remolinos de color azul con partes rojas de matices más o menos oscuros, enlazándose unos con otros por medio de unas hojas de donde arrancan, y engalanándose los huecos que dejan entre sí cada cuatro de estos molinetes con unas cruces partes azules con partes de vidrio verde.

---

[694] Parece referirse al *opus graecanicum*, al modo griego.

Unido a este extenso pavimento, se ha descubierto por la parte meridional una pequeña porción, correspondiente sin duda a otra habitación contigua y que, a juzgar por la muestra que en el grabado figura, compuesta de una linda combinación de octógonos y cuadrados, que probablemente serviría de cenefa, no es dudoso que sería tan interesante por lo menos como el que acabamos de describir.

En cuanto a la época a que esta obra se remonta es difícil precisarla, si bien nosotros creemos, asintiendo a la opinión del inteligente profesor de dibujo D. Manuel Huerta (a quien se debe el dibujo del mosaico que se ha remitido a la Academia de la Historia; y del que es traslado exacto el grabado que en este número puede verse), que pertenece a alguna importante construcción, hecha por artistas bizantinos antes del desarrollo del estilo arábigo español, pero dentro del periodo de la dominación muslímica. Cualquier otro pueblo, en efecto, al llevar a cabo la edificación de una morada tan suntuosa como la que los restos del conservado pavimento de una de sus salas nos revela, hubiera seguramente empleado la piedra, tanto más cuanto que no lejos existen no despreciables canteras que en abundancia pudieron proporcionarla; solo los árabes usaron con preferencia el ladrillo y aún le emplearon a veces exclusivamente como material de construcción. Pues bien, en el caso que nos ocupa son de ladrillo los robustos muros que encierran el mosaico, de los que existen todavía trozos de medio metro de altura, descubriéndose aún en ciertos sitios restos del zócalo pintado con un color amarillento, en el que resaltan unas líneas más oscuras, y cuyo conjunto presenta el aspecto de una superficie compacta muy semejante al estuco. El mosaico, por otra parte, no tiene ninguno de los caracteres del estilo árabe-español, mientras que no es difícil reconocer en él próximo parentesco con el gusto que inspirara las creaciones del arte bizantino. Habiéndose prolongado la dominación muslímica en Salamanca, con diversas vicisitudes, casi hasta la repoblación definitiva de la ciudad por el conde D. Ramón de Borgoña (1016), pues todavía en 1007 vemos arrasado el territorio salmantino por las tropas de Abd-el-Melek Almudafar,[695] no es difícil suponer que en uno de los periodos en que el poder agareno parecía más sólidamente asentado, algún walí o potentado árabe se decidiese en los siglos IX o X a levantar un palacio en el valle en que el mosaico ha parecido. Hasta el nombre de Zaratán, visiblemente arábigo, que llevan aquellos sitios, contribuye a robustecer nuestra opinión, y si bien es cierto que las crucecitas que figuran en el mosaico parecen militar en contra de este aserto, no lo es menos que no faltan ejemplos análogos, pudiéndose esplicar perfectamente este hecho si se considera la intervención que en estas obras tenían los artistas bizantinos cristianos, como después la tuvieron en las construcciones cristianas los alarifes árabes. [Firmado: Fernando Araújo].

---

[695]   Actualmente suele transcribirse como Abd al-Málik al-Muzáffar; es hijo de Almanzor.

ANEXO IV: IMÁGENES

Ilustración 37: Vestigios de despoblado en el Teso de la Ermita.

Ilustración 38: Teselas del mosaico C.

Ilustración 39: Restos de la villa romana.

Ilustración 40: Vasijas procedentes de El Pino (números 713, 714, colección Belda).

Bibliografía

Álvarez Sanchís, Luz (2008) *De Iberia a Hispania.* Barcelona: Ariel.

Álvarez Villar, Julián (1966) *De heráldica salmantina. Historia de la ciudad en el arte de sus blasones.* Salamanca: Universidad.

Álvarez-Sanchís, J. R. 1999: *Los Vettones.* Madrid: Real Academia de la Historia.

Ariño Gil, E.; Riera Mora, S.; y Rodríguez Hernández, J. (2002) De Roma al Medievo. Estructuras de hábitat y evolución del paisaje vegetal en el territorio de Salamanca. *Zephyrus,* 55: 283-309.

Ariño Gil, Enrique (2006) Modelos de poblamiento rural en la provincia de Salamanca entre la Antigüedad y la Alta Edad Media. *Zephyrus,* 59: 317-337.

Ariño Gil, Enrique (2007) Al Norte de Salmantica: vía, estructura territorial y poblamiento. En: *Arqueología en la Vía de la Plata: (Salamanca),* coord. por Giacomo Gillani, Manuel Santonja Gómez, pp. 243-256.

Ariño Gil, Enrique; De Soto García, M.ª de los Reyes (2016) Técnicas de muestre en la prospección arqueológica: la experiencia del *ager salmanticensis* (Salamanca, España). *Anales de Arqueología Cordobesa,* 27: 35-57.

Asín Palacios, Miguel (1944) *Contribución a la toponimia árabe de España.* Madrid: Versal.

Barrios García, Ángel; Monsalvo Antón, José María; Ser Quijano, Gregorio del (1988) *Documentación Medieval del Archivo Municipal de Ciudad Rodrigo.* Salamanca: Diputación (= CRD).

Barbero García, Andrea; de Miguel Diego, Teresa (1987) *Documentos para la historia del arte en la provincia de Salamanca: siglo XVI.* Diputación de Salamanca.

Barrios García, Ángel (1997) El poblamiento medieval salmantino. En: J. L. Martín Rodríguez (dir.), *Historia de Salamanca, vol. 2 (Edad Media);* pp. 217-327.

Basto, Claudio (1916) Nomes das «agulhas» secas. *Revista Lusitana,* XIX: 258-269.

Bellido Blanco, Antonio (2005) *Cambios sociales en la prehistoria reciente de la Meseta Norte: 5500-1000 AC.* Tesis doctoral. Universidad de Valladolid.

Beltrán de Heredia, Vicente (1954) La cancillería de la Universidad de Salamanca. *Salmanticensis* 1 (1): 5-49.

Beltrán de Heredia, Vicente (2001) *Bulario de la Universidad de Salamanca, 1219-1549.* Universidad de Salamanca.

Blanco García, Tomás (1998) *Decires que decían.* Centro de Cultura Tradicional. Salamanca: Diputación.

Blanco González, Antonio; Esparza Arroyo, Ángel (2019) Conectividad en la Edad del Bronce del occidente de la península ibérica. Examinando la relación entre sitios y vías pecuarias mediante SIG. *Trabajos de Prehistoria*, 76(1): 67-83.

Burke, Peter (2015) *Visto y no visto: el uso de la imagen como documento histórico*. Biblioteca de bolsillo.

Cabo Alonso, Ángel (1955) La Armuña y su evolución económica. *Estudios Geográficos* 16 (58): 73-136.

Cabrera de Córdoba, Luis (1877) *Felipe Segundo, rey de España. Tomo IV*. Madrid: Aribau.

Cabrillana, Nicolás (1969) «Salamanca en el siglo xv: nobles y campesinos». *Cuadernos de Historia. Anexos a la revista Hispania*, III: 255-295.

Cadenas y Vicent, Vicente de (1979) *Caballeros de la Orden de Santiago, siglo XVIII*. Volumen 4. Ediciones Hidalguía.

Campos Carrasco, Juan M.; Bermejo Meléndez, Javier (2018) *Ciudades romanas de la Provincia Baetica, vol. II*. Huelva: Universidad.

Cárdenas Piera, Emilio de (1999) Oficios enajenados: valimientos-hacienda. Salamanca. *Hidalguía*, 274-275: 473-480.

Carrasco Cantos, Pilar (1997) *Estudio léxico-semántico de los fueros leoneses de Zamora, Salamanca, Ledesma y Alba de Tromes*. Granada: Universidad.

Carril Ramos, Ángel (1992) *Canciones y romances de Salamanca*. Salamanca: Librería Cervantes.

Casaseca Casaseca, Antonio (1984) *Catálogo monumental del partido judicial de Peñaranda de Bracamonte (Salamanca)*. Ministerio de Cultura.

Casaseca Casaseca, Antonio (1993) *Las catedrales de Salamanca*. León: Edilesa.

Casaseca Casaseca, Antonio, y Rodríguez G. de Ceballos, Alfonso (1980) El ensamblador Antonio González Ramiro. *Archivo español de arte*, 53 (211): 319-344.

Casaseca Casaseca, Antonio; Nieto González, José Ramón (1982) *Libro de los lugares y aldeas del obispado de Salamanca. Manuscrito de 1604-1629*. Salamanca, Universidad.

Castro Santamaría, Ana (2013) Morfologías de la Universidad de Salamanca clásica, siglo xvi. En: L. E. Rodríguez San Pedro Bezares y J. L. Polo Rodríguez (coord.) *Imagen, contextos morfológicos y universidades*; pp. 121-158.

Castro, Américo; Onís, Federico de (eds.) (1916) *Fueros leoneses de Zamora, Salamanca, Ledesma y Alba de Tormes*. Madrid.

Coca Tamame, Ignacio (1993) *Toponimia de la Ribera de Cañedo*. Salamanca: Diputación.

Coello, Francisco (1867) *Mapa de la provincia de Salamanca*. Madrid.

Conde, José Antonio (ed.) (1799) *Descripción de España, de Xerif Aledris*. Madrid: Pereyra.

Correas, Gonzalo (1967) *Vocabulario de refranes y frases proverbiales* [1627]. Louis Combet (ed.). Burdeos: Institut d'études iberiques et iberoamericaines.

Cuervo, Justo (1914) *Historiadores del convento de San Esteban de Salamanca. Volumen 1*. Imprenta Católica Salmanticense.

De Prado Herrera, María Luz (2012) *La contribución popular a la financiación de la Guerra Civil. Salamanca, 1936-1939*. Universidad de Salamanca.

Delibes de Castro, Germán; Fernández-Miranda, Manuel (1987) Aproximación a la cronología del grupo Cogotas I. *Zephyrvs* 39: 17-30.

Domínguez Berrueta, Mariano (1901) Pueblo sin torre. *Revista contemporánea*, 121: 655-657.

Dorado, Bernardo (1776) *Compendio histórico de la ciudad de Salamanca, su antigüedad…* Salamanca: Juan Antonio de Lasanta.

DORADO, Bernardo (1863) *Historia de la ciudad de Salamanca*. Imprenta del Adelante.

DURÁN LÓPEZ, Fernando (2014) Segundo teatro de almanaques españoles. (Extracto de los pronósticos de 1719, 1722, 1723 y 1724 de Torres Villarroel, con sus dedicatorias, prólogos e invenciones en verso y prosa). *Cuadernos de Ilustración y Romanticismo*, 20: 251-286.

ESPEJO, Juan Luis (1917) *Nobiliario de la antigua Capitanía General de Chile*. Santiago de Chile: Imprenta Universitaria.

ESPERABÉ DE ARTEAGA, Enrique (1933) *Efemérides salmantinas: historia de la ciudad en la época contemporánea*. Salamanca: Núñez Izquierdo.

FALQUÉ REY, Emma (ed.) (1994) *Historia compostelana*. Madrid: Akal.

FERNÁNDEZ DE BÉTHENCOURT, Francisco (1901) *Historia genealógica y heráldica de la monarquía española: casa real y grandes de España, vol. 3*. Madrid: Enrique Teodoro.

FERNÁNDEZ TRILLO, Manuel; MCINNIS, Elisabeth (1985) Implantación obrera: socialistas y comunistas en Salamanca durante la II República. *Salamanca: revista de estudios*, 16-17: 87-163.

FERNÁNDEZ-POSSE Y DE ARNAIZ, María Dolores (1980) *El Final de la Edad del Bronce en la Meseta Norte: la Cultura de Cogotas I*. Universidad de Granada, tesis doctoral.

FERNÁNDEZ-POSSE Y DE ARNAIZ, María Dolores (1986-1987) La cerámica decorada de Cogotas I. *Zephyrus* XXXIX-XL: 231-237.

FERNÁNDEZ-PRIETO DOMÍNGUEZ, Enrique (1953) *Nobleza de Zamora*. Madrid: Instituto Jerónimo Zurita.

FLORIDABLANCA, conde de (1785) *Nomenclator o Diccionario de las ciudades, villas, lugares, aldeas, granjas, cotos redondos, cortijos y despoblados de España y sus islas adyacentes*. Madrid: Imprenta Real.

FRANCO SILVA, Alfonso (1988) El mariscal García de Herrera y el marino S. Pedro Niño, Conde de Buelna: ascenso y fin de dos linajes de la nobleza nueva de Castilla. *Historia. Instituciones. Documentos*, 15: 181-216.

FRANCO SILVA, Alfonso (1996) *La fortuna y el poder: estudios sobre las bases económicas de la aristocracia castellana: s. XIV-XV*. Universidad de Cádiz.

FRANCO SILVA, Alfonso (1999) La conversión de un modesto letrado en gran propietario a comienzos del siglo XV: el ejemplo de Don Juan Rodríguez de Salamanca. *Anales de historia antigua y medieval*, 32: 73-123.

FRAYLE DELGADO, Luis (2009) Desde mi ribera. *Historias de Valverdón, Zorita y Valcuevo*. Salamanca.

FRAYLE DELGADO, LUIS (2012) Introducción a *Recuerdos y datos histórico-piadosos de Valverdón y sus agregados, siglo XIX*, de Tomás López Vicente. Diputación de Salamanca.

GARCÍA AGUADO, Pilar (1988) *Documentos para la historia del arte en la provincia de Salamanca: primera mitad del siglo XVII*. Diputación de Salamanca.

GARCÍA ÁLVAREZ, Pedro; LÓPEZ ALONSO, Rosa María (1991) *Inventario del archivo del vizconde de Garcigrande*. Zamora: IEZ Florián de Ocampo.

GARCÍA CATALÁN, Enrique (2016) *Una ciudad histórica frente a los retos del urbanismo moderno: Salamanca en el siglo XIX*. Salamanca: Universidad.

GARCÍA LÓPEZ, Anastasio (1884) *Monografía de las aguas y baños minerales de Ledesma*. Madrid: Rivadeneyra.

GARCÍA MARTÍN, Bienvenido (1982) Interrogatorio que incluye una lista de despoblados, de 1517. *El proceso histórico de despoblamiento en la provincia de Salamanca*. Salamanca: Universidad.

García Sánchez, Jairo Javier (2004). *Toponimia mayor de la provincia de Toledo (zonas central y oriental)*. Toledo: Instituto provincial de investigaciones y estudios toledanos.

García Zarza, Eugenio (1978) *Los despoblados —dehesas— salmantinos en el siglo XVIII*. Centro de Estudios Salmantinos.

García Zarza, Eugenio (1982) La emigración salmantina: 1950-1975: causas, características y consecuencias (II). *Salamanca: Revista de Estudios*, 2: 141-192.

García Zarza, Eugenio (2006) Ruta colombina en Salamanca: interés cultural y turístico. *Salamanca: Revista de Estudios*, 54: 85-140.

Germond de Lavigne, A. (1859) *Itinéraire descriptif, historique et artistique de l'Espagne et du Portugal*. París: Hachette.

Gil Prieto, Juan, agustino. *El antiguo monasterio agustiniano de Salamanca y La Flecha*. San Lorenzo de el Escorial. Imprenta del real monasterio, 1928.

Gómez de Arteche, José (1859) *Geografía histórico-militar de España y Portugal*. Madrid.

Gómez de Olea y Bustinza, Javier (2006) Una falsificación nobiliaria más: la del título de Marqués de la Roqueta. *Boletín de la Real Academia Matritense de Heráldica y Genealogía*, 16 (61): 17-21.

Gómez González, Pedro José; Vicente Baz, Raúl (2007) *Guía del archivo y biblioteca de la catedral de Salamanca*. Publicaciones del Archivo Catedral de Salamanca.

Gómez Gutiérrez, José Manuel (coord.) (1992) *El libro de las dehesas salmantinas*. Salamanca: Junta de Castilla y León.

Gómez Moreno, Manuel (1967) *Catálogo monumental de España. Provincia de Salamanca. Dos volúmenes*. Madrid: Ministerio de Educación y Ciencia.

Gómez Santamaría, Estanislao (1991) *Almenara de Tormes: historia documental*. Salamanca: Varona.

Gómez-Ferrer, Mercedes (1997-1998) La cantería valenciana en la primera mitad del XV: El maestro Antoni Dalmau y sus vinculaciones con el área mediterránea. *Anuario del Departamento de Historia y Teoría del Arte* (UAM), 9-10: 91-106.

Gomis, Celso (1903) La Romería de Tejares (cuadro de costumbres salmantinas). *Hojas Selectas*, año segundo, pp. 506-512

González Dávila, Gil (1606) *Historia de las antigüedades de la ciudad de Salamanca*. Salamanca: Artús Taberniel.

González Esteban, Ángel Luis; Brel Cachón, M.ª Pilar (2013) El Censo de Campesinos (1932-1936): una base de datos de alcance municipal. En: Salustiano de Dios, Javier Infante y Eugenia Torijano (coord.) *En torno a la propiedad. Estudios en homenaje al profesor Ricardo Robledo*. Salamanca: Universidad; pp. 123-138.

González, Julio (1943) La catedral vieja de Salamanca y el probable autor de la Torre del Gallo. *Archivo Español del Arte*, 16 (55): 39-50.

González, Tomás (1829) *Censo de población de las provincias y partidos de la Corona de Castilla en el siglo XVI* [1591]. Madrid: Imprenta Real.

Gordaliza Aparicio, F. Roberto; Ortiz Nozal, Miguel Á. (2004) *Boedo-Ojeda y Ribera. Apuntes de historia, arte y toponimia*. Palencia.

Gordaliza, Roberto (1993) *Toponimia palentina*. Caja España, Palencia.

Guadalupe Beraza, M.ª Luisa; Martín Martín, José Luis; Vaca Lorenzo, Ángel; Villar García, Luis Miguel (2010) *Colección documental de la catedral de Salamanca. I (1098-1300)*. León: CEI San Isidoro (= DCSB).

HERNÁNDEZ JIMÉNEZ, Margarita (2008) Fuentes documentales del Archivo de la Catedral de Salamanca relacionadas con su Universidad (1306-1556). En: Luis Enrique Rodríguez San Pedro Bezares, Juan Luis Polo Rodríguez (coord.) *La Universidad de Salamanca y sus confluencias americanas*. Universidad de Salamanca; pp. 195-232.

HERNÁNDEZ SÁNCHEZ, David (2009) *Análisis del poblamiento de la Edad del Bronce (tardío y final) y la Edad del Hierro en el sector sudoccidental de la submeseta norte desde el enfoque de la arqueología del paisaje*. Trabajo de grado. Universidad de Salamanca.

HERNANDO GARRIDO, José Luis (1998-1999) La escultura románica en el claustro de la catedral de Salamanca. *Locus Amoenus*, 4: 59-75.

HERRERA, fray Tomás (1652) *Historia del convento de san Agustín de Salamanca*. Madrid: Gregorio Rodríguez.

HUBSCHMID, Johannes (1960) Lat. ALICA im romanischen. *Romanische Forschungen* 72: 91-94.

JORGE, Susana Oliveira (1980) A estação arqueológica do Tapado da Caldeira. *Portvgalia, nova serie*, 1: 29-50.

LA CROIX, Nicollé (1779) *Geografía moderna*. Josef Jordán y Frago (ed.). Madrid: Joaquín Ibarra.

LARGO MARTÍN, Miguel Ángel (2018) *El pronunciamiento de la revolución de 1868 en Fuenteguinaldo*. Centro de Estudios Mirobrigenses.

LARRUGA, Eugenio (1791) *Memorias políticas y económicas sobre los frutos, comercio, fábricas y minas de España [...] de la provincia de Segovia*. Madrid: Antonio Espinosa.

LECEA, Carlos de (1897) *Recuerdos de la antigua industria segoviana*. Segovia: Santiuste.

LEDESMA, Dámaso (1907) *Cancionero salmantino*. Madrid: Imprenta alemana.

LLORENTE MALDONADO DE GUEVARA, Antonio (1947) *Estudio sobre el habla de La Ribera*. Salamanca: CSIC.

LLORENTE MALDONADO DE GUEVARA, Antonio (1976) *Las comarcas históricas y actuales de la provincia de Salamanca*. Salamanca: Centro de Estudios Salmantinos.

LLORENTE MALDONADO DE GUEVARA, Antonio (2003) *Toponimia salmantina*. Rosario *Llorente* Pinto (ed.). Salamanca: Diputación de Salamanca.

LÓPEZ BENITO, Clara-Isabel (1991) *La nobleza salmantina ante la vida y la muerte (1476-1535)*. Diputación de Salamanca.

LÓPEZ BENITO, Clara-Isabel (1991b) Don Francisco de Sotomayor, clavero de Alcántara, un prototipo de caballero en la temprana Edad Moderna. *Studia historica. Historia moderna*, 9: 203-221.

LÓPEZ BENITO, Clara-Isabel (2004) Relaciones, esfuerzo y ambición. los pilares del progreso en una familia segundona de la nobleza salmantina. *Studia historica. Historia moderna*, 26: 227-254.

LÓPEZ TABAR, Juan (2001) *Los famosos traidores: los afrancesados durante la crisis del Antiguo Régimen (1808-1833)*. Biblioteca Nueva.

LÓPEZ VICENTE, Tomás (2012) *Recuerdos y datos histórico-piadosos de Valverdón y sus agregados, siglo XIX*. Luis Frayle Delgado (ed.). Diputación de Salamanca.

LÓPEZ, Tomás (1783) *Mapa geográfico de la provincia de Salamanca*. Madrid.

MACARRO ALCALDE, Carlos (1999) *El primitivo asentamiento de Salmantica: aportaciones al conocimiento de la cultura de El Soto y en el valle del Tormes*. Tesis doctoral. Universidad de Salamanca.

MADOZ E IBÁÑEZ, Pascual (1845-1850) *Diccionario geográfico-estadístico-histórico de España y sus posesiones de Ultramar*. 16 volúmenes. Madrid.

Madruga Real, Ángela (1982) *Arquitectura barroca salmantina: las Agustinas de Monterrey*. Tesis doctoral. Universidad Complutense de Madrid.

Maíllo Salgado, Felipe (1994) *Salamanca y los salmantinos en las fuentes árabes: consideraciones críticas relativas a la dominación árabe, al poblamiento y a la frontera*. Centro de Estudios Salmantinos.

Maluquer de Motes Nicolau, Juan (1956) *Carta arqueológica de España*. Salamanca: Diputación Provincial.

Marcos Rodríguez, Florencio (1960) Los documentos del archivo catedralicio de Salamanca, del siglo xii. *Salmanticensis*, 7(2): 467-496.

Marcos Rodríguez, Florencio (1961) Los documentos del archivo catedralicio de Salamanca. Siglo xv. *Salmanticensis*, 8(3): 723-817.

Marcos Rodríguez, Florencio (1977) *Catálogo de documentos del Archivo Catedralicio Diocesano de Salamanca: siglos XII- XV*. Salamanca, Universidad Pontificia de Salamanca.

Marín Perellón, Francisco José (2015) *Informe histórico sobre la sepultura de Miguel de Cervantes Saavedra y el convento de San Ildefonso, de Trinitarias Descalzas, en Madrid*. Sociedad de Ciencias Aranzadi.

Martín Benito, José Ignacio (1983) Ritos de propiciación: las plegarias de la lluvia –rogativas– en la provincia de Salamanca. *Salamanca, Revista Provincial de Estudios*, 9-10: 167-187.

Martín Benito, José Ignacio (2015) *Una flota tierra adentro. Barcas de paso en el Reino de León (de la Edad Media al siglo XX)*. Benavente: Ledo del Pozo.

Martín Expósito, A.; Monsalvo Antón, J.M. (1986) *Documentación Medieval del Archivo Municipal de Ledesma*. Salamanca: Diputación (= lds).

Martín Fuertes, José A. (2002) El *signum regis* en el Reino de León (1157-1230). *Argutorio, revista de la Asoc. Cultural Monte Irago*, 4 (9): 15-19.

Martín López, M.ª Encarnación (1995) *Documentos de los siglos X-XIII: colección diplomática. Vol. I. Patrimonio cultural de San Isidoro de León. Serie documental*. Universidad de León.

Martín Martín, José Luis (1975) *El Cabildo de la Catedral de Salamanca (siglos XII-XIII)*. Salamanca: Centro de Estudios Salmantinos.

Martín Martín, José Luis (1985) *El patrimonio de la catedral de Salamanca. Un estudio de la ciudad y el campo salmantino en la baja edad media*. Salamanca: Diputación Provincial.

Martín Martín, José Luis (2017) *Antroponimia salmantina. Primeras aproximaciones históricas*. Salamanca: Diputación Provincial.

Martín Martín, José Luis; Luis Miguel Villar García; Florencio Marcos Rodríguez; Marciano Sánchez Rodríguez (1977) *Documentos de los archivos catedralicio y diocesano de Salamanca (siglos XII-XIII)*. Salamanca: Universidad (= dcs).

Martín Ramos, Jesús (2017) Salamanca y su provincia en la exposición inernacional de Filadelfia (EE. UU.) de 1876. *Salamanca: revista de estudios*, 61: 229-260.

Martín Valls, R. y Delibes de Castro, G. (1973) Recientes hallazgos cerámicos de la fase Cogotas I en la provincia de Salamanca. *Boletín del Seminario de Estudios de Arte y Arqueología*, XXXIX, Universidad de Valladolid: 395-402.

Martín Valls, Ricardo (1949) *La cultura del vaso companiforme en las campiñas meridionales del Duero. El enterramiento de Fuente-Olmedo (Valladolid)*. Valladolid: Museo Arqueológico Provincial.

Martín, José Luis (1997) *Ordenanzas de Salamanca. Libro sexto: agricultura, guarda de montes y panes, viñas, prados y dehesas*. Centro de Estudios Salmantinos.

Martínez Frías, José María (1987) *El convento de Santa Isabel de Salamanca*. Salamanca: Centro de Estudios Salmantinos.

Martínez Frías, José María (2017) *El cielo de Salamanca: la bóveda de la antigua biblioteca universitaria*. Universidad de Salamanca.

Mellado, Francisco de Paula (1840) *Guía del viagero en España*. Madrid.

Méndez Hernán, Vicente (2004) *El retablo en la diócesis de Plasencia: siglos XVII y XVIII*. Universidad de Extremadura.

Miñano y Bedoya, Sebastián (1826-1829) *Diccionario geográfico-estadístico de España y Portugal*. 11 volúmenes. Madrid: Imprenta de Pierart-Peralta.

Monsalvo Antón, José María (1984) *Documentación histórica del archivo municipal de Alba de Tormes (s. XV)*. Diputación de Salamanca.

Monsalvo Antón, José María (2004) Aspectos de las culturas políticas de los caballeros y los pecheros en Salamanca y Ciudad Rodrigo a mediados del siglo XV. Violencias rurales y debates sobre el poder en los concejos. *Annexes des Cahiers de linguistique et de civilisation hispaniques médiévales*, 16: 237-296.

Monsalvo Antón, José María (2013) *Torres, tierras, linajes*. Mentalidad social de los caballeros urbanos y de la élite dirigente de la Salamanca medieval (siglos XIII-XV). *Sociedades urbanas y culturas políticas en la Baja Edad Media castellana*. Universidad de Salamanca, pp. 165-230.

Morán Bardón, César (1919) *Investigaciones acerca de arqueología y prehistoria de la región salmantina*. Salamanca: Establecimiento Tipográfico de Calatrava.

Morán Bardón, Cesár (1926) *Prehistoria de Salamanca*. Coímbra: Imprenta da Universidade.

Morán Bardón, César (1940) *Mapa histórico de la provincia de Salamanca*. Salamanca: Establecimiento Tipográfico de Calatrava.

Morán Bardón, César (1946) *Reseña histórico-artística de la provincia de Salamanca*. Universidad de Salamanca.

Morán Bardón, César (1990) *Obra etnográfica y otros escritos*. María José Frades (ed.). Diputación de Salamanca.

Morán Bardón, Cesáreo (1928) Arte popular salmantino. Salamanca. *Sociedad Española de Antropología*, VII: 23-92.

Morange, Claude (2002) *Paleobiografía (1779-1819) del «Pobrecito holgazán» Sebastián de Miñano y Bedoya*. Universidad de Salamanca.

Moreno Gómez, Jesús (2005) Los duelos y quebrantos en la sodalidad popular. *Isla de Arriarán*, 25: 279-313.

Núñez, Hernán (2001) *Refranes o Proverbios en romance* [1549]. Tomo I. Louis Combet (ed.). Madrid: Guillermo Blázquez.

Olivera Serrano, César (2005) *Beatriz de Portugal: la pugna dinástica Avís-Trastámara*. Editorial CSIC.

Onandia Renero, José Antonio (2017) *La enseñanza en los señoríos salmantinos, 1700-1760*. Tesis doctoral. Salamanca: Universidad.

Palahí Grimal, Lluís (2013) *El suburbium de Gerunda. Evolució històrica del Pla de Girona en època romana*. Tesis doctoral. Universidad de Gerona.

Parcerisa, Francisco Javier (1865) *Recuerdos y bellezas de España*. Barcelona: Luis Taso.

Paredes Guiraldo, María del Camino (1993) *Documentos para la historia del arte en la provincia de Salamanca: segunda mitad del siglo XVIII*. Diputación de Salamanca.

Pereyra, Benedicto (1750) *Prosodia in vocabularium bilingue latinum et lusitanum*. Évora.

Pérez de Castro, Ramón (2006) El ensamblador Antonio González Ramiro y el retablo mayor de San Miguel en Peñaranda de Bracamonte. En <http://www.citafgsr.org/wwwretablo/ zonadidactica2.html>.

Pérez de Dios, Verónica; De Soto García, M.ª de los Reyes (2017) Los Villares (Fresno Alhándiga, Salamanca): un complejo termal junto a la Vía de la Plata. *Munibe Antropologia-Arkeologia*, 68.

Pirala, Antonio (1893) *Historia contemporanea: segunda parte de la guerra civil. Anales desde 1843 hasta el fallecimiento de Don Alfonso XII. Vol. 1.* Madrid: González Rojas.

Portal Monge, M.ª Reyes Yolanda (1986-1987) Sepulcro de los Maldonado en la iglesia de San Benito de Salamanca. *Salamanca. Revista de Estudios*, 22-23: 21-55.

Portal Monge, M.ª Reyes Yolanda (1988) *La torre de las campanas de la Catedral de Salamanca: aportación documental.* Universidad de Salamanca.

Ramos, Antonio (1781) *Descripción genealógica de la Casa de Aguayo.* Málaga: Impresor de la Plaza.

Rebollar Antúnez, Alba (2016) Ensambladores y entalladores en Salamanca a fines del siglo XVI. Ordenanzas para su oficio. *BRAC* 51: 17-32.

Regueras Grande, Fernando, y Esther Pérez Olmedo (1997) *Mosaicos romanos de la provincia de Salamanca.* Valladolid: Junta de Castilla y León/Consejería de Educación y Cultura.

Riera y Sans, Pablo (1881-1887) *Diccionario geográfico, estadístico, histórico, biográfico, postal, municipal, militar, marítimo y eclesiástico de España y sus posesiones de ultramar.* 12 volúmenes. Barcelona: Imprenta y librería religiosa y científica del heredero de Pablo Riera.

Riesco Chueca, Pascual (2013), Testimonios toponímicos del léxico arcaico de las provincias leonesas. *Anuario 2011,* Instituto de Estudios Zamoranos Florián de Ocampo, pp. 135-216.

Riesco Chueca, Pascual (2018) *Toponimia de la provincia de Zamora. Panorámica documental, comparativa y descriptiva.* Zamora: IEZ Florián de Ocampo (CSIC).

Riesco Terrero, Ángel (1977) *Datos para la historia del Real Convento de Clarisas de Salamanca.* León: C.E.I. San Isidoro.

Rivero Rodríguez, Manuel (2014) El dilema de los letrados, servir al rey y a la fe: Francisco Hernández de Liébana. *Libros de la Corte*, monogr. 1, año 6: 27-292.

Robledo, Ricardo (1997) Los franceses en Salamanca según los diarios de la biblioteca universitaria. *Salamanca, Revista de Estudios*, 40: 173-211.

Robledo, Ricardo; Martín Mas, Miguel A. (eds.) (2015) *Memorias del general Thiébault en España (1801-1812).* Universidad de Salamanca.

Rodríguez Domínguez, Sandalio (2013) *Villamayor de Armuña, de ayer a hoy.* Kadmos.

Rodríguez G. de Ceballos, Alfonso, y Casaseca Casaseca, Antonio (1979) Antonio y Andres de Paz y la escultura de la primera mitad del siglo XVII en Salamanca. *Boletín del Seminario de Estudios de Arte y Arqueología: BSAA*, 45: 387-416.

Rojas y Contreras, José (1768) *Historia del colegio viejo de S. Bartholomé. Segunda parte, tomo I.* Madrid: Andrés Ortega.

Romera Valero, Ángel (2015) Obras desconocidas del Doctor Sebastián de Almenara, párroco de Santiago y cronista de Ciudad Real, publicadas en el Semanario de Salamanca (1793-1798) y el Diario de Madrid (1796-1800). *I Congreso Nacional Ciudad Real y su provincia.* Tomo II, pp. 200-216.

Rubio Pérez, Laureano (2003) Jurisdicción y solar. Poder, rentas y patrimonio de la casa de Grajal. *Stud. His., Historia Moderna*, 25: 173-216.

RUPÉREZ ALMAJANO, M.ª Nieves y LORENZO LÓPEZ, Rosa (eds.) (1994) *La provincia de Salamanca en las Memorias políticas y económicas sobre los frutos, comercio y minas de España por Don Eugenio Larruga, 1795*, Centro de Cultura Tradicional, Diputación de Salamanca.

RUPIDERA GIRALDO, Ana; JIMÉNEZ GONZÁLEZ, Manuel Carlos; PRIETO PRAT, Margarita (2009) *Informe de prospección arqueológica. Revisión de las NN. SS. Municipales de Almenara de Tormes (Salamanca).* Ayuntamiento de Almenara.

SALINAS DE FRÍAS, Manuel (1994) El poblamiento rural antiguo de la provincia de Salamanca: modelos e implicaciones históricas. En: J.-G. Gorges; M. Salinas de Frías (eds.) *Les campagnes de Lusitanie Romaine. Occupation du sol et habitats.* Madrid; pp. 177-186.

SÁNCHEZ FERNÁNDEZ, Eduardo (2010) *Garcihernández: historias y vocabulario de un pueblo salmantino desde principios hasta mediados del siglo XX.* Segovia: Ramalán.

SÁNCHEZ GONZÁLEZ, Consuelo (2020) *Los agustinos en Salamanca: aproximación a su desaparecido convento y al colegio de San Guillermo.* Trabajo de fin de máster, tutor Mariano Casas Hernández. Universidad de Salamanca.

SÁNCHEZ-ALBORNOZ, Claudio (1991) *España: un enigma historico.* Barcelona: Edhasa.

SANTANDER, Teresa (1993) *El hospital del Estudio (asistencia y hospitalidad de la Universidad de Salamanca), 1413-1810.* Centro de Estudios Salmantinos.

SANZ, Juan José (1953) *Centro de Estudios Salmantinos, Hoja Folklórica*, 81-83.

SOLESIO DE LA PRESA, M.ª Teresa (1984) Algunas consideraciones sobre el origen de los términos hormigón y concreto. *Materiales de construcción*, 34 (193): 69-75.

SOLÍS VALDERRÁBANO Y BRACAMONTE, Alonso de (1670) *Memorial de la calidad i servicios de Don Cristóval Alfonso de Solís i Enríquez…* Madrid.

THIÉBAULT, Paul Charles (1896) *Mémoires du général Baron Thiébault… Tome IV.* París: Plon.

TORIJANO PÉREZ, Eugenia (2000) *Los nuevos propietarios de Ledesma (1752-1900): de la propiedad territorial feudal a la propiedad territorial capitalista.* Diputación de Salamanca.

TRIBUNAL SUPREMO (1867) *Jurisprudencia civil: colección completa de las sentencias dictadas por el Tribunal Supremo de Justicia.* Volumen 16.

VACA, Ángel; BONILLA, José Antonio (1989) *Salamanca en la documentación medieval de la casa de Alba.* Salamanca: Caja de Ahorros y Monte de Piedad (= ALB).

VACA LORENZO, Ángel (1995) «Regesta» de los documentos medievales de carácter privado existentes en el Archivo de la Universidad de Salamanca. *Studia historica. Historia medieval*, 13: 111-183.

VACA LORENZO, Ángel (1996) *Diplomatario del Archivo de la Universidad de Salamanca: la documentación privada de época medieval.* Salamanca: Universidad.

VACA LORENZO, Ángel (2011) *El Puente Romano de Salamanca: desde su construcción hasta la riada de San Policarpo de 1626.* Diputación de Salamanca.

VALVERDE Y ÁLVAREZ, Emilio (1886) *Guía del antiguo reino de León.* Madrid: Cao y De Val.

VARONA GARCÍA, M.ª Antonia (1994) Identificación de la primera imprenta anónima salmantina. *Investigaciones Históricas*, 14: 25-33.

VASSALLO, Rosana L.; CIMINO, Carla; PORTERIE, Ana P.; WASSERMAN, Martín L.E. (coord.) (2018). *Libro de apeo de la Catedral de Salamanca 1401-1405: Transcripción y análisis.* La Plata: UNLP. FAHCE (= APEOS).

VELASCO, J.M.; CRIADO, J.; BLANCO, E. (2010) *Usos tradicionales de las plantas en la provincia de Salamanca.* Diputación de Salamanca.

VELÁZQUEZ MINAYA, Francisco (1628) *Esfera, forma del mundo, con una breue descripción del mapa.* Madrid: viuda de Luis Sánchez.

VICENTE BAZ, Raúl (2008) *Los Libros de actas capitulares de la Catedral de Salamanca (1298-1489)*. Salamanca: Cabildo Catedral de Salamanca, Subdirección General de Archivos Estatales.

VICENTE BAZ, Raúl (2016) *Los Libros de actas capitulares de la Catedral de Salamanca. II (1489-1506)*. Salamanca: Cabildo Catedral de Salamanca, Subdirección General de Archivos Estatales.

VIDAL Y DÍAZ, Alejandro (1869) *Memoria histórica de la Universidad de Salamanca: redactada en virtud de encargo del Sr. D. Vicente Lobo, rector de la misma, y en cumplimiento de la órden del Excm. Sr. Ministro de fomento, fecha 6 de abril de 1869*. Oliva y Hermano.

VIDAL, Manuel (1751, 1758) *Augustinos de Salamanca: historia del observantissimo Convento de S. Augustin N.P. de dicha Ciudad*. Primer Tomo [1751]. Segundo Tomo [1758]. Salamanca: García de Honorato.

VILAR Y PASCUAL, Luis (1860) *Diccionario histórico, genealógico y heráldico de las familias ilustres de la Monarquía española. Tomo IV*. Madrid: D. F. Sánchez.

VILLAR Y MACÍAS, Manuel (1887) *Historia de Salamanca*. Tres tomos. Salamanca, Imprenta de Francisco Núñez Izquierdo.

VIÑAS ROMÁN, Teófilo (1994) *Agustinos en Salamanca. De la Ilustración a nuestros días*. Ediciones Escurialenses. Real monasterio de El Escorial.

VV. AA. (1875) *Biografía del excmo. señor D. Manuel Pavía y Lacy*. Madrid: Montero.

Siglas de las fuentes documentales más utilizadas[696]

ACS	= Archivo de la Catedral de Salamanca. Sus actas capitulares tienen extractos consultables en <http://www.archivocatedraldesalamanca.com/menu/menu.php>.
AGS	= Archivo General de Simancas.
AGUST	= Pleito del Convento de S. Agustín con el concejo de El Pino sobre aprovechamiento de aguas de riego para una huerta. ARCV, REG. EJECUTORIAS, CAJA 3708,33.
AGUST1	= Pleito del Convento de S. Agustín con el concejo de El Pino sobre aprovechamiento de aguas de riego para una huerta. ARCV, PL CIVILES, PÉREZ ALONSO (OLV), CAJA 765,5.
AHN	= Archivo Histórico Nacional.
AHNOB	= Archivo Histórico de la Nobleza.
AHP	= Archivo Histórico Provincial, Salamanca.
ALB	= Vaca y Bonilla (1989).
ALCB	= 1624, Relación de las villas comprendidas en el alcabalatorio de Salamanca, AHNOB, VILLAGONZALO, C. 47, D. 19-21.
ALCL	= ALVAR LÓPEZ, Manuel (coord.) (1999) *Atlas Lingüístico de Castilla y León*. Junta de Castilla y León.
APB	= 1580: apeo de tierras del beneficio, en Florida y Pino; beneficiado Juan García. Apeadores Pº Gonzalo, Diego Hidalgo, vºs de Florida. Francisco Vajo y Alº (¿) García (¿), vºs de El Pino, Alº García el viejo, Francisco Marcos, vºs de la villa. Copia de 1732 en los libros parroquiales.
APB2	= 22.4.1673: apeo de tierras de S. Lorenzo de El Pino, por el beneficiado D. Francº de Castro y Cornejo. Apeadores Juan Miguel, alcalde ordinario, Pedro Crespo y Domingo Blanco, vecinos. Copia de 1733 y 1734 en los libros parroquiales de Muelas.
APB3	= 1726 y 1740: apeo de diez tierras que el beneficiado, José Rodríguez, deja a la iglesia para misas. Adquiridas por compra a los herederos de José García en 1726.

---

[696] No se crearon siglas para los muchos documentos consultados que solo han recibido una (o dos) citas; su signatura se especifica en nota a pie de página.

APEOS = Vassallo *et al.* (2018)

ARCV = Archivo de la Real Chancillería de Valladolid.

AUS = Archivo de la Universidad de Salamanca.

Bc = *Boletín oficial de la provincia de Cáceres.*

BCC = *Boletín de la Cámara de Comercio*, Salamanca. En <https://prensahistorica.mcu.es>.

BCRV = 1513: Becerro del convento de San Esteban de Salamanca. AHN, CODICES, L. 968.

BDH = Biblioteca Digital Hispánica. Biblioteca Nacional de España. <bdh.bne.es>.

Bm = *Boletín oficial de la provincia de Madrid.*

BOE = *Boletín Oficial del Estado*, en GAZETA.

BOMF = *Boletín Oficial del Ministerio de Fomento.*

BOS = *Boletín Oficial del Obispado de Salamanca*, en SUMMA UPSA.

BPEPS = Boletín de primera enseñanza de la provincia de Salamanca.

BTRD = 1475: Apeo de heredades de Gonzalo García de Burgos en Tirados de la Vega, con copias posteriores. AHNOB, LUQUE, C. 579, D. 24-25.

Bz = *Boletín oficial de la provincia de Zamora.*

CAPGEN = <http://ancienhistories.blogspot.com/2018/09/capitanes-generales-del-ejercito_10.html>.

CCA = 1768: Censo del Conde de Aranda, 11 volúmenes. En <www.ine.es/prodyser/pubweb/censo_aranda/tomo8.pdf>.

CCF = 1712: Censo de Campoflorido. En <www.ine.es/prodyser/pubweb/censo_campoflorido/ Censo_Campoflorido_T1.pdf>.

CFLOR = Conde de Floridablanca (1989) *Censo de 1787. Castilla y León. Provincia de Salamanca*. Instituto Nacional de Estadística, Madrid. Consultado en <www.ine.es/prodyser/pubweb/ censo_floridablanca/tomo3b.pdf>.

CFLOR1 = 1787: Relación de las ciudades, villas, lugares (Nomenclátor de Floridablanca).... <www.ine.es/prodyser/censo_godoy/ Censo_Godoy_T3.pdf>.

CGND = Instituto Nacional de Estadística: *Censo ganadero de la Corona de Castilla, de 1752*. Tomo I: seglares. Tomo II: eclesiásticos. <www.ine.es/prodyser/pubweb/censo_ganadero/Censo_Ganadero_T1.pdf

CHIP = 1846-1862: El Pino, Contaduría de Hipotecas, AHP.

CMAD = Censo de 1842, en *Poblaciones imputadas en la primera mitad del siglo XIX*. <www.ine.es/prodyser/pubweb/pobla_impu/pobla_impu.pdf>.

CME = 1752: topónimos mencionados en las relaciones propias y asientos del Catastro de la Ensenada.

CNIG = Instituto Geográfico Nacional. Cartografía e imágenes de satélite. <https://fototeca.cnig.es/>. <http://centrodedescargas.cnig.es>.

COMPD = RIESCO HERNÁNDEZ, Cristóbal: Compradores de la desamortización [en Calzada de Valdunciel], en <http://webantigua.calzadadevaldunciel.es/web_anterior/historia/sigloxix/ compradores.htm>.

CPROF = Instituto Nacional de Estadística: *Servicios y rentas de trabajo en los pueblos de la Corona de Castilla a mediados del s. XVIII*. <https://www.ine.es/prodyser/pubweb/servicios_prof /servicios_prof_tomo2.pdf>.

CRB = 1537-1627: pleito por su hidalguía de Cristóbal del Burgo contra el concejo de Villaselva. REG. EJECUTORIAS, CAJA 2475,96.

CRD = Barrios, Monsalvo y Del Ser (1988).

CTG = GONZÁLEZ, Tomás (1829) *Censo de población de las provincias y partidos de la Corona de Castilla en el siglo XVI* [Es de 1591: también conocido como *Censo de los Millones*].

CTG1 = Vecindarios, *Censo de población de las provincias y partidos de la Corona de Castilla en el siglo XVI*. En <www.ine.es/prodyser/pubweb/censo_corona/Censo_Corona_T2.pdf>.

CTRD = 1482: Apeo de tierras de Martín Nieto, Tirados de la Vega. AHNOB, LUQUE, C. 572, D. 30.

CTS = Mapa catastral y hojas de la concentración parcelaria, de 1970.

DBE = Real Academia de la Historia. Biografías. < http://dbe.rah.es/biografias>.

DCECH = COROMINAS, Joan; PASCUAL, Antonio (1980-1991) *Diccionario Crítico Etimológico Castellano e Hispánico*. Madrid: Gredos.

DCS = Martín Martín *et al.* (1977).

DCSB = Guadalupe Beraza *et al.* (2010).

DELLA = GARCÍA ARIAS, Xosé Lluis (2018-2019) *Diccionariu Etimolóxicu de la Llingua Asturiana (DELLA)*. Universidad de Oviedo.

DESAM = RIESCO HERNÁNDEZ, Cristóbal: La desamortización [en Calzada de Valdunciel], en <http://webantigua.calzadadevaldunciel.es/web_anterior/historia/sigloxix/ compradores.htm>.

DSANG = 1862: desamortización de una yugada del Colegio de los Ángeles de Salamanca (*Crónica de Salamanca* 1.1.1862; asiento por compra de José Mulas en 1862 CHIP).

DSL = 1889: actas de deslinde del término de El Pino y lugares adyacentes.

EA = *El Adelanto: diario político de Salamanca*. En <https://prensahistorica.mcu.es>.

ESCR = Escrituras de venta particulares, inventarios, partijas y relaciones del registro de propiedad, entre 1890 y 1940. Se antepone la fecha en cada caso.

ESPM = Fondo Ricardo Espinosa Maeso. Archivo de la Universidad de Salamanca, <ausa.usal.es/espinosa.html>.

GAZETA = Colección histórica del BOE 1661-1959. <www.boe.es/>.

GHLA = GARCÍA ARIAS, Xosé Lluis (2003) *Gramática histórica de la lengua asturiana: fonética, fonología e introducción a la morfosintaxis histórica*. Academia de la Llingua Asturiana.

HERR = 1547-1554: Pleito entre los menores Herrezuelo y Juan Díez, usurpador de una casa, tierras y viñas suyas en Parada de Arriba. <ARCV, REG. EJECUTORIAS, CAJA 798, 19>.

IDM = Cuerpo de Estado Mayor del Ejército (1866) *Itinerario descriptivo militar de España: Castilla la Vieja, Volumen 6*. Imprenta y estereotipia de M. Rivadeneyra.

INVENT = Inventario de propiedades del Cabildo de Salamanca, ACS, CJ 8, LG 4, N.º 6.

LCH = CABRAL, A.M. Pires (2013) *Língua charra: regionalismos de Tras-os-Montes e Alto Douro*. 2 vols. Âncora.

LDif = Libro de difuntos, archivos parroquiales, El Pino de Tormes.

LDS = Martín Expósito y Monsalvo Antón (1986).

LFab = Libro de fábrica, archivos parroquiales, El Pino de Tormes.

LLA = LE MEN LOYER, Janick (2002-2012) *Léxico del leonés actual. Tomos I al VI*. León: CEI San Isidoro.

LVLB = *Libro en que se recogen las villas y lugares del estado de Benavente* (AHNOB, OSUNA, c.441, D.21). Es copia de 1779 sobre materiales del segundo conde (Rodrigo Alfonso [1420-1440]), con actualización ortográfica del copista.

LVV = 1588-1596: Libro de Veros Valores, catedral de Salamanca, ACS, CJ 68, LG 3, N.º 1.

MCAP = 1740: Propiedades de la mesa capitular, catedral Salamanca, ACS, CJ 66, LG 4, N.º 2.

MFE = RUIZ DE LA TORRE, Juan (dir.) (1991) *Mapa forestal de España. Salamanca, hoja 4-5*. Ministerio de Agricultura, Pesca y Alimentación.

MPR = 1417: Memoria de los Préstamos, catedral de Salamanca, ACS, CJ 43 LG 1 N.º 1.

MTN25 = Mapa Topográfico Nacional, escala 1: 25,000.

MVS = Diputación Provincial (1966) *Mapa de la Vegetación de Salamanca. Memoria* [1966] *y mapa* [1964]. CSIC: Centro de Edafología y Biología Aplicada de Salamanca.

NS = *Noticiero Salmantino.* En <https://prensahistorica.mcu.es>.

ORDNZ = *Recopilación de las ordenanças de esta ciudad de Salamanca,* 1619.

PARES = Portal de Archivos Españoles. Ministerio de Cultura. Casi todos los documentos de ARCV, AGS, AHNOB y AHN han sido consultados aquí; otros, cuyas imágenes no estaban disponibles, han sido escaneados por encargo.

PECH = Instituto Nacional de Estadística (2008) *Censo de Pecheros, Carlos I (1528).* Vol. II. Madrid. En <https://www.ine.es/prodyser/pubweb/censo_pecheros/tomo2.pdf>.

PÑ = Pañoletas o minutas del Mapa Topográfico Nacional (Instituto Geográfico Nacional), 1:25000: Valverdón (1901); El Pino, Florida (1902); Porteros, Parada (1904); Almenara (1905).

PREST = Relación de topónimos salmantinos datada en 1265, consultada en el ACS. Extracto de topónimos en García Martín (1982); lectura divergente realizada por A. Barrios. Hay copia de 1268 (CAJÓN 30, N.º 82, FF. 57ss).

RARADB = *Registro de escrituras de arrendamientos de rentas, alcabalas y diezmos correspondientes al Estado de Benavente, entre los años 1496 a 1518.* AHNOB, OSUNA, C.420, D.13-115.

RB, PN = Real Biblioteca, investigadores. Patrimonio Nacional. <https://investigadoresrb.patrimonionacional.es>.

RBLC = 1769: Inventario del Archivo de la Catedral de Salamanca, realizado por Pedro José de Rubalcaba. ACS, ALAC. 4, LG. 1, N.º 4.

RFES = Delegación Provincial de Hacienda (1904) *Registro fiscal de edificios y solares.* AHP, 5562/277. El registro en El Pino se hizo el 26.3.1904, siendo alcalde Eladio Sánchez Esteban.

RFES2 = Delegación Provincial de Hacienda (1921, 1927) *Registro fiscal de edificios y solares.* AHP, 6889/6.

RMAL = 1586: Pleito de Francisco González, curador de los hijos de Juan Maldonado de Acevedo, sobre las cuentas de su gestión. ARCV, REG. EJECUTORIAS, CAJA 1586, 12.

RTORR = 1872: Cuentas de Ricardo Torroja, administrador de la vizcondesa de Garcigrande, desde Zaratán. AHNOB, CABAÑA DE SILVA, C. 1, D. 23.

SALAUT = <www.salamancaenelayer.com/2015/03/el-primer-coche.html>.

SALAY = <www.salamancaenelayer.com/2020/05/memoria-de-la-creacion-de-la-caja-de.html>.

SALINAS = <www.lasalina.es/Aplicaciones/publicaciones/CatalogoGeneral.jsp>

SMJ = Salamanca, Memoria y Justicia. <http://salamancamemoriayjusticia.org>

SUMMA UPSA = Archivo digital de la Universidad Pontificia de Salamanca.

TRD = 1482: Apeo de heredades de Martín Nieto en Tirados de la Vega, con copias posteriores. AHNOB, LUQUE, C. 579, D. 43-48.

TSNR = 1581: Apeo y posesión de propiedades de capellanías del monasterio de Sancti Spíritus en Tesonera. ARCV, REG. EJECUTORIAS, CAJA 1453, 17.

VCM = *Vocabulario de Comercio Medieval. Legado Gual Camarena*. Universidad de Murcia, < www.um.es/lexico-comercio-medieval>.

VGT = Siglo XV-1560: Propiedades del convento de San Salvador de Ledesma en varios lugares. ARCV, REG. EJECUTORIAS, CAJA 985, 35.

VLLF = 1510-1636: Pleito entre los Villafuerte y el concejo de Villaselva, por abusos de la familia, que se decía señora del lugar. ARCV, REG. EJECUTORIAS, CAJA 478,9 y CAJA 509,73.

VLLS = 1582-1587: Pleito de los hermanos Gago por una herencia en Villaselva. ARCV, PL CIVILES, PÉREZ ALONSO (F), CAJA 369,3.

VLSV = 1589: Pleito por la ejecución de los bienes de Pedro de la Peña en Villaselva. ARCV, REG. EJECUTORIAS, CAJA 1650,51.

VLV = 1602: Pleito de los curadores de Juan Maestre y Pedro López, de Almenara, con Rodrigo Maldonado, gran propietario en Valverdón. ARCV, REG. EJECUTORIAS, CAJA 1931, 16.

VÑS = 1520-1525: Pleito de Alonso Canete y consortes contra los pastores de ovejas de Juan Rodríguez de Villafuerte Maldonado, caballero de Alcántara. ARCV, REG. EJECUTORIAS, CAJA 2425, 59.

VZAR = 1521: Venta de dos tierras por Francisco de Parada, vº de Porteros, a Juan Gómez de Sotomayor, vº de Salamanca. AHNOB, VALENCIA, C. 1, D. 212.

ZRP = 1469-1521: Venta de diversas propiedades en Zarapicos a Juan Gómez de Sotomayor. AHNOB, VALENCIA, C. 1, D. 215-221.

Índice

Índice de Figuras